JN302286

いつかは行きたい
一生に一度だけの旅
世界の食を愉しむ
BEST 500 ［コンパクト版］

FOOD JOURNEYS of a LIFETIME

いつかは行きたい
一生に一度だけの旅
世界の食を愉しむ
BEST 500
［コンパクト版］

FOOD JOURNEYS of a LIFETIME

序文　キース・ベローズ
『ナショナル ジオグラフィック トラベラー』編集長

NATIONAL GEOGRAPHIC

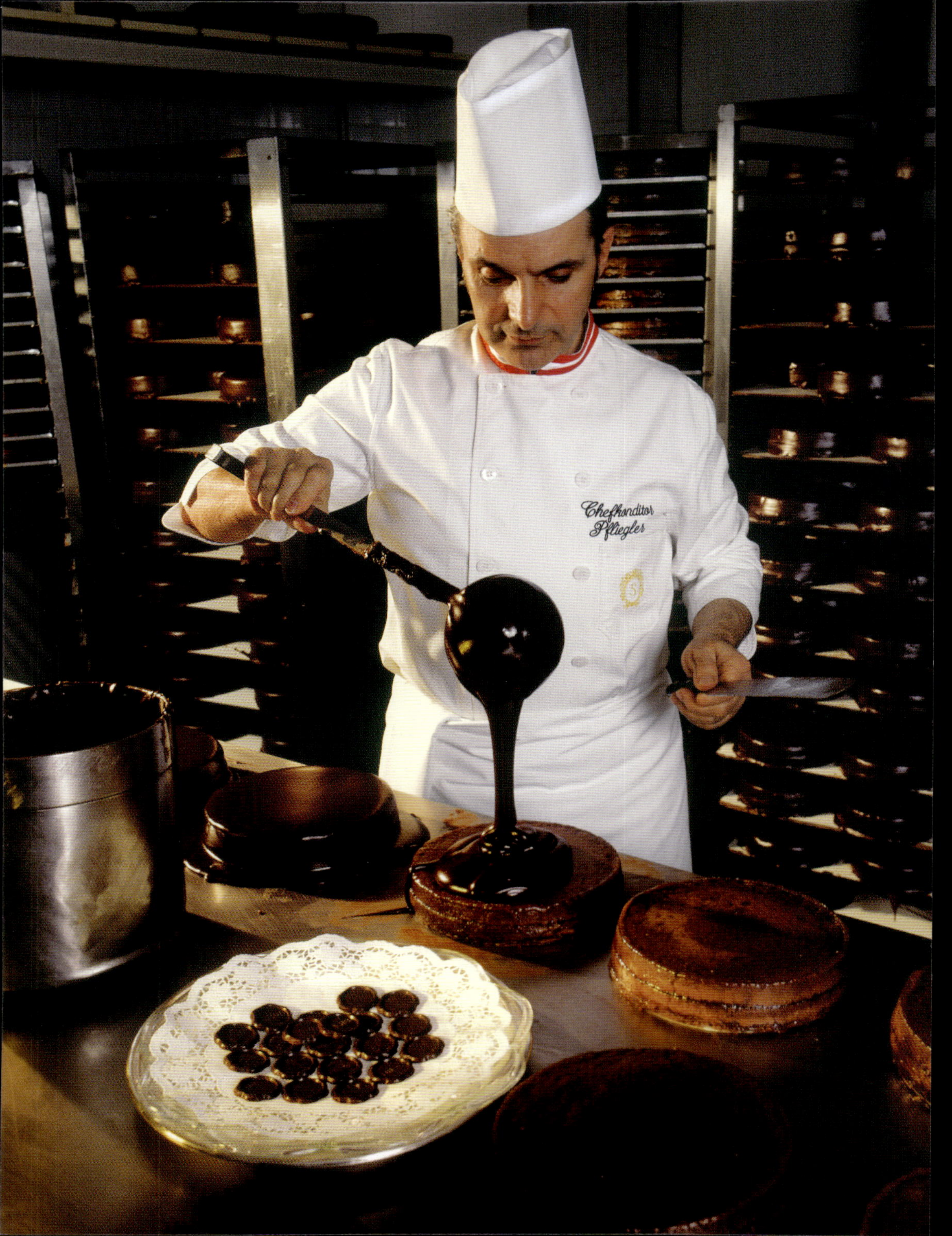
Chefkonditor
Pfliegler

目次

序文：旅の"醍醐味" … 7

❶ 地の物と出合う … 9
「土地ごとにうまいものあり」。そこで暮らす人々が誇る地元の食材を訪ねる

❷ 市場に出かけよう … 43
高級食料品店、バザール、活気ある市場。さあ、めくるめく食の探検へ

❸ 旬の味を愉しむ … 71
最高においしい瞬間にめぐり合う、その季節でしか味わえない喜び

❹ キッチンへようこそ … 101
キッチンこそ食の舞台。世界のさまざまな料理の奥義をきわめる

❺ 食べ歩き、屋台は楽し … 131
チリドッグからたこ焼きまで、街の屋台が食いしん坊たちを魅了する

❻ 偉大なる食の都 … 161
パリ、香港、ニューオーリンズ…。美食を求める巡礼の旅

❼ 究極の美食を求めて … 215
一生に一度は食べてみたい、一流シェフの究極の味

❽ 酒神バッカスの贈り物 … 245
清冽な水と穀物や果実の豊穣がもたらす、偉大なる酒を求めて

❾ スイーツの誘惑 … 287
甘い物好きには見逃せないチョコレートやケーキ。そこはスイーツの桃源郷

索引 … 314
執筆者と写真のクレジット … 319

2-3ページ：焼きたてパンを自転車で配達中。メキシコシティにて。
左ページ：オーストリア・ウィーンのホテル・ザッハ。菓子部門のシェフが名物のチョコレートケーキ「ザッハトルテ」の仕上げにかかる。

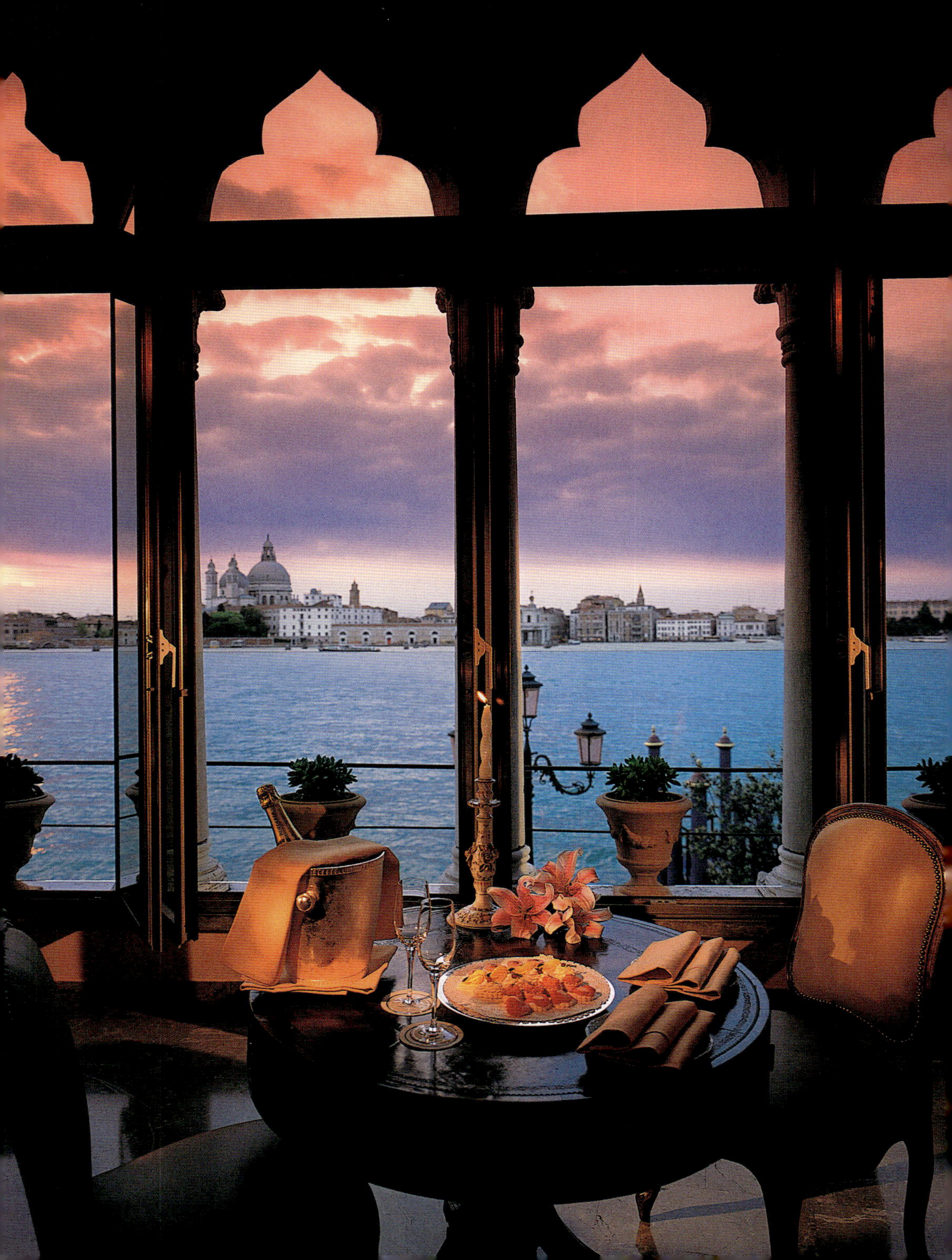

旅の"醍醐味"

午前4時。私たちは東京の築地市場にいた。ここは世界最大の魚市場である。電動のこぎりがかん高い音をたてて、巨大なマグロを解体していく。バケツには、タコやウニ、鮭のほか、テレビの科学番組で見るような奇怪な生き物たちがあふれている。私たちはさっそく、場内の一角にある寿司の店に入った。行列のできる人気店である。

カウンターに座り、友人が流暢な日本語で注文すると、次々と寿司が出てきた。インド洋産のマグロ、近海のサバ、アナゴ、貝、ヒラメ…。そして突然、店の主人が1尾の海老を置いた。私はびっくりして息をのんだ。海老は体をくねらせている。明らかに生きているのだ。友人はにやりと笑ってそれをたいらげた。ぴくぴく動く海老を30秒ほど見つめた後、私は一気に飲み込んだ。

食の冒険は、旅に鮮やかな彩りを添えてくれる。訪れた場所に思いをはせるたびに、私の心には、その土地にまつわる忘れがたい体験、食べたものや一緒に食べた人たちのことがよみがえる。

ヨルダンではベドウィンのテントにあぐらをかいて羊の頬肉を食べたし、アマゾンではとれたてのピラニアに挑戦した。タイの青い海を見下ろす崖に座って、足をぶらぶらさせながら新鮮な海老に舌鼓を打ったこともあれば、バックパックをかついでフランスじゅうを回り、バゲットやチーズ、サラミを堪能したこともある。

異国の地で物を食べる。それは、単にカロリーを摂取することではない。その国の文化にじかに触れることである。土地の人々が何を、いつ食べるか、食材をどこから、どうやって手に入れるか、食事に関してどんな伝統を守っているか。こうした一つひとつのことが、その土地とそこに住む人々の内面を語ってくれる。

本書では、食と旅、土地と料理の結びつきに焦点をあてた。限りない魅力にあふれた食を体感する500の旅。多彩なアイデアが、きっとあなたの旅路を豊かにいろどってくれるだろう。あなたの味覚を刺激し、ふだん家庭で食べているものにも新鮮な魅力を吹き込んでくれるに違いない。

本書を通じて、旅の真の"醍醐味"を味わっていただけることを願ってやまない。

キース・ベローズ
『ナショナル ジオグラフィック トラベラー』編集長

左ページ：ベネチアのホテル・チプリアーニの豪華なドガレッサ・スイート。一幅の絵を思わせる景色とともに、極上の食事を楽しめる。

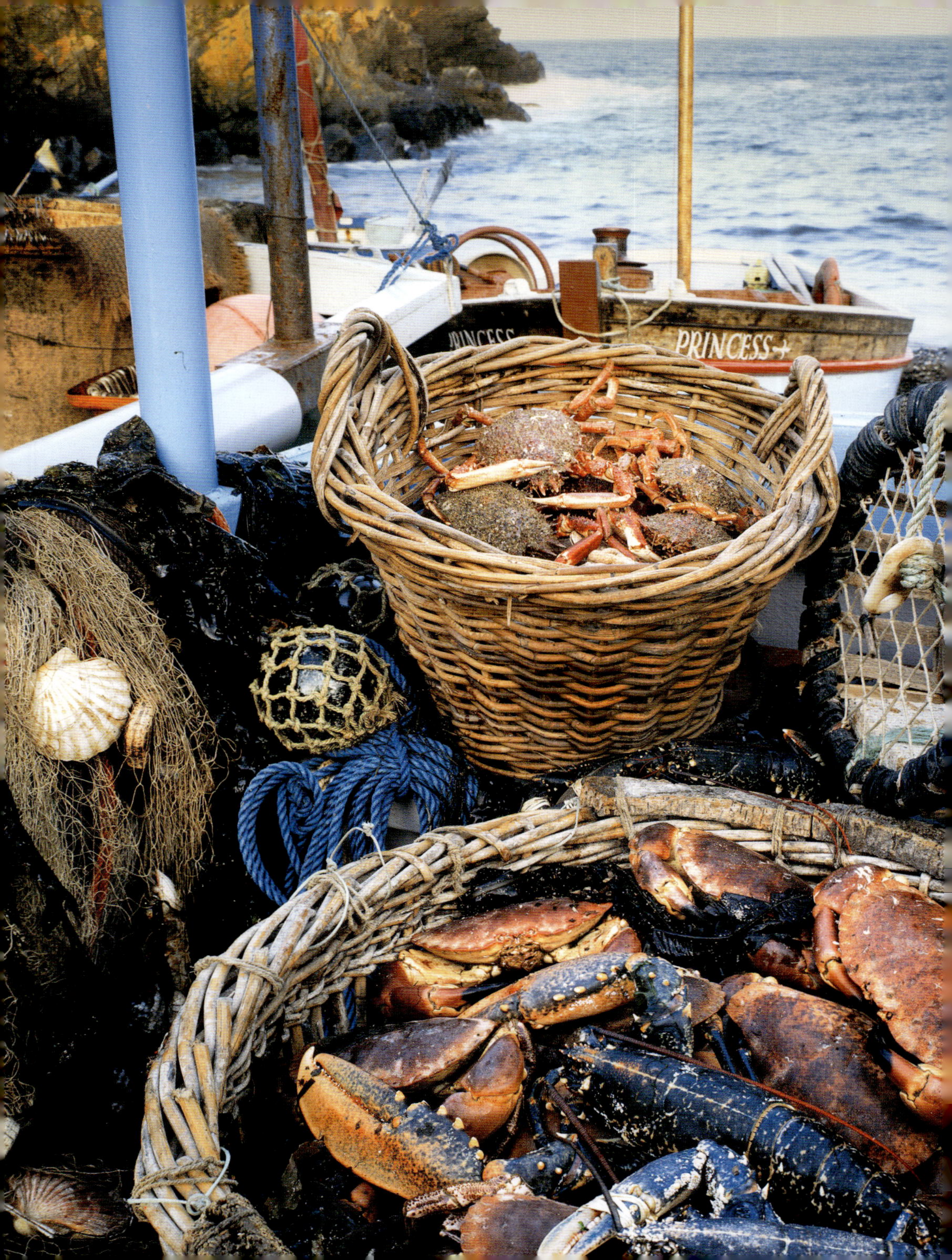
PRINCESS

1 地の物と出合う

　訪れた土地で、地元が誇る特産物に出合うのは、旅の大きな喜びだ。農家の収穫の分け前にあずかり、漁師が苦労して手に入れた獲物に舌鼓を打つ。職人が工夫を凝らして焼いたパンをかじり、地元の食材を最大限に生かした郷土料理を味わう。土地を知り、そこで暮らす人々の心に触れるには最高の方法だ。

　古代から続くギリシャのオリーブ林、ルビーのように赤い果実が実る米国ミシガン州のさくらんぼ園。第1章では、世界指折りの美しい景観の地を訪ねる。

　米国マサチューセッツ州の入り江では、大西洋の豊かな潮流がもたらすアサリやハマグリ、牡蠣(かき)を潮の香り漂う生のままで(あるいはとろ火で煮込んだり、油で揚げて)味わう。辛い物好きなら、本場メキシコの料理人たちがさまざまな手法で、唐辛子の鮮烈な旨味と香りを存分に引き出した料理を楽しむのもいい。

　競(せ)りの声もにぎやかな東京の築地市場では、一級品のマグロの競りを見た後、その新鮮な食材を使った"食の芸術家"とも呼ぶべき寿司職人たちの技を堪能しよう。まさに都会で体験する冒険だ。

世界各地でとれる新鮮な海の幸。そのままを味わうにせよ、ほかの食材と組み合わせるにせよ、これほど産地と深く結びついた食材はない。

山のように積まれた、ロブスター漁用の木製の仕掛け。ニューブランズウィック沿岸の埠頭でよく見かける。

シーフード祭り

■ "世界のロブスターの都"を自称するシェディアックでは、毎年7月に**ロブスター祭り**が開かれる。ロブスター早食い競争のほか、ロブスター料理もふるまわれる。

■ 8月にはモンクトンで**大西洋シーフード祭り**が開かれる。有名シェフによる料理の実演をはじめ、ワインや食べ物の試食、料理コンテスト、音楽祭などイベントも盛りだくさん。牡蠣の殻むき競争やシーフードチャウダー作りの腕を競うコンテストもある。

■ プリンスエドワード島のシャーロットタウンでは、9月に**国際シェルフィッシュ祭り**が開かれる。3種類の牡蠣の殻むき競争が行われ、最後に各部門の優勝者が世界一を競う。じゃがいもと魚介類を使ったチャウダーやクリームチャウダー作りのコンテストのほか、カナダ料理専門学校による貝や甲殻類（シェルフィッシュ）を使った料理の実演も行われる。

カナダ
ロブスターと牡蠣（かき）

カナダ東部・ニューブランズウィック州の東沿岸は海の幸の宝庫。
大西洋でとれる最高のロブスターや牡蠣を堪能しよう。

　ロブスターを味わうなら、州東部の都市モンクトンからさらに北東の港町シェディアックに行こう。ここからロブスタークルーズが出ていて、丸ごとゆでた新鮮なロブスターを船上で満喫できる。

　海沿いの村々では、ロブスターを使ったビスク（甲殻類の濃厚なスープ）やパスタ、厚く切った身をマヨネーズで和えたロブスターロールなどの料理を味わうといい。

　沖合ではボーソレイユ牡蠣がとれる。セントローレンス湾に面した町、ブクトゥッシュやシッパガンの食堂のメニューには、牡蠣をいろいろな方法で調理した料理や、濃厚で滋養あふれるチャウダーなどがずらりと並ぶ。

　シャルール湾に面したアカディア村はカラケット牡蠣が名物だ。南のコンフェデレーション橋からプリンスエドワード島に渡れば、マルペック牡蠣が楽しめる。

新鮮なロブスターは、この地方の店の看板メニューとなっている。

ベストシーズン　新鮮な魚介類は1年を通して食べられる。夏と秋は大半の観光施設が開いており、天候もベスト。

旅のヒント　グレーターモンクトン国際空港でレンタカーを借りよう。ロブスターと牡蠣のほかにも見どころは多い。すべてを堪能するには、少なくとも1週間は滞在したい。ぜひ訪れたいのはニューブランズウィックのホープウェルロックスやファンディ国立公園、プリンスエドワード島のシャーロットタウンなど。キャヴェンディッシュにある家は、モンゴメリー作『赤毛のアン』に登場する家のモデルとされる。

ウェブサイト　www.tourismnewbrunswick.ca、www.peiplay.ca（日本語あり）
www.lobstertales.ca、www.lobstersuppers.com

米国バーモント州
メープルシロップ

冬が終わりに近づく頃、バーモント州のカエデ林を訪ねてみよう。
そこでは、メープルシロップ作りの季節を迎えている。

シュガーハウスと呼ばれる砂糖小屋の扉を開くと、もうもうとした湯気に包まれる。小屋の中では、地元のサトウカエデ園で採取した樹液を、蒸発器と呼ばれる大きな金属の鍋で煮詰めている。職人は琥珀色の液体をひしゃくですくい上げては戻し、シロップの煮詰まりぐあいを確かめる。

2月の終わりから4月初めにかけて、バーモント州の砂糖小屋では、こうした光景が繰り返される。この時期が選ばれるのは、凍りつくような寒い夜と暖かい昼が交互に訪れ、樹液が流れやすくなるためだ。樹液を採取するには、樹木の外辺部にドリルでわずかに上向きの小さな穴をあけ、スパウトという口を差し込む。流れ出る樹液はスパウトにぶら下げたバケツか、プラスチックのホースを通して集められる。

地元の祭りや週末に砂糖小屋で行われるシュガー・オン・スノー・パーティーもおすすめだ。きれいな雪の上に熱いメープルシロップを散らすと、レース細工のように固まるのでアイスキャンディの棒ですくう。口直しにきゅうりのピクルスが合う。

ベストシーズン　シロップ作りは3月第1火曜日のタウンミーティングデーに始まり、4月まで続く。
毎春、最初の週末に行われるバーモント・メープル・オープンハウス・ウィークエンドでは多くの砂糖小屋が公開される。

旅のヒント　シロップ作りの季節にはたくさんの砂糖小屋が公開されるが、作業が見学できるかどうかを事前に確認しておこう。防寒具は必須だ。シュガー・オン・スノー・パーティーは毎年、初春の祭りの一環として開かれる。詳しい日程は、地元の新聞かバーモントメープルシュガー製造者協会のウェブサイトで確認しよう。

ウェブサイト　www.vermontmaple.org、www.travel-vermont.com

いろいろ使えるメープルシロップ

メープルシロップといえば、パンケーキやワッフルにかけるものと思われがち。だが、使い方はそれだけにとどまらない。甘くて濃厚なシロップは、肉料理やデザートからウオツカまで、あらゆる食べ物や飲み物に豊かな風味を添えてくれる。

また、先住民の作り方にならった**メープル（インディアン）シュガー**もある。これは、シロップをさらに煮詰めて水分を飛ばした後に残る顆粒状の砂糖のことだ。

煮詰めたシロップを型に入れて固めたキャンディ**シュガーケーキ**。トーストやマフィンにつける**メープルクリーム**や**メープルバター**はバーモント州の特産品。シロップを煮て急速に冷やした後、なめらかになるまでかき混ぜて作る。

採取口のバケツ。条件がそろえば、この中に樹液がたまる。

トップ10
食品工場見学と食の博物館

"食"に情熱を傾ける人は多く、好きが高じて、好物をテーマにした博物館を造ってしまうこともある。また、一般の人が見学できる食品工場では、試食が楽しめたりもする。

① ベン&ジェリー社アイスクリーム工場
（米国、バーモント州ウォーターベリー）

巨大な機械でかき混ぜた材料に、果物やキャラメル、ナッツなどを加え、小さなカップに入れて固めてから、最後に凍らせるところまで、アイスクリームの製造過程を見学できる。その日のおすすめを試食してみよう。帰りには、工場の裏手にある失敗作の墓場「フレイバー グレーブヤード」を歩いてみるのもおもしろい。

旅のヒント　主な祝祭日を除いて毎日営業。ツアーの所要時間は30分。
www.benjerry.com

② ワールド・オブ・コカ・コーラ（米国、ジョージア州アトランタ）

ガラスのトンネルを歩きながら、見やすいように通常よりスピードを落としたびん詰め作業を見学。トンネルを抜けたら、世界各地で販売されているコカ・コーラ約60種の試飲コーナーへ。1905年以降の広告の展示や、ポップカルチャーの展示室もある。1985年に出た「ニュー・コーク」の失敗談も紹介されている。

旅のヒント　自由に見学して1.5～2時間。www.worldofcocacola.com

③ マウントホレブ・マスタード博物館（米国、ウィスコンシン州）

世界各地のマスタード約5000種のほか、アンティークのマスタード入れや古い広告、マスタードの作り方などを展示。売店ではいろいろなマスタードを試食して、気に入ったものをその場で購入できる。

旅のヒント　最初はマウントホレブにあったが、現在はミドルトンにある。主な祝祭日を除いて毎日開館。www.mustardweb.com

④ 新横浜ラーメン博物館（日本、横浜）

ラーメンに関するあらゆるものを集めた、博物館と歴史テーマパークの複合施設。ラーメン作りの歴史を紹介し、調理器具や器を展示している。地下にはインスタントラーメンが初めて作られた1958年当時の東京の町を再現。露店や駄菓子屋もある。日本各地の有名ラーメン店が出店し、その味を楽しめる。

旅のヒント　JR新横浜駅のそば。新横浜までは東京から15～45分（利用する交通機関による）。www.raumen.co.jp

⑤ パン文化博物館（ドイツ、ウルム）

6000年にわたる人類とパンの歴史を紹介する博物館。展示されているのは本物のパンではなく、パン作りの器具が中心だ。ピカソなどの芸術作品を展示したギャラリーや、パンが宗教上果たしてきた役割を説明するコーナーもある。

旅のヒント　毎日開館。ウルム旧市街の16世紀のザルツシュタデル（塩の倉庫）内にある。www.museum-brotkultur.de

⑥ ピック サラミ・セゲドパプリカ博物館（ハンガリー）

ハンガリー南東部の都市セゲドは、サラミとパプリカの主要産地。ピック社は1869年からこの地でサラミ工場を営んできた。また、パプリカは18世紀半ばからセゲドの産物となっている。博物館はピック社の工場内にあり、サラミとパプリカの歴史や製造法を解説している。

旅のヒント　開館は祝祭日とクリスマスを除く、火～土曜日の午後。英語によるツアーは1週間前に予約が必要。www.pickmuzeum.hu

⑦ 唐辛子博物館（イタリア、マイエラ）

イタリア半島の南端、カラブリア州の唐辛子は、"悪魔のタルト"というデザートにも使われるほど、地元料理には欠かせない食材。カラブリアの唐辛子協会がマイエラの元公爵邸に作ったこの博物館では、約150種の唐辛子の図や見本が展示されている。

旅のヒント　開館は不定期で、要確認。マイエラはナポリからディアマンテ行きの列車で2.5～3.5時間。9月にはディアマンテで唐辛子祭りが開かれる。

⑧ 食の博物館（スイス、ヴヴェイ）

ヴヴェイは巨大食品企業ネスレ社が本社を置く町。レマン湖を見下ろすこの博物館では、1867年以降のネスレ社の歴史のほか、「料理する」「食べる」「製造する」「消化する」などコーナー別に"食"をさまざまな面から紹介している。また、月ごとにテーマを変えた調理のワークショップも行っている。

旅のヒント　開館は火～日曜日。子供向けのコーナーもある。英語のガイドツアーは要予約。ヴヴェイはジュネーヴから列車で1時間。
www.alimentarium.ch

⑨ カカオ・チョコレート博物館（ベルギー、ブリュッセル）

こぢんまりとした館内ではチョコレートの製造の過程をたどることができるほか、試食も楽しめる。アステカ文化に始まり、20世紀にベルギーで生まれたプラリネ（ナッツ入りチョコレート）の誕生のいきさつ、カカオの化粧品への応用例など、カカオとチョコレートの歴史も紹介している。

旅のヒント　グランプラスの路地を入った17世紀の建物の中にある。開館は原則火～日曜日。7～8月は祝祭日を除いて毎日開館。www.mucc.be

⑩ ブラマー 紅茶とコーヒーの博物館（英国、ロンドン）

昔から紅茶の貿易がさかんだったロンドン。館内では紅茶とコーヒーの歴史におけるロンドンの役割を解説。ティールームではクロテッドクリームとジャムを添えたスコーンを紅茶と一緒に味わう本場の「クリームティー」を堪能したい。

旅のヒント　12月25、26日を除いて毎日開館。
www.teaandcoffeemuseum.co.uk（日本語あり）

右ページ：ワールド・オブ・コカ・コーラのびん詰工場。中身を詰め、検査し、蓋をする工程が流れ作業で進んでいく。

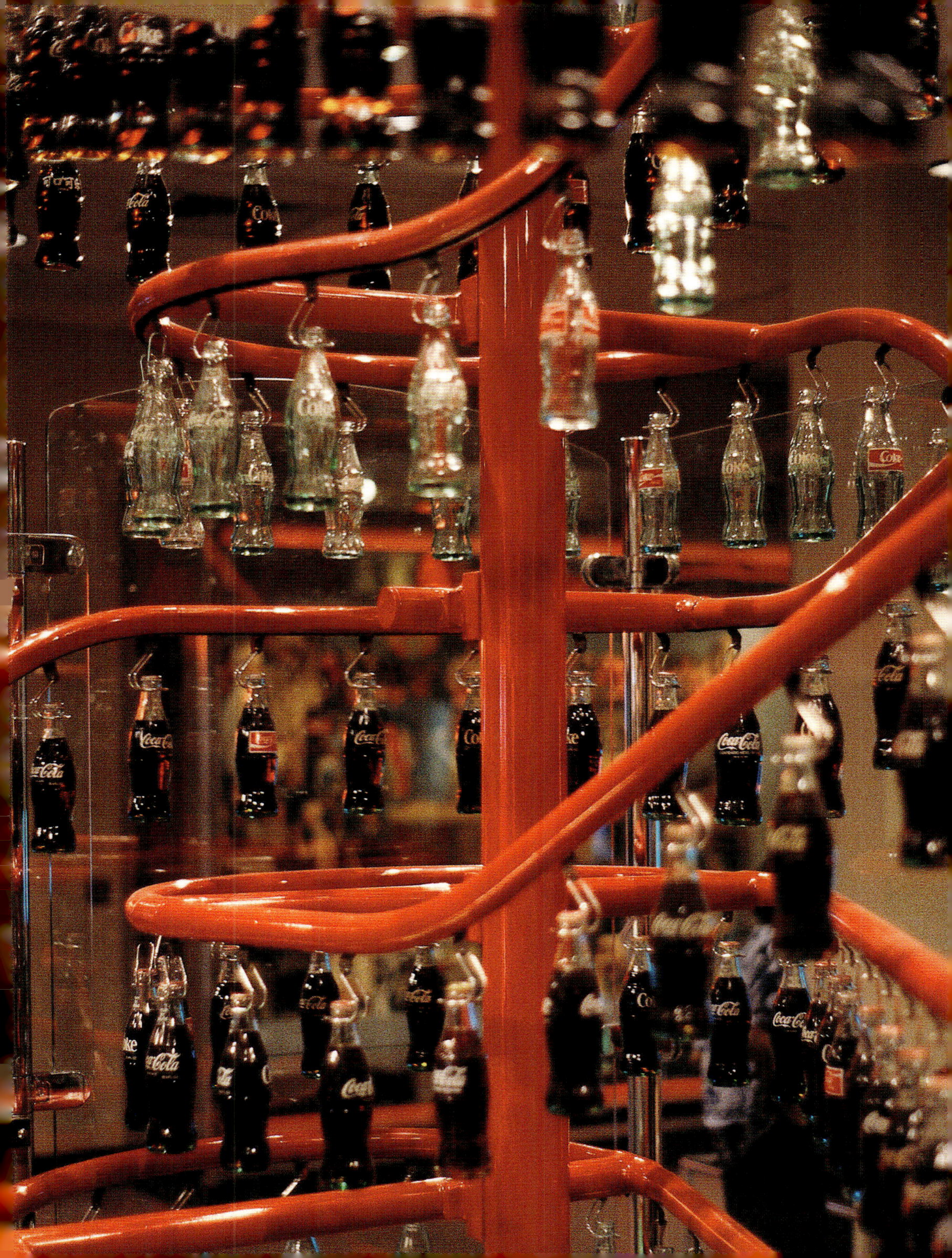
Coke
Coca-Cola

錨を下ろしてゆっくりと揺れるヨット。後方にはアン岬の6基ある灯台のうちのひとつが見える。

米国マサチューセッツ州
イプスウィッチの貝

干潟や入り江が続くマサチューセッツ州沿岸で、
新鮮な食材を使った伝統的なシーフード料理を楽しみたい。

　マサチューセッツ州東端のグロスターから、ルート133沿いにエセックス、イプスウィッチへと向かうと、潮の香りに混じって、貝を揚げる匂いが漂ってくる。道がルート1Aと合流したら、そのまま北へ向かおう。地元で"クラムシャック通り"として知られるこの一帯は、貝好きのメッカだ。

　クラムシャックとは、貝を買ったり食べたりできる店のこと。イプスウィッチの「クラムボックス」や「J・T・ファーナムズ」など、人気の軽食堂には長蛇の列ができる。揚げハマグリ発祥の店とされるのはエセックスの「ウッドマンズ」。

　アン岬から北に広がるグレートマーシュの干潟では、イプスウィッチを代表する貝、オオノガイが採れる。伝統的なニューイングランド風焼き貝を楽しむのもいい。熱した石の上に濡らした海藻を何枚か敷き、その上で蒸し焼きにする。

ベストシーズン　クラムシャックの営業は春から晩秋まで。10月下旬には閉まる。
旅のヒント　夏、とりわけ週末や祝祭日は長く待つのを覚悟すること。店によっては事前に注文すれば持ち帰りもできるので、電話で予約しておく手もある。店内で食べるなら、混雑する昼食の時間帯を避けよう。午後遅くや平日の晩がおすすめ。
ウェブサイト　www.massvacation.com（日本語あり）、www.ipswichma.com/clambox、www.woodmans.com

ポルトガル風蒸し貝

調理の途中でポルトガルソーセージを入れるので、貝にぴりっとした味が加わる。

材料（4人分）
貝（アサリ、ハマグリなど）　1.8キロ
粗塩または海塩
コーンミール　150グラム
ポルトガルソーセージ（ハードタイプ）
とかした無塩バター

　砂が出なくなるまで貝を洗う。殻が割れたり、欠けていたりするものは除く。殻が開いている貝は軽くたたき、閉じなかったら取り除く。

　清潔なシンクか大きな鍋に水を張り、水約4リットルにつき50グラムの塩を入れ、コーンミールを加えてかき混ぜる。貝を入れて1〜2時間そのままにし、再び洗う。

　水カップ1と貝、細かく切ったソーセージを鍋に入れる。鍋に蓋をして、殻が開くまで5〜10分火にかける。貝を皿に移し、煮汁は茶こし か網でこしておく。

　貝をボウルに入れ、煮汁を入れた小皿ととかしたバターを入れた小皿を添えて食卓に出そう。貝の水管の黒っぽい膜をはずし、煮汁につけて残った砂を落としてから、とかしバターをつけて食べる。開かなかった貝は捨てること。地元の人は貝を食べてから最後に煮汁を飲む。

米国ミシガン州
トラバースシティのさくらんぼ

ここは世界きっての"さくらんぼの都"を自認する町。
さくらんぼを使ったいろいろな料理を満喫しよう。

ミシガン湖のグランドトラバース湾西側、リーラナウ半島の田舎道沿いには、数キロにわたってさくらんぼ畑が広がる。7月になると、丸々としたルビーのように赤いさくらんぼがたわわに実る。

農園の売店では、摘みたてのタルト用さくらんぼ（モンモランシー種）を山盛りにしたかごや、さくらんぼがぎっしり詰まった厚さが7センチもあるパイ、実をふんだんに使ったジャムなどが並んでいる。さくらんぼ狩りを楽しむこともできる。

さくらんぼが旬を迎える頃、地元のレストランでは、シェフたちが、白身魚のさくらんぼソース添えやさくらんぼのチキンスープ、豚肉のさくらんぼ詰めなど、創意工夫に富む個性豊かで多彩な料理を披露する。

商店の棚もにぎやかだ。おなじみのパイやジャム、干しさくらんぼ、チョコレートでくるんだ砂糖漬けから、さくらんぼ入りのディジョン風マスタードやバーベキューソース、サルサ（チリソース）、お茶、ブルーベリーとチェリーのフレーバーのポップコーンといった珍しい品々まで、地元の美味が顔をそろえる。

チェリーフェスティバル

世界でパイやケーキ、ジャム、ゼリーなどに使われる加工用さくらんぼの約75％、スイートチェリーの約20％がグランドトラバース湾沿い一帯の果樹園で生産される。これを祝して、毎年、「ナショナルチェリーフェスティバル」がトラバースシティで開かれる。

さくらんぼ入りソーセージや、さくらんぼのピュレとチェリーマスタードを使ったハンバーガーなど、多彩なさくらんぼ製品に驚くはず。**さくらんぼ菓子コンテスト**や**チェリーパイ早食い競争**、**種飛ばし競争**など行事も盛りだくさんだ。

ベストシーズン　サワーチェリーの収穫は7〜8月。スイートチェリーはそれより数週間早い。花が咲くのは5月。7月の第1週に「ナショナルチェリーフェスティバル」が開かれる。

旅のヒント　一帯を見て回るには1週間かかる。チェリー・キャピタル空港からトラバースシティのダウンタウンまでは10分ほど。二つの半島を回り、果樹園やワイナリーを訪ねるにはレンタカーが必要。7月のフェスティバル期間中に行くなら、早めにホテルを予約すること。

ウェブサイト　www.visittraversecity.com、www.cherryfestival.org

グランドトラバース湾周辺の農園で、たわわに実るさくらんぼ。

米国カリフォルニア州
カリフォルニアのチーズ工房めぐり

青々と茂る緑の草原が美しいカリフォルニア州北部は、
熟練したチーズ職人を訪ねる旅の絶好の舞台だ。

米国でアルチザンチーズ(職人の手作りチーズ)の製造者が最も多いとされるカリフォルニア州。なかでも、サンフランシスコの金門橋の北側一帯が有名だ。なだらかな草原に靄がたちこめるノースベイ地区(とりわけマリン郡とソノマ郡)では、1980年代初頭から小さな農場でチーズが作られている。

もともとは、ソノマ農場のローラ・チェネルという女性が、山羊の乳でみごとなシェーブルを作っていたのを、全米に名高いオーガニックレストラン「シェ・パニース」のオーナーシェフ、アリス・ウォーターズが見いだしたのがきっかけとなった。それ以来、ノースベイのアルチザンチーズは米国内のみならず世界中で知られるようになった。柔らかくなめらかなブリーや素朴なカリフォルニアクロタン、軽い口当たりのシェーブルなどは、高級レストランや食料品店でも扱われている。

ベストシーズン　サンフランシスコから約50キロ北のペタルーマでは、毎年3月に「カリフォルニアアルチザンチーズ祭り」(4日間)が開かれる。景色は季節によって様変わりする。2月は野生の菜の花が咲き、5〜8月はぶどう畑に葉が茂り(ただし、この頃は暑く、週末は非常に混雑する)、9〜10月は収穫期で、11月は紅葉が美しい。

旅のヒント　ヘルズバーグか、スペイン領時代からの広場があるソノマを拠点にすると便利。ソノマはサンフランシスコから北に32キロで、ヘルズバーグはそこからさらに80キロ進む。ソノマ郡ファームトレイルは観光情報が充実している。

ウェブサイト　www.marinfrenchcheese.com、www.redwoodhill.com、
www.bodegaartisancheese.com、www.cowgirlcreamery.com、www.laurachenel.com、
www.artisancheesefestival.com、www.farmtrails.org

チーズ製造者
■ ソノマ郡ペタルーマにある**マリンフレンチチーズ**は1865年創業。ブリーやカマンベールなどソフトな白カビタイプが専門。最近はトリプルクリームタイプや山羊の乳のブリーなども作っている。

■ ソノマ郡セバストポールにある家族経営の**レッドウッドヒル農場**は、独特の香りを放つクロタンなど山羊の乳を使った少量生産の良質なチーズで表彰を受けている(販売は生チーズのみ)。

■ マリン郡のポイントレイズステーションとペタルーマにある**カウガールクリーマリー**は、バターのようになめらかなトリプルクリームタイプのマウントタムをはじめ、たくさんの有機チーズをそろえる。

■ ソノマ郡の**ボデガ・アルチザンチーズ**では、いちごによく合うさわやかな酸味のクレマを製造。見学や試食もできる。

サンフランシスコのフェリービルディング内のマーケットプレイス。カリフォルニアをはじめ、世界各地のアルチザンチーズを売っている。

目にも鮮やかな乾燥唐辛子の長い束が、メキシコの市場を彩る。

チレス・エン・ノガーダ

メキシコの人たちが自分たちの国を代表する料理として挙げるのが、**チレス・エン・ノガーダ**。19世紀初頭、スペインから独立した時期に生まれた料理だ。**チレ・ポブラーノ**という唐辛子が緑、**ノガーダ**（胡桃のソース）が白、**ざくろの実**が赤と、それぞれメキシコ国旗の色を表している。

作り方は次の通り。大きくて緑色をした中辛のチレ・ポブラーノを火であぶり、種を取り除いて皮をむく。中に挽き肉や中央メキシコで夏の終わりにとれる果物（りんごや梨、桃）、干しぶどう、アーモンド、シトロン（オレンジの一種）、香辛料などを詰める。これを胡桃のソースで煮込み、最後にざくろの実を飾る。

レシピは家ごとに代々受け継がれている。手のかかる料理なので、大勢で作る場合が多い。すべての材料が旬を迎える8月と9月にはメキシコ中のレストランで楽しめる。

メキシコ
世界一の激辛唐辛子を求めて

アメリカ大陸が原産の香辛料である唐辛子。
豊かな風味を生かした地元の料理の中には、世界一辛いものもある。

唐辛子をめぐる旅は、首都メキシコシティからスタートしよう。まずは市内のタケリア（タコスの店）に行き、さまざまなサルサ（チリソース）を試してみたい。メキシコシティから南へ向かうと、地元料理は辛さを増していく。プエブラの市場でぜひ試食したいのが酢漬けのチポトレだ。肉とチーズ、アボカドをはさんだケミタと呼ばれるサンドイッチにもチポトレは欠かせない。

さらに南のオアハカでは、いぶしたような香りのパシージャ・オアハケーニャが待っている。この唐辛子は、モレ・ネグロソースの豊かな味わいの決め手だ。

唐辛子料理を愛する人は、さらにユカタン半島へと足をのばすといい。ここでは、唐辛子の辛味成分カプサイシンを測るスコヴィル値で最高ランクを誇る極辛のハバネロを使って、ヒリヒリするサルサが作られている。地元の名物料理コチニータ・ピビル（ローストポークのマリネ）にハバネロのサルサを添えて食べてみよう。

チレス・エン・ノガーダはメキシコの国民的料理だ。

ベストシーズン　舌が焼けるほど辛いハバネロを使った地元料理を食べたいなら、秋か冬にユカタン半島を訪ねよう。春と夏はとても暑いので避けた方が無難。最高のチレス・エン・ノガーダを味わうには、9月16日の独立記念日の前後2週間に中央メキシコのプエブラへ行くといい。

旅のヒント　メキシコの市場はサルサの宝庫。中央メキシコではチポトレ・エン・エスカベーチェ（乾燥ハラペーニョの酢漬け）を食べてみよう。鶏肉などのローストに添えると絶妙だ。

ウェブサイト　www.travelyucatan.com、www.visitmexico.com（日本語あり）

トップ10

世界の郷土料理

たいていの国には、伝統的な郷土料理、いわゆるお国料理がある。地元の人に愛されているだけでなく、その国の文化の一部ともなっている料理。それらを味わうのも、旅の貴重な経験だ。

❶ ハンバーガー（米国）

ハンバーガーの起源ははっきりしないが、この昔ながらの食べ物が米国で最も人気の高いメニューである点は疑いの余地がない。地域によってトッピングや添え物は変わる。オリジナルを食べるなら、コネティカット州ニューヘイブンの「ルイズランチ」を訪ねよう。1900年からハンバーガーを出しており、米国のハンバーガー発祥の店とされる。

旅のヒント 「ルイズランチ」は、ほとんどの日がランチ営業。
www.louislunch.com

❷ アキー＆ソルトフィッシュ（ジャマイカ）

アキーはバターやナッツに似た風味で栄養価の高い果物。ゆでるとスクランブルエッグのような味になる。もともとは奴隷の食事だったが、今やジャマイカのお国料理のひとつ。アキーをゆで、ソルトフィッシュ（塩漬けタラ）や玉葱、トマトと一緒に炒めたのがアキー＆ソルトフィッシュだ。

旅のヒント 「ジェイクス」と「トレジャービーチ」がこの料理で有名。料理教室もある。www.visitjamaica.com

❸ コウコウとトビウオ（バルバドス）

コーンミールとオクラのポリッジ（お粥）から作るシチューに似た料理「コウコウ」は、トビウオとの相性が抜群。もっとも、かつては豊富にとれたトビウオは、乱獲で今では減っている。トビウオはライムジュースや香辛料、野菜と一緒に蒸すか、油で揚げて辛いソースで食べる。

旅のヒント セントローレンス湾を見下ろす「ザ・フライングフィッシュ」は、バルバドスの郷土料理の代表的レストラン。www.visitbarbados.org

❹ 焼肉とプルコギ（韓国）

韓国では本場の焼肉とプルコギを楽しもう。プルコギは、薄切りの牛肉を醬油や胡麻油、にんにく、玉葱、生姜、砂糖、酒などを混ぜたタレに漬け込んでから焼く料理。通常の焼肉とは異なり、専用の鍋（プルコギパン）で肉を野菜や春雨と一緒に焼く。チシャ菜でくるんで食べることが多く、キムチが添えられる。

旅のヒント ソウルの「ビョックチェカルビ」はプルコギが評判の店。www.visitkorea.or.kr（日本語あり）

❺ キベ（レバノン、シリア）

レバノン料理といえば、メッシャという前菜が充実している。なかでも羊肉の挽き肉とブルゴル（ひきわり小麦）、調味料を合わせて作るキベは有名だ。揚げたり、オーブンで焼いたり、ゆでたり、詰め物にしたりと料理法は幅広い。もちろん、そのまま食べてもとてもおいしい。

旅のヒント シリア北部のアレッポ地方では、ざくろやさくらんぼのジュースで香りづけするなど、斬新なキベが楽しめる。www.syriatourism.org

❻ グヤーシュ（ハンガリー）

グヤーシュはマジャール語で牧夫の意味。ハンガリーの国民的料理となったのは1800年代後半。オーストリア・ハンガリー帝国だった当時、人々は自分たちの料理を求めていた。牛肉と野菜、赤玉葱、香辛料で作るシチューのようなグヤーシュは、牛すね肉とパプリカによる独特の味わいがある。

旅のヒント グヤーシュを軽めにしたのがグヤーシュスープ。www.hungarytourism.hu（日本語あり）

❼ ウィンナーシュニッツェル（オーストリア）

たたいて薄くのばした仔牛肉にパン粉をまぶして揚げ焼きした、仔牛のカツレツ。このシンプルな料理はオーストリアの代表的な料理として名高いが、その起源はイタリアだ。オーストリアではパセリとレモンの輪切り、ポテトサラダを添える。

旅のヒント ウィーンでこの料理を食べるなら「フィグルミュラー」がおすすめ。シュテファン広場から数キロ内に2軒の店がある。量はかなり多め。www.austria.info（日本語あり）

❽ ポトフ（フランス）

ポトフとは「火にかけた鍋」の意味。角切りの肉やソーセージと根菜を煮込んだ、温かく豊かな味わいのシチューだ。本来はひと冬中鍋にかけて、食べるたびに足していく家庭料理だった。スープと肉を別の皿に盛って出すのが昔ながらのやり方。

旅のヒント パリのダウンタウンにある「ル・ポトフ」（パストゥール通り59番地、地下鉄はパストゥール駅下車）はその名のとおり、ポトフの専門店。www.franceguide.com（日本語あり）

❾ ローストビーフとヨークシャープディング（英国）

国際色豊かな料理が増えている英国で、いまだに多くの人々に愛され続けている料理。英国の州の名がついたヨークシャープディングは、元来は肉をあまり買えない人が、メイン料理の前に食べる"つなぎ"だった。今ではローストビーフとともに出され、グレービーソースをかけた焼きじゃがいもや野菜、ホースラディッシュのソースを添える。

旅のヒント 伝統的な英国のレストランに行きたい人には、ロンドンにある1798年創業の「ルールズ」がおすすめ。www.enjoyengland.com

❿ アイリッシュシチュー（アイルランド）

もともとは、羊の肉と玉葱、じゃがいもをじっくりと煮込み、パセリを添えた濃厚なシチュー。今では人参などの野菜も加え、あらかじめ羊肉を焦げ目がつく程度に焼いておくことが多い。アイリッシュパブで欠かせない料理となっている。

旅のヒント アイリッシュシチューを味わうならダブリンの「ワンプレイス」、ほかのアイルランド伝統料理はジョージ通りの「シェビーンシック」がおすすめ。www.discoverireland.com（日本語あり）

右ページ：本場韓国の焼肉やプルコギは、さまざまなキムチとともに味わいたい。

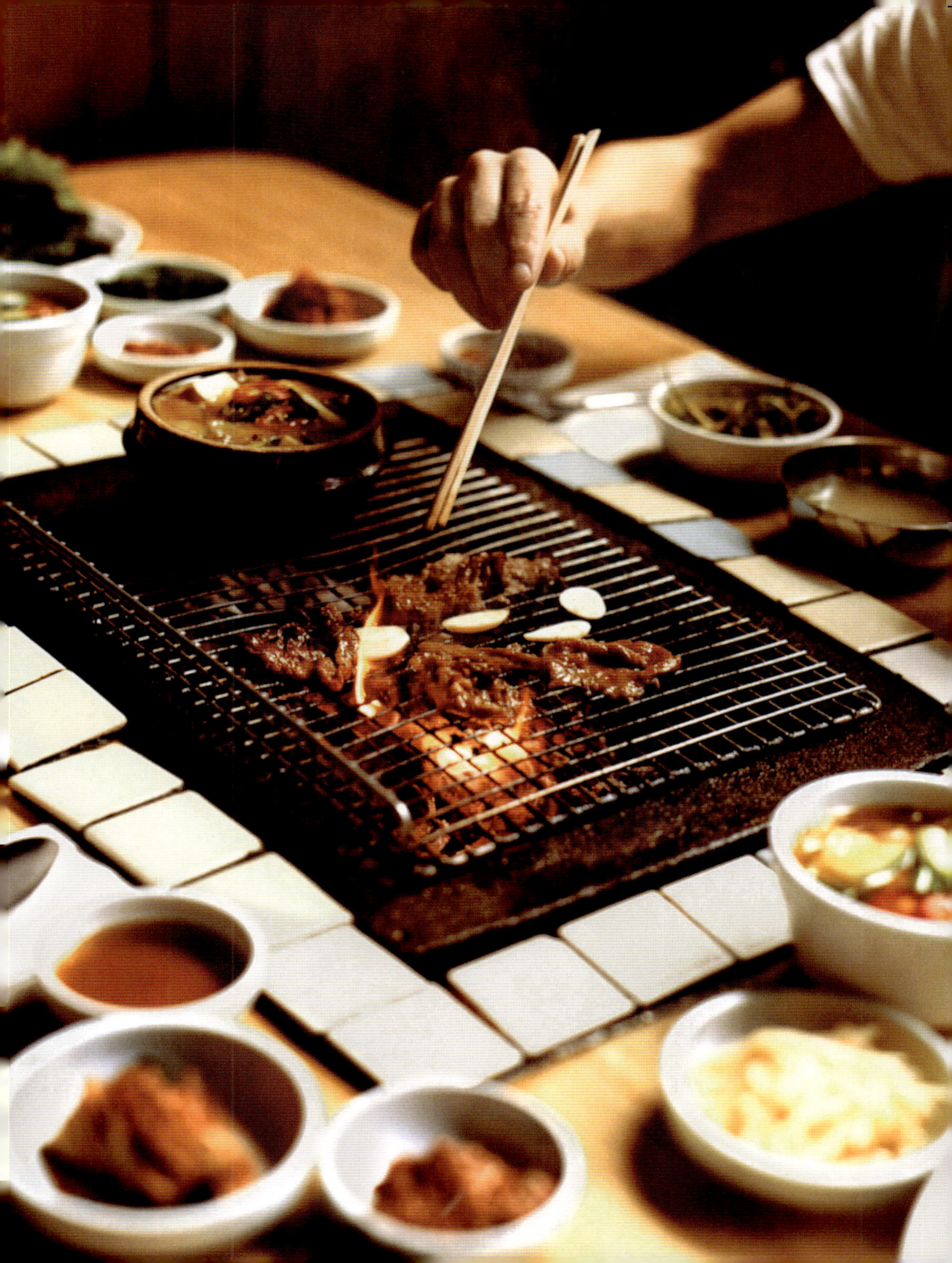

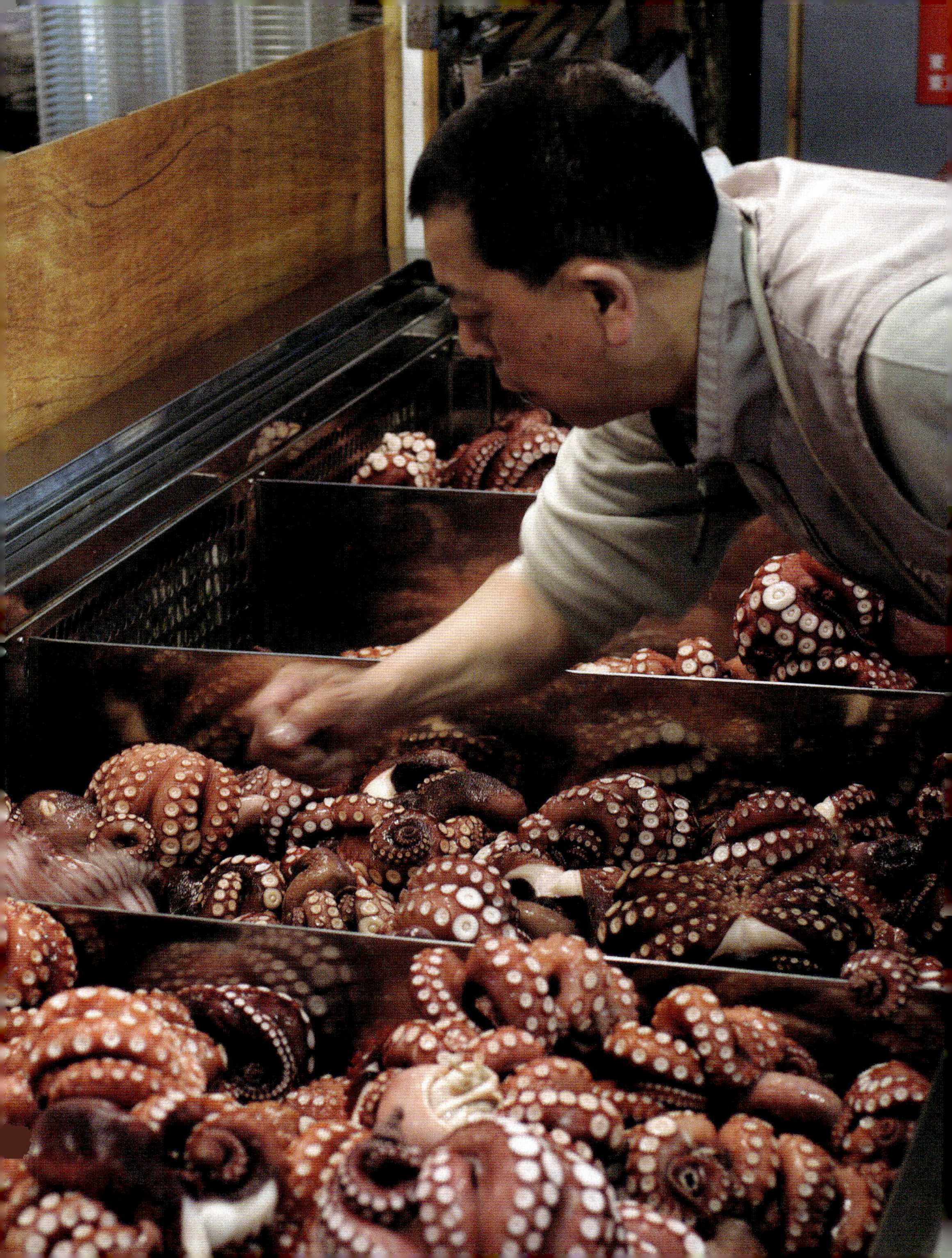

日本
築地市場の寿司

東京の有名な魚市場を見学し、とびきり新鮮な寿司を堪能しよう。

午前5時。東京の隅田川沿いにある築地魚市場は、すでに活気にあふれていた。業者たちが木製の手押し車や、電動ターレ（小さな三輪トラック）でせわしなく魚介類を運んでいく。

市場の中でもちょっと特別なのが、マグロの競りが行われる卸売場だ。ここには毎日、東京中の主な魚屋やレストラン・料亭などから委託を受けた仲卸業者らが、世界でも第一級のマグロを買い付けに集まってくる。

ずらりと並び、競りを待つマグロのそれぞれについた札に書かれた産地は、ソマリア、タヒチ、アイルランドなど、世界各地の海にまたがる。買い手たちが競り値を叫ぶたびに、競り人の動作も激しくなり、競りはどんどん熱気を帯びていく。

競り落とされたマグロの多くは、迷路のような市場の中にある1500もの仲卸店へと運ばれる。そのほとんどは築地市場が建設された1920年代から代々家族で経営を続けており、マグロ、タコやイカ、ウナギ、ハマチなどそれぞれ専門の品を扱っている。約450種の魚介類が売買され、その一部を「ねた」として作られるのが世界でも名高い江戸前の寿司だ。

寿司は冷蔵や冷凍の技術がなかった時代に、魚を塩漬けにして米飯と一緒に保存するため工夫された料理だった。昔ながらのなれずし（塩漬けして発酵させた魚を米飯の上にのせて、数カ月から半年ほどおいたもの）から、アボカドとカニ風味のかまぼこを使ったカリフォルニアロールまで、その種類は数百にものぼる。

ベストシーズン 築地市場は1年を通して開かれ、寿司も季節を問わず楽しめる。
マグロの競りは午前5時から6時15分まで。市場は昼が近づくにつれて徐々に静まっていく。

旅のヒント 市場の周辺にはたくさんの寿司屋があり、地元の人が夜明けからビールや酒を飲みながら寿司をつまんでいる。マグロの競りを見て市場をめぐり、寿司をつまむのにだいたい3時間ほど。市場近くの通りには、寿司や刺身用の皿、醤油入れ、木製のまな板、箸、包丁など調理関連の品を扱う店がずらりと並ぶ。

ウェブサイト www.jnto.go.jp、www.tsukiji-market.or.jp

寿司とわさび

寿司や刺身につきものの薬味、わさび。アブラナ科の植物ワサビア・ジャポニカのずんぐりした根を、**サメ皮**のおろしなどですりおろして使う。

わさびは寿司と刺身に風味を添えるだけでなく、その成分によって、生魚についている細菌や寄生虫を殺す役割も果たしている。

もともとは日本の山間部の渓流周辺に自生していたが、今では栽培物が中心。それでも供給が追いつかないため、中国や台湾、遠くはニュージーランドからも輸入している。

左ページ：冷蔵ケースの中から最高のタコを選ぶ業者。　上：皿に並んだみごとな寿司。

中国
幽玄なる白茶

福建省を産地とする白茶は、中国茶で最も淡い色と繊細な味わい。
かつては中国の皇帝が好んで飲んでいたといわれる。

中国南東部、福建省の山間部で採れる茶は、"白茶のシャンパン"と呼ぶにふさわしい。茶とワインはよく似たところがある。ワインにおけるぶどうのように、茶でも茶葉の品種とテロワール（畑）が重要な意味を持つ。

最も良質の茶葉が採れるのは山間部。野生のチャノキも自生する山あいは空気が澄み、今日の中国では珍しく環境汚染の波も及んでいない。白茶の中でも最高級のものは白毫銀針（はくごうぎんしん）と呼ばれ、福建省山間部の高地にある農園で作られている。

白毫銀針の茶葉の摘み取りは春に行われる。その頃には新葉は成熟しているとはいえ、まだ固く丸まって針のような芯芽の状態だ。

早朝、経験豊かな摘み手たちが、茶畑の間を静かに移動しながら、今にも開きそうな緑色の芯芽を手際よく摘んでいく。

午後は、平らな竹製の盆の上に芯芽を広げ、会話に花を咲かせながら盆をふるって余分な葉や枝を丹念に取り除く。最後に、巨大な竹製の棚に広げて、午後の穏やかな日差しで乾燥させる。その頃には、農園のいたるところが茶葉で覆われる。

白茶

白茶、緑茶、黒茶はいずれも日本茶や紅茶と同じ**チャノキ**の葉と芽から作られる。チャノキの品種と産地、生育条件、加工工程の違いによって、さまざまな種類のお茶に分かれる。

とりわけ手をかけずそのままの状態に近い**白毫銀針**は、ほかの茶に比べて工程が簡素で、抗酸化物質を多く含んでいる。

白茶は、お茶請けなしで飲まれることが多い。飲み口が軽く、繊細な味なので、ほかの食べ物の風味に負けてしまうからだ。地元では、最初の一杯を飲み終えると、茶碗に残った茶葉に湯を注いでお代わりを作る。

ベストシーズン　白毫銀針の茶摘みの時期は、春が始まる3月下旬から4月初め。作業は早朝に行われる。

旅のヒント　最高の芯芽が採れるのは、福建州の州都・福州から北に約300キロの福鼎（ふくてい）周辺の農園。車で3時間はかかる。福鼎には茶の市場があり、地元の農家が自家製茶葉を持って集まる。良質の店も多い。茶農園の見学もできるが、観光客向けではないので、訪ねるときは福州のホテルに頼んでガイドを雇うか、信頼できる旅行会社でツアーを組んでもらおう。福鼎では英語はほとんど通じない。奥地まで行く場合は、中国語、できれば地元の方言がわかる人と同行したい。

ウェブサイト　www.rareteacompany.com、www.chinadiscover.net

開きかけの芯芽を摘み取る女性たち。

みずみずしく丸々とした、果汁たっぷりのいちじく。トルコ中の市場や沿道の売店に並ぶ。

トルコ
いちじくの収穫

いちじくの生育にぴったりの気候と土壌のトルコ南西部。
地元の人々はいちじくを"聖なる果物"と呼んでいる。

夜明けの空がばら色に染まり始める頃、トルコ南西部・アイディン地方の肥沃な平原に農民たちが集まり、丸々とふくらんだいちじくの収穫に取りかかる。このあたりは干しいちじく生産の中心地だ。

甘く、みずみずしいいちじくの実は、果樹園の開けた場所で敷物や棚の上に広げられ、地中海の日の光で乾燥させる。正午になると、仕事は休み。木陰で昼食が始まる。それはまるで終わりのない祝祭のようだ。

前菜のジャジュク（きゅうりを濃厚なヨーグルトで和え、新鮮なフェンネルとにんにくで香りづけした料理）で始まり、チョップシシ（ラム肉の串焼き）、ババガヌーク（茄子のペースト）を添えたピデ（平たいパン）と続く。アイラン（甘くないヨーグルトドリンク）でほてった体を冷やし、最後はインジリ・タトゥルス（胡桃を詰めた干しいちじく）でしめくくって、昼の宴は終わる。

ベストシーズン　いちじくの収穫は8月下旬から9月。9月には多くの町で収穫祭が催される。
旅のヒント　アイディンへ行くには、オトガル（イスタンブール国際バスターミナル）からアイディン・ツーリズムのバスが出ている。アイディンに着いたらレンタカーを借りるか、地元のタクシーで果樹園に向かおう。数日間滞在すれば、一帯を見て回ることができる。
ウェブサイト　www.tourismturkey.org

いちじくのデザート

トルコでは干しいちじくをそのまま食べるほか、デザートの材料にもよく使う。**インジリ・タトゥルス**はシロップ漬けの干しいちじくに胡桃を詰めて、クリームと砕いた胡桃かピスタチオを添えたもの。

重ねたパイ生地に蜂蜜と胡桃かピスタチオを折り込んで焼いた**バクラヴァ**や、香辛料をきかせて煮込んだ**コンポート**にも干しいちじくが使われる。コンポートに添えるカイマックはトルコ版のクロテッドクリーム。普通のクリームを熱して水分を蒸発させた濃厚なクリームだ。

アシュレは小麦粉のプディング。別名ノアのプディングともいう。トルコで最も古いデザートだ。ここにも干しいちじくが登場する。ほかの材料は、小麦とひよこ豆、米、白いんげん、杏、干しぶどうなど約15種類。大洪水の後にノアの箱舟がアララト山にたどり着いたとき、ノアが残りものの材料で作った料理といわれ、昔からクルバン・バイラム（犠牲祭）の翌月に作られる。

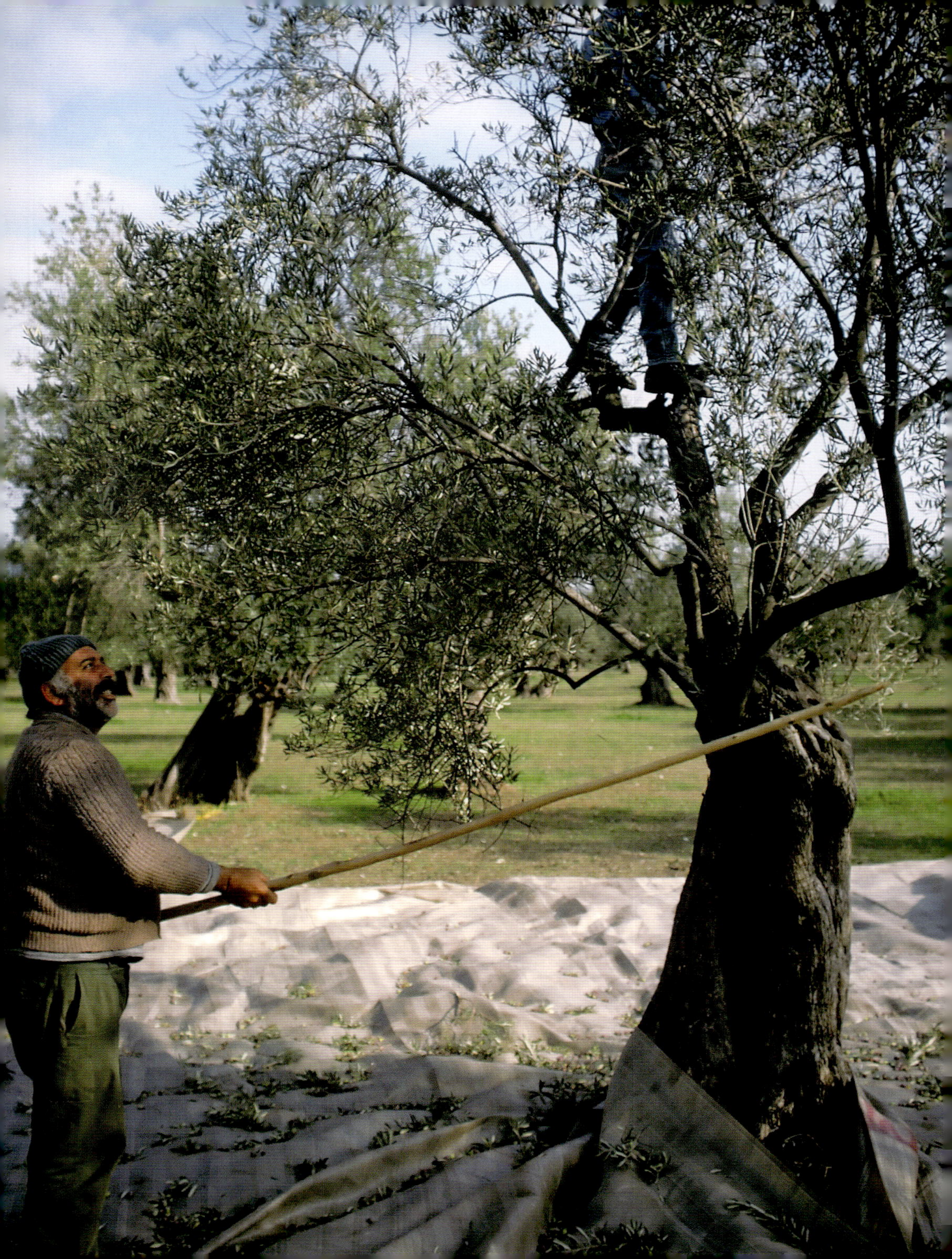

ギリシャ
オリーブの収穫

オリーブ栽培の発祥地、クレタ島を訪ねてみよう。
地中海の気候がもたらす最高の恵みを堪能できるはずだ。

地中海に浮かぶ島、クレタ島。10月の肌寒い朝、灰色の空に太陽の光が差し始める頃、カズ・ザクロス村のオリーブ林では、女性たちが木々の下に網を広げ始める。翌年の2月まで行われる、オリーブの収穫の始まりだ。いつ収穫するかは、オリーブの種類によって異なる。また、熟していない緑色のままで採るか、熟して黒や紫色になるまで待つかによっても違ってくる。

クレタ島は、ギリシャでも最大のオリーブ産地の一つ。この美しい島では4000年以上も昔からオリーブの栽培が行われていたとされる。今では機械で木を揺さぶる収穫法が主流だが、家族や村人総出で伝統的な手法を守っている農家も少なくない。網を何週間も張り、オリーブの実が自然に落ちてくるのを待つのだ。自然に、といっても手助けは必要で、木をゆすったり、長い棒でつついたりして、できるだけたくさんの実を収穫する。次に、実をつぶさないように銀色の葉を取り除く。こうしてより分けられた実だけが地元の搾油所へ運ばれ、黄金色の油に生まれ変わる。

オリーブ油の中でも最高級とされるのがエクストラバージンオイルで、その次がバージンオイル。いずれも一番しぼりのオリーブ油で、化学処理や精製をしていない。一般のオリーブ油は、風味と色を良くするために少量のエクストラバージンオイルかバージンオイルを加えて精製する。

ベストシーズン 10～2月。
旅のヒント ミノア文化の中心だったこの美しい島を見て回るには、少なくとも1週間は必要。オリーブ油をふんだんに使ったクレタ料理は世界で最も健康的な料理といわれている。ぜひじっくりと味わいたい。収穫期には地元の搾油所でオリーブ油の製造工程を見学できる。
ウェブサイト www.explorecrete.com、www.cookingincrete.com

ギリシャのオリーブ

オリーブの木1本から収穫できる実の量は、当たり年で平均60キロ。クレタ島では**コロネイキ**、**スロムボリャー**、**ツォウナティ**など多くの種類が栽培されているが、これらは主にオリーブ油の原料となる。

ギリシャのほかの地域では、塩漬け用や卓上オリーブ用の品種が栽培されている。**カラマタ**は大きなアーモンド型。果実のような豊かな味と肉のような舌ざわりが特徴。ペロポネソス半島西部のメッシニアで作られる。

丸形あるいは楕円形をした**コンセルボリャー**はギリシャの食卓で最もよく見かけるオリーブだ。

大粒で青緑色の**ハルキディキ（チャルキディキ）**はギリシャ北部のハルキディキ地方で生産され、ぴりっとした風味が特徴。実が大きいので、チーズや干しトマトを詰めることも多い。

ギリシャ南部のアッティカ地方で作られる小さな**メガリティキ**は、塩をふって乾燥させるので、表面にしわが寄っている。

左ページ：昔ながらの方法でオリーブを収穫する。上：収穫されたオリーブはさまざまに加工される。

イタリア
サン・ダニエーレの生ハム

豚肉を塩漬けし、熟成させて作る生ハム。
天然の海塩とイタリア北東部の新鮮な山の空気のたまものだ。

イタリアの生ハム、プロシュートといえば、パルマという町の名がすぐに思い浮かぶかもしれない。実は、イタリアにはもう一つ、生ハムで有名な町がある。その町の名はサン・ダニエーレ。フリウリ・ベネチア・ジュリア州の穏やかな田園地方で作られるプロシュート・ディ・サン・ダニエーレ・デル・フリウリは、淡いローズピンク色の肉がたぐいまれな風味を醸し出す。

調味、成形、熟成という過程は他のDOP（原産地統制呼称）の生ハムと同じ。天然の海塩しか使わない点も共通している。違うのは、豚の後脚をまるごと使うこと。そのため、ハムはギターに似た形をしている。これを最長で18カ月間熟成させる。

サン・ダニエーレのハムが独特の風味を持つ理由は、豚の品質（産地は指定された10カ所いずれかに限られる）だけでなく、天然の海塩と、湿度や山地の風が組み合わさった最高の熟成環境にある。

地元の生ハム製造所に足を運び、実際に試食してみよう。紙のように薄く切った生ハムをグリッシーニ（棒状の堅いパン）に巻くか、地元産のフリウリワインと一緒につまめば、またたく間にその味の虜となってしまうに違いない。

ベストシーズン　毎年行われているハム祭りを見るなら6月。そうでなければ春と秋がおすすめる。
旅のヒント　古都ウディーネをめぐる、地元の厚皮ソーセージや、ハーブや香辛料を加えたフリッコと呼ばれるチーズ料理を楽しむのもいいだろう。サン・ダニエーレ近くの中世の都市チヴィダーレ・デル・フリウリは景色がすばらしい。時間に余裕があれば、美しいトレヴィーゾやヴェローナ、ベネチアもそう遠くない。
ウェブサイト　www.discoverfriuli.com、www.deliciousitaly.com、www.prosciuttosandaniele.it

生ハムの町を味わい尽くす

■ サン・ダニエーレでは、毎年6月の終わりに4日間にわたって**アリア・ディ・フェスタ**というプロシュート祭りが開かれる。試食のほかにコンサートなども開かれ、伝統的な生ハム製造所も見学できる。

■ 町の中心広場には**サルメリア**と呼ばれる総菜店がたくさんある。生ハムを買うときは、サン・ダニエーレ産であることを示すDOPの表示があるか確認しよう。

■ 中心広場にある**ラ・カサ・デル・プロシュート**は家族で経営する小さな生ハム製造所で、製造のさまざまな工程を見学できる。カフェでは地元産のチーズなども楽しめる。

■ サン・ダニエーレ郊外にある**プロシューティ・コラダッツィ**も家族経営の生ハム製造所で、試食や見学ツアーも用意されている。

サン・ダニエーレの生ハムは自然乾燥によって作られる。温度が高すぎたり、湿度が低すぎると、ハムの風味が損なわれてしまう。

モデナのバルサミコ酢は最低12年熟成させるのが伝統で、25年以上のものはエクストラベッキオと記される。

バルサミコ酢

伝統的な製法で作られたモデナ産のバルサミコ酢は、イタリアの著名な自動車デザイナーのジョルジェット・ジウジアーロがデザインした、独特の球形のガラスびん（100ミリリットル）に入っている。熟成年数による区別があり、12〜25年ものには赤い蓋、25年以上のもの（エクストラベッキオ）には金色の蓋がついている。

熟成用の樽はネズ、桜、樫、栗などの木でできており、それぞれに大きさが異なる。独特の方法で濃縮した**ぶどう果汁**（伝統的に地元のぶどう、トレッビアーノかランブルスコを使う）を樽の中で徐々に熟成させる。

ここ数年、各家庭でバルサミコ酢を作る伝統が復活し、新郎新婦への結婚祝いの贈り物として、一生使える樽一式が人気だ。

イタリア
モデナのバルサミコ酢

甘酸っぱく、奥深い味わいのバルサミコ酢は、
エミリア・ロマーニャ州の伝統料理に欠かせない。

北イタリアのモデナ。チェントロ・ストーリコと呼ばれる歴史地区では、どの建物にも熟成したぶどうの香りがただよう。世界にその名を知られた名産品、バルサミコ酢の香りだ。多くの家では、屋上で自家製のバルサミコ酢を作っている。ぶどうがバルサミコ酢になるまで、人々は少なくとも12年間、辛抱強く待ち続ける。こうしてモデナの伝統的なバルサミコ酢が生まれるのだ。

モデナに行ったら、まずは屋根つきの市場、メルカート・コペルトを訪ねたい。ここには太鼓型のパルミジャーノ・レッジャーノ・チーズをはじめ、手作りのトルテッリーニ（詰め物をしたパスタ）など、地元の美味があふれている。市場の端にある小さなバー「スキアボーネ」では、ガチョウの肉の燻製をはさんだパニーノ（軽く焼いたサンドイッチ）にパルメザンチーズとバルサミコ酢を添えたものを味わえる。

ゆっくり食事を楽しみたい人は、「トラットリア・エルメス」に行こう。メニューはモデナの伝統料理。バルサミコ風味のスカロッピーネ（仔牛肉の薄切りにバルサミコ酢を加えた料理）やバルサミコ酢を振りかけた野いちごなどが楽しめる。

ベストシーズン　1年のうちのいつでもいいが、モデナ周辺で行われるバルサミコ酢関連のイベントは秋。9月下旬に醸造所が開放され、10月には祭りが開かれる。

旅のヒント　モデナを拠点に、パルマやボローニャ、フェラーラ、ラヴェンナなどエミリア・ロマーニャ州の町をめぐるのもいいだろう。観光情報センターではバルサミコ酢の試飲ツアーをやっている。

ウェブサイト　www.acetaiadigiorgio.it / turismo.comune.modena.it

バルサミコ酢の原料は地元産のぶどう。

高地の草を食む牛たち。良質の牛乳がピエモンテのすばらしいチーズを生む。

イタリア
ピエモンテのチーズ

イタリアの北西端に広がるピエモンテ地方。
山と湖、丘陵、豊かな料理に恵まれた美しい地域だ。

　アルプス山脈とアペニン山脈にはさまれたピエモンテ地方の山あい。牧草地が広がり、渓谷は豊かな緑に恵まれ、丘はぶどう畑に覆われている。崩れかけた城や中世の教会が残る静かな山村もある。

　食事の場所には事欠かない。にぎやかな大衆食堂やバロック風の天井があるワインバーから、クールでモダンなレストランまで幅広い。チーズボードには驚くほど多彩なチーズがのっている。フレッシュチーズ、柔らかなカビ熟成チーズ、ぽろぽろ欠ける塩辛いチーズ、なめらかで風味が強いブルーチーズ。いずれもピエモンテ産で、原料は牛や山羊、羊の乳。あるいは三つを混ぜて作ったものもある。

　ピエモンテ産のうち、6種のチーズがDOP（原産地統制呼称）を受けている。とはいえ、ほかのチーズも、1、2カ所の渓谷でそれぞれ少量しか作られていないためにDOPに指定されないだけ。チーズ好きの人はぜひ、トリノ近郊のブラという小さな町で隔年開催されるチーズ祭りに足を運んでみてほしい。

ベストシーズン　ブラのチーズ祭りは、スローフード協会が隔年で9月下旬に開催する祭り。ピエモンテのトリュフも味わいたいなら10月下旬がベスト。

旅のヒント　ピエモンテ周辺の山道を散策し、山村を訪ね、地元のチーズを楽しむなら数日は必要。車は必須。ピエモンテ観光協会ではトリノ案内の小冊子やチーズのガイド、人気レストランを詳しく紹介した地図などを用意している。チーズ祭りの期間中に行くなら、宿泊場所はかなり早めに予約しておこう。

ウェブサイト　www.slowfood.com（日本語あり）

個性豊かなチーズいろいろ

　トーマ・デル・マカーニョは、ピエモンテ地方のビエッラやヴェルチェリなどの町で作られる。熟成度によって、まろやかなものから、香りのきついものまで幅広い。

　ロビオラ・ディ・ロッカヴェラーノDOPは、象牙色で柔らかい小さなチーズ。買うときは、山羊の生乳だけを使っているかをよく確認しよう。

　カステルマーニョDOPは、クネオ州の三つの村だけで作られ、きわめて希少。

　ムラッツァーノDOPは、アルタ・ランガ地方の羊の乳で作られる。熟成が7日間ほどで柔らかく香りがきつくない種類と、熟成が2カ月以上で硬く香りが強い種類がある。

イタリア
エトナ山の恵みのオレンジ

ルビーのように赤い果肉のシチリア産ブラッドオレンジ。
アランチャ・ロッサはこの島が最も誇る果物の一つだ。

シチリア島南東部のカターニアの春。エトナ山のふもとに広がる林からオレンジの花の香りが漂ってくる。エトナ山が吐き出す火山灰が最高の肥料となって、ピスタチオやレモン、桃やぶどうの栽培が盛んなのだ。

だが、なんといっても一番の特産は、宝石のような果実を実らせ、つややかな葉を茂らせる数千本のオレンジの木だろう。豊かな土壌と昼夜の気温差（昼間は暑く、夜は肌寒い）、そして山のふもとという地形による日照条件。これらが合わさって、自然の奇跡ともいうべきアランチャ・ロッサ（ブラッドオレンジ）ができる。このオレンジは、果汁たっぷりの深紅の果肉と木いちごのような甘さが特徴だ。

アランチャ・ロッサの品種は三つ。在来種であるサンギネロは皮と果肉が赤く、甘くて果汁がたっぷり。モロは3種の中で最も酸味が強く、小さめで果肉は深紅色。オレンジ色の皮で果肉がわずかに赤みがかったタロッコは、種がなく、3種の中では一番甘い。オレンジの中で最も多くビタミンCを含むとされ、シチリアでは食卓の果物として人気が高い。フェンネルやオリーブと一緒にサラダにするか、生ジュースとしてその優れた味と栄養をそのまま満喫するのが、シチリア風の楽しみ方。

ベストシーズン 1年のうちのいつでもいいが、エトナ山を歩くなら夏の暑さを避けよう。オレンジの収穫を見るなら12月と1月がおすすめ。
旅のヒント カターニア、エトナ山のほか、美しい古都シラクサを見て回るには、少なくとも1週間が必要。エトナ山を歩くなら、ウオーキングシューズを用意しよう。レンティーニは小さな町だがオレンジの栽培で有名。
ウェブサイト www.mountetna.net、www.globusjourneys.com

シチリア風オレンジサラダ
オリーブはなくてもいいし、フェンネルのかわりに玉葱の薄切りでもいい。オレンジに胡椒、油、パセリを散らしただけの簡単なものもある。

材料：前菜として4人分
シチリア産ブラッドオレンジ　4個
フェンネル　1株
オリーブ油　大さじ2
黒胡椒と海塩
黒オリーブ　12個

オレンジの皮をむき、白い皮も丁寧にそぎとる。果汁の一部を浅いボウルに入れ、薄切りしたオレンジを一部が重なるように並べ、残りの果汁を注ぐ。フェンネルを薄く切って上から散らし、オリーブ油を振りかけた後で黒胡椒と塩をふり、最後に黒オリーブを飾る。

エトナ山のブラッドオレンジ。外から見ると普通のオレンジだが、中身は深紅色をしている。

ドイツ
ヴェストファーレンの黒パン

ずっしりと重みのあるプンパニッケルは、ドイツの有名な黒パン。
古い森や中世の町が広がるドイツ北西部で生まれた。

ヴェストファーレン地方を代表する黒い発酵パン、プンパニッケル。名前の由来ははっきりしないが、その味と食感がきわめて優れていることは誰も否定しないだろう。

北部のにぎやかな大学の町ミュンスターから東のトルトブルクの森にあるデトモルトにいたる地域では、いろいろな郷土料理が大切に守られている。中でもプンパニッケルは何世紀もの間、同じ製法で作られてきた。蒸気をいっぱいにした窯で100〜110℃の低温で24時間じっくりと蒸し焼きにする。こうして、堅い皮のない、独特の甘さと食感を持った黒いパンができあがる。甘味料や着色料は一切使わない。

ドイツで最も古いプンパニッケルの店は、中世の町ゾーストにある「ハーヴァーラント」で、創業は1570年。12代にわたって今なお昔ながらの製法を守り続けている。材料はライ麦と水、そして発酵をスタートさせるための一切れの古いプンパニッケルだけ。伝統的なプンパニッケルの製造の過程は、ニーハイム（デトモルトの南）のパン博物館（ヴェストファーレン食の博物館群内）で見学できる。

ベストシーズン 春と夏がベストだが、冬には地元のジビエ料理が味わえる。2月にはファッシングと呼ばれる四旬節直前のカーニバルが行われる。
旅のヒント 都市間の移動は、列車が速くて簡単で信頼性が高い。地方をめぐるには、レンタカーを借りるのが一番。「NRW クリナーリシュ（ノルトライン・ヴェストファーレン州御用達）」というロゴがついたパブやレストランでは、豚の血のソーセージやクワルク（チーズ）、木いちご、プンパニッケルのデザートなど地元料理が楽しめる。
ウェブサイト www.nrw-tourism.com、www.hist-stadt.nrw.de、www.westfalen-culinarium.de

ヴェストファーレンの美味

■ **ヴェストファーレンのハム**は骨付き。**クノッヒェン・シンケン**（骨付きハム）と呼ばれる。塩漬けした肉を乾燥させてから燻製にしたものだ。どんぐりを食べて育った豚の肉のハムが最も高級とされる。

■ 「古いビール」という意味の**アルトビール**（発酵ビール）はヴェストファーレンの伝統的なビール。ドイツ最古の有機醸造所として認定されているミュンスターのピンクスミュラー醸造所が製造している。ヴェストファーレン食の博物館群にあるビールとシュナップスの博物館では、ボックビール（黒くて強い麦芽ビール）を造っており、醸造過程を見学できる。

■ ヴェストファーレン食の博物館群内のチーズ博物館では、**テックレンブルク・ホーセンクノップ**（カマンベールに似た山羊の乳のチーズ）や**ニーハイマー**（キャラウェイの香りがするサワーミルクチーズ）を作っている。

店頭に並ぶプンパニッケル。

スコットランドには有名な川が多い。そこでとれた新鮮な鮭は、レストランの定番メニューになっている。

英国 スコットランド

野性味あふれるスコットランド料理

川と湖、湿原、森林、そして海岸…。豊かな自然が
スコットランドに個性的な料理をもたらした。

ハイランド地方に広がるラノック湿原。秋の霧が低くたちこめる日、あるいは雨がガラスの破片のように大地に打ちつける日にこの地を歩くと、陰鬱そのものの場所に思えてくるかもしれない。だが一転、そよ風が吹く初夏の晴れた日には、太陽の光を浴びた湖面が砂の入り江と鮮やかな対比をなし、草の波が紫色のヒースの草原へと広がっていく。

スコットランドのジビエ（猟獣と猟鳥類）は多くの人の知るところだが、野生のきのこやベリー、マスや鮭などの魚介類も豊富だ。訪れた人はキャンプやハイキング、野生動物の観察だけでなく、釣りやきのこ狩り、ベリー摘み、狩猟なども体験できる。地方の宿や都会のレストランで、伝統料理を堪能するのもいい。

じめじめした荒野を1日歩いた後、暖炉のそばで一息ついてから、ヒースやわらび、潮の香りを感じさせる温かい料理をゆっくりと味わいたい。

ベストシーズン スコットランド北部・ハイランド地方の気候が最も穏やかなのは9月。料理を楽しみたいなら10月がおすすめだ。雷鳥、ウズラ、キジ、アカシカ、きのこ、にわとこの実のほか、天然の牡蠣などがメニューに並ぶ。食の祭典は9月と10月が中心。

旅のヒント キャンプや釣り、きのこ狩り、ベリー摘みなどの情報のほか、季節ごとに観察できる野生動物のガイド、地元料理の店、三つ星レストランの紹介など、たくさんのウェブサイトがある。

ウェブサイト www.wild-scotland.org.uk、www.snh.org.uk、www.foodtourismscotland.com、www.visitscotland.com（日本語あり）

自然が生み出す食材

きのこの中で最も人気があり、おいしいのが、秋の**アンズタケ**と**セップ**（ヤマドリタケ）だ。

湖でとれる**手長海老**は新鮮で甘く、汁気たっぷりでぷりぷりとした歯ごたえが特徴。4〜11月が旬。スコットランド産の**牡蠣**は大西洋物より肉厚で高価。

鹿肉はアカシカ、ノロなどが中心。風味と柔らかさは鹿の産地や年齢、性別、保存期間によって異なる。手に入るかどうかは狩猟の季節中でも変わってくる。

スコットランド料理では**猟鳥**も多く扱う。野生のキジやウズラ、雷鳥を食べるなら、飼育ものでないことを事前に確認しよう。

釣り人の楽園

トップ10

自分で釣った魚ほどおいしい魚はない。釣った魚を焚き火で焼いたり、
地元のホテルやレストランで調理してもらえば、楽しい思い出になるだろう。

❶ ガスペ半島（カナダ、ケベック州）

巨大なマタペディア川から宝石のようなボナヴァンチュール川まで、ケベック州南部の川はタイセイヨウサケが豊か。グランドカスカペディアやプチカスカペディア、マターヌ、サンタンヌなど、釣り場がそろっている。

旅のヒント　釣りの季節は6月半ば〜9月半ば。「キャンプ・ボナヴァンチュール」は夕食がすばらしく、釣り場も予約できる。www.campbonaventure.com

❷ プリンセスロイヤル島
（カナダ、ブリティッシュコロンビア州）

ブリティッシュコロンビア州の北部にあるプリンセスロイヤル島は、原生林グレート・ベア・レインフォレスト内にあり、タイヘイヨウサケの釣り場となっている。ハイキングや山登り、カヤックが楽しめるほか、カーモードベア（スピリットベア）やシャチなどの野生動物も観察できる。

旅のヒント　6〜9月がベスト。「キングパシフィックロッジ」は快適な客室を17室用意している。www.kingpacificlodge.com

❸ ペノブスコット川（米国、メイン州）

メイン州の最高峰、カタディン山（1610メートル）のふもとを流れるペノブスコット川の西流は、深い淵や急流などに富み、ずっしりとした陸封型の鮭とカワマスが豊富だ。夏の間はリポジェナスダムから水が放出されるので、季節を問わず釣りが楽しめる。

旅のヒント　釣りの餌になるカゲロウの幼虫が一番手に入りやすいのは、7月の第2週。バクスター州立公園ではデイシー、キッドニーの両池で小屋が借りられる。www.flyfishinginmaine.com、www.baxterstateparkauthority.com

❹ ビーバーキル川
（米国、ニューヨーク州キャッツキル山脈）

ビーバーキル川とウィローモッククリークが交差するロスコーの合流点は、米国のドライフライフィッシング発祥の地。ジャンクションプールの下流のノーキル区域はブラウントラウトが豊富。

旅のヒント　5月初めから6月半ばが気温も川の流れもいい。宿泊には「ロスコーモーテル」がビーバーキルに近くて便利。www.roscoemotel.com

❺ マディソン川（米国、モンタナ州）

ビッグホーンからミズーリ州のビッグブラックフットを経てビーバーヘッドに向かい、蛇行しながら流れていく大きなマディソン川は、モンタナの山々が生んだ川の中でも屈指の美しさを誇る。みごとな自然の景観の中で、ニジマス、ブラウントラウト、カットスロートトラウト（斑点のあるマス）などの釣りを楽しめる。

旅のヒント　マディソン川での釣りは7月と9月がベスト。宿泊はキャメロンの「ベアトゥース・フライフィッシング・ロッジ」がおすすめ。www.beartoothflyfishing.com

❻ リオ・グランデ（アルゼンチン、パタゴニア地方）

強風が吹きすさぶ南米大陸の南端、フエゴ島のリオ・グランデには、重さが4.5〜13.5キロもある遡河性のブラウントラウト（川で産卵後、海で3年過ごすブラウントラウト）が豊富。近くの河川ではニジマスやブラウントラウトもとれる。南極大陸との距離が1000キロの地で釣りを楽しむのもいいかもしれない。

旅のヒント　パタゴニアの主な釣りシーズンは12〜5月。「トゥーンケンロッジ」は一度に5、6組ほどしか宿泊できない。www.flyfishingpatagonia.com

❼ ニュージーランド

ニュージーランドの広大な渓谷には、あらゆる釣り人の憧れの川が流れている。そこは、巨大な野生のブラウントラウトやニジマスが豊かだ。川沿いを歩きながら、澄んだ流れの中に魚を見つけて釣り糸を投げる。そんなサイトフィッシングを楽しみたいなら、世界で一番おすすめの場所かもしれない。

旅のヒント　ニュージーランドの釣りの季節は10〜4月。www.flyfishingnz.co.nz、www.nzfishing.com

❽ クパ川（クロアチア）

クロアチアの山あいにあるゴルスキ・コタル郡北部、スロベニアとの国境をなすクパ川。アドリア海から車で1時間もかからない距離でありながら、手つかずの森林が残るみごとな景観の中を澄んだ川が流れ、たくさんのブラウントラウトやカワヒメマスが泳いでいる。クパ川流域は野生動物の宝庫でもある。

旅のヒント　クパ川の釣りは5月と6月がベスト。www.kupa-flyfishing.com

❾ ナルセア川（スペイン、アストゥリアス州）

いくつもの滝を経て、アストゥリアス州の緑に輝く丘陵の峡谷を流れるナルセア川。北西部はタイセイヨウサケのほか、降海型のマスなどあらゆる種類のマスが豊富だ。また、3月下旬から7月にかけては鮭のシーズンでもある。

旅のヒント　6月後半の2週間がベスト。コルネリャーナのホテル「ラ・フエンテ」は伝統的なクラブハウスとして人気が高く、世界中から鮭釣りを楽しむ人々が集まる。www.cti.es/la_fuente/

❿ モイ川（アイルランド、メイヨー郡）

モイ川はアイルランド西部で最も鮭が豊かな川。オックス山脈を見ながら丘陵を過ぎてバリーナで大西洋に注ぐ。その上流や支流、湖はマスが豊富で、入り江では降海型のマス釣りが楽しめる。

旅のヒント　モイ川のベストシーズンは6月と9月。メイヨー郡でおすすめの宿泊施設は、モイ川河口を見下ろすバリーナの「アイスハウス・ホテル&スパ」だ。www.northwestfisheries.ie、www.icehousehotel.ie

---

右ページ：米国モンタナ州のマディソン川。雄大な自然が美しい、世界有数のマスの釣り場だ。

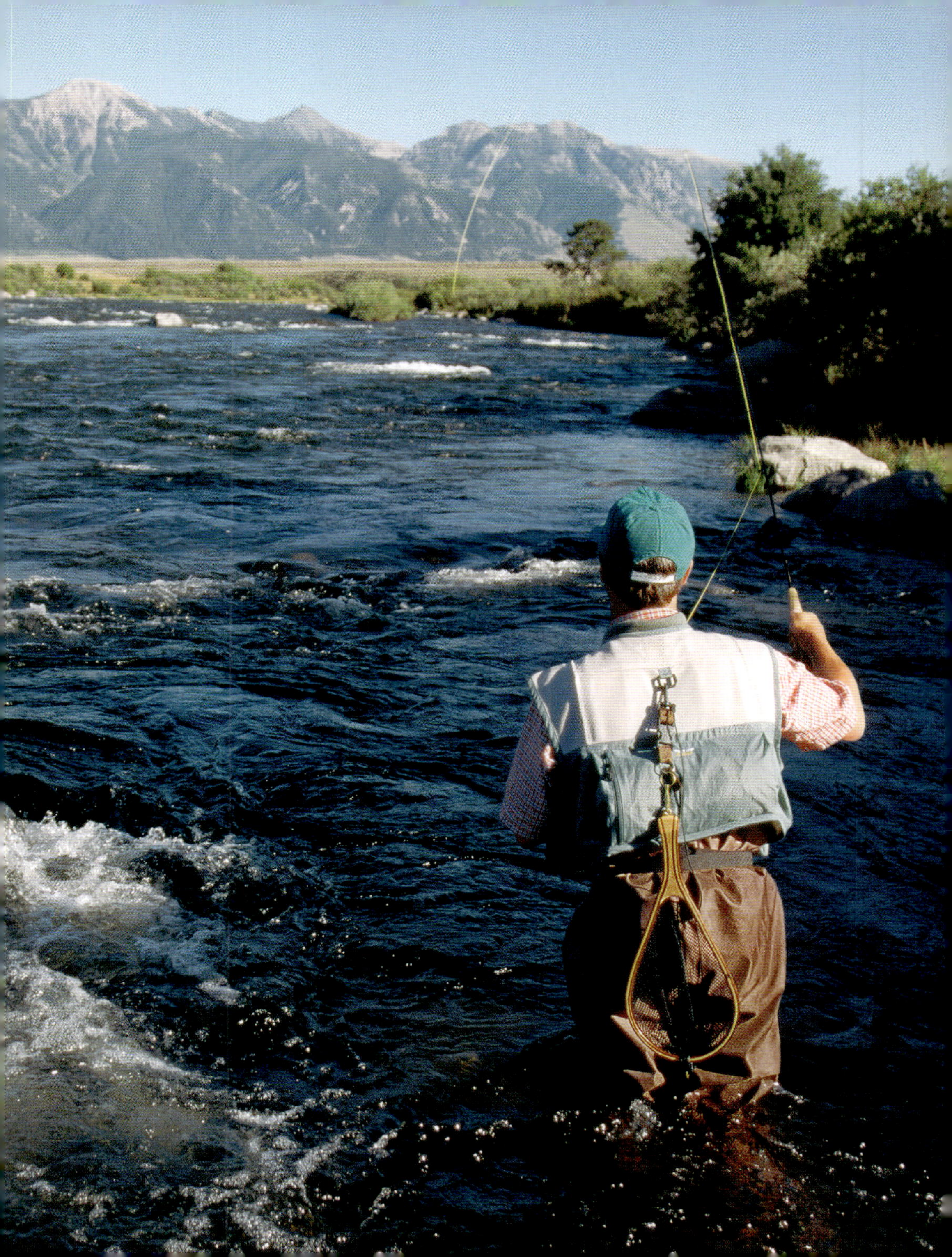

フランス
ブルターニュの海の恵み

湾や入り江、島々が複雑に入り組むブルターニュ半島。
その大西洋沿岸は、世界でも有数の牡蠣の産地だ。

ブルターニュ半島西端の都市ブレストから南の保養地ラ・ボール・エスクブラック近郊のゲランド塩田にいたる海域は、驚くほど多彩な牡蠣を生み出している。それを味わうのに最高の場所が、モルビアン湾周辺だ。

湾の南にはリュイス半島が突き出ており、半島の町サルゾーの町から始まる"牡蠣の道"が半島沿いにポール・ナヴァロ岬までのびている。

湾には広さ485ヘクタールの養殖場が広がる。地元レストランのメニューにはユイットルス・デュ・ゴルフェ（ブルターニュ産牡蠣）と書いていることが多いが、時にユイットルス・ブドューズ（"ふくれっ面の"牡蠣）という名を見かけることもある。3～5年養殖された小型でふっくらとした牡蠣で、豊かな潮の香りが特徴だ。ブロンと呼ばれる牡蠣もとれる。こちらは平らで丸く、肉厚の身と奥深い後味を持つ。

暖かい夏の日には、ゲランド塩田で塩職人たちが粗い海塩の灰色の層の上にたまった結晶、フルール・ド・セル（塩の花）を集める光景が見られる。フルール・ド・セルは食卓塩として料理の仕上げに、海塩は調理の際に使われることが多い。

ベストシーズン いろいろな牡蠣を楽しむなら10～4月。フランスでは新年を迎える頃にブルターニュ産の牡蠣を食べるのが習慣になっている。12月から1月にかけては、2～3年もののソヴァージュ（天然牡蠣）がメニューに登場するはず。

旅のヒント モルビアン湾は週末を過ごすのに最適。港周辺を散策したり、青いトロール船を眺めたり、ヨットを楽しむのもいいだろう。クレープを食べたり、ゲランド塩田を散策したり、ロワール川河口の北、ミュスカデのぶどう畑でワインを味わうなら、さらに1週間は必要。

ウェブサイト www.brittanytourism.com、www.golfedumorbihan.fr

ブルターニュの美味

■ 地元産のハムをはさんだ温かい**クレープ**やそば粉の**ガレット**がおいしい。地元の人のように、軽くアルコールが入ったりんご酒の**シードル**と一緒に味わおう。

■ 港の店やバーに**フェスト・ノズ**を知らせるポスターが貼ってあったら、ぜひ行ってみよう。フェスト・ノズはケルト音楽のダンスパーティーのこと。地元の料理も出る。**シュシェン**という地元産の蜂蜜の酒を片手に楽しもう。

■ ヴァンヌ近郊のテクスでは**モル・ブラース醸造所**でビールの試飲ができる。海水ビールというめずらしいビールは潮の香りがするはず。

■ 甘党にはキブロンの**塩バターキャラメル**や、**ニニシュ**（キャラメル味の棒つき飴）がおすすめ。

果実味が残る辛口白ワインのミュスカデ。ブルターニュ半島の海岸沿いでは、生牡蠣を食べるときの定番ワイン。

パリには老舗のパン屋がたくさんあり、バゲットのほかにもクロワッサンやいろいろなペストリーを売っている。

バゲットとパン職人

■2009年のバゲットコンクールの優勝者は、15区にある**ル・グルニエ・ド・フェリックス**のフランク・トンバレルだった。

■5月半ばにはノートルダム寺院の前で**フェット・デュ・パン**（パン祭り）が開かれる。パン職人たちが自慢の腕を披露し、バゲットコンクールに出した製品も見られるほか、子供向けの体験教室も開かれる。

■パリのすべてのパン屋がバゲットを作っているわけではない。有名な**ポワラーヌ**（6区と15区に店がある）では、サワー種を使った皮が香ばしい丸いパンが有名。

■パンの歴史を知りたい人は、10区でクリストファー・ヴァスールが営業する**デュ・パン・エ・デ・ジデ**を訪ねよう。銅製の型など古いパン作りの道具が見られる。みごとな絵が描かれた天井は歴史的建造物に指定されている。

フランス
パリのバゲットコンクール

パリでは毎年、パン職人たちが、皮がぱりっとして中身はやわらかな、その年で最もおいしいバゲット作りの腕を競い合う。

フランスといえばベレー帽とエッフェル塔が思い浮かぶかもしれない。そしてバゲット（「杖」の意味）もまた、パリ市民にとって大切な文化の一つだ。パン職人たちは、小麦粉、塩、水を天然酵母と混ぜて生地を作り、焼く。その技を競うのが、年に一度行われるパリのバゲットコンクールだ。

12人の審査員が、140ものバゲットをつついたり、香りをかいだり、味や食感を試して、その年で最高のバゲットを選ぶ。優勝したパン職人は、賞金だけでなく、1年間にわたってエリゼ宮の大統領の食卓にバゲットを提供する栄誉を手にする。

パリの街でたくさん見かけるブーランジェリー（パン屋）でバゲットを買ったら、審査員になったつもりで確認してみよう。長さはちょうど70センチか、全体的に調和がとれた格好をしているか。それから端を少しちぎって、かすかにヘーゼルナッツの香ばしさが混じった小麦の香りをかいでみる。最後に、真珠のような丸い粒が蜂の巣状に並んだ中身の肌理をじっくりと眺めてから、一口目を味わいたい。

ベストシーズン バゲットコンクールの優勝者は毎年、初春に発表される。
旅のヒント バゲットを買うなら、夕方は避けた方が無難。人気のある店には長い列ができる。買うときはラベルをよく見ること。バゲット・クラシックは中身が白い伝統的なバゲットで、バゲット・トラディショネルは漂白していない小麦粉を使った、手作りで無添加のバゲット。
ウェブサイト gridskipper.com/59453/pariss-baguettes-dor、www.dupainetdesidees.com（日本語あり）

フランス各地の多彩なチーズ

トップ10

風通しのいい山の斜面に肥沃な牧草地、湿潤な渓谷。この理想的な環境を生かして、フランスでは世界でも名高い多彩なチーズが作られている。

❶ カマンベール（ノルマンディー地方）

牛乳で作る上品なチーズ。ノルマンディー地方でもこのチーズを作る職人は、ほんの一握りしか残っていない。カマンベール村のデュラン農場では4週間かけて形を作り、塩を加え、熟成させたカマンベールを毎日450個ずつ生産している。

旅のヒント ノルマンディー地方はパリから日帰りで行ける。
www.normandie-tourisme.fr（日本語あり）

❷ ブリー（セーヌ・エ・マルヌ県）

パリの東にあたるモーとムランの間の牧草地では、8世紀のカール大帝の時代から、牛乳を使った柔らかなブリータイプのチーズを作ってきた。地域の中心であるクロミエで毎年春に開かれるチーズ祭りに行けば、ブリーの幅広さを実感できるだろう。ブリーはそのまま味わうのもよし、スープに添えるのもよし。

旅のヒント クロミエはパリから50キロ。春のチーズ祭りでは、チーズ業者たちがブリーの形の帽子をかぶって行進するオープニングパレードが必見。
www.tourism77.co.uk（日本語あり）

❸ シャウルスとエポワス（シャンパーニュ地方、ブルゴーニュ地方）

フランス中央部・シャンパーニュ南部からブルゴーニュ北部に向かい、牛乳が原料のクリーミーなチーズを堪能しよう。シャウルスという町で作られるシャウルスチーズはぴりっとした刺激が特徴。エポワス村では、エポワスチーズを作っているベルトー農場を見学できる。

旅のヒント シャウルスへはパリ南東のトロアから入ろう。拠点はアヴァロンが便利。www.burgundytoday.com/gourmet-traveller

❹ シェーブル（ロワール渓谷）

ロワール河の南側では、山羊の乳を使った多彩なチーズが作られている。ピラミッドの先端を切り落としたような形が特徴のヴァランセ。小さくて丸いセル・シュル・シェールやサントモール・ド・トゥーレーヌ。いずれもシノンとヴィエルゾンの間で作られ、中央に麦わらが通してある。

旅のヒント 春から初夏がベスト。ヴァランセ東44キロのロシュを拠点にするといい。www.loches-tourainecotesud.com

❺ コンテ（ジュラ地方）

ローマ時代以前からジュラル山脈の牧草地で作られている牛乳のチーズ。このあたりの製造業者は今でも、農場や酪農家、アフィヌールという熟成専門家たちと協力して作るという伝統のやり方を守っている。ポンタルリエかアルボワの酪農家を訪ねれば、製造工程を見せてくれるだろう。

旅のヒント コンテは1年を通して楽しめるチーズ。
www.lesroutesducomte.com

❻ マロワール（ピカルディ地方）

北フランス産の香りの強いチーズの中でも、マロワールはぜひ試してほしい一品。原料は牛乳。表面はれんが色で、形は真四角。香りは強いが、くせのない味わいは驚くほど芳醇で、かすかに柑橘類の香りがする。

旅のヒント 中心地リールへは、パリのシャルル・ド・ゴール空港からTGVで約1時間。ワゼンム市場（日曜朝開催）は、フランスでも指折りの大きな市場。www.lilletourism.com

❼ ロックフォール（アヴェロン地方）

ロックフォールチーズは羊の乳だけで作ったチーズ。ロックフォール・シュル・スルゾンの村周辺の洞窟で熟成される。色合いはクリーム色から象牙色と幅広い。青や緑灰色がかった小さな穴の模様は生産者によって異なる。

旅のヒント モンペリエからロックフォールに車で向かう広葉樹の並木道は、秋になると色鮮やかな美しさを見せる。拠点はミヨーに置くと便利。
www.ot-millau.fr

❽ カンタル（カンタル山脈、オーベルニュ地方）

2000年もの昔から、オーベルニュ地方で年間を通して作られてきたカンタルチーズ。山の斜面で飼育しているサレール種の牛の乳から作る。買うときは、石のようなチーズの塊に赤い金属のタグがついているかを確認すること。農場で生産されたチーズの証だ。

旅のヒント 訪ねるなら6月か9月がおすすめ。
www.fromages-aoc-auvergne.com

❾ オッソ・イラティ（フレンチ・ピレネー山脈）

スペインに近いピレネー山脈西部で作られる、セミ・ハードタイプの香りのいいチーズ。原料は羊の乳。サン・マルタン・ダルブルーにあるアジャリア・チーズ店を訪ねてみよう。6月のさくらんぼ祭りの時期には、オッソ・イラティにイッツァス産の黒さくらんぼジャムを少しつけて食べるのが地元流だ。

旅のヒント 夏はサンテチエンヌ・ド・バゴリー村に滞在しよう。7月後半にはチーズ作りを見学できる。
www.terre-basque.com、www.bearn-basquecountry.com

❿ ヴァシュラン・デュ・オー・ドゥー（フランシュ・コンテ地方）

冬に楽しめるこのチーズは、トウヒの木箱に入っている。原料は牛乳で、なめらかな黄金色の皮に包まれた中身はとろりと柔らかく、スプーンですくって食べることが多い。この地域のチーズについて知るには、シャルボニエール・レ・サパン村にあるロシャ兄弟のチーズ店に行ってみよう。

旅のヒント 山間部にあるB&Bか、オルナンの運河沿いのホテルに宿をとり、食事は山間部のレストランで。www.france-voyage.com

右ページ：フランスのチーズ専門店に並んだチーズ。この国でどれほど多彩なチーズが作られているかがよくわかる。

FROMAGER

ROQUE

P. TROTTE

スペイン
ラ・マンチャでサフランを摘む

スペインのラ・マンチャ地方で昔から行われているサフランの収穫は、
1年のうちで最も重要な行事になっている。

　ス ペイン中部、カスティーリャ・ラ・マンチャ州の町アルマグロの郊外。10月も終わりに近い朝、地平線に最初の光が差し込むと、腰をかがめて働いていた農民たちがいっせいに仕事の手を止める。この時期のわずか2週間だけ、一帯を紫色に染めるサフランの花を摘んでいたのだ。

　この花が暑さで乾燥しないよう、収穫は花が開く前に（しかも日が昇る前に）行う。花の中には、先端が3本に分かれた血のように赤くて細いめしべが潜んでいる。これを乾燥させたのが、スペインの伝統料理パエリアなどに黄金色の輝きと甘い香りをもたらす、サフラン（スペイン語でアサフラン）だ。

　収穫は10日間ほど続く。アルマグロ近くのバラハスやサンペドロ、コンスエグラなどの村でも見られるほか、北東のアラゴン州でも行われる。中でも最高といわれるサフランが収穫されるのが、風車とドン・キホーテで名高い、ここラ・マンチャ地方。その品質はDOC（原産地統制呼称）で保証されている。タイミングがよければ、旅行者も収穫に参加できるし、実際にそうしたツアーもある。

ベストシーズン　サフランの収穫は10月後半の2週間。11月までかかる場合もある。
10月下旬にはコンスエグラでサフラン祭りが開かれる。
旅のヒント　テンブレッケ村のチーズ工場では、地元の羊の乳で作った最高のマンチェゴチーズを試食できる。
この一帯はぶどう畑も多く、"バルデペーニャス"（ワインの町）というスペインワインの主な生産地。
たくさんあるボデガス（店）で試飲もできる。
ウェブサイト　www.atasteofspain.com、www.euroadventures.net、www.cellartours.com

サフラン

■乾燥したサフラン450グラムを得るには6万を超す花が必要。サフランは世界で最も高価な香辛料の一つ。

■サフランパウダーにはウコンを混ぜてあることが多いので、糸状のまま買う方がいい。赤いほど質が高い。

■糸状のサフランは密閉した容器に入れて涼しい場所で保管すれば、2〜3年はもつ。

■糸状のサフランを使うときは、数本を湯に20分以上浸す。サフランだけでなく浸した水も料理に使える。

サフランの収穫は最初の花が地面から現れたらすぐに始まり、10日間ほどで終わる。

スペインの総菜店には、いろいろなハムに交じってイベリコ豚のハムがぶら下がっている。

スペイン
ハモン・イベリコ

世界中でファンが多いイベリコ豚の生ハム、ハモン・イベリコ。
なかでも最高級のものはスペインの南西部で作られている。

スペインの毎日の食卓にはハムが欠かせない。その種類も山ほどある。だが、食通のほとんどが最も高級でおいしいハムとして一番に挙げるのが、ハモン・イベリコという黒豚の生ハムだ。

豊かな赤い肉に半透明の脂肪が霜降り状に入ったハモン・イベリコは、素朴で趣きのある味わいが特徴。これは"黒足の豚"といわれるイベリコ豚にベジョータ（どんぐり）を食べさせることで生まれる。スペイン各地で作られているが、最高級品はエストレマドゥーラ地方とアンダルシア地方の豚の後脚を原料としたもの。

モンタネーラと呼ばれる肥育期間を4カ月ほど過ごした豚は、伝統的な手法にのっとってさばかれ、保存処理をほどこされた後、9〜36カ月間熟成される。こうして特徴ある味わいをもつハムができ上がる。

このハムの原点を知るには、エストレマドゥーラのモンタンチェスに行ってみよう。チャルクテリア（総菜店）では、絶品のハムを試食できる。タブラという塊から薄く切り分け、地元のピターラワインか冷やしたシェリーと一緒に味わえば最高だ。

ハムの種類

スペインでも高級ハムは国産ハム全体のわずか6％で、厳格なDOC（原産地統制呼称）によって管理されている。原料となる**イベリコ豚**は、餌と肉の品質によって三つの等級に分けられる。**ピエンソ**（餌は飼料のみ）、**レセボ**（餌はどんぐりと飼料）、**ベジョータ**（餌はどんぐりのみ）で、最後のベジョータが最高級だ。

豚の前脚を同様に加工したものは**パレタ**という。厳密にいえばハムではないが、ハムと同様によい風味を味わえる。

ハムを切るときはできるだけ薄く。パサパサにならないよう、食べる直前に切り分けよう。

ベストシーズン エストレマドゥーラとアンダルシアを訪れるなら、気候が穏やかな春と秋がおすすめ。

旅のヒント エストレマドゥーラへ行ったら、モンタンチェスのほか、近郊でハムを作っているモネステリオやカレラ・デ・レオン、カベサ・ラ・バカ、セグラ・デ・レオン、そして毎年5月にハム祭りが開かれているヘレス・デ・ロス・カバジェロスにも足をのばしてみたい。購入する時は、その土地で豚を飼育し、加工したことを示す"デエサ・デ・エストレマドゥーラ"の表示を確認すること。時間に余裕があれば、アンダルシアの町ハブーゴもおすすめ。ここのハモン・イベリコが国内最高との呼び声も高い。

ウェブサイト www.atasteofspain.com、www.infohub.com

コーヒーの実は、熟すと明るい赤色になる。その中に入っている2粒の青緑色の種子を一般にコーヒー豆と呼ぶ。

エチオピア
コーヒーの故郷

エチオピア南西部の高地の森林では、千年以上も昔からコーヒーが栽培されている。コーヒーセレモニーに参加して、人々を魅了し続けてきた褐色の飲み物を堪能しよう。

エチオピア南西部のカッファ地方。コーヒー発祥の地として名高く、名前の由来になったともいわれている。伝説によれば、コーヒー豆を食べた山羊たちが興奮したのを見て、カフェインの効能に気づいたらしい。

コーヒー農園をめざしてうっそうとした森林地帯を車で行けば、この地が世界中で愛されている豆の起源であることを実感できるだろう。この地域のコーヒーは大部分がへき地の農園で栽培されている。背の高い木々で強い日差しから守られた林には、色鮮やかな鳥や、猿の仲間のコロブスなどが顔を見せる。

エチオピア各地で日常的に行われているコーヒーセレモニーでは、まず木炭の炉で緑色の生豆を焙る。その豆を挽き、自分なりに工夫した香辛料を加えて、ジャバナという首の長い素焼きのポットで煮立てる。コーヒーに添えられるのは、ポップコーンや炒った大麦など。床には香りのいい青草や花がまかれる。コーヒー1杯の量は少ないが、とても濃厚だ。少なくとも3杯は飲むのが礼儀とされる。

ベストシーズン 6〜9月は雨が多く、道路が危険なので避けた方が無難。

旅のヒント 大農園を回るにはエチオピア南部の大都市テピを拠点にするのが便利。テピ農園にある「コーヒープランテーション・ゲストハウス」は清潔で親切だ。最大かつ最古の農園があるのはベベカ。カファ州の州都ジマおよびテピ、ベデルなど一帯を回るのは、かなり本格的な"冒険"となる。近代的な設備は整っておらず、少なくとも10日はかかる。その後はおいしいレストランのあるアディスアベバで数日、快適に過ごしたい。

ウェブサイト www.ethiopianquadrants.com、www.highergroundstrading.com/fair-trade-tours/

エチオピアの料理

■ **インジェラ**は発酵させて作った大型のパン。独特の酸味を持つ。皿代わりにもなり、エチオピアの食卓には欠かせない。

■ **ドロワット**は鶏肉のシチュー。玉葱をバターであめ色に炒めた後、鶏肉やゆで卵などを加えて何時間も煮込む。特別な日の料理として作られる。

■ **シュロ**はひよこ豆をつぶした粉ににんにくやトマト、ローズマリーを加えた温かいソース。陶器の器に入れて日常のいろいろな料理に添える。

■ **牛肉**を使った料理は多い。辛いシチューや口あたりのよいシチュー（カイやアリチャワット）のほか、一口大に切って唐辛子や玉葱と揚げたティブス、すりつぶしたヒレ肉のステーキ（キトフォ）に香辛料で風味を添えたバターと匂いの強い白チーズを加えた料理もある。

レユニオン島、マダガスカル
バニラの甘い夢

1841年、12歳の少年が人工的な受粉方法を発見した。
これによって、えもいわれぬ甘い香りを放つバニラは世界中に広がった。

　少年の名前はエドモンド・アルビウス。熱帯の島レユニオンの奴隷だったエドモンドは、バニラの花を人工的に授粉させる簡単な方法を見つけた。
　これでバニラの商業栽培が初めて可能になり、西インド洋の島々にバニラブームが巻き起こった。それから170年近くたった今も、バニラはレユニオン島やマダガスカル、コモロ諸島の代表的な食材で、主要な輸出品ともなっている。
　「このあたりの島々の気温と湿度は、バニラ栽培に理想的です」と、レユニオン島のバニラ農業協同組合の組合長フランソワ・メイエ氏は説明する。「生産量だけでいえば、レユニオン島はマダガスカルやコモロと比べて特に多いわけではありません。しかし、品質は最高だと自負しています。それに、状況に応じた栽培の技術や秘訣はみんな、レユニオン島から世界各地へと広がったんですよ」
　レユニオン島のクレオール料理のレストランに足を運べば、鶏や鴨肉を使ったラ・バニーユ、信じられないほどおいしいバニラアイスクリームやクレープ、ラムパンチを楽しめること請け合いだ。

ベストシーズン　バニラの栽培時期は6〜12月。収穫期にはさや（バニラビーンズ）を刈り取ってかごに集め、農園内の工場で乾燥させる。
旅のヒント　レユニオン島、マダガスカル、コモロ諸島など一帯のバニラ栽培地をめぐるには、2週間が必要。一つの島に限るなら2〜3日で十分だろう。いいレストランはアンタナナリボ（マダガスカル）とサンドニ（レユニオン島）にある。サンドニではバニラを使ったさまざまな地元料理のレシピを紹介する本を売っているので、帰宅してから試してみるのもいい。
ウェブサイト　www.la-reunion-tourisme.com、www.air-mad.com

バニラシュガー

砂糖をバニラで風味づけしたバニラシュガーは、いろいろなレシピに使えて便利。いちごや、朝のポリッジにふりかけてもおいしい。

砂糖　450グラム
バニラビーンズ　2本

　気密性の高い容器に砂糖を入れる。バニラビーンズを縦に半分に切り、種をしごき出して砂糖に入れる。よく混ぜてバニラを砂糖の中に沈めてから、蓋をして容器を完全に密閉する。
　2日もすれば、砂糖にはバニラの風味がしみ込んでいるはず。普通の砂糖のように使えばよい。数カ月間は保存がきき、バニラの香りがなくなるまで、使うたびに砂糖を足していく。

収穫されたバニラビーンズは3〜4週間、天日で乾燥させた後、大きさや質によって等級ごとに分ける。

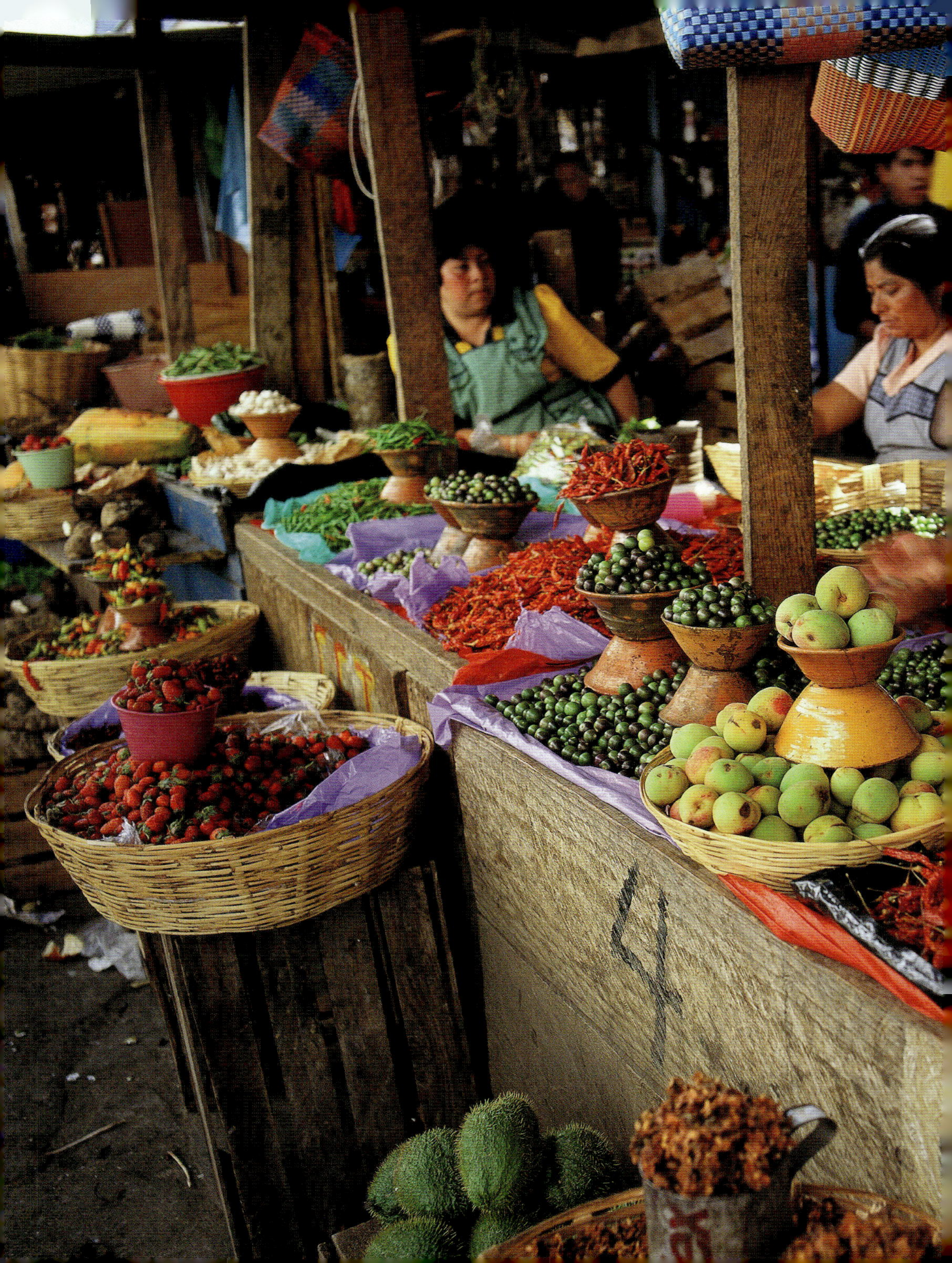

2 市場に出かけよう

スーパーマーケットでのあわただしい買い物に満たされなくなったら、仕事熱心な料理人が食材を探す穴場や、食通がお気に入りの一品を買う高級食料品店を訪ねてみよう。採れたての農産物を並べた活気ある市場や、古代の交易路に立つバザールに足を運ぶのもいい。

味見の楽しさは万国共通。ニューヨークでは、本場のパストラミサンドイッチや鮭の酢漬け、焼きたてのベーグルがあなたを待っている。モスクワに行ったら、宮殿のように壮麗な食料品店「エリセーエフ」で、革命前の皇帝の食卓を飾ったキャビアを求めたい。バルセロナのボケリア市場では、食堂のカウンターに陣取り、この上なくおいしいシーフードのシチューや、じゃがいも入りのオムレツを味わおう。タイの水上マーケットでは、太陽の恵みいっぱいの熱帯の果実が、目もくらむような色と香りを放っている。

どこに行くにせよ、大きな買い物かごと空っぽの胃袋を忘れずに。売られているのは、眺めるためだけのものではないのだから。

唐辛子、アボカド、チェリモヤなどの農産物が山積みのメキシコの市場。これらの食材を使って、洗練された、ときには火を噴くほどに辛いメキシコ料理が作られる。

「ゼイバーズ」はニューヨークで最も愛されている総菜店だ。魚の燻製、コーヒー、チーズなどを買いにくる客でいつもにぎわう。

米国ニューヨーク州
ニューヨークのデリカテッセン

おいしいデリカテッセン（総菜店）の多いニューヨーク。
ローアー・イーストサイド地区には最高の店がそろう。

ニューヨーク市ローアー・イーストサイド地区。ハウストン通りとグランド通りにはさまれた一角に、東欧から移住してきた数百万人のユダヤ人たちが、今日まで伝わる食の伝統を打ち立てた。

1888年創業の「カッツデリカテッセン」は、往時を知る人のお気に入りの店。厚切りのパストラミやブリスケット（牛の胸肉）をはさんだサンドイッチと、縁がかりっと焼けたポテトラートケ（すりつぶしたじゃがいもで作るホットケーキ）は、忘れられない一食になるはずだ。かつてのローアー・イーストサイドには、乳製品と魚を売るユダヤ風の総菜店がたくさんあった。しかし、今では「ラス＆ドーターズ」が残るのみ。狭い店内では燻製や塩漬けの鮭、各種のクリームチーズのほか、ニシンの切り身、玉葱を添えた酢漬けの鮭など、ユダヤ料理の定番が売られている。

数ブロック南の歩道にれんが色の樽をずらりと並べているのは「ガスピクルス」。にんにく風味や激辛のピクルスは特におすすめだ。カウンター式の総菜店がルーツの「ゼイバーズ」はユダヤ風の伝統食品や高級食材の品ぞろえが豊富。

ベストシーズン　「カッツデリカテッセン」と「ラス＆ドーターズ」は年中無休。週末はかなり混む。
「ガスピクルス」は土曜日が休み。クリスマスなどの観光シーズンはできれば避けたい。

旅のヒント　ローアー・イーストサイドの往時をしのびたいならテネメント博物館へ。
修復されたアパート内で20世紀初頭の移民の生活を再現している。

ウェブサイト　www.tenement.org、www.katzdeli.com、www.russanddaughters.com
www.zabars.com

食欲をそそるユダヤ風総菜店

19世紀後半、ニューヨークで数多くのユダヤ風総菜店が開店した。クリームチーズ、燻製や塩漬けの肉や魚、キャビア、ドライフルーツ、ナッツなど、いろいろな食品を販売していた。ユダヤ教の戒律は、牛や豚の肉と乳製品を一緒に売ったり食べたりすることを禁じている。そのため、**ラス＆ドーターズ**のような店のおすすめは、塩鮭とクリームチーズ、酢漬けのニシンとクリームソースといった、魚と乳製品を組み合わせた昔ながらのものが多い。

焼きたてのベーグルやビヤリ（平いロールパン）のつけ合わせには、甘いものから辛い物までそろっている。

こうした食べ物は、かつては日常のものだったが、今では特別なごちそうとなった。変わらないのはカウンターをはさんだ客と店員との交流だ。店員の多くは、鮭を切りながら常連客と言葉を交わす生活を20年以上も続けている。

米国カリフォルニア州
フェリービルディング市場

食にこだわる専門店街とファーマーズマーケットで、
四季折々の農産物と、地元の味を堪能しよう。

サンフランシスコの波止場地区にある「フェリービルディング」は食通の楽園だ。ドアをくぐれば、天井から光が差し込む長い通路が伸びている。

入り口付近に店を構える「カウガールクリーマリー」は素朴な手作りチーズを売っている。隣で香ばしい香りを漂わせているのは、スティーブ・サリバンの有名なパン屋「アクメブレッド」。通路を少し進んだら、カフェ「ツァーニコライキャビア」に立ち寄り、キャビアとシャンパンでぜいたくな気分を味わおう。

「ルチュッティコンフェクションズ」で看板商品のトリュフや塩キャラメルを堪能し、高級茶葉をそろえた「インペリアルティーコート」で中国式のお茶を飲むのもいい。

市場にはサンフランシスコで有名なレストランやカフェも入っている。現代ベトナム料理の「ザ・スランテッドドア」は、近くの農場で採れた選りすぐりの食材を使う店。メキシコ料理の「ミヒータ」は、オアハカ風チキン・タマーレス（具をバナナの葉で包んだもの）や、バハカリフォルニア風のフィッシュタコスで有名だ。

ファーマーズマーケット

毎週火曜日と土曜日にフェリービルディングの外にファーマーズマーケットが立ち、**有機栽培の農産物**が並ぶ。原種に近いトマト、香り高いハーブ、花、地元産のワイン、蜂蜜、オリーブ油などのほか、ほんのりミントが香る平飼い地鶏の卵などもある。

試食品をつまみながら歩けば、昼食は買わずにすんでしまう。少し物足りなければ、地元のチーズと焼きたてのパン、ワインとステーキを調達し、フェリービルディング裏のテーブルへ。サンフランシスコ湾の絶景が楽しめる。

それだけでも人生は上々だが、さらなる天国を味わいたい人は、有名なレストラン**ヘイズストリートグリル**が運営する屋台で牡蠣のサブマリンサンドを頼もう。

ベストシーズン　市場は年中無休。ファーマーズマーケットは毎週火曜日と土曜日に開催（季節によっては木曜日と日曜日にも）。とりわけにぎわうのは土曜日の朝。

旅のヒント　フェリービルディングは、エンバーカデロ通りからマーケット通りが伸びていくあたり。ファーマーズマーケットはビルの正面と裏手で開かれる。「サンフランシスコシティガイド」は無料のウオーキングツアーを催している。またフォーシーズンズホテルとWホテルは市場へのグルメツアーをやっている。

ウェブサイト　www.ferrybuildingmarketplace.com、www.slanteddoor.com、www.mijitasf.com
www.sfcityguides.org、www.fourseasons.com（日本語あり）、www.whotels.com（日本語あり）

地元で採れたばかりの色とりどりの果物が、市場を訪れる市民や観光客の目を楽しませる。

トップ10 歴史ある食料品店

世界の食料品店業界は、チェーン店による寡占が急速に進んでいる。そんななか、この歓迎すべからざる動きに、威厳をもって対抗している老舗の店がある。

❶ エリセーエフ（ロシア、モスクワ）

消費天国と化したモスクワを最もよく表しているのが、18世紀の邸宅で営業する「エリセーエフ」だ。ここは1907年創業のモスクワ随一の食料品店で、共産党政権時代の冷遇を耐え抜いて、今では華麗に生まれ変わった。ウオツカとキャビアは外せないが、それ以外にも、世界中から高級食料品を集めている。

旅のヒント 24時間営業。ツベルスカヤ通り14。
www.smartmoscow.com

❷ カーデーベー（ドイツ、ベルリン）

1907年創業の百貨店。戦乱の20世紀を生き延びた、その巨大な食料品売り場には、ドイツ内外の珍しい食べ物や飲み物があふれている。売り場には米国食品の部門やミニレストラン、常緑樹の庭園もある。本場ドイツだけに、ソーセージの品ぞろえは圧巻だ。

旅のヒント タウエントツィーン通り21〜24。www.kadewe.de

❸ ダルマイヤー（ドイツ、ミュンヘン）

1700年に食料雑貨商として創業した由緒ある食料品店。堂々とした建物は歴史を感じさせる。扱っている商品は多岐にわたる。スイス産のフルーツブランデー、ニーダーバイエルン産の鶏肉、できたての手打ちパスタ、一番摘みのダージリンティー、ボジョレー産の胡桃入りサラミ、100種類以上のパン、150種類以上のチーズなど。

旅のヒント ディーナー通り14〜15。www.dallmayr.de

❹ アンティコ・ピッツィケリア・デ・ミッコリ（イタリア、シエナ）

トスカーナ地方の食材を扱う小ぶりな食料品店は、通りに一軒とはいわないまでも、町に一軒はあってほしいもの。1889年創業のこの店には、ハム、サラミ、ソーセージ、ポルチーニ茸、トリュフ、びん詰めのオリーブ油などがあふれている。

旅のヒント チッタ通り93〜95。店内で食事もできる。同じ通りには1879年創業の食料品店「アンティカ・ドロゲリア・マンガネッリ」もある。
www.sienaonline.com

❺ フォション（フランス、パリ）

1886年開店のパリ随一と目される食料品店。シャンパン、キャビア、トリュフ、チョコレート、ロブスターといった高価な食材では、質量ともに妥協のない品ぞろえを誇る。イメージカラーの赤紫と黒は、パッケージからショーウィンドーのディスプレーまで、あらゆる場所に使われている。

旅のヒント マドレーヌ広場24〜30。日曜日と休日は休み。近くには、歴史ある食料品店「エディアール」もある。www.fauchon.com

❻ マイユ（フランス、パリ）

1747年、パリに最初の店を構えた「マイユ」は、マスタードにかけてはどこにも負けない店だ。この小さな店は、よそでは手に入らない品々を売っている。その場で陶器のポットに詰めて売られる自家製マスタードが3種類。あらかじめびん詰めされた香り付きの商品（ブルーチーズ、カシス、マンゴーなど）も30種類ほどある。レシピは創業時から変わっていないとか。

旅のヒント マドレーヌ広場6。日曜日は休み。「フォション」からは数歩の距離だ。3種類の自家製マスタードは買う前に味見できる。ディジョンに支店あり。
www.maille.com

❼ ブワザン（フランス、リヨン）

1897年創業で、チョコレート細工が得意。復活祭の時期には、チョコレートの卵からアヒルや白鳥などが飛び出す商品が人気。看板商品のクサン・ド・リヨン（リヨンのクッション）は、チョコレートをマジパンでくるんだキュラソー風味のお菓子。

旅のヒント リヨン一帯に多くの支店がある。www.chocolat-voisin.com

❽ パクストン&ホイットフィールド（英国、ロンドン）

英国で一番のチーズは、世界のどのチーズにも引けを取らない。1797年以来、この店はロンドンで上流階級向けにチーズを商い、多くの賞賛を集めてきた。かのウィンストン・チャーチルに「紳士はこの店以外ではチーズを買わない」と言わしめたほど。大人気のモンゴメリーチェダーチーズがおすすめ。

旅のヒント ジャーミン通り93。バースとストラトフォード・アポン・エイボンにも支店がある。www.paxtonandwhitfield.co.uk

❾ ブリックレーン・ベイグルベイク（英国、ロンドン）

イーストエンド地区のブリックレーンはかつて活気あるユダヤ人街だった。安さが自慢のこのテイクアウト店は、ユダヤ人街の名残を残す数少ない店。塩漬けの牛肉やスモークサーモンをはさんだベーグルは食べごたえあり。24時間営業で、クラブの閉まる時間になるとセレブたちが行列を作る。

旅のヒント ブリックレーン159。コーシャー（ユダヤ教の戒律に従った料理法）ではない。www.jewisheastend.com

❿ イー・オールド・ポークパイショップ（英国、メルトンモーブレー）

メルトンモーブレーパイは、塩漬けしていない豚肉を使った、ちょっといびつな形のパイ。生産者たちは欧州委員会に働きかけ、2008年にシャンパンやスティルトンチーズなどと同様の原産地名称保護の承認を得た。この古風な店は1851年創業。町の中心街で本物のメルトンモーブレーパイを作り続ける最後の店だ。

旅のヒント パイ作りの実演や教室を開催。www.porkpie.co.uk

右ページ：世界中の高級食材を並べたモスクワの「エリセーエフ」。ロシア革命前のアールヌーボー調の輝きを取り戻した。

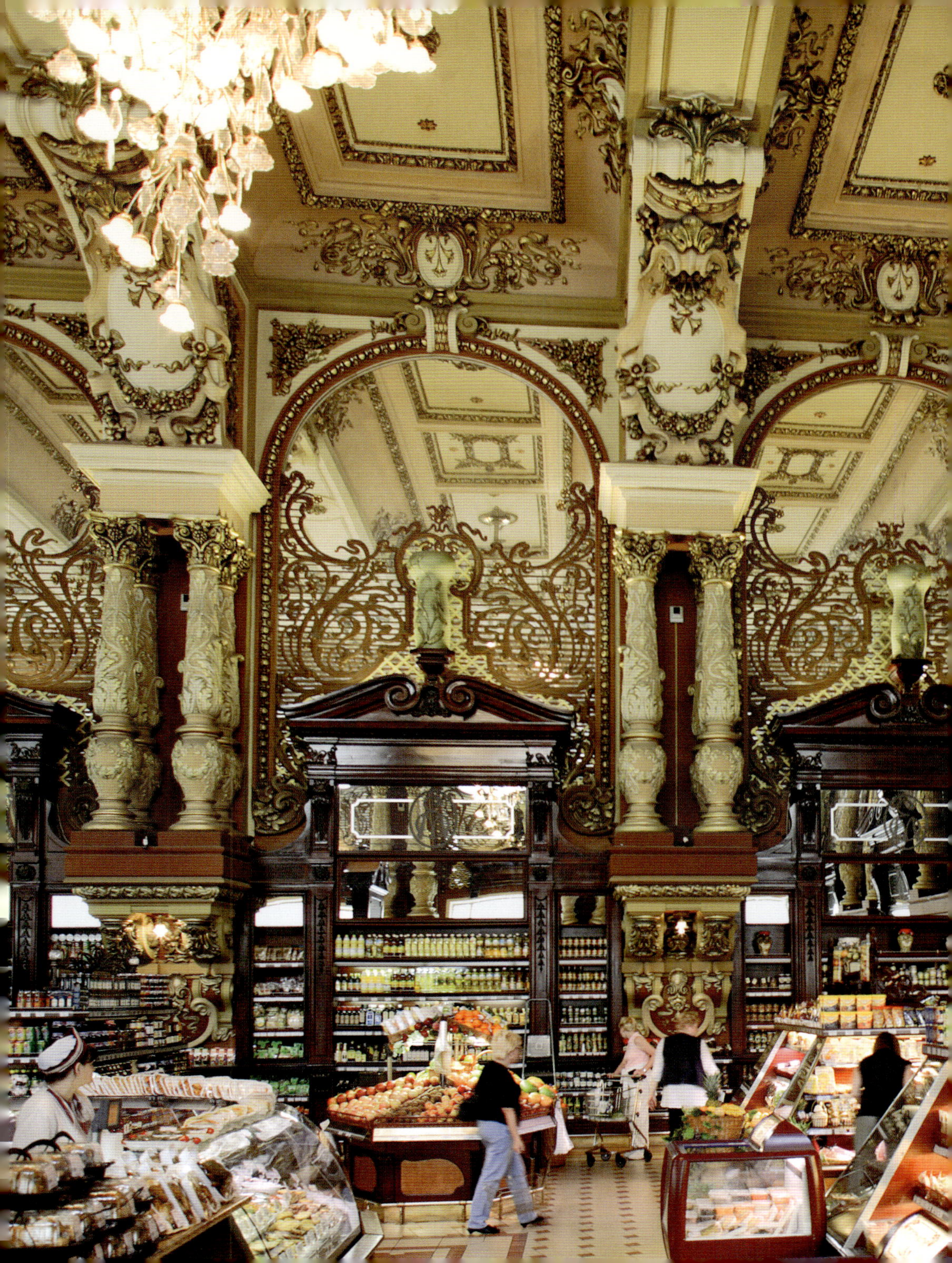

カナダ
バンクーバー・グランビル島の市場

多文化主義で鳴らすグランビル島の市場は
地元でとれたバンクーバー産品にこだわっている。

グランビル島は、かつては入り江のさびれた砂州だった。それが、この30年の間にバンクーバーきっての観光名所へと姿を変えた。「ここは食の殿堂ですよ」と話すのは、「オヤマ・ソーセージ」のジェローム・デュダンクール氏。この店では、たくさんの種類のソーセージや香り高いハムを売っている。その種類の多さは、バンクーバーの複雑な人種構成やオープンな味覚、そして地元産品への愛着をよく映している。

「エディブル・ブリティッシュコロンビア」も、地元産のラベンダーを使ったゼリー、近郊のソルトスプリング島で焙煎したコーヒー、自家製のタイ風カレーなどを作っている。「デュサス」では、地元産のハーブやソルトスプリング島の山羊の乳を原料にしたチーズを扱う。また、鮮魚店に積まれた新鮮な鮭やホタテ貝、カニは、まさにこの市場に打ち寄せる波の下から引き揚げられたものだ。華僑の店には、イタリアンジェラートからフィッシュ＆チップスまで、あらゆる食品がある。それらを買って、水際のテーブルで、アオサギやゴマフアザラシを眺めながら食べるのもいい。

ベストシーズン 市場には市民と観光客の両方が訪れるので、夏は混み合う。バンクーバーの一番いい季節は秋だ。日中は乾燥して暖かく、夕方には涼しくなる。並木道の紅葉も美しい。

旅のヒント 1月は月曜日のみ休業。ほかの月は年中無休。多くの店が早朝から朝食を出しているので、水際のテーブルで次第に活気づいていく市場を眺めることもできる。火、木、土の午前8時半から催される市場のツアーは事前の予約が必須。市場へは、水上からの眺めを楽しみながら、フェリーに乗って行くこともできる。

ウェブサイト www.granvilleisland.com、www.edible-britishcolumbia.com
www.granvilleislandferries.bc.ca

市場の食品

バーチ（カバノキ）のシロップは珍しい地元の味。1本の木から取れる量はメープルシロップの10分の1だが、香りはより豊かで複雑だ。地元産の鮭のマリネにぴったり。

リーズドーナツは早くからここに出店している老舗。焼きたてドーナツの甘い香りを市場中に漂わせている。かぼちゃ味のドーナツはハロウィーンの時期限定で、長い行列ができる。

「エディブル・ブリティッシュコロンビア」主催のツアー（3時間）は、食材の味見や調理法の講習が含まれ、しばしば満員になる。ツアーには地元の人も参加し、土地の食材について新たな知識を学んでいる。

市場の中には手作りのパン屋も。焼きたてパンの形、色、匂いが五感を刺激する。

新鮮な農産物のモザイクは色鮮やかな芸術作品のようだ。プエブラ州各地の市場で見られる光景。

メキシコ
プエブラの市場

先住民伝来の料理法と旧大陸の食材を組み合わせたメキシコ料理。
プエブラの市場は、その材料となる野菜や果物、香辛料の宝庫だ。

　プエブラはメキシコシティの南東112キロ、ポポカテペトル火山のふもとにある。スペイン人が拓いたこの町は、さながらバロック建築のショーケースだ。周囲には、より長い歴史を持つ先住民の町も点在する。スペイン人と先住民の食文化の混じり合いは、プエブラの市場に行くとよくわかる。

　かまどにかけた鍋から香辛料の香りが立ちのぼり、野の花の匂いと重なり合う。とうもろこしのトルティーヤを打ち延ばす音に、売り子の呼び声がかぶさる。特産の菓子から手彫りの木製スプーンまで、ありとあらゆる商品が売られている。

　かぼちゃの花や野生のきのこ、地元産のチーズを詰めたブルーコーンのケサディーヤ（揚げトルティーヤ）はぜひ試食したい。のどの渇きをいやすならアグア・デ・ハマイカ（ハイビスカスティー）がおすすめ。ハーブ店では薬品やろうそく、魔よけを売っている。手の込んだ刺繍を施した布に新鮮な鶏肉を並べている店で、料理を教えてくれる。買ったものは、手織りの買い物袋に入れて持ち帰ろう。

ベストシーズン　気候の温暖なプエブラはいつ訪れてもいい場所だ。11月1〜2日の「死者の日」の時期は、旬の農産物ばかりではなく、キャンディスカル（どくろの形をした砂糖菓子）や、家庭の祭壇を飾る装飾品が並ぶ。
旅のヒント　プエブラの西12キロ、先住民の町チョルラでは、毎週日曜日と水曜日に路上市が開かれる。「ラス・カスエラス」という屋台で売られているモレやピピアン（右欄参照）は絶品だ。プエブラ市街の「カルメン市場」（オリエンテ通り21）を訪ねたら、肉、チーズ、アボカド、チポトレ（香りの強い赤唐辛子）を詰め、上に胡麻を振ったロールパン「セミタス」を味わおう。
ウェブサイト　www.advantagemexico.com、www.planetware.com、www.mexconnect.com

モレ
モレは、スペイン人と先住民の料理法が融合してできた、甘辛くコクのあるソース。
モレ・ポブラーノは、16世紀頃、プエブラのサンタロサ修道院で考え出された料理。地元産の唐辛子とカカオにシナモンやクローブなどの香辛料を加え、複雑な風味を持ったソースに仕立てたもの。
ピピアンはカカオの代わりに植物の種子をベースにしたモレ。かぼちゃの種と生の青唐辛子を使えば緑色に、胡麻と乾燥させた唐辛子を使えば赤い色になる。

かぼちゃの花はタコス、スープ、クレープなどに使われる。

アルマス広場のクリスマス市場。鮮やかな色彩が祝日気分を盛り上げる。

ペルー
クスコのクリスマス市場

アンデスに暮らす人々のクリスマスの祝祭は、
クスコの大規模な路上市場から始まる。

　クリスマスイブの日には、クスコ(かつてのインカ帝国の首都)のアルマス広場とその周辺で、アンデス地方きっての大規模な路上市「サントゥランティクイ」が開かれる。何千人もの人が、クリスマス用の品々を求めて集う。
　市の名は「聖人の販売」という意味。かつてこの市場がキリスト降誕にまつわる飾り物を専門に商っていたことからついた。今では先住民の工芸品やアンデスの伝統料理など、いろいろな品を売っている。目を引くのはクイ(モルモット)のバーベキュー。焼きとうもろこし、タマーレス、ロコト・レレーノ(唐辛子の肉詰め)、アンティクーチョ(牛の心臓)などもおすすめだ。この地方独特のお酒は、牛乳とピスコブランデーをベースにしたカクテル「ポンチェ・デ・レチェ」。
　クスコのレストランの多くは、七面鳥や豚のロースト、じゃがいもを中心とした特別なメニューを出す。サンブラス広場の「パチャパパ」、プレコロンビーノ芸術博物館内の「MAPカフェ」、アルマス広場の「インカグリル」がおすすめだ。

じゃがいも
　じゃがいもの原産地はティティカカ湖周辺。ペルーで最も愛されている食べ物だ。科学者は「植物の進化がじゃがいもを生んだ」と言うが、古代のインカ人はこれを神からの贈り物と信じていた。ビラコチャの神が崇拝者に与えた農作物の一つなのだとか。
　現在、ペルーでは5000種類ものじゃがいもが栽培され、あるいは自生している。茶、紫、赤、白など色もさまざまだ。
　ペルーの人はチーズ、にんにく、玉葱、卵、ライムジュースといった数十種類もの食材を味付けに使う。

ベストシーズン　クリスマスの2〜3日前にクスコに入って、インカ帝国や植民地時代の史跡をめぐろう。クスコは南半球にあるのでクリスマスの時期は夏にあたる。もっとも、標高が高いので、気温は氷点下に下がることもある。

旅のヒント　慣れない食べ物には弱いという人は、街の大衆食堂には入らない方が無難。クリスマスイブの夕食は予約しておこう。大聖堂に立ち寄ったら、マルコス・サパタが描いた「最後の晩餐」をお見逃しなく。キリストと弟子たちの前に、クイ(モルモット)料理の一皿が置かれている。

ウェブサイト　www.perutourism.com/info/cusco.htm、www.cusco-peru.net

フィリピン
サルセード共同市場

首都マニラで開かれる週1回の市で
フィリピンの81州の郷土料理を味見しよう。

フィリピンは、何世紀にもわたって中国、マレー半島、スペイン、米国と交易を行ってきた。その結果、フィリピンでは地域ごとに料理法が異なる。その多彩な味に触れるなら、サルセード共同市場以上の場所はない。毎週土曜日、首都マニラの中心部に130以上の露店が店を出す。

甘党なら、まずはネグロス島名物のピアヤ(黒砂糖のペーストがにじみ出てくるパンケーキ)と、地元産カカオ豆のココアを味わいたい。辛いものがお好みなら、唐辛子入りのココナツミルクにカニ肉を浸したビコール地方の料理がおすすめ。米粉のエンパナーダは地方色豊かで、北部イロコス地方ではにんにくがきいた豚肉のソーセージ、グリーンパパイア、卵などを入れる。カニ肉を詰めた小ぶりなエンパナーダは、マニラ近郊のパンパンガ地方の郷土料理だ。行列しても食べたいのが、醤油で和えたトマト、赤玉葱、コリアンダーをサバヒーという魚に詰めて焼いたもの。小海老とさつまいもを揚げたウコイもいい。ラトという海ぶどうのような塩辛い海藻も見逃せない。ココナツビネガーのドレッシングとの相性が抜群だ。

ケソン市の朝市

マニラの隣のケソン市でも、「フィリピンラングセンター」という医療機関の敷地内で毎週日曜日に**朝市**が立つ(午前6時〜午後1時)。

露店の数はサルセード共同市場の2倍、買い物客は4倍だ。農産物、肉、魚、工芸品などあらゆる商品が並ぶ。

地方の名産品にはネグロス島の**ルンビアン・ウボド**(細切りの椰子の新芽を詰めた春巻)、**ビビンカ**(チーズをかけた米粉のパンケーキ。炭火にかけた土鍋で厚く焼きあげる)、**バラココヒー**(ルソン島南部のバタンガス州で栽培されており、カフェインの量が多い)などがある。

ベストシーズン　12〜3月は比較的涼しく、乾燥している。6〜10月のモンスーンの季節は洪水が多いので避けよう。市は年間を通じて土曜日の午前7時〜午後2時に開いている。
旅のヒント　市場の所在地はマニラ首都圏内、マカティ市のハイメ・ベラスケス公園。
ウェブサイト　www.philtourism.gov.ph

土曜日ごとの市場は地元の人たちの交流の場。観光客もフィリピン各地の郷土料理を味わうことができる。

タイ伝統の水上マーケットで、料理や採れたての農産物を売る人々。

タイ風きゅうりのサラダ
サテーや辛い肉料理にぴったり。

材料（4人分）
酢　カップ1
海塩　小さじ4分の1
砂糖　大さじ2
きゅうり　2本
わけぎ（分葱）　2本
赤いバードアイ（唐辛子の一種）　1本
赤ピーマン　2分の1
コリアンダー　みじん切りを大さじ1
ピーナツ　みじん切りを大さじ2

　酢、塩、砂糖をフライパンに入れ、中火にかける。少し煮詰まってきたら、火を止めてさます（1）。
　きゅうりは縦4分の1に割って薄切りに。刻んだわけぎ、種を除いて薄い輪切りにした唐辛子、角切りにした赤ピーマンとともにボウルに盛る（2）。
　食卓に出す直前に1を2にかけて混ぜる。コリアンダーとピーナツをまぶす。

タイ
ダムヌン・サドゥアク

タイで最もにぎやかな水上マーケット。その色彩と味を体験しよう。

　グリーンパパイアと蘭の花輪を積んだボートが、夜明けのクロン（運河）を波も立てずに滑っていく。犬の吠える声や、鳥のさえずりが聞こえ始める頃、ボートは水路を抜けて、水上マーケットの立つクロンへと向かう。
　首都バンコクの西100キロほどにある水上マーケット、ダムヌン・サドゥアク。ここは、地元の人と、おいしい食べ物を求める観光客、そして果樹園や畑の収穫物を売りにくる農家の女性たちが出会う場だ。露店代わりのボートには、見慣れない果物やビタミンたっぷりの野菜が並ぶ。ビターベリー、ささげ、蓮根、筍、空芯菜、巨大な大根にベビーコーン…。中華鍋を積んだボートで炒め物が始まると、たちまち香ばしい香りと煙があたりに広がる。持ち帰りの時はバナナの葉で包んでもらう。地元の人に負けずに、辛みのきいたスープや麺類、サテー（串焼き）を味わおう。つみれや豆腐、海老の入ったご飯物もある。どの料理もレモングラス、コリアンダー、ライム、生姜、タマリンド、あるいはココナツミルクが強い風味をきかせている。

ベストシーズン　11～3月なら気温もほどよく、おおむね雨も少ない。
旅のヒント　水上マーケットの時間は毎朝8～11時。素顔のダムヌン・サドゥアクに触れるには、団体客が土産物店に群がる前に到着したい。バンコクの南バスターミナルから午前6時の始発に乗れば、およそ2時間半で着く。到着したら、さっそくボートに乗ろう。濡れるのをいとわず後部の席に陣取れば見晴らしを楽しめる。料理は熱々を食べよう。果物は自分で皮をむいた方が安心。唐辛子は控えめに。
ウェブサイト　www.amazing-thailand.com/FandD.html・www.bangkok.com（日本語あり）
www.thailand-huahin.com

52　世界の食を愉しむ

マレーシア
ラマダンの市

ラマダンの時期、クアラルンプールに出現する路上市は、
最高のマレー料理を味わえるレストランになる。

　ラマダン（断食月）の時期、マレーシアの首都、クアラルンプールは路上市の楽園に変わる。日中は食べ物を断つイスラム教徒をあてこんで、駐車場や路地、歩道のいたるところに何十という市が出現するのだ。

　毎日午後3時半頃になると、プロの料理人や腕に覚えのある主婦たちが、ポピア（くずいもと人参を詰めたチリソース味の春巻）、クエ・タラム（ココナツミルクをベースにした餅）、ブブル（香辛料をきかせた肉入り粥）などをテーブルに山盛りにする。

　煙を上げているのはアヤム・ペルチック（唐辛子とココナツのソースで食べる焼き鳥）、サタル（魚肉の練り物をバナナの皮に包んで串焼きにしたもの）、イカン・バカル（チリソースに浸した魚肉をバナナの皮の上で焼いたもの）などの料理。ある店では、きしめん状の米粉の麺を巨大な鉄板で炒めている。6時半頃、ブカ・プアサ（断食の終了）への期待に浮き立つ人々で市は混み合う。それから30分ほどで営業は終了する。人々は「明日はどこの市に行こうか」と、思いをはせながら家路につく。

ベストシーズン　ラマダンはイスラム暦の第9月のこと。太陽暦に置き換えると、毎年10日ずつ前にずれていく。この月になると、連日マレーシア全域で市が開かれる。午後4時頃から始まり、断食の終わる日没直後には閉まる。

旅のヒント　市の数、規模、場所は年ごとに変わる。詳しいリストは、マレーシアの主要英字紙「ニュー・ストレーツ・タイムズ」か「スター」のウェブサイト、またはクアラルンプールの市庁舎で手に入る。買った料理を食べるのは、モスクが日没と断食の終了を告げてから（あるいはホテルの部屋に戻ってから）にしよう。露店はプラスチック製のフォークやスプーン、紙ナプキンを用意している。女性はタンクトップやミニスカートなど露出の多い服は避けよう。

ウェブサイト　www.nst.com.my、www.thestar.com.my

マレーの家庭料理

　「家庭でこそ最高のマレー料理が食べられる」といわれる。ラマダンの市では主婦も店を出すので、マレーの家庭料理を味わう絶好の場だ。

■**ケラブ**は羊歯（しだ）の新芽からグリーンマンゴーまで何を入れてもいいサラダ。ココナツミルク、唐辛子、魚醤、ライム果汁などで和える。

■**ダルカ**はココナツミルクや唐辛子を加えた、野菜とレンズ豆のカレー。

■**レンダン**は鶏肉や牛肉に香辛料とココナツミルクを加えて柔らかく煮込んだもの。

1日の断食が終わる頃、整然と盛りつけられた串焼きが空腹の買い物客を誘う。

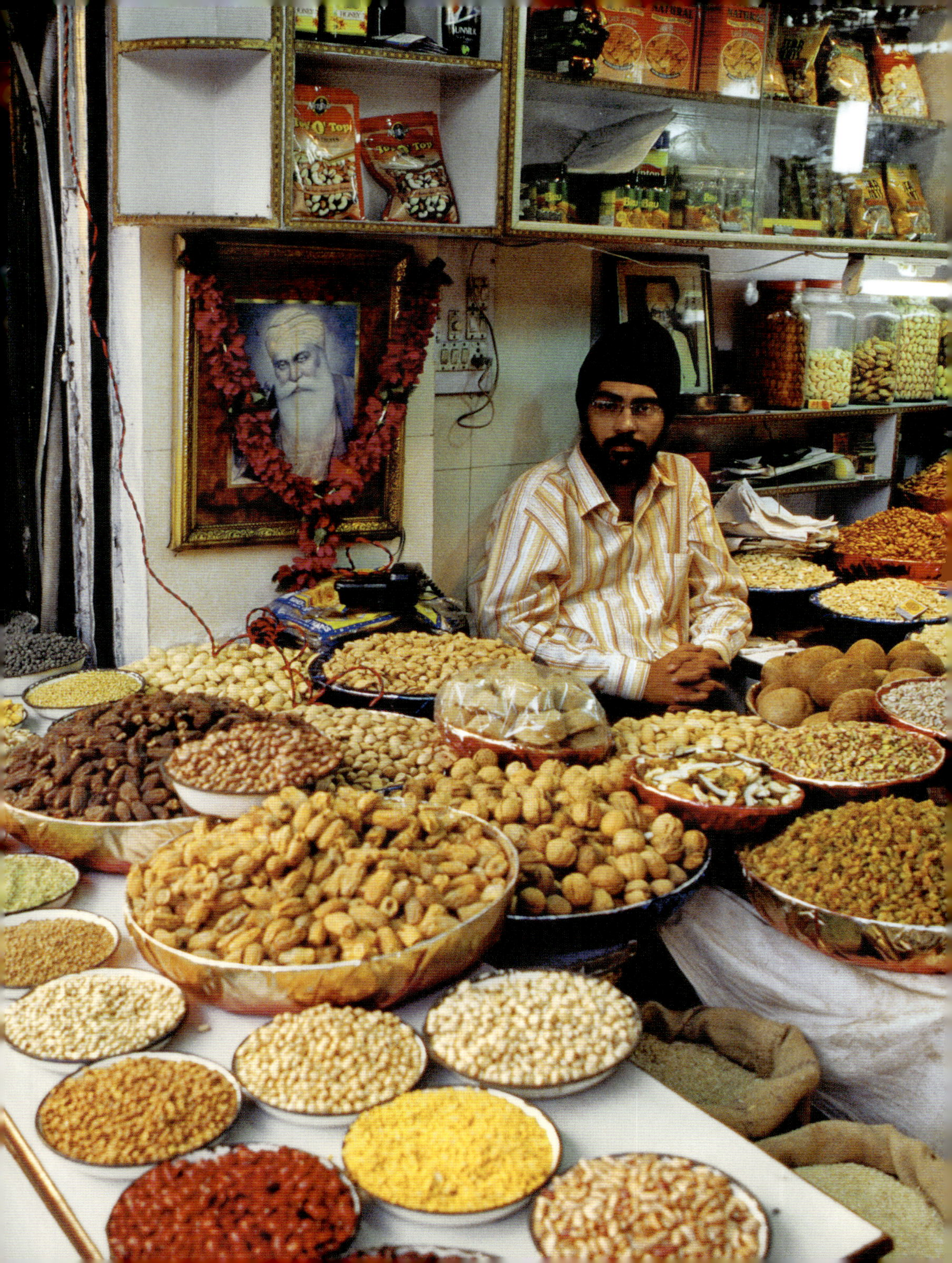

インド
旧市街のチャンドニー・チョーク

香辛料のきいたインドの伝統料理を味わいたいなら、
オールドデリーの活気ある市場は外せない。

オールドデリーの中心を貫く繁華街、チャンドニー・チョーク。「月光の道」という意味だ。17世紀、ムガール帝国の皇帝、シャー・ジャハーンがこの通りを造らせた。それ以来、この一帯はデリーきっての市場として成長してきた。かごに入れた鳥から電卓まで、あらゆるものが売られている。

チャンドニー・チョークは、伝統的なインドの味に出合える場所でもある。ワダ（レンズ豆やじゃがいもで作るドーナツ）やパニプリ（揚げパンにカレーなどの具を詰めたもの）など、屋台のチャート（スナック）料理に挑戦しよう。数百年にわたって、親から子へと代々レシピを伝えてきたお菓子屋もある。細長く伸ばした生地をギー（液状バター）で黄金色に揚げ、甘いシロップに浸したジャレビスは、地元の特産だ。

激辛料理でほてった口をナムキン・ラッシー（塩辛いヨーグルトドリンク）で冷やしたら、人混みや山羊、トライショー（輪タク）や牛車をかき分け、衣料品や宝飾品、土産物などの店を見て回ろう。買い物が済んだら、歴史ある邸宅が立ち並ぶ脇道を散策したり、近くの寺院を訪れてもいい。インド最大級のモスク「ジャーマー・マスジッド（金曜モスク）」とムガール帝国時代の城塞「赤い城」は必見だ。

ベストシーズン　市場は毎日午前10時〜午後4時まで。日曜日には多くの店が閉まる。祝日はとても混雑するので、できればほかの日を選ぼう。

旅のヒント　輪タクでチャンドニー・チョークを回れば、そのにぎわい、匂いや音を違った角度から体感できる。市場の向かいにある「赤い城」では数百台が客待ちをしているので、つかまえるのは簡単だ。運転手においしい屋台を教えてもらおう。市場内の店は移転したり入れ替わったりするので、現地の人からの情報は貴重だ。

ウェブサイト　www.ghantewala.com

オールドデリーの味

■ チャンドニー・チョークのすぐ南には、**ラル・マンディール**をはじめとするジャイナ教寺院があり、多くのジャイナ教徒が暮らしている。彼らは厳格な菜食主義者なので、付近のレストランではデリーでも指折りのベジタリアン料理を出している。

■ チャンドニー・チョークにつながる**パラサ・ワリ・ガリ**という路地には、パラサ（香辛料をきかせた具を乗せたり包んだりして食べる薄焼きパン）の専門店がずらりと並ぶ。

■「赤い城」近くのファテプール・チョークにある**ジャニズアイスクリーム**はラブリ・ファルーダで有名。カルダモン風味の甘くて濃い牛乳に、麺とナッツを入れて冷やしたものだ。

■ デリー名物のチャート（スナック）を味わうなら、**シュリー・バラジ・チャート・バンダル**（チャンドニー・チョークの店番号1462）、**ララ・バブ・チャート・バンダル**（同1421）、**ナトラジ・カフェ**（同1396）などの気取らない店に立ち寄ろう。

左ページ：チャンドニー・チョークでは珍しい静寂のひととき。
上：往来の激しい通りが、そのまま市場になっている。

昔懐かしいお菓子屋さん

トップ10

昔ながらの駄菓子を並べたレトロなお店を訪ねれば
子供の頃の喜びがよみがえる。

1 オーンズ・キャンディストア（米国、メイン州ブースベイ）

小さな漁村にあるこのお菓子屋は、1885年以来ほとんど姿を変えずに客を喜ばせ続けている。古びたガラスと木のケースに並ぶのは、昔ながらのソルトウォータータフィー、トリュフ、自家製のチョコレート菓子など。中でも有名なのはファッジ（やわらかいキャンディ）類。パヌーチ（胡桃入りの黒砂糖）、メープルペカン、ピーナッツバター味などがある。

旅のヒント 母の日（5月の第2日曜日）から10月中旬までは年中無休。ブースベイ港まで行く公共交通機関はない。www.ornescandystore.com

2 エコノミーキャンディ（米国、ニューヨーク市）

かつての1セントストアの雰囲気を残すこの店には、今ではあまり見られなくなった欧米の菓子類がそろっている。お菓子でできた首飾りや煙草あり、スクワーレル・ナットジッパー（ピーナツ風味の粘り気のあるキャンディ）あり。常連は、この店こそニューヨークで最高のお菓子屋と話す。

旅のヒント 年中無休。ローアー・イーストサイド地区のリビングトン通り108。週末は混み合う。www.economycandy.com

3 ガンテワラ・ハルワイ（インド、デリー）

1790年にチャンドニー・チョークで創業して以来、ジャイン家の人々は7世代にわたって皇帝や大統領、首相や庶民に、季節ごとのお菓子を届けてきた。ドライフルーツ、植物の新芽、砂糖で作るソハン・ハルワは、このインド最古のハルワイ（伝統的なお菓子屋）の看板商品だ。

旅のヒント 開店は午前8時～午後9時。www.ghantewala.com

4 アリ・ムヒッディン・ハジ・ベキル（トルコ、イスタンブール）

1777年、ハジ・ベキルという人がイスタンブールに店を構えた。彼がレシピを伝えた甘くて柔らかなピンク色の菓子がラハトロクム。のちにターキッシュディライトという名で知られるようになる。今では、伝統のローズウォーターだけでなく、りんご、生姜、シナモンなどいろいろな味のものがある。オスマン帝国風に再建された豪華な店舗は、今もハジ・ベキル家の所有だ。

旅のヒント 住所はハミディエ・カデシ83。www.hacibekir.com.tr

5 ア・ラ・メール・ドゥ・ファミーユ（フランス、パリ）

1761年にモンマルトルで創業した、パリで最も古くて由緒あるお菓子屋。プロヴァンス地方のカリソン（アーモンドと果物を使った練り菓子）やベルランゴ（リボン状にしてねじった砂糖菓子）など、フランス各地の銘菓をそろえる。

旅のヒント フォーブール・モンマルトル通り35。www.lameredefamille.com

6 コンフィズリーテメルマン（ベルギー、ヘント）

1800年代に逆戻りしたかのような外観のこの店は、「キュベルドン」という鼻の形の砂糖菓子が看板。塩味のリコリス（甘草の風味をつけたひも状のグミ）のファンも多い。

旅のヒント クラーンレイ79。www.visitflanders.co.uk

7 ジ・オールデストスイートショップ・イン・イングランド（英国、パテリーブリッジ）

かつて英国の町の中心街には、たいていお菓子屋があった。愛らしい田園地帯に囲まれたこの町には、今でもそれがある。きれいに並んだガラスのびんは、バタースコッチガムやミント入りキャンディなど、懐かしいお菓子であふれんばかり。1827年創業のこの店は、"思い出の小道"への入り口だ。

旅のヒント 営業は水～日曜日と祝日。パテリーブリッジまではイングランド北部の町リーズの北にあるハロゲートから24番のバスで55分の旅だ。www.oldestsweetshop.co.uk

8 ミセスキブルズ・オールドスイートショップ（英国、ロンドン）

狭い店内に180種類以上のお菓子を詰めたびんが並ぶ。気さくな接客と、キャンディやタフィ、チョコレート、ファッジなどの昔ながらのお菓子がこの店の売り。英国の伝統的なお菓子、ルバーブ＆カスタードも大人気だ。

旅のヒント 年中無休。ブリュアー通り57Aと、オックスフォード通りに近いセントクリストファープレースに出店。www.visitlondon.com

9 トゥロンファクトリー（スペイン、ヒホナ）

焼いたアーモンド、砂糖、蜂蜜、卵白で作るトゥロンは、トルコのハルバとよく似たお菓子で、クリスマスには特に喜ばれる。このお菓子は何世紀もの間、アリカンテ州の町、ヒホナの経済をうるおしてきた。博物館を併設したこの工場では、トゥロンの製造工程が見学できる。お店では「エル・ロボ」や「1880」などの人気ブランドのトゥロンを販売している。

旅のヒント 博物館はほぼ毎日開館。所在地はヒホナの郊外。ヒホナは州都アリカンテから北に29キロ。www.museodelturron.com

10 ラ・ビオレタ（スペイン、マドリード）

古風な店が軒を連ねる地区にあって、おそらくこの店は一番の変わり種。1915年以来、スミレに関連した商品を取り扱っている。なかでもスミレのエッセンスを使った菓子、ビオレタはマドリードの特産品。スミレの砂糖漬け、マーマレード、ゼリー、お茶などもある。

旅のヒント プラサ・デ・カナレハス6。www.turismomadrid.es（日本語あり）

右ページ：あらゆる形、あらゆる大きさ、あらゆる色のお菓子を並べた棚が、私たちを誘う。

SOUR SLOTHERS	4.50 / 9.9¢
TWEETI/TITI	4.50 lb / 9.9¢ lb
BLUE WHALES	2.99 / 6.5¢
SWEDISH BERRIES	2.99
ZI... ZA...	
GUMMI FROGS	35¢ / 77¢
CANDY CORN	2.99 / 6.5¢
MIXED CONFETTI ALMONDS	35¢ / 77¢
JELLY BEANS	2.50 / 5.5¢
MI...	
HOT LIPS	2.99 / 6.5¢
TEENEE BEANEE	4.50 lb / 9.9¢
JUST ASSORTED BANANAS	2.99 / 6.5¢
SOUR COLA BOTTLES	3.99 / 8.8¢
HOT TOMA...	
GUMMI WORMS	2.99 / 6.5¢
GUMMI BEARS	
FUZZY PEACH	3.99 / 7.7¢
SOUR GUMMI BEARS	

「デリホール」はクイーンビクトリア市場の目抜き通りだ。

オーストラリア
クイーンビクトリア市場

オーストラリアのメルボルンは世界有数の食の都だ。
そこにある巨大市場でちょっと一服するもよし、1日歩き回るもよし。

メルボルンのダウンタウン北西端の古い建物群で1878年から営業を続けるこの巨大市場は、さながら食通の天国だ。ここに来れば、おいしいパイから、クロワッサン、バクラヴァ（中東発祥のスイーツ）、チョコレート、ブラートブルスト（豚肉のソーセージ）、鮮魚の刺身まで、なんでも手に入る。

メルボルンの豊かな食文化は、オーストラリアのどこよりも多彩な移民を受け入れてきた結果だ。ギリシャ人、中国人、クロアチア人、ベトナム人、イタリア人、インド人、レバノン人らが、独自の料理を携えてこの町にやってきた。彼らの豊富なレシピが地元の新鮮な農産物と結び付き、すばらしい食の伝統を形成したのだ。

その栄えある遺産に触れるなら、クイーンビクトリア市場以上の場所はない。総菜店はレベルが高く、しかも価格は手頃。売り場は新鮮な地元産のものであふれんばかりだ。うまいチーズにとびきりおいしいワイン、香り高い果物と野菜。ダイエット中の人には目に毒のスイーツ類も数えきれないほどある。昼食や軽食をとるにももってこいの場所だが、見て回るだけでも楽しい。

市場の主要エリア

■ 市場の中で最も人気があるのは**デリホール**という区画。17の総菜店をはじめ、パン、オリーブ油、チーズ、ワイン、パスタ、コーヒーなどの専門店が集まっている。

■ **フードコート**は近年新設された区画。軽食はもちろん、しっかりした食事もとれる。持ち帰りもできる。

■ **ミートホール**には質のいい食肉店と鮮魚店が出店している。

■ 19世紀の商店街を思わせる**エリザベスストリートショップス**には、カフェや専門店が入っている。

ベストシーズン 営業は火曜日と木～日曜日。営業時間は曜日ごとに変わる。祝日は休み。
旅のヒント メルボルンは小さくまとまっている都市。ダウンタウンの端にある市場は中央駅から徒歩圏内。市場はいくつもの建物からなり、食料品は主にエリザベス通りとクイーン通りにはさまれた区画にある。2時間の場内ツアーもあるが、予約が必要。
ウェブサイト www.qvm.com.au

トルコ
イスタンブールの魚市場

西洋と東洋の文化が交差する都市、イスタンブール。
その魚市場はトルコで最高の魚介類を売ると評判が高い。

イスタンブールの魚市場は活気あるベイオール地区の一角、チチェク・パサージュ（花の小道）の近くにある。氷を敷きつめた台に、銀色に輝くサバが、隊列を組んだ兵士のように整然と並んでいる。店の奥では、エーゲ海でとれたピンク色のカレイが金属のかぎに吊られている。そのほかにも、ボスポラス海峡産のハガツオやアミキリ、エーゲ海と地中海が出会う場所でとれた握りこぶし大のタコなど、季節に応じて豊かな海の幸がそろう。口ひげを生やした仲買人が、地中海でとれた魚の箱を下ろしながら、「今日はいいスズキが入ったよ！」と叫んでいる。スズキの塩釜焼きはトルコを代表する料理の一つだ。

伝統的なスカーフと長い上着を身につけた子供連れの女性たちが、その日の魚をじっくりと品定めする。格式が高いレストランのシェフたちも同様だ。熱いオリーブ油から立ち上るムール貝の香りに誘われながら、いろいろなメゼ（前菜）を試食し、買い求める人々もいる。魚市場には食料品店やメイハネ（トルコ伝統の居酒屋）もある。メイハネで、ラキ（アニス風味の食前酒）などを片手にメゼをつまもう。

ベストシーズン　1年中行ける。天候は春や秋が快適。
旅のヒント　市場は毎日、日の出から日没まで営業。イスラム教徒が祈りを捧げる時間帯は比較的すいている。見て回るには1時間ほどかかる。メイハネで食事をするなら、さらに時間が必要だ。市場近くのネビザデ通りのレストランなら、市場が閉まった後も営業している。
ウェブサイト　www.tourismturkey.org、www.turkeytravelplanner.com

トルコ人のように食べよう

メイハネは、ラキを飲み、いろいろなメゼを分け合って食べる場所。給仕係は2～3人分（みんなが味見したがるようなら、さらに多くの量）を盛り付けた数種類の**メゼ**を運んでくる。

最初はベジタリアン風の冷たいメゼだ。チーズ、ヨーグルト、野菜や豆のピュレなどが、**ピデ**（トルコ風のパン）とともに供される。海老やタコなどシーフードのときもある。

次は温かいメゼだ。イカの唐揚げ、仔羊のレバーのソテー、**ボレク**（薄い生地に肉、チーズ、ほうれん草などを詰めた揚げ物）が定番。その後の主菜は肉、鶏、魚などをめいめい注文する。

デザートは、**バクラヴァ**や**カダイフ**などの甘い菓子か季節の果物を**トルココーヒー**と一緒にいただく。

所狭しと並べられた魚介類が地元の買い物客や、観光客、一流のシェフを引きつける。

チェコ
プラハのクリスマス市

毎年冬になるたびに、チェコの首都プラハでは幻想的でムード満点のクリスマス市が開かれる。

ゴシック建築に冬の光が差し込むプラハの街並みは、伝統的な祝祭気分を盛り上げるにはまたとない舞台だ。12月の声を聞くと、大聖堂と旧市庁舎の天文時計にはさまれた旧市街広場にたくさんの露店が立ち並ぶ。

この時期には市内の別の広場にも市が立ち、屋根付きの露店が並ぶ。そこでは、ガラスや木、わらで作ったクリスマス用の装飾品、人形、カバノキの箱、ガラス細工といったチェコの手工芸品が売られる。

時には、目の前で調理されたこの季節ならではの味に出合うことも。1杯のホットワインで暖を取りながら、露店をひやかしたり、甘い蜂蜜のリキュールをためしに飲んでみよう。生姜入りパンやアーモンドケーキ、トゥルドロ（砂糖とアーモンドの粉をまぶしたリング状の甘いパン）をつまむのもいい。地元ならではの軽食には、豚肉の串焼き、ソーセージの網焼き、焼き栗、焼きとうもろこしなどがある。お土産を探すなら、丁寧に飾りつけされた生姜入りパンの家、砂糖をまぶしたアーモンド、型抜きしたマジパン、香辛料入りのクッキーなどがおすすめ。

ベストシーズン 市が立つのは、クリスマスイブの4週間前の土曜日から1月初めまで。毎日午前9時〜午後7時。
旅のヒント 旧市街広場に立つ市とウェンセスラス広場に立つ市は規模が大きく、それぞれ80ほどの露店が出る。ほかの2カ所にもやや小規模の市が立つ。いずれも徒歩10分圏内だ。できれば旧市街にホテルを取ろう。そこからなら市内のほとんどの観光スポットに歩いていける。
ウェブサイト www.prague.net、www.pragueexperience.com

クリスマスのお楽しみ

12月、旧市街広場のステージでは、世界中から招かれた**聖歌隊**や**バンド**がパフォーマンスを繰り広げる。チェコの各地からは子どもたちがやってきて、伝統的な衣装に身を包んで**歌と踊り**を披露する。市が最高に盛り上がるのは夕方以降。

無数の明かりが、プラハきっての美しい建物を背景に輝く。

地元の人は、商品が最も新鮮で品数も多い早朝に市場へ向かう。

イタリア
リアルト魚市場

大運河にかかるリアルト橋の近くに
にぎやかで色鮮やかなベネチアの食品市場がある。

魚介類の買い方、食べ方

■魚市場の隣にある広場(**カンポ・デッレ・ベッカリエ**)の露店では、この地域伝統の塩漬けの魚、魚の缶詰や燻製、イカスミのインクなどを売っている。

■魚市場まで足を運んだら、すぐ近くにあるベネチアきってのシーフードレストラン**トラットリア・アッラ・マドンナ**で昼食を。町一番のシーフードリゾットを出す店だ。

■地元の酒場でもぜひ魚介類を味わおう。リアルト橋にほど近い**ナザリア、バンコジロ、アル・ペサドール**は、軽食にも夕食にもいい店だ。おすすめは昔ながらのベネチア料理。イカの墨煮、ニシンのマリネ、タラのクリーム煮などがある。

カモメが群れ飛び、モーターボートが水面を行き交う。どこかの海辺にいるような気分になりそうだが、ここは名高いリアルト魚市場。美しきベネチアにある、屋根と列柱を備えた市場だ。市場が動き出すのは午前7時前。市場横の運河で、漁師がモーターボートから魚を下ろし始める。輝きと潮の香りを失っていない新鮮な魚が、次から次へと売り場の台に移されていく。この市場には、考えられるすべての魚と甲殻類が集まる。バケツの中でのたうつ黒いウナギ、紫色のタコといった欧州では珍しいものもあり、イカ、シャコ、スキエ(焼いたり揚げたりして食べる地元産の小海老)といったベネチア市民の大好物ありだ。

リアルト市場では500年以上前から魚が売り買いされてきた。ベネチアの人は今も日々の買い物をしにやってくる。業者は耳をつんざくような売り声をかけながら、手際よく魚を切り身にして、台に並べていく。正午には、市場内は大変な混雑となる。だが、それから1時間もすれば、潮が引くように店は空っぽになり、売り場の台も、客の姿も消える。後に残るのは、余り物を狙って舞い下りてくるカモメのみだ。

ベストシーズン　営業は火~土曜日の午前7時~午後1時。早い時間帯なら空いている。
夏のベネチアは混雑するし暑いので避けた方が無難。

旅のヒント　魚市場だけなら1時間で回れる。隣には果物と野菜の市場もある。
ベネチアとその近郊をめぐるには、少なくとも1週間は必要だ。

ウェブサイト　www.yourfriendinvenice.com、www.deliciousitaly.com、www.venicevenetogourmet.com

トップ10
路上の市場

ひとくちに路上の市場といっても、粗末で雑然としたものから、優雅で整然としたものまでさまざまだ。だが、新鮮な地元の産物が安く手に入り、土地っ子の生活がかいま見られる美点は、どこにも共通だ。

❶ セントローレンス市場（カナダ、トロント）

1803年開設のこの市場には、かつてはトロント市庁舎も入っていた。周辺は1970～90年代に再開発が行われ、今では職住近接のモデルケースとなっている。市場には120を超える業者が入り、魚介類からコーヒーまであらゆる食品を販売している。

旅のヒント 所在地はトロントの旧市街。北エリアのファーマーズマーケットは土曜日のみ開催。www.stlawrencemarket.com

❷ ユニオンスクエア・グリーン市場（米国、ニューヨーク市）

かつてはマンハッタンの中心だったユニオンスクエアは、1970年代には麻薬中毒者のたまり場となっていた。1976年、農家を救済し、ニューヨーカーを旬の食品に回帰させるため、この広場にファーマーズマーケットが創設された。今では環境も一変、品数の豊富な市場はいつもにぎわっている。

旅のヒント 市が立つのは東17丁目とブロードウェーの角。年間を通して月、水、金、日曜日に開催。www.cenyc.org

❸ カストリーズ市場（西インド諸島、セントルシア）

この市場は1894年の開設以来、橙色の屋根をいただく建物を今も使い続けている。島特産の香辛料（八角、ナツメグ、シナモン）や、熱帯の果実（パンノキ、バナナ）、チリソース、焼肉、地元産の魚介類などが売られている。

旅のヒント 場所はジェレミー通りとペイニア通りの角。市は日曜日を除く毎日開かれる。行くなら土曜日がベスト。www.castriescitycouncil.org

❹ ベロペソ（ブラジル、ベレン）

魚を売る店が何列も並ぶこの市場は、あらがうことのできない魅力にあふれている。ベロペソ波止場を抱えた川沿いにあり、アマゾン川でとれた魚が運ばれてくる。市場は、1899年に英国から入ってきたネオゴシック様式の建物の中にある。

旅のヒント 漁師が魚を運び込む早朝の時間帯に行こう。ベレンには川船の港と国際空港はあるが、鉄道は通っていない。www.paraturismo.pa.gov.br

❺ 中央市場（チリ、サンティアゴ）

活気ある市場にはアールヌーボー様式の天蓋がある。これは1872年に錬鉄で鋳造されたもの。その下で、フジツボの仲間から巨大なイカまで、あらゆる海の生き物が売られている。その多くはチリ以外では知られていないものばかりだ。市場のレストランではチリ風ブイヤベースなど、地元の味が楽しめる。

旅のヒント 市場はサントドミンゴ教会の2ブロック北にある。売り手の中には高額の代金をふっかける人もいるので注意しよう。濡れた床は滑りやすい。www.allsantiago.com

❻ クレタ・アヤ地区のウェット市場（シンガポール）

シンガポールのご多分に漏れず、中華街にあるこの市場も清潔そのものだ。定期的に床を水で洗うので「ウェット（濡れた）市場」という名が付いた。食品の種類は豊富で、カメ、カエル、ウナギ、ヘビが、時には生きたまま売られる。また、漢方薬用に、動物の体の一部が干して売られている。上の階では、辛みを利かせた麺のスープなど、地元ならではの朝食が味わえる。

旅のヒント 混雑を避けるには午前6時頃に行きたい。午後1時前後には閉まる。www.visitsingapore.com（日本語あり）

❼ カウパットリ（フィンランド、ヘルシンキ）

北極圏の味覚を求めるなら、フィンランドの伝統食品がそろったこの市場に行こう。おすすめはヘラジカやトナカイ、熊肉のサラミ。リコリス（甘草）風味のチョコレートもあれば、香辛料などをまぶした鮭やニシンの切り身もある。

旅のヒント ヘルシンキの南港に面した青空市場。www.hel2.fi/tourism

❽ ラ・ブッチリア（イタリア、パレルモ）

パレルモの不穏な地区にあるためか、シチリアの強い酒の影響か、この市場の荒々しい雰囲気は、ヨーロッパよりも中東に近い。ミュージシャンは太鼓を叩いてアラビア風のバラードを歌い、焼けたソーセージやケバブの香りがあたりに漂う。ブッチリアとはフランス語のブシュリ（食肉市場）からきた言葉だが、ここには魚から果物まで何でもそろっている。

旅のヒント サンドメニコ広場近くで開催。地元のガイドを連れていこう。www.aapit.pa.it

❾ クール・サレヤ（フランス、ニース）

このかわいらしい花と食品の市場は、客同士が押し合いになるほど混雑する。普通の食材もあるが、ニース料理には欠かせない仔羊の睾丸、豚の耳や頭といった珍品もある。市場のまわりにはカフェやシーフードレストランが立ち並ぶ。夏の夜には市場自体も天蓋に覆われた飲食スペースになる。

旅のヒント 海と旧市街の間にあるクール・サレヤ通りで火～日曜日の午前中のみ開催。www.nicetourisme.com

❿ バラ・マーケット（英国、ロンドン）

250年以上の歴史を持つロンドン最古の食料品市場。週の大半は卸売り専門だが、木～土曜日には一般の人たちも英国内外の業者が持ち込むさまざまな食品を購入できる。選び抜かれたオリーブ油にチーズ、ダチョウのハンバーガーにイノシシのソーセージを堪能しよう。

旅のヒント 天気がよければ隣のサザーク大聖堂の庭でピクニックもできる。www.boroughmarket.org.uk

右ページ：セントルシアのカストリーズ市場で客待ち顔の女性。台の上には、西インド諸島産の果物や野菜、香辛料が並ぶ。

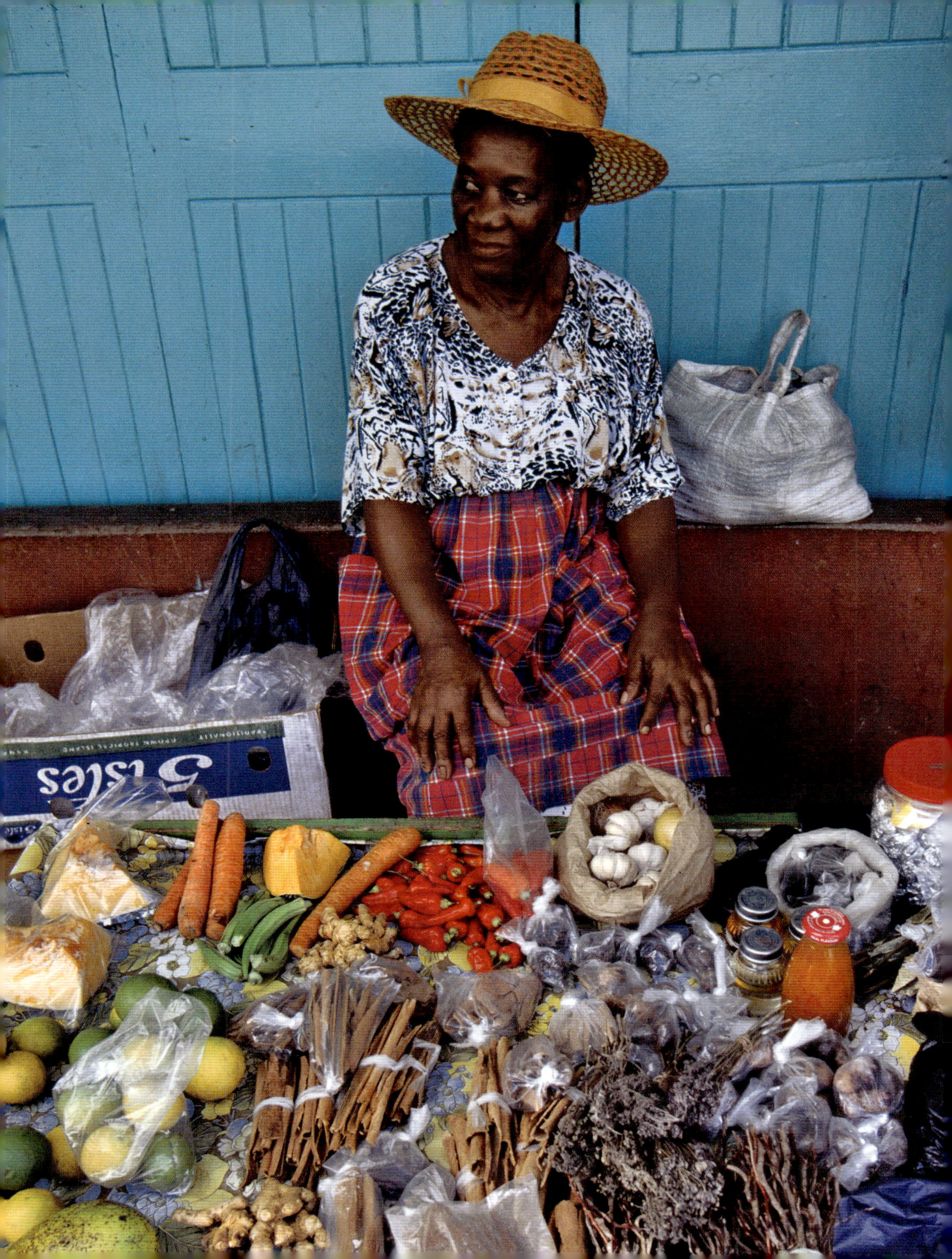

カンポ・ディ・フィオーリは昔からほとんど変わらない。店主たちは150年近く、日々変わらず商売に励んできた。

イタリア
カンポ・ディ・フィオーリ

**真のイタリアの"市場"を体験したいなら
首都ローマで最古の路上市場にまさるものはない。**

ローマの歴史ある一角にある広場「カンポ・ディ・フィオーリ」(「花の野」の意味)は、かつては草むす原っぱに過ぎなかった。そこに石畳が敷かれ、1860年代以降は花と食料品を扱うにぎやかな市場になった。

この市場には、ローマの街の活気が反映されている。色鮮やかな花の露店。古風なかごからあふれんばかりに、あるいはすっきりと台上に並べられた果物、ハーブ、野菜。季節の旬に合わせて、いろいろな食材がお目見えする。紫がかったチコリ、小ぶりなズッキーニ、茎の長いアーティチョーク、サラダに使う葉もの野菜のプンタレッレ、シロスグリ、地元産の野生のいちごなどなど。

市場の空気に触れれば五感が刺激されること請け合いだ。めくるめく色彩、露店の店主たちの売り声、できたての香辛料の陶然とする香り。ここでは各種の肉、パン、魚、チーズから日常の家庭用品まで、さまざまな物を売っている。

午後2時を過ぎると露店は店じまいを始め、3時半までに市場はかき消える。夜になると、この広場は、ナイトライフを楽しむ人々が集まっては近くのバルやレストランにくりだしていく。それまでは、どこかのカフェでエスプレッソか食前酒でも飲みながら、イタリア人の大好きな娯楽、人間観察を楽しもうではないか。

ベストシーズン 営業は月～土曜日の午前7時～午後2時。春から夏にかけては、この市場の最も生き生きとした姿が見られる。土曜日は混雑が激しいので避けたい。

旅のヒント 市場は1～2時間かけて見て回りたい。周辺と合わせ、丸1日を費やしてもいい。近くにはファルネーゼ宮をはじめ、たくさんの教会や博物館がある。

ウェブサイト www.rome.info、www.enjoyrome.com、www.conviviorome.com

ローマ風アーティチョーク
熱々でも、または室温でも。

材料(4人分)
アーティチョーク　4個
レモン　1個
生のミント　みじん切りを大さじ2
にんにく　2個
オリーブ油　カップ2分の1

ミントと刻んだにんにく、オリーブ油大さじ1をボウルで混ぜる(1)。

アーティチョークは外側の濃い色の葉を取り、変色を防ぐため、切り口にレモンの汁を塗る。次に先端を2.5センチほど切り落とし、中の柔らかい部分をスプーンでかき出す(茎は皮をむいておく)(2)。

1を2のアーティチョークに詰める。茎が上になるよう、鍋にすき間なく並べる。

残ったオリーブ油に水を加えてカップ1の量にし、塩と一緒に鍋に入れる。ふたをして1時間ほど煮る。

フランス
ドルドーニュの夜市

ドルドーニュの夜市は、そこに住む人々の社交場だ。
老人から乳母車の赤ん坊まで、村のみんなが参加する。

フランス南西部のドルドーニュ地方。7月から8月の宵に、村々を訪ねてみよう。フランス人の心の原風景のような食品市が最高潮に達しているはずだ。村を貫く道路は車が通行止めになる。中央広場では村人たちと観光客がその夜のご馳走を求めて屋台をはしごしている。

牡蠣、ムール貝、海老、ビュロー（巻き貝の一種）、にんにく風味のじゃがいもを添えた鴨の胸肉、パエリア、牛もも肉のステーキ、焼きたてのパン、ザワークラウト、ウナギ、魚のグリル。これらは屋台で供される地元料理のほんの一例だ。

デザートはいちごやクレープ、アイスクリーム。もちろん地元産のワインも各種取りそろえている。好きなものを注文し、テーブルを埋める人々の輪に加わろう。どの屋台の料理を買おうが、どの席に座って食べようが、誰もが歓迎されるはずだ。

運がよければバンドの演奏が始まることも。夫は妻と、老婦人は孫と、母親は息子と、あるいは友人同士で踊り出す。曲はフランス伝統のラインダンスから、ワルツにフォックストロット、そしてロックへと変わっていく。

ベストシーズン 夜市は7～8月にドルドーニュ県の多くの村で開かれる。村ごとに曜日が違う。通常は午後7時に始まり11時前後に終わる。
旅のヒント ベルジュラックをベースに1週間ほど滞在し、30キロ圏内にある村の夜市を回るとよい。小規模な催しなのでテーブルは先着順。いい席を取りたければ早めに行こう。料理は持ち帰りもできる。
ウェブサイト www.northofthedordogne.com、www.pays-de-bergerac.com

人気の夜市

■ **クレス**はドルドーニュ川を見下ろすベルジュラックのすぐ東の村。市の開催は土曜日。

■ **カドゥワン**はさらに東の村。市は月曜日にシトー修道会の修道院近くで開かれる。

■ **モンバジャック**はベルジュラックの南にあるワインの産地。市は日曜日にぶどう園の敷地内で開かれる。

■ **エメ**はさらに南の村。市の開催は火曜日。

■ **イシジャック**はベルジュラックの南東。市の開催は木曜日。

14世紀の町、サルラの夜市。ベルジュラックからは東に72キロの距離だ。

Bovínum

2 × 1,50
1 × 80

1,20

1,20

スペイン
ボケリア市場

バルセロナ旧市街のメインストリート、ランブラス通り。
そこに、スペイン美食の殿堂への入り口がある。

ボケリア市場の愛称で知られるサン・ジョセップ市場は、バルセロナ市民の台所だ。また、欧州で最も知られた市場の一つでもある。

ここでは3万種類以上の食べ物が売られている。ピミエントス・デ・パドロン(小型のピーマン)、バカラオ(干した塩ダラ)、サラミといった地元の特産品あり、ダチョウやエミューの卵といった珍品ありだ。食肉やその加工品、魚や貝、ナッツ、果物、野菜、チョコレート、花、パン、チーズなど、すべてがここにある。

だが、ボケリア市場の真の宝は、キオスコという小さな食堂だ。市場の新鮮な食材を使うので、味はよく、しかも安い。小さな調理場を囲むU字型のカウンターに座れば、あっという間にカタルーニャ自慢の一品が目の前に差し出される。「エル・ピノクスト」「エル・キム」「バル・ボケリア」は、地元の人にも人気の店だ。貝のワイン蒸し、ひよこ豆と血のソーセージ、小イカのガーリックソテー、カタルーニャの定番のパ・アンブ・トマケ(トマトを塗ったトースト)など、朝食から昼食、おやつまでまかなえてしまう。飲み物は冷えたカヴァ(スパークリングワイン)で決まりだ。

ベストシーズン 年間を通して行ける。夏は暑くて混雑するので、春がベスト。
市場は月〜土曜日の午前8時〜午後8時まで営業。

旅のヒント 少なくとも1〜2時間かけて、ゆっくり売り場を見て回り、食事や軽食を楽しみたい。
市場のあるバルセロナ旧市街(ゴシック地区)には、散策にぴったりの裏道がたくさんある。
市場の外のミルクスタンドで、コーヒーや驚くほど濃いココア、パイやタルトを味わおう。
ランブラス通りのアールデコ調のビルにある「エスクリバ」がおすすめ。

ウェブサイト www.boqueria.info (日本語あり)、www.viator.com、www.traveltoe.com

パ・アンブ・トマケ

トマトを塗ったトーストはバルセロナを代表する一品だ。これだけを食べてもいいし、前菜にしてもいい。アンチョビー、焼き野菜、サラミ、ハムなどを添えてもいい。

材料(2人分)
焼いてから1日おいたパン　2片
にんにく　1個
熟したトマト　1個
オリーブ油
海塩

パンをこんがりトーストする。皮をむいたにんにくを半分に切り、パンにこすりつけて風味を移す。

トマトを半分に切り、切り口をパンにこすりつける。堅くなったパンをしっかりトーストするので、表面はおろし金のように固い。パンが湿り、トマトの皮だけが残るまでになったら、皮は捨てる。

パンにオリーブ油をかけ、塩をふる。

左ページと上：バルセロナの歴史あるボケリア市場。いろいろな食料品が並ぶ。

ピカデリーにある「フォートナム・アンド・メイソン」のフードホールは、二つの階にまたがっている。

英国
ロンドンのフードホール

ロンドンの高級百貨店は、世界に冠たる食料品売り場（フードホール）を備えている。

大英帝国の首都ロンドンで、世界の一級品を心ゆくまで見て歩こう。オックスフォード通りの「セルフリッジ」の1階には小ぶりのフードホールがある。食料品売り場とレストランが何店かあり、昔ながらのロンドン風パイ、バンガー（英国風ソーセージ）、イタリアンジェラートなどが売られている。

より伝統的な雰囲気を味わうなら、ピカデリーの「フォートナム・アンド・メイソン」に行こう。最高級のマーマレード、バラやスミレのクリームを詰めたチョコレート、チューダー朝時代のレシピで作ったマスタードなどの逸品がうずたかく積まれている。この光景は、店が創業された1707年以来変わっていない。

ナイツブリッジにある「ハロッズ」のフードホールは、舞踏会場ほどもある売り場をいくつも連ねた造り。1902年創業で、かなりの部分が当時のままだ。オイスターバーの隣のシーフード売り場では、画家のパレットさながらに、魚たちが色ごとに並んでいる。手作りのチョコレートを売る洞穴のようなスペースもお見逃しなく。

フードホールでの買い物は選択の連続だ。15種類ものバターをそろえた店がほかにあるだろうか。たっぷりと時間の余裕を見て、世界最高峰の食の殿堂へ！

ベストシーズン　クリスマスの直前と1月のセール期間中は混み合う。フードホールやレストランはほかの売り場と営業時間が異なることもあるので、ウェブサイトなどで確認しておこう。
旅のヒント　買った食品を店内で食べるのはご法度。お腹がすいている時はレストランに立ち寄ろう。服装はカジュアルなものでかまわないが、バックパックや大型のスーツケースの持ち込みは断られる場合がある。
ウェブサイト　www.selfridges.com、www.fortnumandmason.com、www.harrods.com

買い物帰りにひと休み

■「セルフリッジ」に行ったら、シャネルの売り場の上にある**モエ・バー**に立ち寄ろう。上品なつまみとシャンパン、それにセレブウオッチングが楽しめる。ここはファッション業界人お気に入りの店だ。

■「フォートナム・アンド・メイソン」での買い物がすんだら、上階の**セントジェームズレストラン**でアフタヌーンティーを。

■「ハロッズ」のフードホール内には**ラデュレティールーム**のほか、加工肉、牡蠣、寿司、タパスなどを出す飲食店がある。

「フォートナム・アンド・メイソン」の紅茶

エジプト
ハン・ハリーリ

カイロ旧市街のイスラム地区に、増殖する迷宮のような市場がある。

時おり、モスクから祈りの時刻を知らせる声が響くのは、14世紀から続くカイロのハン・ハリーリ市場。金、銀、パピルス画、織物、香水、シロップしたたるお菓子などの店を見て、香辛料の店が集まる一角へと向かおう。

口を開けた大きな袋やかごから、黄金色のサフラン、真っ赤なカレー粉、甘いナツメグ、赤と緑の胡椒の実など、何十種類もの香り高い香辛料がのぞいている。店の戸口には、数珠繋ぎにした乾燥甘唐辛子や茄子がぶらさがっている。ガラベイヤ(長衣)をまとった男たちが市場内のモスクに急ぐ。それを横目に、屋台で「フール・ミダミス」を頼もう。にんにくを利かせた空豆料理で、エジプトの国民食だ。

買い物がすんだら、200年の歴史を持つコーヒーショップ「エル・フィシャウィ・カフェ」へ。ここでは水煙草と熱いミントティーが定番だ。地元の人は干したハイビスカスの花のお茶「カルカデ」を冷やして飲むこともある。

コーヒーを注文すると、たいていは濃いトルココーヒーが小さな磁器のカップに注がれる。時間をかけてチビチビと飲み、コーヒーかすを底の方に沈めよう。エジプトの人は甘いコーヒーが大好きなので、つられて砂糖を入れすぎないように。

ベストシーズン カイロは1年中暑くて乾燥しているが、11〜4月は比較的しのぎやすい。
旅のヒント 市場内の店は午前10〜11時頃に開く。日曜日は休み。金曜日の正午(サマータイム中は午後1時)からの祈りの時間には店は閉まる。手頃な値段の買い物がしたいなら地元の人が行く店に行こう。値切り交渉は必須。
ウェブサイト www.touregypt.net/khan.htm、www.egypt.travel(日本語あり)

空豆料理「フール・ミダミス」

エジプトの国民食。しばしば薄切りの固ゆで卵を添えて朝食に供される。

材料(2人分)
干した空豆 カップ1
玉葱 1個
オリーブ油 カップ2分の1
にんにく 2個
レモン汁 1個分
クミン 挽いたものを小さじ4分の1
塩と胡椒

空豆をひと晩かけて水で戻す。水を換えて、玉葱のみじん切りを加え、軟らかくなるまで煮る(約1時間)。

湯を切った空豆をボウルに移す。オリーブ油、刻んだにんにく、レモン汁、クミンを加えて混ぜ合わせ、塩胡椒で味を調える。豆粒の一部はつぶす。

ピタパン、刻んだパセリ、くし形に切ったレモン、オリーブ油を添えて、室温で出す。

北アフリカや中東の陶然とする香気に、おびただしい量の香辛料の匂いが混じる。

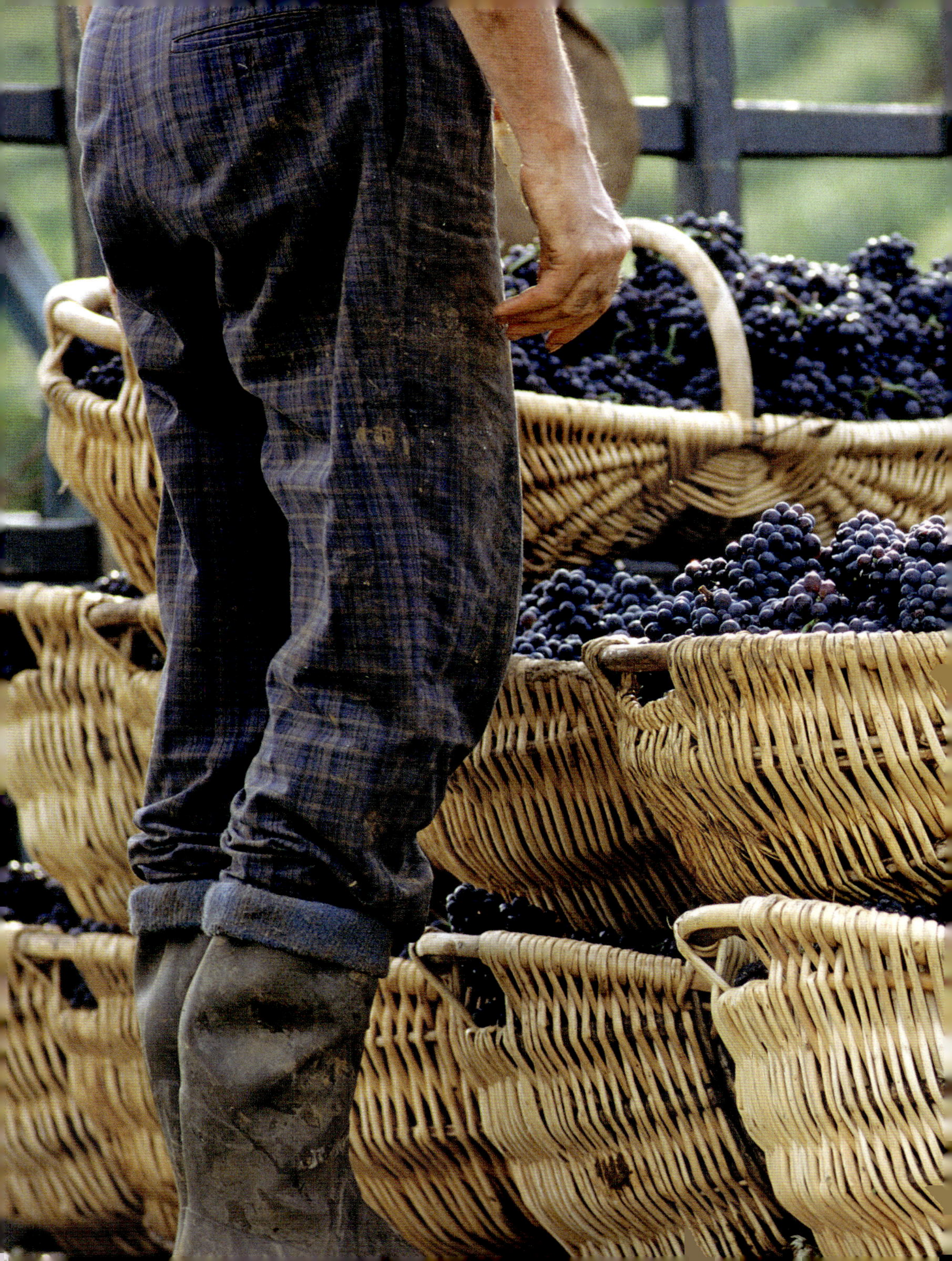

3 旬の味を愉しむ

　おいしいものをこよなく愛する人は、グルメ本ではなくカレンダーから情報を得る。食べ物が最高においしくなるのは旬のとき。一年のうち、それぞれの季節に旬の物を味わう。これほどのぜいたくはない。

　実りの秋、米国東部・コネティカット州北部の田舎では、道沿いに農家の直売所ができる。そこに、まっ赤なりんごや赤黄色のかぼちゃが並ぶ。

　フランスや北イタリアでは、人々が森に入り、トリュフ探しやきのこ狩りに夢中になる。

　温かい料理が無性に食べたくなる冬。アルプスから吹き下ろす寒風に負けないようにと考え出されたのが、オーストリア団子料理、カスノッケンだ。

　大地が温まる春になると、米国アパラチア地方ではワイルドリーク（野生のにらねぎ）が芽吹き、米国メリーランド州チェサピーク湾ではソフトシェルクラブ（殻がやわらかい食用ガニ）が旬を迎える。英国諸島では日差しが強くなり、いよいよ夏の風物詩「いちごのクリームがけ」の季節だ。

毎年秋になると、フランス・ブルゴーニュ地方の農民はぶどうの収穫に追われる。ここで摘み取られたぶどうから世界有数のワインが生まれる。

米国コネティカット州
りんごとかぼちゃ

美しい田園地帯が広がるコネティカット州北西部は
毎年、赤や黄、橙色の彩り豊かな、実りの秋を迎える。

コネティカット州北西部、リッチフィールド丘陵の秋は、風景画のように美しい。屋根付きの橋、古い農家、農場の赤い納屋などが、収穫物の色が織りなすタペストリーの中にくっきりとあらわれる。

農家の直売所では、マッキントッシュ、マクーン、ハニークリスプなど、赤や黄色のりんごに混じって、橙色のかぼちゃが並ぶ。かぼちゃはハロウィンのランタンやパイ作りに欠かせない。果物狩りをやっている果樹園の敷地内には自前のパン焼き場があり、開け放った戸口からシナモンやナツメグの香りが漂ってくる。

できたてのアップルサイダードーナツを食べながら、搾液機からりんご果汁が絞り出される様子を眺めよう。また、パンプキンバターやアップルゼリーなど、豊かな秋の実りを味わおう。地元の教会や公会堂で収穫祭の夕食を楽しむのもいい。アップルゼリーで照りをつけたハム、作りたてのバターを使ったマッシュポテト、ジャムを塗った厚切りのパンなどが並んでいる。

つい夢中になって食べてしまいそうだが、アップルコブラー（深皿で焼いたパイ）とかぼちゃのパイを味わう余裕は残しておこう。

ベストシーズン　紅葉が最高潮を迎える10月中旬から下旬。
旅のヒント　宿泊は予約していくこと。特に紅葉シーズンの週末は混雑するので早めの予約が必要。宿やB＆Bは2泊から受け付けるところが多い。この地域を味わい尽くすには最低でも3〜4日は必要だ。
ウェブサイト　www.litchfieldhills.com、www.ctvisit.com

りんごの種類

コネティカット州北西部のりんごのシーズンは8月末から10月までだが、品種によって熟す時期がずれる。シーズン初めは、**ポーラレッド**や**タイドマン**が実る。次に**マッキントッシュ**と**ガーラ**が熟す。**レッド**、**ゴールデンデリシャス**、**アイダレッド**が収穫期を迎えるのはシーズン最後だ。

りんごには生食に適している品種もあれば、加熱調理に向いている品種もある。生で食べるなら、**ハニークリスプ**、**ガーラ**、**マッキントッシュ**、**マクーン**、**レッド**、**ゴールデンデリシャス**がおすすめだ。パイに合うりんごは、**クリスピン**、**ジョナゴールド**、**ワインサップ**、**コートランド**、**エンパイア**、**ノーザンスパイ**、**ローマ**、**グラニースミス**など、酸味が強いものをパイに使うときは、砂糖を多めに入れよう。

農家の直売所にずらりと並ぶかぼちゃ。中をくりぬかれてハロウィンのお化けランタンになる。

きのこ狩りの季節、美しいメンドシーノ海岸にはきのこ好きが大勢やってくる。

米国カリフォルニア州
きのこ狩り

秋になり、観光シーズンが終わると、きのこ狩りをする人の出番となる。
海沿いの森やシエラネバダ山脈は、天然きのこの宝庫だ。

北カリフォルニアにその冬最初の雨が降ると、食通たちがそわそわし始める。太平洋から吹きつける最初の嵐は、きのこのシーズン到来を告げるからだ。11月から4月まで、海沿いの森やシエラネバダ山脈の西山麓では、次々と天然のきのこが顔を出す。山に入ってきのこ狩りに熱中する人もいれば、レストランのメニューにきのこ料理が出てくるのを心待ちにする人もいる。

カリフォルニアの天然きのこには、秋ものと春ものがある。秋のきのこでは、傘裏がスポンジ状のポルチーニ茸の仲間のほか、淡い色と香りのヒラタケ、傘裏がひだ状の風味豊かなアンズタケなどいろいろある。もちろん最も高価なのは松茸だ。

春のきのこは、水分が多く肉厚なアミガサタケが中心だ。食べ方はリゾットに入れる、バターかオリーブ油で炒める、スープで煮るなど、あまり手を加えない調理法が一番だ。ここでアドバイスを一つ。最初の何回かは必ず経験豊かな人と一緒に行き、見分け方を習い、4〜6種類の食べられるきのこに的を絞って探そう。

アンズタケ

きのこのなかでも人気があり、10月から12月まで北カリフォルニアの針葉樹の森でたくさん採れる。いたる所に自生し、簡単に見分けられる。桃や胡桃のような独特の芳香を放つ。なかでも**シロアンズタケ**と**黄色のアンズタケ**は最も人気があり、味も香りも似ている。

ヒロハアンズタケは、アンズタケらしからぬ橙色で、傘裏は細かいひだ状。味は本物のアンズタケに劣る。

アンズタケとよく似たツキヨタケには気をつけよう。アンズタケより色が濃く、傘裏のひだの様子も違う。毒があるので食べてはいけない。

ベストシーズン きのこ狩りのシーズンは通常10月から6月まで。11月から4月が一番よく採れる。

旅のヒント 滞在はソノマとメンドシーノ海岸がおすすめ。きのこ、すばらしいレストラン、快適な宿泊施設のすべてがそろっている。サンフランシスコ菌学会はシーズン中、きのこの専門家によるきのこ狩りを定期的に主催している。少なくとも一週間は滞在したい。

ウェブサイト www.mssf.org、www.mykoweb.com、theforagerpress.com

菜園レストラン

トップ10

見事な植物園からささやかな自家菜園まで、規模はまちまちでも、その土地の旬の食材を味わうのに、現地にまさる場所があるだろうか。

❶ パトレネッラ（米国、テキサス州ヒューストン）

1938年からパトレネッラ家が所有している民家の中にあるレストラン。自家菜園で採れる有機栽培のハーブや野菜を使ったシチリア料理が楽しめる。もともと一家の住まいだったので、友人の家に招かれたようなくつろいだ雰囲気が味わえる。

旅のヒント 住所はジャクソンヒル813。日曜日と月曜日は休み。www.patrenellas.net

❷ シェ・パニース（米国、カリフォルニア州バークレー）

地元の旬の食材を追求したシェフ、アリス・ウォーターズが1971年に開いたレストラン。「カリフォルニア料理」発祥の地とされ、広く影響を与えた。フランス料理のレシピとカリフォルニアの産物を組み合わせたメニューは、その日の仕入れによって変わる。1階はコース料理のディナーのみのレストラン、2階はアラカルトメニューのあるカフェ。

旅のヒント 日曜日は休み。レストランは要予約。www.chezpanisse.com

❸ フリック（ポーランド、ワルシャワ）

モルスキー・オコ公園を見下ろす。夏は風通しのよいテラス席、くつろげる籐の肘掛け椅子、ろうそくが灯るロマンチックな室内などが魅力だ。観葉植物いっぱいの屋内席は、アートギャラリーを兼ねている。常連客のおすすめはピエロギ（ポーランド風餃子）。デザートはサワーチェリー入りチョコレートケーキが人気。

旅のヒント 住所はプワフスカ通り43。www.flik.com.pl

❹ デ・カス（オランダ、アムステルダム）

温室内のレストラン。温室や隣接する苗床で野菜やハーブを有機栽培し、肉は環境に配慮した地元の畜産農家から仕入れている。欧州料理中心のコースメニューは日替わり。昼間は風景を、夜はロマンチックな雰囲気を堪能しよう。

旅のヒント フランケンデール公園内にある。土曜のランチと日曜は休み。www.restaurantdekas.nl

❺ ラトリエ・ド・ジャン＝リュック・ラバネル（フランス、アルル）

アルル近郊の「ラ・シャサニェット」で完全オーガニックのレストランとして初めてミシュランの星を獲得したシェフ、ジャン＝リュック・ラバネル。その彼が、レストランとビオディナミ農場を開いた。ビオディナミとは、種まきや収穫などを月の満ち欠けなど天体の動きに合わせて行う農法。これによって、農場で採れる珍しい野菜やハーブを旬の時期に味わえる。

旅のヒント 月曜日と火曜日は休み。住所はカルム通り7。要予約。www.rabanel.com

❻ ブルデジエール城（フランス、ロワール渓谷）

1991年、ド・ブロイ公爵家の兄弟、フィリップ・モーリスとルイ・アルベールが16世紀ルネサンス様式の城を買い上げ、改装してシャトーホテルとして開業した。庭園内の菜園にはトマトが550種も栽培されている。毎年9月には有名なトマト祭りが開かれる。

旅のヒント 最寄りの町モンルイ・シュル・ロワールは、パリから列車で2時間ほど。www.chateaubourdaisiere.com

❼ タンジェリンドリームカフェ（英国、ロンドン）

カフェがあるチェルシーフィジックガーデンは、1671年に薬剤師協会が創設した。塀に囲まれた1.4ヘクタールの美しい薬草園には、川沿いの心地よい環境の下、熱帯種も含め5000種以上の植物が栽培されている。店ではランチのほか、お茶とともにスコーンやケーキが味わえる。

旅のヒント ロイヤルホスピタル通り66（最寄りの地下鉄駅はスローンスクエア）。カフェの営業は4月から10月までの日曜日、水〜金曜日、国民の休日。冬季は特定の日のみ。www.chelseaphysicgarden.co.uk

❽ ピーターシャム・ナーサリーズ（英国、ロンドン）

人口過密のロンドンで、これほど優美なガーデンレストランにはめったにお目にかかれない。高級住宅地リッチモンド・ヒルの川沿いにあり、園芸店を併設。注目の女性シェフ、スカイ・ギンジェルが取り仕切る。店はビクトリア朝の温室を修復した3棟の田舎風の建物からなる。メニューは週ごとに替わる。

旅のヒント 地下鉄リッチモンド駅下車、65番のバスに乗る。月曜定休。ランチのみ。要予約。www.petershamnurseries.com

❾ ロングヴィルハウス（アイルランド、マロー）

コーク州のブラックウォーター川沿いにあるジョージ王朝時代のマナーハウス（領主の邸宅）、ロングヴィルハウスでは、燻製用の鮭から仔羊まで、食材のほぼすべてを敷地内でまかなっている。マナーハウスのレストランと格式張らないサンルームで提供されるのは、フランス料理や現代風アイルランド料理。

旅のヒント マロー駅（ダブリンから2、3時間）から5キロ。レストランはディナーのみ。www.longuevillehouse.ie

❿ シルバーツリー（南アフリカ、ケープタウン）

西ケープ州のテーブルマウンテンにある528ヘクタールの壮大なキルステンボッシュ国立植物園に、至福のひとときを過ごせるレストランがある。夏は国産のソーヴィニヨン・ブランで夕日に乾杯し、冬は薪の炎を眺めながら食事ができる。料理は世界各国の代表的料理を南アフリカ風にアレンジしたもの。

旅のヒント 無休、午前8時半〜午後10時 www.kirstenboschrestaurant.com

右ページ：ロンドンの「ピーターシャム・ナーサリーズ」のうっとりするような明るいカフェ。日よけのすだれからは陽光がこぼれ、テーブルをまだらに染める。

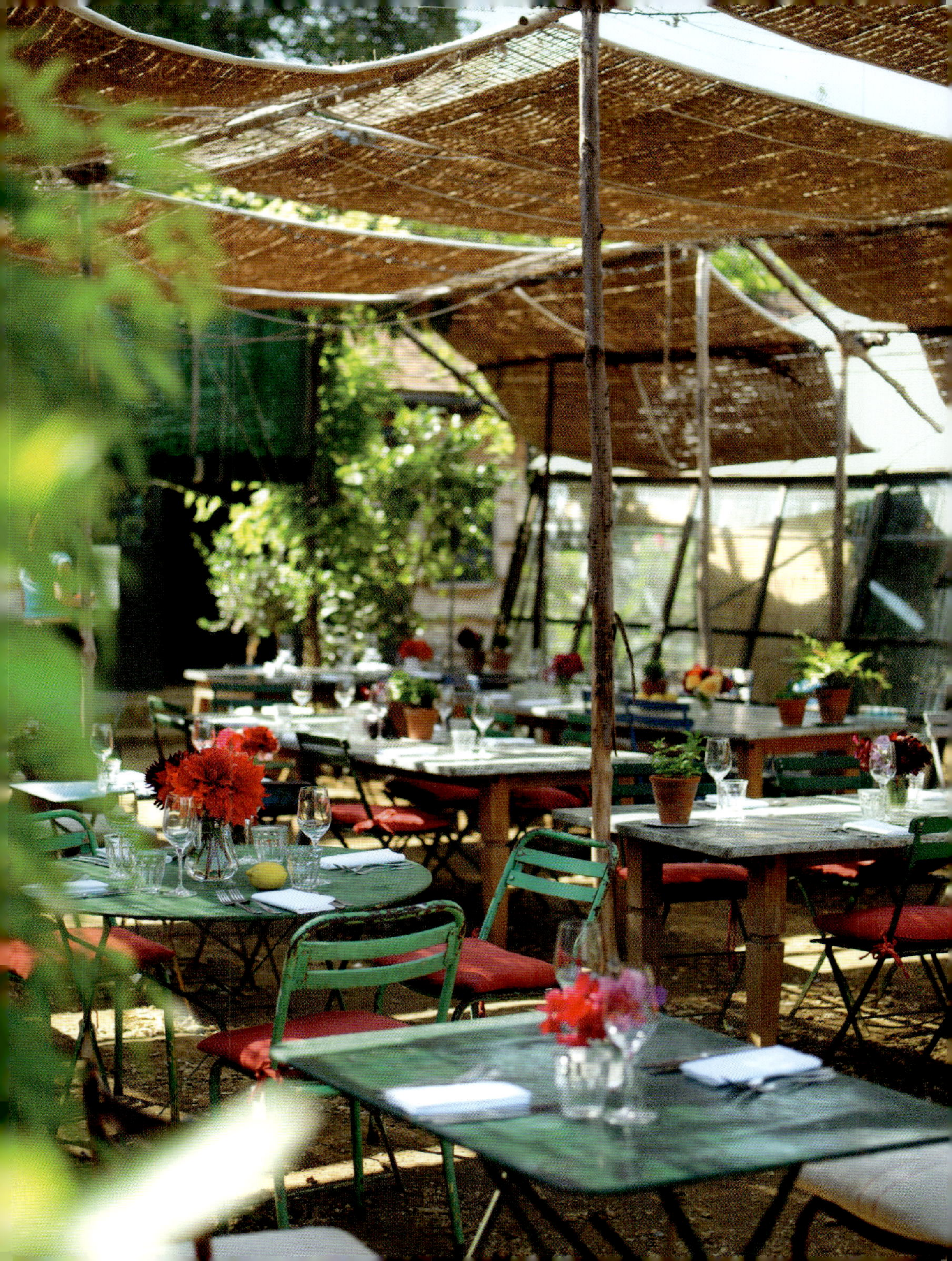

ワイルドリークの旬は春。この時期、球根が最もおいしくなる。

米国ウェストバージニア州
ワイルドリーク

米国とカナダの森に生える、ねぎに似た独特の風味のワイルドリーク。
好きな人にはこたえられない、春の珍味だ。

ワイルドリーク（行者にんにくに似た野生のにらねぎ、学名アリウム・トリコックム）は、春の訪れを告げる山菜だ。米国東部のアパラチア地方ではよく知られ、カナダにも分布する。この植物はビタミンAとCに富んでいる。

アメリカ先住民は長年、ワイルドリークから強壮剤をつくり、南部人は壊血病の治療薬として使っていた。ワイルドリークの季節の到来を祝う祭りがあちこちで開かれ、市場や洒落たレストラン、旬を味わう人々の心と舌に春を告げる。

ワイルドリークは森の中、特に山の斜面に多く自生する。土を掘り返し、そっと根っこごと採る。掘り出すと強烈な香りを放つので、採るのは2、3個にしよう。

水で泥を洗い落とし、球根の外側の皮をむくと、端が紫色をおびた乳白色の中身が顔を出す。これは全部食べられる。葉は柔らかく、少し甘みがある。球根はけっこう辛い。そのまま生で食べてもよいし、にんにくや玉葱の代わりに使ってもいい。サラダやスクランブルエッグ、豆料理、パスタなど、料理の味を引き締めてくれる。

ワイルドリークの食べ方

乳白色の球根は、好きな人には癖になる味だ。その独特の香りは玉葱とにんにくを合わせて白トリュフを少し混ぜたような感じ。

使い道はたくさんある。生のまま薄切りにして、あるいはすり下ろしてサラダやサンドイッチに。加熱すればそれだけでおいしく食べられる。エクストラバージンオリーブオイルで炒め、岩塩をほんのひとつまみ入れるのもいい。バターで炒めたワイルドリークと削った熟成チェダーチーズをふんだんに入れたポテトグラタンや、ワイルドリークと天然きのこ入りパスタは、おいしい素材同士の幸せなマリアージュだ。

ベストシーズン ワイルドリークは主に東部の州に自生する。まず4月初めにアパラチア山脈で生え始め、6月にはミシガンなど北の州でも採れる。

旅のヒント ワイルドリークは落葉樹の森に生える。国立公園内での採集は禁じられているので、私有地を選び所有者の許可を得て採ろう。また、ワイルドリーク祭りでも味わうことができる。ウェストバージニア州とノースカロライナ州が本場だ。ウェストバージニア州の二つの都市、リッチウッドとエルキンではそれぞれ4月にワイルドリーク祭りが開かれる。

ウェブサイト theforagerpress.com、www.cosbyrampfestival.org、www.richwooders.com

米国メリーランド州
ソフトシェルクラブ

海老やカニに目のない人はメリーランド州をめざす。
チェサピーク湾に水揚げされる旬の味を求めて。

チェサピーク湾にカニ漁の船を追うカモメが飛び交う。ソフトシェルクラブを満載した船は、湾の東にあるクリスフィールドの波止場へ向かう。まずは桟橋で漁師が陸揚げする様子を眺め、それから近くのJ・ミラード・タウズ歴史博物館の展示などを見て、この町を歩いてめぐるツアーに参加しよう。

ソフトシェルクラブとは、脱皮直後の殻の柔らかいアオガニのこと。ツアーガイドは捕獲法を説明し、そのあと加工場へと案内する。そこで市場用にカニが処理される工程を見学できる。ツアーはスミス島への連絡船に間に合うように終わる。

スミス島は湾内最大の有人島で、人口600人足らず。クリスフィールドから船で40分ほどだ。1600年代後半に入植が始まり、チェサピーク湾の漁師が16世代にわたって住んでいる。島では、生け簀の中で漂うカニを眺めながら漁師とおしゃべり。そして島のレストランでカニの唐揚げか炒めものを思う存分食べよう。

デザートにはスミスアイランドケーキを一切れ。これは、しっとりした薄い生地を8段から10段も重ね、甘い砂糖の衣でくるんだ、伝統の焼き菓子だ。

ベストシーズン ソフトシェルクラブのシーズンは5～9月。天気がよく、カニ漁が最盛期を迎える5～6月がいい。
旅のヒント クリスフィールド発のツアーは、戦没将兵記念日（5月最終月曜）から労働者の日（9月第1月曜）まで、日曜を除く毎日午前10時出発。スミス島へのフェリーはお昼の12時30分に出港し、帰りの便は午後4時に出る。年中運行している貨物船や郵便船でも行けるが、天候により運休する。
ウェブサイト www.visitsomerset.com、www.smithisland.org

ソフトシェルクラブの食べ方

ソフトシェルクラブは揚げても、炒めても、焼いてもいい。地元の人は、パン粉をつけて丸ごと揚げ、もっちりとした白パンにはさんでサンドイッチにしたり、唐揚げにして大皿に盛って食べる。

特においしいカニの唐揚げが食べられるのは、クリスフィールドの**ザ・コーヴ**と**ウォーターマンズ・イン**。スミス島では、ソフトシェルクラブのサンドイッチ、ソフトシェル・ポーボーイがタイラートンにある**ドラム・ポイント・マーケット**で買える。島最大の町、ユーエルにある**ルークス・シーフード・デッキ**か**ベイサイド・イン**での食事もおすすめる。デザートにスミスアイランドケーキ一切れ（島ではレイヤーケーキと呼ばれている）を予約しておくこと。

チェサピーク湾の町、クリスフィールドで漁師がカニを水揚げしている。

旬の味を愉しむ | 77

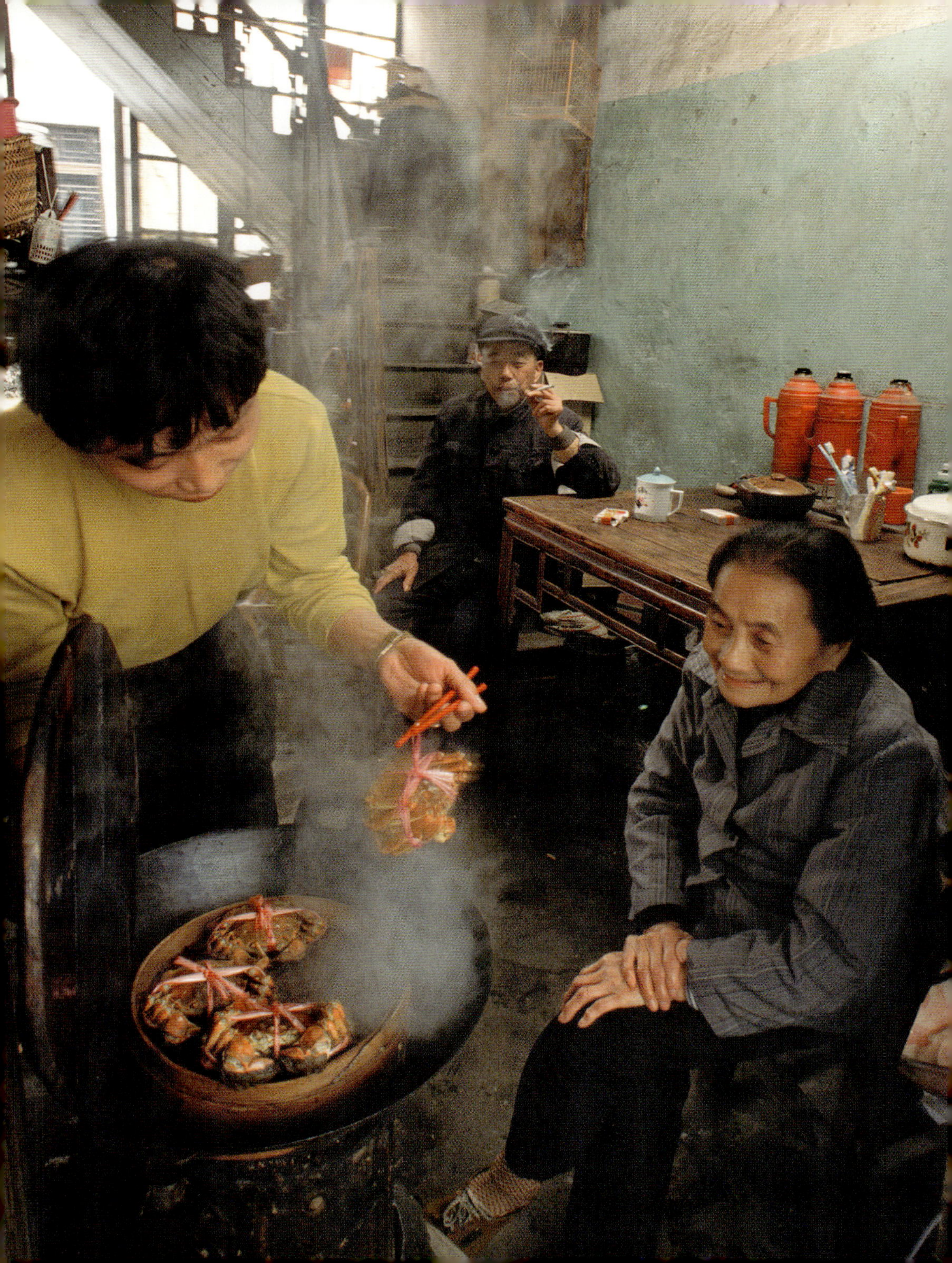

中国
上海ガニ

中国有数の大都会、上海。
ここでは独特の方法でカニの季節を祝う。

上海の秋は上海ガニの季節だ。街を歩くと、この小ぶりの毛ガニを売り込む声が、あちこちの市場や高級レストランから聞こえてくる。

身がつまった上海ガニは中国でも季節の味として賞味されている。その身は普通のカニ肉より甘みがあり、卵の黄身のような濃い黄色の卵が入っている。なお、中国では上海ガニは体を冷やす「陰」の食材とされている。上海で出回るもののほとんどは、上海から車で2時間ほどの陽澄湖など、淡水湖でとれたものだ。

調理法はとても簡単だ。カニをそのまま蒸して、黒酢とすりおろした生姜のたれをつけて熱いうちに食べる。一人前2匹から4匹もあれば十分満喫できる。

フランス租界（上海の南西部）にある優雅な植民地風のレストラン「夜上海」では、テーブルについた客たちが人の手のひらほどの小さなカニに舌鼓を打っている。上海っ子にならって、上海ガニを紹興酒で流し込もう。上海の旬の味が堪能できるはずだ。

カニづくしのコース料理に挑戦しようという人は、カニ肉の炒めものやワンタンなど、ほかのカニ料理も出てくることを頭に入れておこう。

ベストシーズン　上海ガニの季節は9月から11月中旬まで続くが、遅くとも10月半ばまでには訪れたい。最も新鮮で身がつまっており、卵を抱いているものが多い。

旅のヒント　9月か10月に訪ね、上海のトップクラスのレストランで食事するのなら（特にコース料理の場合）、数週間前には予約しておこう。最高級を示す陽澄湖産のスタンプがあるカニには注意しよう。スタンプの偽造が横行している。「夜上海」や外灘にある「ザ・ウエスティン・シャンハイ」などの五つ星ホテルの有名レストランなら本物を味わえる。
屋台で天然ものとして売られているカニは避けよう。中国で売られている上海ガニはほとんどが養殖もの。本物の天然上海ガニは今では非常に珍しくなり、値段は養殖ものの5倍もする。

ウェブサイト　www.elite-concepts.com

上海料理

■甘くて濃厚な味付けの上海料理は塩味が基本。「酔蟹」「酔鶏」などと呼ばれる、海老やカニや鶏肉に軽く火を通して紹興酒に漬けた料理も人気がある。

■上海は醤油と砂糖で肉と野菜を煮込んだ**紅焼**（ホンシャオ）でも有名だ。豚肉の角煮、**紅焼肉**（ホンシャオロウ）は、桂皮と八角をきかせた絶妙の一品。そのほか、代表的な料理は、野球のボールほどの肉団子を白菜と一緒に煮た**紅焼獅子頭**（ホンシャオシーズートウ）。

■**小籠包**（ショウロンボウ）を食べずに上海を味わいつくしたとはいえない。高級レストランの売店や屋台で湯気の出ている蒸し器を探そう。できたての小籠包が食べられる。

■小籠包より大ぶりの**生煎饅頭**（シェンチェンマントウ）も人気の品だ。挽き肉と肉汁を小麦粉の生地で包んで底を軽く焼いたもの。底はかりっと香ばしく、上のほうはふんわり柔らかい。

左ページ：上海で売られている上海ガニ。
上：動き回ってはさみが胴体から離れないように、一杯ずつわらか紐で縛る。

旬の味を愉しむ | 79

寒食節のために伝統料理を準備する女性。

福建料理

■厦門のレストランは焼きそばやラーメンの代わりに、葱やにんにく、チリソースをかけた**冷麺**を出す。

■土地の方言でポピンと呼ばれる福建の**生春巻**には、筍、干し海老、人参の千切り、豆腐、牡蠣油が入っている。

■黒胡麻をまぶした餅、**麻芝（マーチー）**の中には、砂糖とピーナツの粉と黒胡麻が入っている。

■福建料理でも特に有名なのが、**佛跳牆（フォーティヤオチャン）**。肉類や海産の乾物、うずらの卵など、数十種類もの材料を使った濃厚なスープだ。作るのに非常に手間暇がかかり値段も高いが、菜食の仏僧さえ塀を跳び越えて食べにくる（名の由来）といわれるほどおいしい。

中 国
寒食節

中国南部沿岸、厦門の人たちは、
一年のうち1日だけ、火を使わない料理をとる。

福建省の厦門（アモイ）は、高層ビルが建ち並ぶ近代的な大都会だが、住民は古い伝統である寒食節を今も祝う。2500年前にさかのぼるといわれるこの行事は、晋国の公子、重耳が誤って臣下の介之推（カイシスイ）を焼死させてしまった出来事に由来する。重耳（チョウジ）はこの事故を悔やみ、介之推の霊を慰めるために、一年のうち3日間だけ、火の使用を禁じ、冷たい食事をとることと定めた。

　この行事は、かつては3日間にわたって行われていたが、今では1日のみとなっている。それでも厦門以外の地域でこの風習を守っているところは少ない。

　厦門の人々は、並木の路地で冷たい麺をすすり、生春巻を食べる。これらは普段は前菜として食べるものだが、寒食節ではこれが主食になる。

　寒食節は先祖の墓に参り、調理済みの豚肉や鶏肉、米飯などの冷たい食べ物、お茶を墓に供える。線香をあげたあと、墓前で供え物を食べ、先祖を供養する。

寒食節の日に用意する食べ物は、ネズミなどの動物をかたどったものが多い。

ベストシーズン　寒食節は毎年4月4日（うるう年は4月3日）。清明節はその翌日。

旅のヒント　厦門は沿岸部の都市で、各地から列車やバスで簡単に行ける。少なくとも3日間は滞在し、厦門の南西にあるコロンス島まで足を伸ばそう。植民地時代の建物が残り、緑が美しい島だ。
厦門にたくさんある茶芸館はぜひ訪ねたい。
この地方は香ばしい香りの正山小種（ラプサンスーチョン）や鉄観音など銘茶の産地だ。

ウェブサイト　www.whatsonxiamen.com

プーケットの菜食週間
タイ

タイ南部のプーケット島の人々は、一年のうち9日だけ肉を絶つ。

プーケット島では毎年秋に風変わりな行事がある。肉、卵、乳製品から魚醬まで、動物性の食べ物を絶つ完全菜食主義を9日間貫くのだ。

レストランは普段通り、カレーや炒め物、スープ、サラダなどをメニューにのせるが、材料には肉や魚の代わりに小麦グルテンや大豆を使う。屋台では、揚げドーナツ、カレー風味のコーンフリッター、春巻、厚揚げなどの揚げもののほか、小麦グルテンで作ったいろいろな形の食べ物が売られる。ベジタリアンフェスティバル（キンジェー）と呼ばれてはいるが、この行事は食の祭典ではない。邪気をはらう宗教的な行事で、魂の浄化と幸運を願う意味合いがこめられている。

言い伝えによると、1826年頃、ここを訪れていた中国の京劇団が集団で悪疫にかかり、団員たちは肉を絶って願をかけたところ、病気から回復した。以来、中国系住民は心身の清浄を心がけ、自らの肉体を傷つける9日間の苦行を行うようになった。男たちは舌を傷つけたり、頬に串を刺したりしながら町を練り歩く。それから千里眼の女性が邪気をはらい、人々の魂を一新させる。一方、町はどこもかしこも清い食べ物と清潔な調理器具、おなかを満たした人々であふれかえる。

ベストシーズン　旧暦の9月1日。10月初旬にあたる。

旅のヒント　祭りにどっぷりとつかりたいなら、プーケットタウンに宿を取ろう。祭りのマナーとして白い服装で行くこと。Tシャツと綿パンを買えばいい（祭りの間、露店で手頃な値段で売られている）。
パレードや火渡りなど、行事のスケジュールを確認しておこう。その多くは中国寺院で行われるか、そこが終着点になっている。花火は必見だ。よく見える場所を確保するなら早めに行こう。

ウェブサイト　www.tourismthailand.org（日本語あり）、www.phuketvegetarian.com、www.phuket.com

祭りの風習
■仏教の精進料理は、菜食主義でない客人をもてなすためのもの。大昔から工夫を重ね、大豆や小麦グルテンを肉そっくりにつくる技が極められた。

■祭りには決まりごとがたくさんある（期間中の性的行為や飲酒の禁止、生理中の女性の参加禁止など）。その10番目には、祭りの参加者は、参加しない人と調理器具や食器を共用したり、一緒に食事をしたりしてはならない、とある。

■儀式はプーケットタウンを中心に行われるが、祭りの間は国中で菜食料理を提供する食堂や屋台が出る。黄色い旗が目印だ。

プーケットの仏教寺院。参拝者がお供えの食べ物や花を持参し、線香を捧げる。

フィンランド
ザリガニパーティー

フィンランドは夏の間の2カ月間、都会も田舎もザリガニパーティーで盛り上がる。

ザリガニは7月21日に解禁となり、シーズンは9月初旬まで続く。フィンランドの人々は田舎でも都会でも、このおいしい甲殻類を山盛りにしたテーブルを大勢で囲み、殻を割り、身をかき出し、むしゃむしゃ食べる。

在来種のヨーロッパザリガニ（別名ノーブル・クレイフィッシュ）は、1990年代初めに真菌病によって絶滅の危機に瀕した。国産ものは激減し、高価なため、多くの人はスペインやトルコ、米国の輸入もので間に合わせる。

パーティーでは一人あたり12匹のザリガニを用意する。紙エプロンも忘れずに。ザリガニは、クラウンディルというハーブを入れた湯で塩ゆでにし、水気を切って一晩冷やす。食べるときは、ディルの小枝とゆでた新じゃがいもを添える。

フィンランドの公用語は二つ。パーティーのやり方もいろいろだ。たとえばスウェーデン語系の人々はとんがり帽子をかぶり、乾杯のたびにザリガニの歌を歌う。もっとも、ザリガニの食べ方は共通だ。二つに割って汁をすすり、尾の部分の身を専用ナイフでえぐり出す。繊細な味を引き立てるレモン汁かサワークリームをつける。

ベストシーズン　ザリガニのシーズンは、過ぎゆく夏を惜しむように8月から9月初めまで続く（夜は冷え込むのでセーターやひざ掛けを持参すること）。
ヘルシンキのオープンテラスのあるレストランでは、8月中はザリガニがメニューにのぼる。

旅のヒント　西のトゥルク、首都ヘルシンキ、そして東部のポルボー（絵のように美しいスウェーデン語圏の港町）と、フィンランドの南岸を1週間かけてたどっていこう。そして乾杯に参加しよう。「乾杯」はフィンランド語で「キッピス」、スウェーデン語では「スコール」という。飲み物にはビール、アクアヴィット、ウオツカのほか、コスケンコルヴァというフィンランドの蒸溜酒もある。ミネラルウオーターや辛口の白ワインと一緒に味わってもいい。

ウェブサイト　www.virtual.finland.fi、www.finnguide.fi

ザリガニパーティーのエチケット

■ フィンランドでは、森や湖のそばで**サウナ**に入った後は、よくザリガニパーティーになる。サウナ小屋を閉鎖する前の晩夏の恒例行事だ。

■ 三角に切ったバタートーストにザリガニの爪の肉をのせ、ディルをあしらったカナッペが前菜として出ることもある。旬のアンズタケなどのきのこもスープや前菜に使われる。

■ 主なコース料理は、ザリガニに始まり、メインは**鮭の板焼き**か**ゆでた鮭**、デザートは**ブルーベリーのタルト**かラップランド産の**木いちご**。

■ パーティーではザリガニの頭やはさみから音を立てて汁を吸う。気楽にわいわい楽しむパーティーだ。

ボウルに山盛りの、炎のように赤いザリガニ。夏のパーティーの主役だ。

ノルウェーの小さな漁村では、木組みの干し台にタラを2尾ずつ組にして干す。

ノルウェー
ルートフィスク

バイキング料理が起源の"悪名高い"伝統食。
美食への大いなる挑戦であるとの声も。

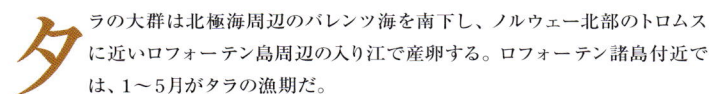

　タラの大群は北極海周辺のバレンツ海を南下し、ノルウェー北部のトロムスに近いロフォーテン諸島周辺の入り江で産卵する。ロフォーテン諸島付近では、1〜5月がタラの漁期だ。

　このタラを使って作られるルートフィスクは、強烈なにおいを放つ。まず、水で戻した干しダラをアルカリ性（カバノキの木炭からとる炭酸カリウム）の液に漬け、さらにきれいな水にひたしてアルカリ分を取り除く。これでようやく調理に取りかかれる。

　その由来には諸説ある。干しダラを積んだバイキング船が火災で沈み、水没していた積み荷を引き揚げたときに考え出されたという説や、木組みの干し台が火事になり、燻製状になった魚を捨てるのがもったいなくて作ったという説がある。

　由来はどうあれ、ルートフィスクは中世の頃から記録にあり、北欧のこの地では冬の間の重要な食料として今に受け継がれている。ロフォーテン諸島には、本格的なルートフィスク料理を出す、温かく感じのいいレストランが何軒かある。さらに南下して、ルートフィスクの主要生産地、オーレスンを訪ねてもいい。

ベストシーズン　ルートフィスクのシーズンは、公式には11月に始まり、クリスマスまで続く。クリスマスイブにはこの料理を食べる伝統がある。
旅のヒント　船上からオーロラが見られるよう、ロフォーテン諸島滞在を組み入れよう。ノルウェーの整った交通機関のおかげですばらしい風景が存分に楽しめる。
ウェブサイト　www.visitnorway.com（日本語あり）、www.norway.com、www.norway.org.uk

ルートフィスク
　ルートフィスクの風味には好き嫌いがある。だが、味は非常に淡泊だ。おいしくするにはきちんと手順を踏むことが不可欠。まずは毎日水を換えながら数日間水で戻す。ゆでて火を通すか、魚の水分だけで蒸し煮にすると透明なゼリーのようになるはずだ。バターを加えてオーブン焼きにする方法もある。
　伝統的な付け合わせ（**なめらかなホワイトソース、ゆでたじゃがいも、粒マスタード**）は、見た目は地味だが食感に変化をもたらす。ルートフィスクをよく食べる人は、**かりかりに焼いたベーコンとグリーンピース**を添えることが多い。

トップ10
聖人の日の祝宴

キリスト教の聖人の日は紀元1世紀から続いている祝祭の日。
今では宗教的意味合いは薄れているものの、ごちそうで祝うことに変りはない。

❶ 船団の祝福祭（米国、コネティカット州ストニントン）

ニューイングランドの村で週末に行われるこの行事では、漁師の守護聖人、聖ペテロの像や山車が町を練り歩く。祝宴ではロブスターやハマグリなどを食べる。ここの漁師にはアゾレス諸島からの移民の末裔が多く、いろいろなポルトガル料理も出される。

旅のヒント 行事は7月最後の週末に行われる。
www.stoningtonblessing.com

❷ 女料理人の祭典（フランス領西インド諸島、グアドループ）

1916年、ポアンタピートルの町の女料理人たちが同僚の葬式代を工面するために基金を設立したのがはじまり。これがいつの間にか料理の守護聖人、ローマの聖ロレンツォを称えるにぎやかな祭りに発展した。料理人たちがクレオール料理をもって教会に集まり、その後アメディ・フェンガロル小学校までパレードする。

旅のヒント 祭りは8月10日に近い土曜日に行われる。パレードは誰でも見られるが、宴会はチケットの購入が必要。
www.lesilesdeguadeloupe.com

❸ 東方の三博士の日（メキシコ）

メキシコでは、東方の三博士の日、あるいは公現祭（1月6日）の日に「ロスカ・デ・レジェス」というリング状の菓子パンを分け合って食べる。パンの中には小さな人形が入っており、これは幼子イエスを表す。これに当たった人は、聖燭祭（2月2日）の日に同席者全員を招待し、ごちそうをふるまう。

旅のヒント 「ロスカ・デ・レジェス」はレストランやパン屋、居酒屋などでも手に入る。www.visitmexico.com（日本語あり）

❹ トゥールの聖マルティヌスの日（スウェーデン、スコーネ）

スウェーデン南端のスコーネ地方はガチョウで有名だ。ガチョウが肥えて食べ頃になる冬、この収穫の祭りがある。伝統的に聖マルティヌスの日の前夜（11月10日）に、スヴァルトソッパ（黒いスープ）というガチョウの血を使った濃厚なスープ、りんごやプルーンを詰めたガチョウの丸焼きなどのごちそうでお祝いする。

旅のヒント 地元の人もたいていレストランへ行く。料理を用意するには手間と時間がかかるからだ。スコーネのプチホテル、「イェストイェヴェラゴルド」はガチョウ料理で有名。www.skane.com、www.skanorsgastis.se

❺ サン・マルコの日（イタリア、ベネチア）

4月26日は守護聖人マルコの日。また、西暦421年にベネチアが建国された日でもある。ベネチアの人はかつて、旬のえんどう豆のリゾット「リジ・エ・ビジ」を総督に捧げて祝った。総督はもういないが、この料理は今も家庭やレストランに残っている。

旅のヒント 4月26日は解放記念日（終戦記念日）という国の休日でもある。多くの店や観光スポットは休みになる。www.turismovenezia.it

❻ サン・ロレンツォの日（イタリア、フィレンツェ）

フィレンツェの有名な祭り、サン・ロレンツォの祝祭は、サン・ロレンツォ広場を中心に行われる。教会でのミサ、昔の民族衣装でのパレード、コンサート、そして午後9時には全員にラザニアと西瓜がふるまわれる。

旅のヒント イベントを見たり、無料になるメディチ家礼拝堂博物館を見学したりするのに丸一日は必要だ。www.firenzeturismo.it

❼ 聖ヨゼフの祝日（イタリア、シチリア）

伝説によると、中世、ひどい干ばつに悩まされていたシチリアの人々が、聖ヨゼフに祈って雨乞いをしたところ、雨が降った。島民は感謝のしるしに、干ばつを生き延びた作物を使ったごちそうを聖ヨゼフに捧げた。空豆、米と蜂蜜のフリッター、緻密に彫刻したパンなどだ。現在も同じメニューで祝う。

旅のヒント 聖ヨゼフの日は3月19日。シチリア島全土で町や村主催の祝賀行事がある。町の広場では誰でも参加できる晩餐会が開かれる。
www.bestofsicily.com

❽ 聖アントニウス祭（アンドラ公国）

装飾を施した大きな陶製の鉢をカタルーニャ語で「エスクデッラ」といい、それに盛った肉とソーセージの煮込み料理もこう呼ばれる。アンドラでは大アントニウスの日（1月7日）に焚き火でエスクデッラを作り、ワインやパンと一緒に味わう。

旅のヒント ラ・マサナでの祝宴が最も盛ん。聖アントニウス・デ・ラ・グレリャ教会で午前11時からミサが行われる。www.andorra.ad

❾ 聖ヤコブの日（スペイン、サンティアゴ・デ・コンポステーラ）

毎年、カトリック教徒の巡礼者は聖ヤコブの路をたどり、スペイン北部を横断してサンティアゴ・デ・コンポステーラをめざす。聖ヤコブの祝祭は7月26日に行われ、サンティアグィノスというロブスター（セミエビ）が祝宴に出される。

旅のヒント 豊富な魚介類やガリシア料理が並ぶ市場をのぞいてみよう。夏の郷土料理、パドロン産ししとうの素揚げはおいしいが、時々辛いのも混じっているのでご用心。www.pilgrimage-to-santiago.com

❿ 聖パトリックの日（アイルランド）

アイルランドでは聖パトリックの日（3月17日）をパレードやパブのはしごなどで盛大に祝う。ギネスビールを飲み、ベーコンとキャベツ、ソーダブレッド、コルカノン（キャベツ入りのじゃがいも料理）、コンビーフとキャベツなどの伝統料理を味わう。

旅のヒント 伝統的アイルランド料理を味わうなら、「カントリー・チョイス」「ネーナ」「カウンティ・ダブリン」「ザ・ワインディング・ステア」がおすすめ。www.stpatricksday.ie

---

右ページ：祭りのために色鮮やかなドレスに身を包んだ女料理人たち。グアドループ最大の都市、ポアンタピートルの教会でミサに出席している。

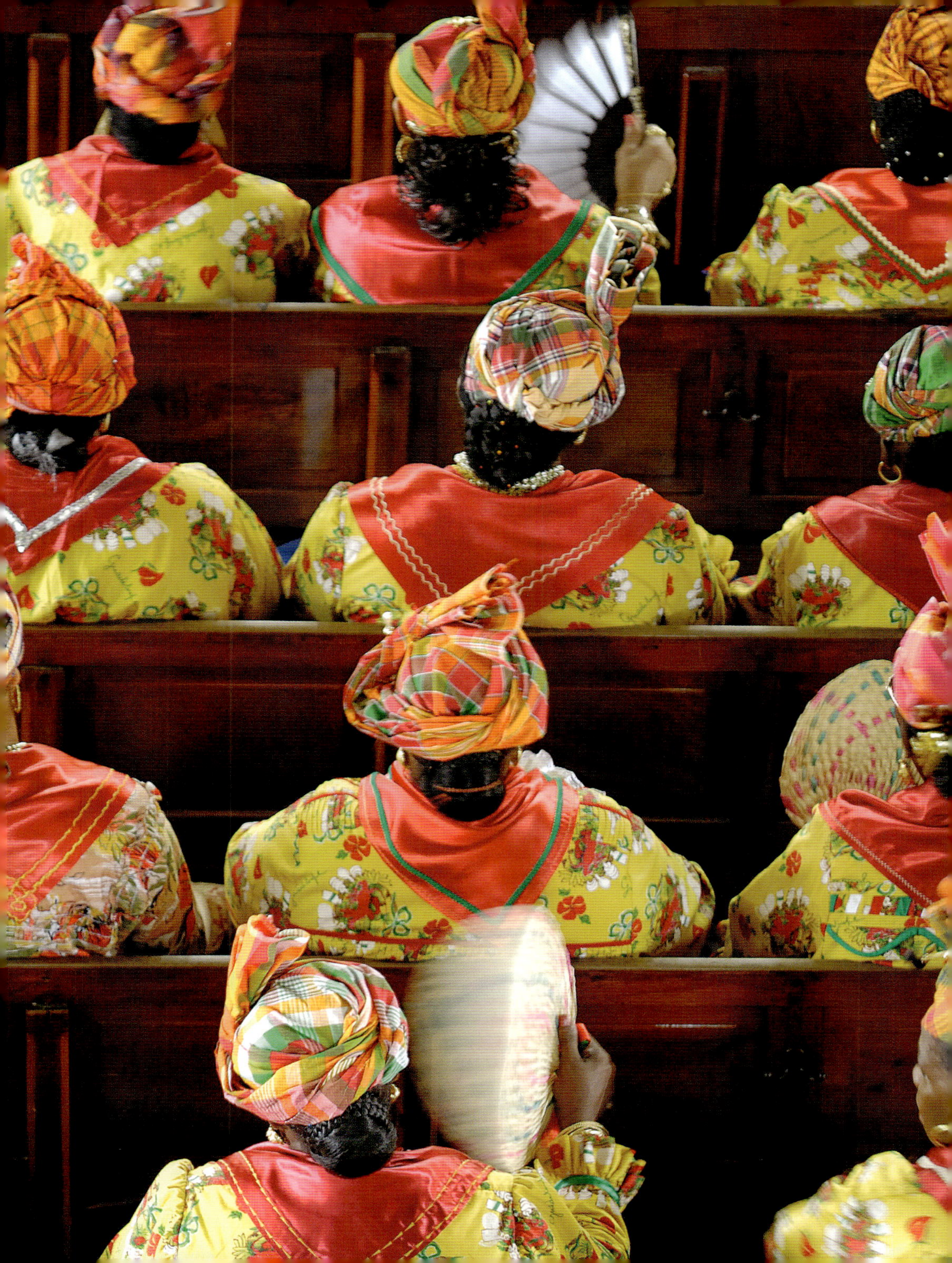

伝統的なグルジアのごちそう。七面鳥のサツィヴィ（左下）、ヒンカリ（グルジア風水餃子、右上）などが並ぶ。

グルジア
東西の交易路が生んだ料理

グルジアは料理とワインで有名だ。
トビリシ東部、ワインの里で堪能しよう。

グルジアのカヘティ地方（グルジア東部）、アラザニ川流域はワインの生産地だ。果樹園やぶどう畑が広がる斜面の向こうにはカフカス山脈が見える。春になると、グルジアの人は陽気に誘われて思い思いにピクニックに出かける。テーブルクロスを広げ、色とりどりの手料理を並べる。たとえば、赤かぶのプハーリや七面鳥のサツィヴィ（砕いた胡桃と乾燥させて粉にしたマリーゴールドの花びらを入れた素朴なソース煮）など。

グルジア料理には地中海と中近東の味が混じっている。古代の交易路を行き交う商人や旅人がそれぞれの故郷のレシピを伝えたからだ。クリーミーな水牛の乳のヨーグルトや酸っぱいスルグニチーズは焼いた肉を引き立てる。

酸味の強いレディアップル、桃、ばら色のすぐり、さくらんぼ、杏、いろいろな種類のすももなど、旬の果物はデザートに最適だ。ナッツに糸を通して数珠つなぎにし、ぶどう果汁に浸けて干したチュルチュヘラも人気のデザートだ。

ベストシーズン　6月から10月。停電が多く、冬は非常に寒い。

旅のヒント　首都トビリシへは欧州の主要都市やイスタンブールから飛行機で行ける。トビリシ以外にレストランらしいレストランはないが、町や村にはおいしい郷土料理を出すカフェが少なくとも一軒はある。トビリシの中央市場にはぜひ行こう。山と積まれた香辛料や新鮮な野菜が並んでいる。
昔ながらのパン屋に行き、トネと呼ばれる円筒形のパン焼きかまどからできたてのパンが取り出される様子を見よう。カフカス地方の名物、大きな水餃子のようなヒンカリもぜひ味わいたい。

ウェブサイト　www.caucasustravel.com（日本語あり）、www.travel.info-tbilisi.com

乾杯の習慣
グルジアの宴会**スプラ**はある種の儀式でもある。グルジアの人たちは昔から大勢でテーブルを囲み、外国に支配されていた時代も自国文化を称えてきた。宴会ではタマダと呼ばれる進行役が乾杯の音頭をとる。

優秀なタマダは機知に富んだ巧みなスピーチをはさみながら乾杯を繰り返し、座を盛り上げてゆく。乾杯は気分を明るくし、悲しみの時も生きることを称える気持ちにさせる。

乾杯は神への祈りから始まり、次に宴会の主催者に感謝を捧げる。グルジアの人は酒をちびちび飲まないし、めいめいが勝手に飲んだりもしない。乾杯のたびにワインのグラスを干すのだが、みんながひどく酔う前に、タマダが見計らってペースを遅くする。グルジア固有のぶどう品種、**サペラヴィ**や**ルカツィテリ**で作った特選のグルジアワインをグラスに満たし、高く掲げて乾杯しよう。

ドイツ
アスパラガス祭り

南ドイツのアスパラガス三角地帯には美味を求めて大勢の人がやってくる。

南ドイツのバーデン・ヴュルテンベルク州にあるシュヴェッツィンゲンは、普段は静かなところだが、毎年5月の第1土曜日には、群衆や楽団、アスパラガスの屋台で大にぎわいとなる。アスパラガス祭りは、音楽と踊りとパレードで「王様の野菜」を称えるイベントだ。

祭りの主役は、茎が石膏のように白いホワイトアスパラである。かつては王侯貴族だけが味わえる貴重な野菜だった。

アスパラガス祭りは4月から6月の旬の時期に開かれる。この間に7万トンものアスパラガスが消費され、レストランはアスパラガスの特別料理を出す。2大生産地、バーデン・ヴュルテンベルク州とニーダーザクセン州のいたるところで祭りが開かれ、アスパラガスに目がない食いしん坊は主にこの二つの地域に集まる。

最も大規模なのはブルッフザール（バーデン・ヴュルテンベルク州）だが、一番有名なのはシュヴェッツィンゲンの祭りだ。この町は"世界のアスパラガスの都"を自負している。ホワイトアスパラ熱が始まったのもこの町だ。17世紀、カール・テオドル選帝侯が宮廷の庭園の砂地で栽培したのが最初だといわれている。

ベストシーズン　シュヴェッツィンゲンの祭りは6月の第1土曜日。
ブルッフザールは6月の第3土曜日。そのほかの町の祭りは日程を確認していこう。

旅のヒント　シュヴェッツィンゲンはハイデルベルクとマンハイムの間のアスパラガス三角地帯にある。この地域には多くの「アスパラガス街道」がある。祭りを見るには丸一日必要。
特にシュヴェッツィンゲンの場合、会場は郊外のバロック宮殿で行われるからだ。宮殿だけでも一見の価値はある。

ウェブサイト　www.cometogermany.com、www.germany-tourism.com

ホワイトアスパラ

ホワイトアスパラはグリーンアスパラよりも柔らかくて甘みがある。砂地で栽培し、(グリーンアスパラと違い)日光にさらさないようにして育てるため独特の乳白色になる。

ホワイトアスパラを買うときは、なるべく茎が太いものを選ぶこと。その方が甘くて柔らかい。理想をいえば、茎は先から根本まで真っ白のものがいい。先端が紫がかっているのは日光にさらされたしるし。これはやや味が落ちる。

調理は皮をむいたものを束ね、深鍋に立てて塩ゆでする。このとき茎の4分の3くらいまで湯につかるくらいがよい。ゆで時間は中火で10分から20分。アスパラガスのクリームスープにしてもいいし、オランデーズソースをかけて食べてもいいが、溶かしバターか、オイルとヴィネガーのドレッシングで食べるのが一番のおすすめ。

マンハイムの市場でホワイトアスパラの皮をむく料理人たち。最高級品は茎が真っ直ぐで白い。

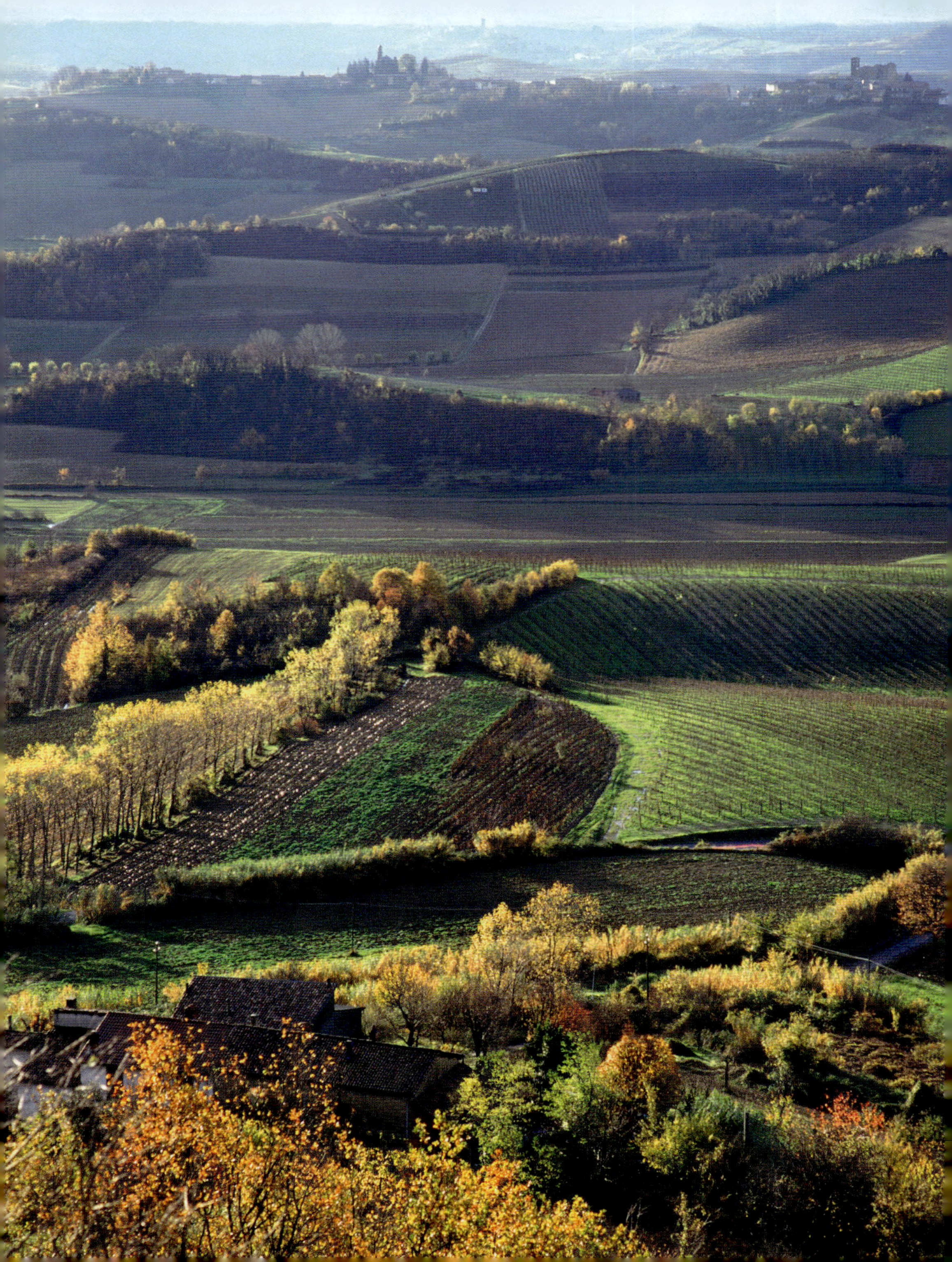

イタリア

トリノのスローフード

買い物、食事、街歩き…。トリノではいずれも楽しめるが、
なにより最高のスローフードを味わってみよう。

　ピエモンテの州都、トリノ。4月の朝、ポルタパラッツォ市場は買い物客でにぎわう。ここは欧州最大の青空市場といわれ、「トリノの聖骸布」で有名な近くの大聖堂と同じく、多くの人を引きつけてやまない巡礼地だ。

　春ともなれば、サラダ用のとれたて野菜が並び、山盛りの若いカタツムリ（スローフード運動のシンボル）が陳列箱からはい出ようとしている。肉屋の屋台では柔らかい仔羊肉が売られている。イタリア人はほかの季節に仔羊肉を食べようとは思わない。彼らは旬の味にこだわり、根気よくその季節がめぐってくるのを待つ。

　トリノの5キロ南には、もう一つの食の巡礼地がある。2007年、トリノ郊外のリンゴットにあったカルパノ社のベルモット工場跡地に、スローフードの理念を形にした「イータリー」と呼ばれる食の巨大複合施設がオープンした。

　伝統的なイタリアの食料品店が宝石箱だとしたら、ここは宝物庫だ。新鮮な野菜や果物、魚介類、乾燥パスタ、生パスタ、燻製肉、熟成チーズ、ワイン、ジャムや保存食品、パン、コーヒーなど、ありとあらゆる食品が売られている。試食コーナーや高級レストラン、料理教室や講座のためのスペースまである。ここには、ただ食品を売るだけでなく、食文化を守ろうという意気込みが現れている。

ベストシーズン　年中可。冬は雪をかぶったアルプスの山々からの寒風で身が引き締まる。
夏は暖かい（7～8月は猛暑になることもある）。
隔年開催の食の祭典「サローネ・デル・グスト」はリンゴットで10月に行われる。

旅のヒント　ポルタパラッツォ市場は、平日は毎日午前6時半から午後1時半まで、
土曜日は午後7時半まで開かれる（日曜日は休み）。イータリーは毎日営業している。
街の中心からバス、路面電車、鉄道が通っている。車で行く場合「Lingotto Fiere/8 Gallery」の標識を目安に。
イータリーのレストランは食事時は混雑するので、時間をずらして行くとよい。

ウェブサイト　www.eataly.it、www.slowfood.com（日本語あり）、www.turismotorino.org

スローフード運動

　スローフードという考え方は、1980年代半ば、ローマの中心、スペイン広場にマクドナルドが開店する話がもちあがったことをきっかけに生まれた。このとき、トリノの南、ブラの街で食事をしていたジャーナリストたちは、マクドナルドの進出を、愛するイタリア食文化への最大の脅威と感じた。そこで、**カルロ・ペトリーニ**を中心に、良質の食材の生産、持続可能性（サステナビリティ）、（工場生産に対して）職人による生産、丹精込めて作った食品、食の喜びの大切さを訴えた。これがファストフードに対抗したスローフード運動の始まりだ。

　この理念はたちまち広がり、現在スローフード協会は120カ国にコンヴィヴィウムという支部をもち、18万人もの会員がいる。協会は、2年ごとにトリノで**サローネ・デル・グスト**という国際的な食の祭典を開催し、**食科学大学**を運営している。

左ページ：ピエモンテのまばゆい田園地帯。ここで採れた食べ物がトリノの市場で売られる。
上：葉っぱでくるんだいちじくの実。

トップ10
新年の祝宴

新年を迎える宴は、西暦の12月31日に催されるとは限らない。
祝賀行事はたいてい内輪で行われるが、旅人を歓迎する伝統が残っているところもある。

❶ 白い月（モンゴル）

モンゴルの3日間にわたる旧正月「ツァガーン（白い）サル（月）」は、冬と春の境目の日だ。ビトゥーン（大晦日）には羊の尻肉の料理、蒸し餃子、仔羊肉のパテ、平たいビスケットなどを食べながら、馬乳酒や乳蒸溜酒を飲む。

旅のヒント 日取りは毎年変わる。モンゴルでは大量の食事を用意して訪問客全員をもてなす。客は手土産を持っていくのが習わし。
www.mongoliatourism.gov.mn

❷ 春節（中国）

旧暦の大晦日に家族が集まり、豪華な晩餐を囲む。主な料理は「吉」と同音の鶏、「財をなす」髪菜（淡水産の藻）、縁起ものの餅、「長寿」を願う長い麺など。最後に尾頭付きの蒸した魚が出るが、少し箸をつけるだけで残す決まりになっている。新年も余裕のある豊かな年になるという象徴だ。

旅のヒント 春節は1月か2月になるが、毎年ずれる。この時期は赤い服を着よう。赤は幸運の色だ。www.cnta.jp

❸ テト（ベトナム）

祖先を敬う行事、テト・グエン・ダン（元旦節）は、友人や親戚をもてなす機会であり、新年を迎える日でもある。テトには料理をする人も休むので、料理は前もって作っておく。コー（カラメルと魚醤で味付けた辛いスープ）、バインチュン（豚肉と緑豆のちまき）、クーキィウ（らっきょうの甘酢漬け）などが代表的なテト料理だ。

旅のヒント テトは通常、中国の春節と同じ日にあたる。店や市場は閉まり、3週間も休業するところもある。www.footprintsvietnam.com

❹ 忘年会（日本）

忘年会とは職場の同僚や友人同士のグループで年末に行う宴会のこと。その年の成功を祝い、失敗を忘れるためにある。居酒屋やレストランで開かれることが多い。最初は格式張っているが、やがて誰もが酔っぱらって無礼講になる。

旅のヒント 忘年会は12月中に行われる。いくつもの忘年会に出る人もいる。

❺ 大晦日（ロシア）

このロシア最大の祝祭には、盛大に祝おうという気持ちがあふれている。年の初めを盛大に祝えば、その年はうまくいくとロシアの人々は信じているからだ。ウオツカやロシア産のスパークリングワインで乾杯を繰り返しながら夜は更けてゆく。代表的な料理は、キャビア、鮭の燻製、ガチョウ、仔豚など。ユリウス歴の正月にあたる1月13日から14日にかけても祝う人が多い。

旅のヒント 多くのレストランは特別コースを用意している。
www.russia-travel.com

❻ ノウルーズ（イラン）

3000年の歴史があるノウルーズ（新しい日）はゾロアスター教の正月だ。イスラム教誕生前からあり、今でもイラン最大の祝日となっている。「ハフトシン」と呼ばれる正月飾りには、ザブゼ（麦や発芽した豆）やサマヌ（麦芽の菓子）など、S（シン）のつくものを七つ（ハフト）用意する。ノウルーズの前夜には、香草と魚を添えた蒸し米の料理を食べる。

旅のヒント ノウルーズは春分の日（たいてい3月21日）にあたる。
www.tourismiran.ir、www.itto.org

❼ 大晦日（イタリア、ピエモンテ州）

巨大なディナーを意味するチェノーネは、大晦日の晩餐だが、スローフード運動発祥の地ピエモンテのチェノーネの右に出るものはあまりない。十数品もの前菜、自家製ソーセージとレンズ豆、少なくとも3品のメイン料理、パネトーネ（クリスマス用の菓子パン）やヘーゼルナッツのケーキなどが出てくる。

旅のヒント 本物の田舎を体験するなら、家庭的な雰囲気の農家で手料理を味わおう。www.piedmont.worldweb.com

❽ 大晦日（スペイン）

スペインの人は真夜中の鐘の音に合わせてぶどうを一粒ずつ食べる。ほとんどの人は家で新年を迎えるが、バルセロナのカタルーニャ広場にはぶどうとカヴァ（スパークリングワイン）を手にした人が大勢集まり、お祭り気分が盛り上がる。

旅のヒント ぶどうは、すばやく飲み込めるように皮をむいて種を抜いておく。
www.barcelonaturisme.com

❾ 大晦日（オランダ）

オランダの人たちは、普段は甘い菓子パンを控えている。しかし、大晦日にはその自制心をわきに置くようだ。晩餐の締めくくりにりんごの包み揚げ、りんごの揚げ菓子、オリボレン（丸いドーナツ）を食べ、シャンパンで乾杯して新年を迎える。

旅のヒント 特別ディナーと宿泊をセットにしたレストランやホテルがある。
www.holland.com（日本語あり）

❿ ホグマニー（英国、スコットランド）

スコットランドの大晦日のしきたりはホグマニーという。真夜中過ぎに友人や隣人を訪ねる「最初の歩み」など、ほとんどが家庭を中心に行われる。伝統的な料理はスコットランド風ステーキパイ。また、ブラックバンやクルーティーダンプリングなどのどっしり重いフルーツケーキやさくさくしたショートブレッドを食べる。

旅のヒント エジンバラで良質の食品を手に入れるなら、「ホグマニーフードフェア」か、高級食肉店「ジョン・ソーンダーソン」がおすすめ。
www.edinburgh.org、www.edinburghfestivals.co.uk

右ページ：イランのノウルーズ（新しい日）。テーブルに伝統的な料理と飾りが並ぶ。

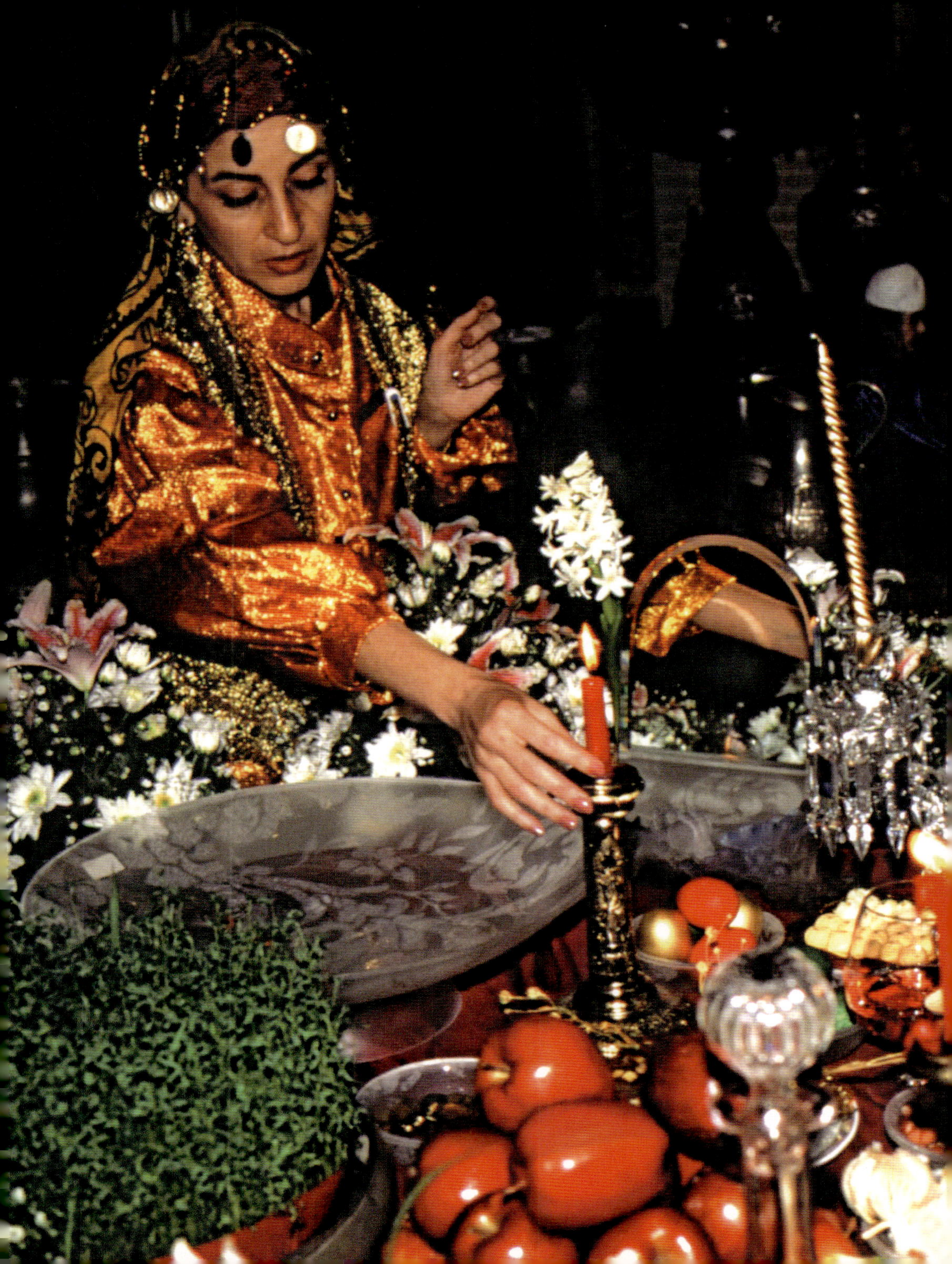

オーストリア
冬の楽しみ

オーストリア・アルプスでスキー三昧。そこには暖かい郷土料理が待っている。

冬の太陽を浴びて雪山が輝く。木造の山小屋は屋根の雪の重みにじっと耐えている。静寂を破るのは、氷柱(つらら)がゆっくりととけては落ちる音だけ。昔から変わらない美しさが残るこの地域は、田舎料理で有名だ。

伝統料理の多くは、谷間の村ごとに少しずつ違う。たとえばチロルの団子料理、カスノッケンもそうだ。また、シュリッククラブフェン（ほうれん草と凝乳(ぎょうにゅう)を包んだオーストリア風ラビオリ）は、隣のケルンテン州から伝わった。ザルツブルクのカスプレスクヌーデル（古くなったパン、卵、ハーブ、たっぷりのチーズで作る団子）は、澄んだスープに入れて、あるいはフライパンで焼いてサラダとともに供される。

スキーヤーの1日は、山羊の乳、自家製バター、塩漬けハム、かみごたえのあるライ麦パンの朝食で始まる。午前中スキーを楽しみ、昼食にはあつあつのグヤーシュを食べる。死者をも生き返らせるという、野菜と肉がたっぷりのシチューだ。

午後はテラスでルムンバ（ラム入りホットチョコレート）を飲みながらのんびり日光浴する。できたての揚げパン、ゲルムクヌーデル（バニラクリームをかけたイースト入り蒸しパン）、甘いシュトゥーデル（オーストリア風焼きパイ）などをお供に。

ベストシーズン スキーシーズンは12月初旬から始まる。雪質が最高で、人が一番少ないのは1月。氷河スキーなら年中可能なスキー場もある。

旅のヒント インスブルック、ザルツブルク、クラーゲンフルト、フリードリヒスハーフェン（南ドイツ）には飛行機で行ける。たいていのホテルは最寄りの空港間の送迎サービスを行っている。宿泊施設は五つ星の高級ホテルから、B&Bやペンションまでいろいろある。

ウェブサイト www.tiscover.at、www.austria.info（日本語あり）

団子のチーズかけ
カスノッケン

2人分
バター　大さじ2
塩　少々
小麦粉　200グラム
牛乳　200cc
エシャロット　2個、薄切り
チーズ（ベルクケーゼがよい。なければコンテかグリュイエールでも可）
　200グラム

　分量のバターの3分の2を塩、小麦粉、牛乳と混ぜ、直径1センチほどの小さな団子を作る。湯に塩を入れ、沸騰させない程度の火加減で2〜3分ゆでて、すくい上げておく。
　オーブンに入れられるフライパンに残りのバターを入れ、エシャロットを茶色になるまで炒める。エシャロットを取り出し、フライパンに団子を入れ、削ったチーズをたっぷりかける。オーブンに入れ、チーズがとけるまで焼く。取り出してエシャロットを散らしてできあがり。

オーストリア・アルプスを訪れたスキーヤーは、大きな揚げパン、クラブフェンでエネルギーを補給する。

市場では大きさや形、色がさまざまのきのこが売られている。

フランス
きのこ狩り

秋の味覚、きのこがどっさり採れるオーベルニュの森へ行こう。

毎年秋になると、ヨーロッパのいたるところできのこ狩りが始まる。人々は週末に、あるいは露にしっとり濡れた早朝に森や林を歩き回る。天然のきのこは豊かな自然の恵みそのもの。使い道は、スープ、ピュレ、パテ、煮込み料理、リゾット、オムレツ、サラダなどいろいろだ。

きのこといえば、中央山地のオーベルニュ地方が有名。緑豊かな田園地帯は川や泉でうるおい、そこかしこにガロ・ローマ時代の遺跡、教会、城、温泉がある。北オーベルニュのリヴラドワ・フォレ自然公園や、トロンセ（南オーベルニュにある欧州最大の樫の森）は道がわかりやすく、きのこ狩りにうってつけだ。森に行くと鹿の鳴き声が聞こえ、イノシシが視界をかすめるときがある。これらジビエ（野生の鳥獣肉）のごちそうには、きのこがつきものだ。

オーベルニュの特色ある郷土料理には、農家自家製の豚肉加工食品やチーズが使われる。チーズの中でも、クリーミーなブルードベルニュはきのこのサラダによく合い、サン・ネクテールは独特の土の香りがする。

ベストシーズン 9月後半から10月前半までが最適だが、11月でも採れないことはない。きのこ狩りは嵐の後、倒木のまわりが狙い目。

旅のヒント フランスの法律では、きのこはそれが生えている土地所有者のもの。村や地域ごとに規制があり、採っていい場所、種類、量が決められている。ホテルや旅行案内所で尋ねよう。多くの宿は、きのこの採れる場所を確保している。食事付きの宿なら、宿の主とともに食卓につき、採ったばかりのきのこを食べられる。

ウェブサイト www.auvergne-tourisme.info

きのこの種類

オーベルニュの森には**セップ**や**ボレ**、**モリーユ**、**ジロール**など、数十種類のきのこが生えている。「死者のトランペット」と呼ばれる黒いきのこもある。

きのこ狩りにはかごか紙袋を持参しよう（ビニール袋は不可）。かごの中できのこを種類ごとに分け、混ざらないようにしておくか、別々の袋に分けて入れよう。もし毒きのこが混じっていたら、食用きのこに毒が移るかもしれないからだ。

きのこの見分け方は図鑑などにのっている。しかし、それが食べられるかどうかは、知っている人に聞いた方がよい。食べる前に地元の薬局で確認してもらおう。フランスの薬剤師はきのこ分類法を習得していて、無料で対応してくれる。

フランスではきのこ中毒で毎年30人も亡くなっている。天然きのこは新鮮な生のままでは持ち帰れないので、おみやげにするなら種類が豊富な乾燥きのこが喜ばれるだろう。

野生のきのこのバター炒め

ごつごつした形のトリュフ。その見た目とは裏腹に、豊かな芳香と風味がある。

フランス
トリュフの国をゆく

ペリゴール地方の冬の宝石、黒トリュフ。
その香りは4500年前から美食家たちを熱狂させてきた。

　ドルドーニュ県の南西、ベルジュラックの東に広がるペリゴール地方には、誰もが楽しめるものがある。長い歴史とその史跡、おいしい食べ物とワイン、そして「黒いダイヤ」と呼ばれるトリュフだ。

　ベルジュラックからD32号線で東へ向かい、歴史建造物指定の12世紀の教会があるリオラック・シュル・ルウの村を抜けると、サンタルヴァに着く。歴史あるこの町は、この地域で最大のトリュフ市場が立つ"トリュフの王国"だ。

　黒トリュフは石灰岩の斜面を好み、樫などの根の下に自生する。1キロあたり4000ドル（約40万円）の値がつく。トリュフハンターは訓練した犬を使ってこの宝を見つける。トリュフをほんの少し削って入れるだけで、その繊細な風味のおかげでフォアグラやパテ、オムレツの味が格段に引き立つ。

　この地域に滞在するなら、近くの村、トレモラやパウナを尋ねよう。中世の城壁や囲いのある中庭、古いアーチ道などが残っている。二つの村にはすばらしいレストランがあり、ペリゴールの郷土料理が味わえる。

ベストシーズン　サンタルヴァのトリュフ市場は11月から3月まで毎週月曜日の午前中開かれる。トリュフはすぐに売り切れるので早めに行こう。

旅のヒント　おすすめのレストランは次の通り。要予約。堂々たるパウナ大修道院の傍らにある「シェ・ジュリアン」。トレモラの市場が立つ広場にあるミシュランの星のついた「ル・ヴィユー・ロジ」か、「ビストロ・ドン・ファス」。フランスの田舎のレストランは、日曜日の夜は休み。

ウェブサイト　www.pays-de-bergerac.com、www.viamichelin.com

フランスの黒トリュフ

　冬、ペリゴールで採れる黒いトリュフは、セイヨウショウロという種類のきのこだ。樫やしばみの根の元で育ち、地面から10〜40センチほどの地中にできる。生のトリュフは青黒く、刺激的な土の匂いがする。表面は無数の小さな瘤で覆われているが、拡大鏡で見ればその一つひとつが丸みを帯びているのがわかる。中は黒っぽい濃い色で、大理石模様のように細い白い線が走っている。

　トリュフは大きさと形によって格付けされる。エクストラ（特級）は大きく完璧なトリュフ。1級はそれより小さく、無傷の丸いトリュフ。2級は形がいびつなもの。割れたり欠けたりしたものも売られている。買うときは、柔らかい部分がなくて、香りが強いものを選ぼう。

フランス
ブルゴーニュのぶどうの収穫

フランス東部・ブルゴーニュ地方の秋は、ぶどうの摘み取りで活気づく。

ブルゴーニュ地方の秋。9月も終わりになると、琥珀色の陽光に照らされ、乾燥した暑い日が続く。丘の斜面に広がるぶどう畑は、熟した実で鮮やかに色づき、一年でいちばん美しくなる。いよいよぶどうの摘み取りだ。

ぶどうの房は機械ではなく人の手で摘み取る。実が熟しているかどうかをみるのに人間の目ほど確かなものはないし、実を傷つけたりつぶしたりしない。

ブルゴーニュワインにはぶどうが栽培された村の名がつけられる。ワインのラベルを見てみよう。村名のあとに「プルミエ・クリュ（1級）」とあるのは特にすばらしいぶどう畑を指す。さらに良質なのは、村名のあとに畑の名前がついている。最高級ワインは「グラン・クリュ（特級）」といい、ぶどう畑の名前だけが記されている。ブルゴーニュ北部のコート・ド・ニュイは、極上のピノ・ノワール品種の栽培地域。ジュヴレ・シャンベルタンやヴォーヌ・ロマネなど、傑出した赤ワインの生産地はこの地域にある。さらに北には辛口の白ワインを生産するシャブリがあり、コート・ド・ニュイの南には赤白両方のワインを生産するコート・ド・ボーヌがある。

ベストシーズン　ぶどうの収穫期は、その年の天候にもよるが、だいたい9月後半。収穫期に行けなくても、ブルゴーニュには食とワインの祭りが一年中ある。

旅のヒント　収穫期には誰もが畑に出て忙しいので、試飲の時間を短縮しているワイナリーもある。ディジョンやボーヌといった都市は物価が高い。宿泊するなら、田舎のほうが安いし、産地の雰囲気を味わえる。ワインを選ぶときは、この16年で最高のあたり年といわれている1996年と2000年のものを探そう。2003年は猛暑だったため、例年より収穫が早まり、この年の赤はタンニンの渋みがあり果実味もたっぷりの例外的な味になった。ブルゴーニュ産というより、新世界（米大陸、豪州など欧州以外で作られたワイン）に近い。

ウェブサイト　www.burgundyeye.com、fi.franceguide.com、gastronomy.via-burgundy.com

ブルゴーニュの郷土料理

■ **ブフ・ブルギニョン**はブルゴーニュ風ビーフシチュー。牛肉を玉葱、マッシュルーム、角切りにしたベーコンとともに赤ワインでじっくり煮込む。

■ **ウッフ・アン・ムーレット**は、落とし卵の赤ワインソース仕立て。濃厚なソースはフォン・ド・ボーとブランデーと赤ワインで作る。

■ **エスカルゴ**は地元で人気の一品。パン粉とにんにく入りのもの、あるいはシャブリで煮たものがおすすめ。

■ **ジャンボン・ペルシエ**は、豚肉の肉汁ゼリーにパセリを入れたハムのテリーヌ。前菜でよく出される。

■ **ラーブル・ド・リエーブル・ア・ラ・ピロン**は、野ウサギの背肉をワインとブランデーに漬け込んで焼いたもの。

摘み取ったぶどうは昔ながらのかごに入れて運ばれる。

トップ10
食通のための自転車旅行

その土地ごとの名物を味わうには、自転車で旅をするのもいい。
幹線道路をはずれてペダルをこげば、ゆっくり景色を楽しめるし、次の食事までに必ずおなかがすく。

1 ブルーリッジ（米国、バージニア州）

ぶどう畑が点在するバージニアの田園地帯は、知る人ぞ知る美食の里だ。土地のワイナリーめぐりに出かけ、夜はごちそうを楽しもう。「イン・アット・リトル・ワシントン」での夕食を組み入れたツアーもある。このホテルは、仔牛のシェナンドー風、メリーランド産カニ肉のタンバルなど、独自の定番料理を発案した。

旅のヒント　「フォスター・ハリス・ハウスB＆B」を起点にすると便利。
www.tourdepicure.com、www.virginia.org、www.fosterharris.com

2 ソノマバレーとナパバレー（米国、カリフォルニア州）

ぶどう畑に覆われた丘、セコイアの林、広々とした農地などが続く、サイクリングにうってつけの土地。ソノマの田舎道を進みながらドライクリーク、アレクサンダーバレー、ナイツバレーを訪ね、ナパバレーのワイン街道、シルバラードトレイルに入り、セントヘレナに宿泊しよう。地元産の仔羊の肉やチーズがおいしい。

旅のヒント　サンフランシスコ発のツアーがある。この地域に滞在して日帰りツアーに参加する方法もある。www.duvine.com、www.sonomacounty.com

3 サルタ州（アルゼンチン）

植民地時代の建物が残る州都サルタに始まり、古都カチ、人里離れたコロメ・エスタンシアを訪ね、サルタのワイン産業の中心地、美しいカファヤテをめぐる。牧童のバーベキュー、郷土料理のロクロ（とうもろこし入りシチュー）、タマーレス（ひき肉をとうもろこし粉の生地で包んだ蒸し料理）、数々のデザートは、地元産のぶどう品種、マルベックやトロンテスで作ったワインによく合う。

旅のヒント　このルートは高地を含むので厳しい難所もある。
www.backroads.com、www.argentina.ar、www.turismosalta.gov.ar

4 ゴールデン・トライアングル（タイ）

チェンマイを出発し、山岳民族の村を訪ねながらビルマ王国の古都チェンセンまで行くこのルートでは、香辛料をたっぷり使ったタイ北部の料理を味わおう。カレーや麺には土地の新鮮な食材が使われている。ジャングルの道を抜け、舟が行き交う川沿いを走り、行く先々の食堂で食事をしよう。

旅のヒント　田舎の道をたどるルートで、上り坂もある。
www.backroads.com、www.tourismthailand.org（日本語あり）

5 ラジャスタン州（インド）

ラジャスタン王宮の厨房は、料理を芸術の域に高めた。貴重な肉を上品なカレー、干した果物、ヨーグルトなどと組み合わせた料理だ。ウメイド・バーワン、ジャドプール、ウダイプールなどの宮殿ホテルに泊まって最高級のインド料理を味わおう。

旅のヒント　このルートは楽。多くの町には貸し自転車屋があり、自由気ままな旅をしたいなら、これを利用してもいい。
www.butterfield.com、www.rajasthantourism.gov.in（日本語あり）

6 地中海（トルコ）

オスマントルコの料理人は、数百年間スルタンのために料理に工夫を凝らし、豊かな食文化を作り上げてきた。この美食の発見の旅では、柑橘類の香り漂う田園地帯と地中海沿岸をゆく。ボドルムやダッチャといった海辺の町をめぐり、旅の締めくくりには世界有数のまばゆい青い海を3日間かけてクルーズしよう。

旅のヒント　中級者、上級者向けのきついルート。
www.experienceplus.com、www.tourismturkey.org

7 ピエモンテ（イタリア）

バローロやバルバレスコの芳醇なワインと並はずれた美味にめぐまれた土地、ピエモンテは美食の楽園だ。通常の食事でも6皿は出てくるコース料理に、最高級のトリュフが豪華さを添える。起伏のある田舎道を走りながら、赤い屋根の村、アルバを訪ね、バローロを生産している六つの村を訪ねよう。

旅のヒント　適度にきついコース。
www.butterfield.com、www.duvine.com、www.regione.piemonte.it

8 ブルゴーニュ（フランス）

のどかな小径、絵のように美しい水路、ぶどう畑が続くブルゴーニュは自転車旅行者にとっては夢の地だ。クリュニーやヴェズレーの修道院を見て、古都ディジョン、マコン、トゥルニュ、ボーヌを訪ねよう。そこには裕福なワイン商が建てた建築物が残っている。

旅のヒント　この地域は自転車で走れる道が縦横によく発達し、サイクリストのための各種サービスや施設もある。www.frenchcyclingholidays.com、www.burgundy-tourism.com、www.francetourism.com

9 バスク地方（スペイン）

この地方ではスペインでも最高の料理が味わえる。熟成させた牛肉の炭火焼きやバカラオ（タラの塩漬け）を、バスクのりんご酒かリオハのワインとともに食する。自転車の旅はバスクの入り組んだ海岸線に沿った漁村から始まり、芸術と文化の都ビルバオを訪ねる。さらにラ・リオハ州に入ってワインで有名なアロまで行く。

旅のヒント　目的と体力別にいくつかのツアーがある。
www.veloclassic.com、www.basquecountry-tourism.com

10 ケープ半島とワインランド（南アフリカ）

ケープタウンを出発し、ケープ半島の海岸沿いを走り、フランシュフックめざして内陸に入る。フランシュフックはフランス人の入植地で、ぶどう畑がどこまでも続く。そのあと、シャムワリ野生動物保護区を訪ねる。道中、ケープマレー料理、インド料理、アフリカーナー料理が味わえる。

旅のヒント　春と秋が最適。www.butterfield.com、www.tourismcapetown.co.za、www.franschhoek.org.za

---

右ページ：イタリアのピエモンテ州。ぶどう畑の丘や農場が点在する谷間をぬって、なだらかな道が続く。

96 | 世界の食を愉しむ

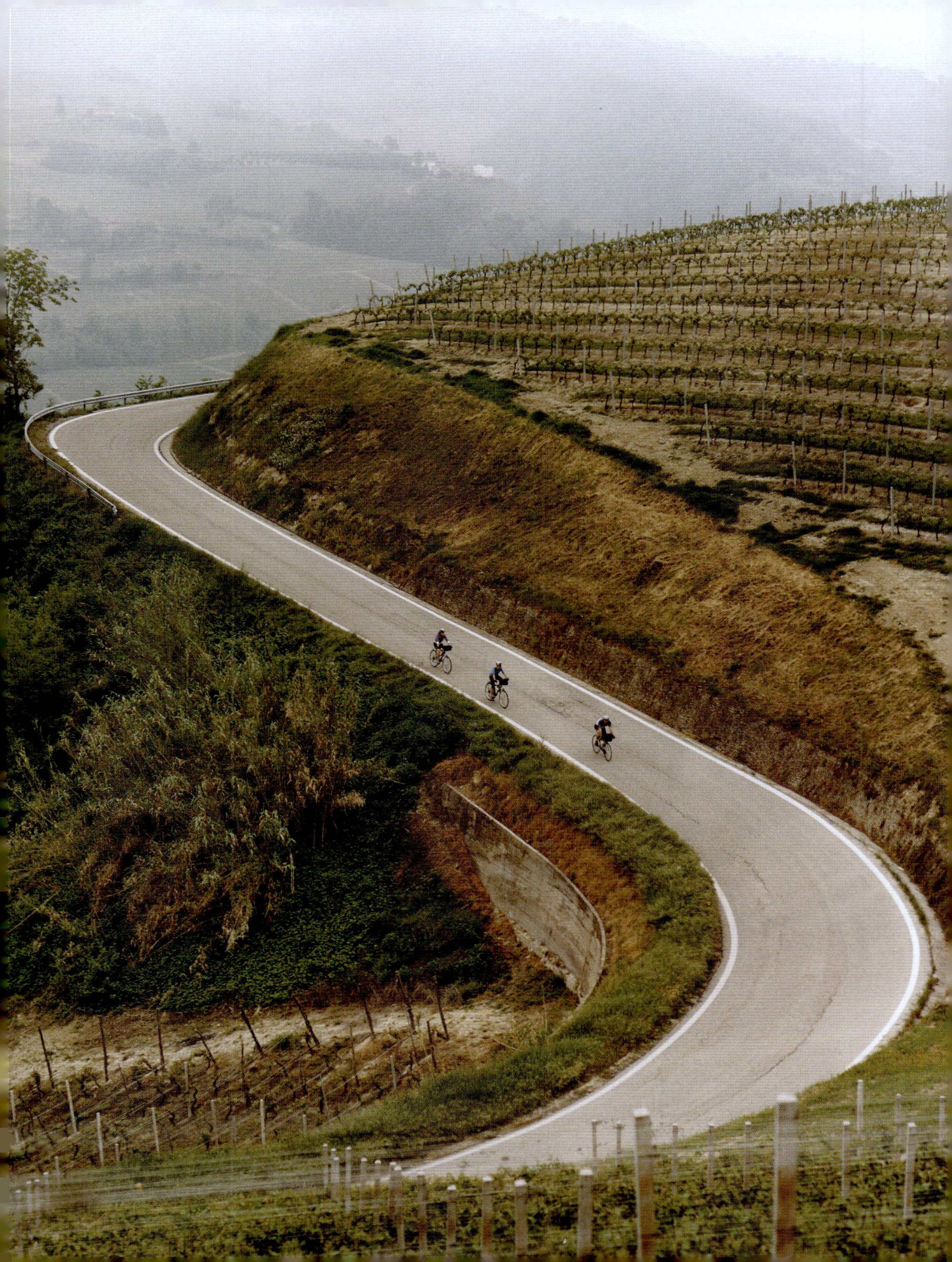

フランス

コルシカ島の自然

地中海に浮かぶ岩だらけの島は一見荒涼としているが
栗やきのこ、野生のハーブなど自然の恵みに満ちている。

フランス本土の南東、イタリア半島の西にあるコルシカ島は、荒涼とした土地だ。周囲を地中海とティレニア海に囲まれているにもかかわらず、コルシカの人々は漁業や海の幸には無関心で、北側のオート＝コルス県の内陸部や高地を好み、そこで自然の恵みを得て暮らしてきた。

島の大半はマキと呼ばれるよい香りのする灌木の茂みに覆われている。放し飼いのコルシカ豚や羊、山羊の肉は独特の旨みがある。マキに生えているローズマリー、タイム、セージ、ミント、ネズなどのハーブと天然きのこは、コルシカスープ、ロースト、シチューに使われる。ブロッチュ（山羊または羊のフレッシュチーズ。マスやオムレツなどあらゆる料理にミントと一緒に使われる）さえ、コルシカ島特有のハーブの香りがする。島には広大な栗林があり、島民は昔から小麦粉の代わりに栗粉を使ってパンやポレンタ（とうもろこし粉のお粥）を作り、ビールさえ造ってきた。

オート＝コルス県にあるパトリモニオのワインは、かつては冬のコルシカ料理に欠かせないテーブルワインだったが、いまでは高級ワインも造られるようになった。

ベストシーズン　コルシカの冬の料理を味わうなら10月から12月がベスト。
その時期、コルテの東にある栗の森、カスタニッチャ地方は紅葉が美しい。
旅のヒント　少なくとも1週間、できたら2週間は滞在したい。島の空港は一つ。
海路なら、ニースかカンヌからフェリーで行き、帰りはバスティアから船でイタリアのリヴォルノへ出てもいい。
島内の移動はレンタカーが欠かせない。コルシカの音楽祭、映画祭、ウィンドフェスティバルも楽しい。
主な名所はナポレオンの生誕地やアジャクシオのフッシュ博物館、フィリドーザのドルメンやメンヒル（巨石記念物）。
ウェブサイト　www.corsica.net　www.visit-corsica.com　www.bastia-tourisme.com

コルシカ島の味

野生のイノシシと交配することもあるコルシカの放し飼いの豚は、極上のソーセージをはじめとする豚肉加工食品になる。どれも鹿肉のように脂身が少ない。**サルシッチャ**は胡椒入りのソーセージ。**コッパ**は胸肉の燻製ハム、**フィガデーリ**は腸詰めを短時間乾燥・燻製にしたもので、炭火で焼いて食べる。**ロンツ**は豚腰肉の燻製。**プリヅットゥ**は豚の生ハム。そのままでも焼いてもおいしい。

多くのコルシカチーズは屋内で食べるには香りが強すぎるかもしれない。**バステリカッチャ**は柔らかくクリーミーな羊の乳のチーズ。**サルティネ**は硬くて香りが強い。**クッシオニ**は脂肪分が多い羊のチーズで、濃厚な土の香りがする。

栗はコルシカ料理に欠かせない食材だ。**カスターニャ**と呼ばれる小さな山栗を粉にしてケーキ、パン、ビスケットを作る。特別な日には砂糖をまぶした**ベニエ**（ドーナツ）を食べる。

コルシカの豚は山野で放し飼いにされている。栗やハーブなどを食べているので、その肉には独特の風味がある。

新鮮で甘く、丸々としたいちごは、英国に夏の到来を告げる。

英国
いちごの季節

"イングランドの庭園"といわれる、英国南東部のケント州
その田舎道をたどり、夏の果物の王様を味わおう。

英国の夏はいちごの生クリームがけ抜きでは語れない。バラ科に属する、この甘い味と香りの果実は、なぜか国民意識に深く根付いている。
　野いちごとクリームを組み合わせたのはヘンリー8世の相談役、ウルジー枢機卿だといわれている。さらにジェーン・オースティン作『エマ』には、いちご狩りの場面がある。「そこでは考えることも話すこともすべていちご。イングランド最高の果物」と記されている。また、ウィンブルドン選手権の観客にとって、楽しみな季節の味が、シャンパンとともに味わういちごの生クリームがけだ。
　ウィンブルドン名物のいちごはケント州で栽培されている。美しい村、果樹園、ホップ畑で有名な丘陵地帯を旅すれば、思う存分食べられる。
　ロイヤル・ソヴリンなどの古い品種を味わいたいなら、いちご狩り農園に行こう。農園では小さな果物かごを渡される。それに詰めて持ち帰ってもいいし、摘みながらその場で食べてもいい。香り高い小粒の野いちごが見つかるかもしれない。

ベストシーズン　英国のいちごの季節は6月中旬から8月まで。
旅のヒント　いちご狩りをしないなら、農家の直売所をのぞいてみよう。スーパーマーケットより新鮮で安いし、地元産のものが手に入る。いちご狩り農園によっては腰ぐらいの高さの台の上でいちごを栽培しているところもある。大人はかがまなくていいので楽だが、小さな子供は手が届かない。予定している農園がどんなタイプか、事前に電話で確かめておこう。
ウェブサイト　www.farmersmarkets.net、www.pick-your-own.org.uk、www.visitkent.co.uk

イートン・メス

　学校の名前がついたこのスイーツは、生徒たちがいちごとクリームを混ぜているうちに考えついたのかもしれない。

6人分
いちご　225グラム
砂糖　大さじ1
生クリーム　475cc
焼きメレンゲ　6個

　いちごを洗い、へたを取り、半分か四つに切る。いちごをボウルに入れ、砂糖をまぶしてかき混ぜ、軽くつぶす。これを冷やしておく。生クリームを少々角が立つまで泡立てる。ここに粗く砕いた焼きメレンゲといちごを入れて混ぜる。全員分を1個の大きな器に盛るか、めいめいの器にとり分けて出す。

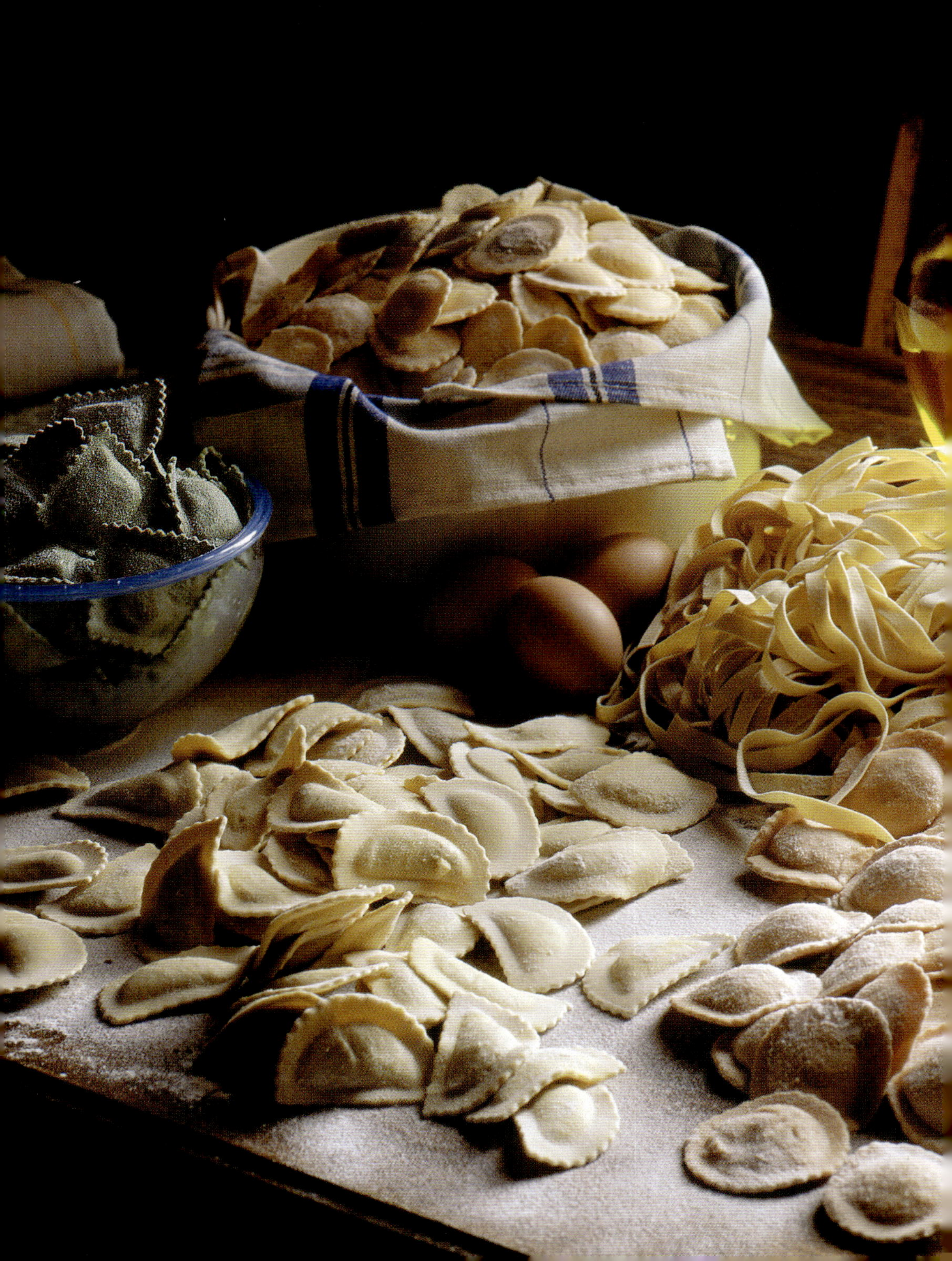

4 キッチンへようこそ

　おいしいものを愛する人にとって、食の舞台の中心はなんといっても台所(キッチン)だ。どんなに観光地をはしごしても、レストランの厨房や地元の人の家を訪ねて、その地方の伝統料理や家族が代々大切に守ってきたレシピの奥に潜む"秘密"を知る喜びにはかなわない。

　幸いなことに、最近は外国人の観光客でも気軽に参加できる料理教室が増えてきた。講習は英語で行われることがほとんどだが、それさえ問題なければ、キッチンの扉はどこでも、だれにでも開かれている。

　たとえばキューバでは、観光客が一般の家庭で食事を共にすることができるようになった。南アフリカでは東西の味が融合して生まれたケープマレー料理を味わえる。イタリアではこぢんまりとした料理教室で地域が誇る伝統料理作りに参加し、北京では専門のシェフに本格的な餃子を作るための熟練の技を伝授してもらおう。メキシコのユカタン半島では、香辛料や果物を使った味わい深いソースの作り方や、独特のデザートの作り方を学ぶことができる。

オリーブ油、卵、リボンのような手打ちのフェットチーネ、おいしさの詰まったラビオリ。イタリア料理はいろいろな食材を使う。食の旅の醍醐味の一つは、こうした料理の秘訣を学び、自宅で再現することだ。

米国ニューメキシコ州

サンタフェの唐辛子料理

刺激的な味の地元料理に欠かせない唐辛子は、
ニューメキシコの"州の農作物"に定められている。

サンタフェの多様な文化は、料理に影響を与えている。それを実感できるのが、広場から少し歩いた所にある「サンタフェ料理学校」だ。「チレ・アモール("唐辛子好き")」と名づけられた教室では、1時間半の実習で、焼きたての熱いトルティーヤにぴったりの赤や緑の唐辛子を使ったサルサ(チリソース)の作り方を学ぶ。もちろん、ここではトルティーヤも手作りだ。

食事付きで約3時間の実習クラスでは、タマーレス(とうもろこしの外皮に包んで蒸した、ちまきのような料理)、ノパレス(ウチワサボテンの葉)のほか、いろいろなサルサの作り方を学ぶことができる。指導するのは地元在住の講師やサンタフェの一流レストランから招いたシェフ。食材も地元の農家が作ったものばかりだ。

作るよりあれこれ食べたいという人は、料理学校がやっている徒歩ツアーに参加しよう。「アマヴィ」「コヨーテカフェ」「ラ・カーサ・セナ」など、サンタフェ屈指のレストランでプロの味に舌鼓を打つのもいい。

ベストシーズン 8月の第3週末にインディアン市場が開かれ、混雑する。100の部族を代表する1200人もの職人たちの作品がそろうので、ネイティブアメリカンの工芸品の愛好家なら、足を運ぶ価値がある。秋は観光客も減り、晴れて涼しい。リオ・グランデ川沿いに並ぶポプラが黄色に色づいてみごとだ。

旅のヒント ファーマーズマーケット(土曜日開催)に行ってみよう。プエブロ・オブ・テスケ・フリーマーケットでナバホタコス(揚げパン)を食べてみるのもいい。土産に食材を買って帰れば、料理教室で学んだ知識を友人たちと分かち合える。時間に余裕があれば、画家のジョージア・オキーフが精力的に描いたニューメキシコの荒涼とした山野を歩いてみたい。

ウェブサイト www.santafeschoolofcooking.com、www.santafe.org、www.santafefarmersmarket.com

とうもろこしとトマトと黒豆のサルサ

材料
みじん切りにした玉葱　100グラム
みじん切りのにんにく　小さじ1
オリーブ油　大さじ2
粗く刻んだコリアンダーの葉　大さじ3
軽く炒ってつぶしたクミンの実　小さじ1/2
みじん切りのハラペーニョ(唐辛子)　1本
りんご酢　大さじ2
レッドチリハニー　大さじ1
とうもろこし(解凍したものでも可)　85グラム
刻んだ完熟ローマトマト　大3個
加熱済み黒豆　200グラム

玉葱とにんにくをオリーブ油で軽く炒める。ボウルにコリアンダーの葉、クミン、ハラペーニョ、りんご酢、レッドチリハニーを入れて混ぜる。塩で味付けし、とうもろこし、ローマトマト、黒豆、炒めた玉葱とにんにくを加える。かき混ぜて30〜45分置き、味がなじむのを待つ。

サンタフェ料理学校で唐辛子のあぶり方を学ぶ受講生。

青く塗られたパナデリーア（パン屋）と赤いバイク。ハバナの街は色彩にあふれている。

キューバ
ハバナの家庭で食事を楽しむ

キューバの首都ハバナ。一般の家庭がやっている「パラダール」で本物の郷土料理を味わい、キューバの家庭料理の秘訣を学ぼう。

キューバといえば改革という言葉が連想されるが、最近、この国の料理界で起きたちょっとした"革命"が世界中の旅行者から歓迎されている。

かつて首都ハバナに来た旅行者は、限られた"高級"レストランに行くことしか許されず、これといって特徴のない料理に高い代金を支払うほかなかった。ところが1995年に状況は一変。国が認可した個人経営のレストラン「パラダール」が合法化された。キューバで最も趣きのある街、ハバナが苦境にあえぐ中、旅行者が家庭料理を楽しむことで地元の家計をうるおすことができるようになったのだ。

料理はポヨ（鶏肉）のモーロス・イ・クリスティアーノス（「ムーア人とキリスト教徒」の意味。黒豆と白米のこと）添えや、プエルコ（豚肉）の米と揚げバナナ添えなど、素朴なものが中心。また、マグロのココナツソース和えや赤魚のブールブランソースがけなど手の込んだ料理もある。慎ましいながらも、新鮮な素材を使った体にもいいメニューばかりで、おまけに安い。

ベストシーズン　年中いつでもいいが、極端な暑さを避けるなら11〜4月がおすすめ。

旅のヒント　ハバナで必ず訪れたい有名なパラダールが「ラ・グアリーダ」と「ラ・コシナ・デ・リリアン」だ。どちらも魅力的な雰囲気のなかで、すばらしい料理を楽しめる。パラダールに行くなら必ず予約を入れること。ハバナ以外で個人食堂に行くなら、キューバ中部のトリニダードも美しい町で、パラダールも豊富。

ウェブサイト　www.cuba-junky.com、www.laguarida.com

パラダール

法律では、パラダールは12人以下の客しか取れず、素朴な料理しか出すことができない。魚介類はホテルやレストランで扱う決まりになっているが、実際にはパラダールでも頼めば出してもらえる可能性がある。

パラダールを探すには、ほかの観光客や地元のバーテンダー、タクシー運転手に聞いてみよう。ただし、ホテルで聞くのは得策ではない。ホテルのレストランはパラダールと競合関係にあるからだ。もし、ホテルがおすすめのパラダールを教えるだけでなく、連れていくといわれたら断ること。おそらくヒネテーロと呼ばれる客引きで、手数料を期待しているのだ。パラダールの主人には重い税金が課せられているので、チップははずもう。

トップ10
移民の料理

アルゼンチンのウェールズ風ティーケーキや、ブリュッセルのコンゴ料理。長い歳月をかけて異国の地に根付いた移民の社会では、故郷と新天地それぞれのよさを生かした料理が生まれている。

❶ ソルバング（米国、カリフォルニア州）

1911年に初めてデンマーク人が入植したソルバングでは、今でもデンマーク系の住民が多数を占める。レストランではフリカデーラ（揚げた肉団子）やスモーブロー（オープンサンドイッチ）、メディスタープルセ（クローブ入り豚肉ソーセージ）と卵を添えたエーブルスキバー（球状のパンケーキ）などが食べられる。

旅のヒント 毎年3月にソルバングの食の祭典（3日間）が開かれる。9月に開かれるデニッシュデー（またはエーブルスキバーデー）は、パンケーキをはじめデンマークのあらゆる食べ物の祭典だ。www.solvangusa.com

❷ ディワリ（トリニダード・トバゴ）

ヒンドゥー教徒（たいていはインド人労働者の子孫）が人口の40％を占めるトリニダード・トバゴ。灯明の祭り「ディワリ」では、全島民が名誉ヒンドゥー教徒となり、グラブジャムンという甘いシロップ漬けのドーナツや、カレーの詰まったパンなどを食べる。

旅のヒント ディワリは10月か11月に行われ、中心となるラクシュミー・プージャの日は休日となる。www.diwalinagar.com

❸ スリナム

かつてオランダの植民地だった南米のスリナムは、さまざまな人種が混合している。料理もオランダ、インド、ジャワ、中国、アフリカ、米国、そしてユダヤの影響を受けている。クレオール料理のパスティ（鶏肉と野菜のパイ）、インド料理のロティ（薄焼きパン）、中華の点心などを食べてみたい。

旅のヒント 首都パラマリボのにぎやかな市場を散策してみよう。www.suriname-tourism.org

❹ チュブト渓谷（アルゼンチン）

1865年に初めてパタゴニアのチュブト渓谷に定住したウェールズの人々は、自分たちの文化や言語を守ることに熱心だった。長い年月の間にそれも衰退してしまったが、近年、復活の兆しが見えている。その拠点がティーハウスだ。最も由緒正しい店を訪ねるなら、ガイマンやトレヴェリンの町に行こう。

旅のヒント トレヴェリンにあるアンデスセルティグ社は、チュブト渓谷（ウェールズ語でウラドヴァ）へのツアーを行なっている。www.andesceltig.com

❺ マカオ（中国）

マカオほど、さまざまな土地の要素が融合した、独特のおいしい料理が食べられる場所も珍しい。約450年かけて、ポルトガル人入植者の料理と中国南部の料理が結びついた。バカリャウ（塩味のタラ）、パエリア、ショリッソ（辛いソーセージ）、ガリーニャ・ポルトゲーサ（ポルトガル風鶏肉料理）など、その料理は多彩。

旅のヒント 「ロードストーズベーカリー」はコロアン島のルア・ダ・タッサーラ通り1番地。同島のプライア・デ・ハク・サ通り9番地には、ポルトガル料理レストラン「フェルナンドス」もある。www.macautourism.gov.mo（日本語あり）

❻ ポンディシェリ（インド）

1673〜1954年にフランスの支配を受け、今なおフランス風の文化を守っている町ポンディシェリ。海の見える植民地時代の建物では、アリアンス・フランセーズが「カフェ・ド・フロール」を経営している。おいしいフランス料理を食べたいなら、「サットサンガ」「ル・デュプレクス」「ランデヴー」がおすすめる。

旅のヒント フランスの食の祭典「ル・グルメ」は毎年8月に開かれる。pondicherry.gov.in

❼ マトンジェ（ベルギー、ブリュッセル）

かつてコンゴはベルギーの植民地だった。今ではコンゴの人がブリュッセルの下町の一角に住んでいる。そこは、コンゴの首都キンシャサにあるにぎやかな町にちなんで、マトンジェと名づけられている。中心を走るロング・ヴィ通りには、カクテルのラムパンチを出すアフリカ風バーや、ヤムイモを売る食料品店、モアンベ（肉のシチュー）などのコンゴ料理を出すレストランなどが並ぶ。

旅のヒント 毎年6月下旬に行われる「マトンジェ祭り」（2日間）はにぎわう。www.brusselsinternational.be

❽ ニューモルデン（英国、ロンドン）

ロンドン南西部郊外のテニスの聖地ウィンブルドン。その近くに韓国人街がある。このニューモルデン・ハイストリートでは、海鮮パジョン（韓国風お好み焼き）、スンドゥブチゲ（おぼろ豆腐入りの辛いスープ鍋）、プルコギ（牛の焼肉）のほか、ずらりと並ぶパンチャン（副菜）が楽しめる。

旅のヒント 「ハムギバク」は小さいながらもおいしい料理を出すが、夜10時には閉店する。「パレス」はもう少し遅くまでやっている。www.london-eating.co.uk

❾ リビア

イタリア軍撤退記念日はリビアの祝日となっているが、イタリアの影響は今でも色濃く残っている。とりわけマカルナ（パスタ）は料理の中で重要な位置を占めている。イタリアの影響を受けている人気料理には、リゾット、トマト味のマカルナ入りシチュー、リビア風スープ（羊肉入りの辛いミネストローネ）などがある。

旅のヒント 首都周辺のトリポリタニアはイタリア料理の影響が最も強い。リビアで気候が最も温和なのは11〜3月。www.libyan-tourism.org

❿ 十月祭（ナミビア）

かつてドイツの植民地だったナミビア。この国の十月祭では、ブラスバンドの演奏とブラートヴルスト（焼きソーセージ）、そして大量のビールが欠かせない。誰でも参加できる。

旅のヒント 主な会場は首都ウィントフックの「シュポルト・クルプ」だが、各地で祭典が催される。www.namibiatourism.com.na

---

右ページ：緑あふれるウェールズの渓谷とは似てもつかない南米パタゴニアの荒野に、カーサ・デ・テ（ティーハウス）の看板が立つ。

ESC. 125
BETHESDA

CASA DE TE

LA NEGRA

CHALRO

州都メリダのサン・イルデフォンツォ聖堂の外でスナックを売る屋台。

メキシコ
ユカタン料理

メキシコ南東部から突き出たユカタン半島。
メキシコの中でもとりわけ個性的な料理が食べられる地域だ。

　ユカタン半島の料理は、古くから地元にある食材に、ヨーロッパやカリブ海、中東の味や調理法が加わることで生まれた。ここはマヤ族の土地であり、今でもマヤの食べ物や文化が主流を占めている。しかし、なかには驚くような料理もある。たとえば、ケソ・レジェーノ。その皮はオランダのエダムチーズで作り、具の肉に地元のトマトやオリーブ、アーモンドや香辛料でスペイン風とムーア風が合わさった味付けをほどこしたものだ。

　ユカタン料理を知るには、州都メリダにある「ロス・ドス」のような有名料理学校に申し込むのもいいし、海辺のリゾートで気軽な講習会に参加するのもいいだろう。どこでも間違いなく教わるのが、コチニータ・ピビルという、豚肉をじっくりと焼いた料理。唐辛子とビターオレンジの果汁に漬けた肉を、地面に掘った穴のかまどで蒸し焼きにする。また、炒って挽いたかぼちゃの種は地元料理に欠かせない食材だ。

ベストシーズン　夏は蒸し暑いので、晩秋か冬がおすすめ。
旅のヒント　海好きの人は、プラヤ・デル・カルメン、カンクン、またはコスメルで料理講習会に参加しよう。歴史好きなら、マヤのピラミッドや植民地時代の教会を訪ねるコースもある。ユカタンのスペイン語学校のコースには地元料理の講習会がついていることが多く、地元の市場の見学も含まれる。
ウェブサイト　www.los-dos.com、www.cactuslanguage.com、www.isls.com
www.cookforfun.shawguides.com

どんな料理にも合うペースト

　レカードは、ユカタン料理の代表的な味付け用ペースト。香りがよく、いろいろな香辛料を挽いて作る。にんにくや酢、またはビターオレンジの果汁と合わせて肉の味付けに使う。

■ **レカード・コロラド**は鮮やかな朱色のペースト。ベニノキから採れるアチョーテ（もしくはアナトー）の実から作るので、アチョーテペーストとも呼ばれる。アチョーテをクミン、クローブ、コリアンダー、オールスパイス、オレガノと合わせて鶏肉や豚肉をマリネし、バナナの葉に包んでかまどで蒸し焼きにする。

■ **チルモーレ**（別名**レジェーノ・ネグロ**）は、アンチョチリ（唐辛子の一種）を焼き、黒胡椒など香りの強い香辛料と一緒に挽いて黒いペーストにする。七面鳥でだしを取ったスープで薄めて、クリスマスや新年に七面鳥と一緒に食卓に出す。

■ シナモンとオレガノが独特の香りを添える**レカード・パラ・ビステック**（スペイン語で「牛肉のためのペースト」）。その名のとおり牛肉料理などの味付けに使うが、このソースで最も有名な料理は、鶏肉を使った**ポヨ・バジャドリード**。鶏肉を玉葱、香辛料、唐辛子、水と一緒にゆで、肉にレカードをすり込んで焼いた料理だ。

中国
北京で料理学校へ

世界各地で食べられる中華料理だが、一度は本場中国で食べてみたい。
とりわけ自分で作ったとなれば、その味はまた格別だろう。

北京には、中国各地の多彩な料理を堪能できる数多くの名店が集まっている。料理の思い出だけでなく、その作り方を持ち帰ってみよう。北京随一の繁華街・王府井の中心に立つ高級ホテル、ザ・ペニンシュラ北京（王府半島酒店）では、地元北京のおふくろの味、餃子の作り方を教えてくれる。

餃子は肉や野菜の具を小麦粉の皮で包んだ華北の料理で、現地ではゆでて食べる水餃子が主流。一方、華中や華南の点心では蒸し餃子にすることが多い。

受講生たちは、ホテルの人気レストラン「ジン」の広々としたオープンキッチンで、厨師（シェフ）の指導を受けながら、まずは餃子の皮作りに挑む。小麦粉を水でこねて弾力のある生地にする。この生地を手で丸めて小さい球状にした後、薄い皮になるように延ばしていく。餃子の具は豚の挽き肉と野菜、ニラを刻んだものが基本。ペニンシュラの受講生たちは、受賞歴もあるホテル内のレストラン「ファンティン」のレシピに従って、包丁を動かしていく。円い皮の真ん中にスプーン1杯分の具をのせると、厨師たちが秘訣を教えてくれる。皮にきれいにひだを寄せながら、手際よく具を包み込む。これでおいしい餃子のできあがりだ。

ベストシーズン 料理教室は室内で行われ、暖房もあるので、北京の寒い冬でも心配ない。
市場を歩くなら、4〜5月初旬、もしくは9〜10月が最も快適だ。

旅のヒント 料理教室は予約が必要。少人数しか受け入れない所もあるので、まずは予約してからその前後の旅行計画を考えたい。旅行会社の料理ツアーは追加料金がかかるので、料理教室に直接申し込もう。

ウェブサイト www.peninsula.com（日本語あり）、www.hutongcuisine.com、www.green-t-house.com

北京の料理教室

■**ザ・ペニンシュラ北京**の料理教室は名店「ファンティン」での点心ランチ付き。自分で作ったものに加えて、プロが作った料理も食べられる。持ち帰り用に、ほかの料理のレシピも用意されている。

■北京北部の胡同（フートン）は、昔からの民家が立ち並ぶ地域。中庭のある古い建物では、**フートン・クジーン**が広東料理と四川料理の講習会を開いている。4品の基本的な広東もしくは辛口の四川料理の作り方を学んだ後で、最後に試食する。

■一風変わった餃子を作るなら、北京北東部の田園地帯にある**紫雲軒茶事**がおすすめ。有名なシェフで、デザイナー、ミュージシャンでもあるジン・Rが点心の作り方を半日かけて教えてくれる。

「フートン・クジーン」で、講師の指導を受けながら材料を刻む受講生たち。

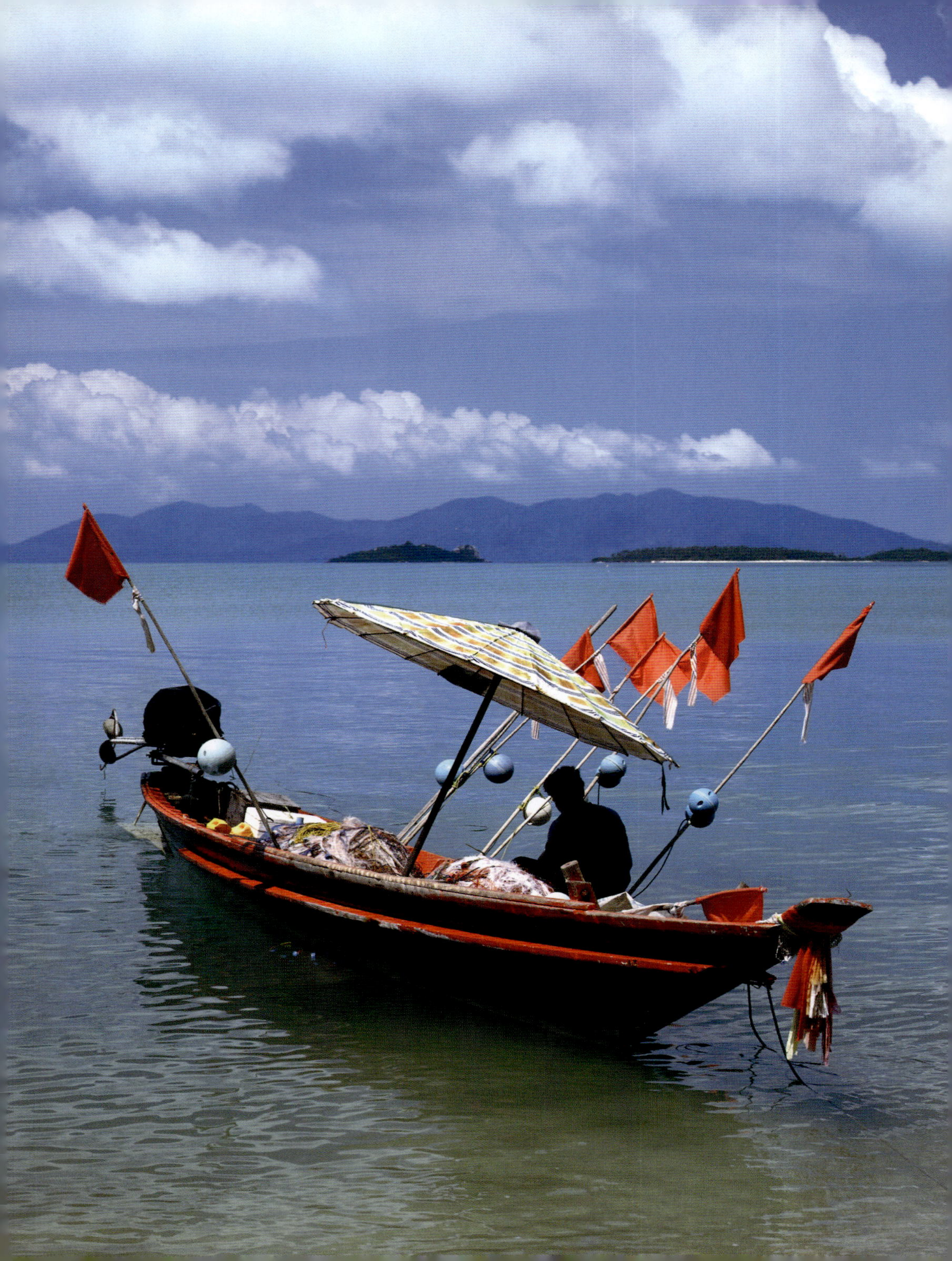

タイ
タイ料理の秘訣

**驚くほど地方色豊かなタイ料理。タイ国内には、
由緒ある多彩な伝統料理を教える学校が各地にある。**

　タイ料理は、手間をかけ、香り高く、美しく仕上げることで名高く、世界的に人気がある。タイ国内には、素朴な教室から伝統ある名門校まで、さまざまな料理学校があり、世界中からプロの料理人や料理研究家が集まってくる。

　授業はまず、市場の見学から始まる。市場には、各地から届く珍しい食材があふれている。講師に教わりながら、レモングラスや青いパパイヤ、プーケットロブスターなどの食材を買い求めていく。買物かごがいっぱいになったら学校に戻って、調理にとりかかる。食材をクロック（石うす）でつぶしたり、刻んだり、炒めたり、揚げたり、煮込んだり、混ぜたり。どの学校も、4皿の料理を学ぶコースが基本だ。

　バンコクにある「ブルーエレファント」では、トムヤムクン（海老とレモングラスが入った辛口のスープ）やタマリンドソースの焼きそばなど、タイ宮廷料理の作り方を学ぶ。バンコクの北にある、庭園に囲まれた「タイハウス」では、ココナッツビーフカレーや透き通ったメロンスープといった、地元に伝わる秘伝の料理を教える。「チェンマイ料理学校」は香り豊かな北部料理に力を入れており、鶏肉のチェンマイカレーや、唐辛子とホーリーバジル風味の魚の唐揚げなどが主なメニューだ。

　楽園の島、サムイ島には「サムイ島タイ調理技術専門学校」がある。魚介類を使ったチューチーカレーや、ココナッツミルクを使った肉団子入りのかぼちゃスープなど、南部らしい華やかな料理と出合えるだろう。

ベストシーズン　講習会は年中行われているが、カラッとして涼しい11～2月がおすすめ。晴れの日が多く、気温は30～35℃ほど。

旅のヒント　料理教室には半日、1日、2日コースのほか、長いコースもある。旅行のついでに料理を習ったり、あるいは講習を中心に旅行計画を立てるなど、自在に選べる。

ウェブサイト　www.blueelephant.com、www.thaihouse.co.th、www.thaicookeryschool.com www.sitca.net、www.tourismthailand.org（日本語あり）

味のバランス

甘さ、しょっぱさ、酸味、辛味といった多彩な味の繊細なバランスこそ、タイ料理の命だ。

甘みを出すには、ココナツミルク（特にカレー、煮込み、炒め物）、パームシュガーやココナツシュガー、シーユー・ダム・ワン（甘口黒醬油）、にんにくの甘酢漬けが使われる。蜂蜜を使うこともある。

塩気はナンプラー（魚醬）で出すが、海塩、オイスターソース、干し魚や干し海老、塩漬けのプラムや野菜も使われる。

酸味を加えるのは、ライム汁とタマリンドペースト。これ以外にも、ココナツビネガーや米酢がある。

タイ料理の最大の特徴でもある**辛味**は、唐辛子を使うことが多い。唐辛子のペーストや胡椒の実、生姜、玉葱、にんにくも使われる。

左ページ：新鮮な魚介類はタイ料理の主役だ。**左**：魚介類を使った一品。**右**：バンコクにある「フォーシーズンズ料理学校」の講師。

ベトナム
ホーチミンの家庭料理

南部の都市ホーチミンでベトナム料理の伝統を学び、
地元の人々との心の交流を体験したい。

ホーチミン（旧サイゴン）では、食堂と店主の住まいの区別が曖昧なことが多い。町で最高の料理教室が民家の台所で開かれていても不思議ではない。教室を選ぶポイントはいくつかある。大きな通りからはずれた場所にあり、食の冒険を求める旅行者たちが集まり、家庭料理を教えるだけでなく、文化を伝えることにも熱心なベトナム人が指導にあたっている教室を選ぼう。

授業は早朝、野菜や果物、魚介類、肉類が一番新鮮な時間帯に始まる。市場はその町の個性とパワーを表していることが多いが、ベトナムも例外ではない。受講生たちは経験豊かな講師と、通訳兼文化ガイドを務める英語が堪能な大学生の案内で、市場の探検に乗り出す。パリッと香ばしいチャージョー（揚げ春巻）用の豚の挽き肉や、牛肉のフォー・ボー（汁麺）に添えるギザギザの葉をしたパクチーファランなどの材料を選ぶうちに、ベトナムの食材の豊かさが実感できる。

山のような食材を手に講師の家に戻ったら、昼食の用意だ。食材を刻んだり、量ったり、味見をしたりして、講師とみんなで努力の成果を満喫する。

ベストシーズン 年中快適だが、5～11月の雨期には毎日スコールがあるので雨具を忘れないように。旧正月のテト（1月下旬または2月初旬）は店やレストランが3週間も休むことがあるので避けたい。

旅のヒント コネクションズベトナム社は一般家庭での料理教室を企画している。ベトナム料理センターは教室を使った料理講習会を開いている。カラヴェルホテルには1日講習会もある。ホーチミン市の北東にあるニャチャンなど海辺のリゾートで教室を探してもいいだろう。

ウェブサイト www.connectionsvietnam.com、www.expat-services.com（日本語あり）
www.caravellehotel.com

豚ヒレ肉のペッパーソースがけ

ベトナムのニョクマム

厨房の棚に必ずあるのが、**ニョクマム**（ベトナムの魚醬）のびん。塩辛く、刺激的な匂いがする褐色の調味料だ。使うときは、びんを振ってよく混ぜる。サラダから汁麺まで、ほとんどすべての料理に使われる。フーコック島産のものが最高級とされ、カタクチイワシを塩漬けにし、発酵させて作る。

ヌク・チャムはニョクマムを使ったソースの代表格。ニョクマムと水、ライム汁、刻んだ唐辛子、みじん切りのにんにく、砂糖を混ぜた甘酸っぱいソースで、ブロークンライスや春雨などにかける。

ベトナム南部の町、ニャチャンの漁港を歩く地元の女性。ノン・ラーという円錐形の麦藁帽子をかぶっている。

新鮮なカンタベリーラムと旬の野菜を使って豪華に仕上げた、シーガーズ料理学校の料理。

ニュージーランド
南島のシーガーズ料理学校

ニュージーランド南島の風光明媚な土地で、
料理の腕を磨き、優れた食材とすばらしいワインを味わおう。

ニュージーランドの有名なシェフ、ジョー・シーガーに言わせれば、おいしい食事を作るなど"簡単この上ない"ことらしい。彼女はその言葉を「シーガーズ料理学校」で、みごとに証明してくれる。

料理学校があるオックスフォードはニュージーランド南島中部の肥沃なカンタベリー平野の中心にある。この学校のモットーは、"最小の労力で最大の成果を"。「昼食で学ぶ」講座は、まずコーヒーと焼きたての菓子のおもてなしから始まる。その後、3時間かけてジョー・シーガーのレシピを学ぶ。時間と労力をなるべく節約するコツを習得した後は、地元のワインを飲みながら一緒に昼食を食べる。

春は摘みたてのラズベリーやアスパラガス、夏はみずみずしいサラダ用野菜や甘い枝つきトマト、秋はりんごや梨など、旬の食材を生かした料理が基本だ。

新鮮で安全な食材の数々

シーガーズ料理学校の昔からの魅力は、地元産の新鮮な食材を使えること。カンタベリー平野の牧場で育った**カンタベリーラム**は、甘味のあるきめ細かい肉が特徴。鹿も飼育されており、特に**ベニソン**と呼ばれる赤鹿の肉は、サビーナという名でメニューにのる。

南島では**キングサーモン**もおいしい。肉汁たっぷりで引き締まった身は脂肪が少なく、地元で採れるわさびを添えて食べてみたい。鮭は酸素を多く含む雪解け水で飼育された後、海で養殖される。

クマラ（さつまいも）はマオリ族がニュージーランドに持ち込んだ野菜。クリームスープ、魚に添える塩味のチップなど、いろいろな形で使われる。**オリーブ**は、19世紀に地中海から輸入したものを地元で改良し、食用およびオイルの原料用として栽培している。

80以上のぶどう畑がある**ワイパラ渓谷**は、ニュージーランドで急成長しているワイン生産地の一つだ。渓谷の秋は長くて暑いので、果実味豊かなリースリングやピノ・ノワールができる。ワイパラはソーヴィニヨン・ブラン、シャルドネ、そしてフルボディのカベルネ・ソーヴィニヨンでも有名だ。

ベストシーズン 海外からの旅行者は春か秋が多い。冬（6～8月）は肌寒いが、晴天が多い。夏（12～2月）は地元の人々に一番人気の季節。

旅のヒント 週末にクライストチャーチに行くなら、土曜日の朝にリッカートンハウスでファーマーズマーケットが開かれているので、地元の食品やワインを試してみたい。アルパイン・パシフィック・トライアングルは、クライストチャーチの北から始まる370キロの周遊ルート。途中のカイコウラではロブスター料理やホエールウオッチングが楽しめる。山あいの温泉町ハンマースプリングスにはしゃれた飲食店がたくさんある。

ウェブサイト www.joseagar.com、www.newzealand.com（日本語版あり）、www.waiparawine.co.nz
www.alpinepacifictourism.co.nz

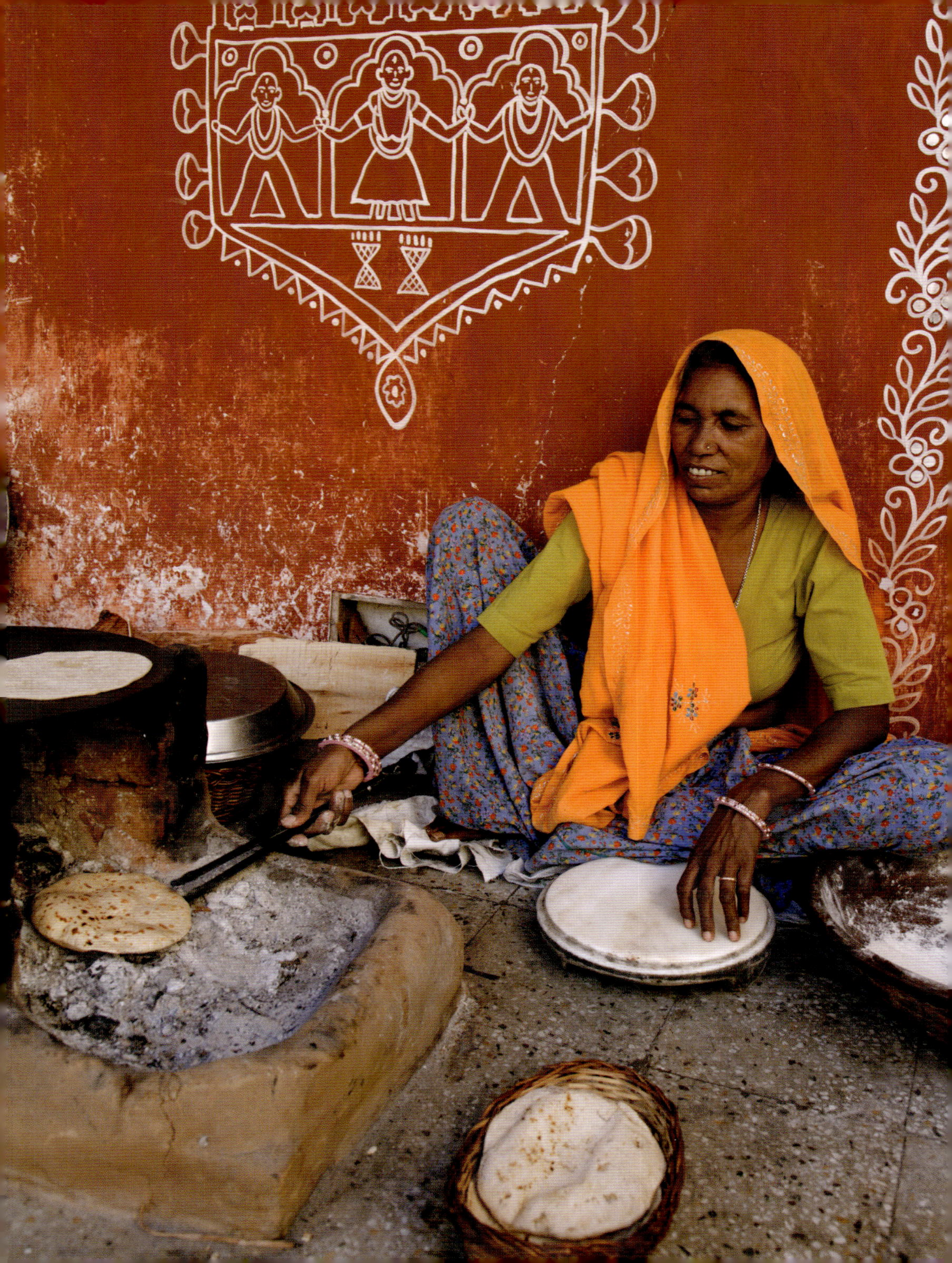

インド
ラジャスタンの香辛料

インド北西部・ラジャスタン州で昔から伝わる料理を学び、
異国情緒あふれる本格的な味に触れてみたい。

ラジャスタン州の人々は、その豊かな文化遺産、とりわけ食に誇りを持っている。州南部のウダイプルにある料理教室で講習を受けてみよう。

教室の多くは講師の自宅で開かれる。まず、講師が運転するバイクの後部座席に乗せてもらい、食材の調達に出かけよう。人ばかりか牛や猿も行き交う通りを抜け、伝説的なレイクパレス（かつての王宮で、現在は高級ホテル）を過ぎれば、そこはありとあらゆる食料品を扱う、色とりどりの露店が並ぶ地区だ。

そこで食材を買い込み、講師の家に戻って、インド料理に必須の7種類の香辛料の使い方を学ぶ。赤唐辛子、コリアンダー、ターメリック、ガラムマサラ、アニスの実、クミンの実、そして塩の七つだ。ラジャスタンでは、さらにカスリ・メティ（フェヌグリークという豆科の植物の葉を乾燥させたもの）も使われる。

料理はすべて一からの手作業。チャパティ（インドのパン）は全粒粉、水、一つまみの塩で作った生地を熱したフライパンで焼く。カッテージチーズのようなパニールは、牛乳とレモン汁を混ぜて、薄い綿布でこして作る。ほかにも、こってりとおいしいパニール・バター・マサラや、野菜が入った香辛料たっぷりのキチディ（粥）、ウダイプル名物のベソン・ガッタ（ピリッとするレンズ豆のソースに漬けた団子）など、ラジャスタン料理は多彩だ。満腹になったら、クッションに座って香辛料が香る熱いマサラチャイでくつろぎ、ポケットにたくさんのレシピを詰め込んで帰ろう。

ベストシーズン 観光客で混雑する12月～1月と、夏のモンスーンの6～9月は避けたい。
旅のヒント 広大なラジャスタン州は1カ月滞在しても飽きることがない。ジャイプール、ジョドプール、ジャイサルメルなど、主な町ではどこでも料理講習会が開かれているが、小さな町のほうが親密さが増す。移動手段にはバスやタクシー、列車がある。列車が一番情緒あふれる旅を楽しめる。
ウェブサイト www.rajasthantourism.gov.in（日本語版あり）、www.indiabeat.co.uk

香辛料入りパニール

パニールチーズはそのままではほとんど味がしないが、風味の強い材料と組み合わせると、柔らかでクリーミーな食感がほかの食材を引き立てる。チーズを作る途中で香辛料とハーブを加えて香りをつけたパニールは、そのまま食べてもおいしい。

材料（312グラム分）
牛乳　2リットル
レモン汁　大さじ2
クミンの実　小さじ1
乾燥ミント　小さじ1

牛乳にクミンとミントを入れて、大きな厚底鍋で沸騰させる。沸騰しはじめたらすぐにレモン汁を加え、凝固するまでかき混ぜる。固まらないときはレモン汁を足す。

こし器に綿モスリンのチーズクロスを敷いてこす。布の上部をねじって柔らかチーズを包む。こし器を大きな皿の上で逆さにして、その上にチーズをのせて重石をして水気を切る。

1時間後に重石を除き、チーズを布から取り出す。四つに切り分けるか、崩して食べよう。

左ページ：チャパティを焼く女性。上：インドの"定食"ターリー。伝統的な丸い皿で供される。

ヨルダン
ペトラキッチン

歴史的な遺産を抱える、古代都市ペトラ。
昼間は遺跡で目を楽しませ、夜は食堂で舌を満足させよう。

ヨルダン南部のペトラ遺跡を散策した後に近代的なワディ・ムーサの町に戻ると、観光を続ける気分にはちょっとなりにくいもの。それでも「ペトラキッチン」になら、足を運ぶ価値は十分にあるだろう。

ペトラキッチンは町の裏通りにある小さな食堂で、プロの料理人と地元の協同組合の女性たちが笑顔で迎えてくれる。観光客はここで地元料理を紹介してもらうだけでなく、調理にも参加できる。みんなで力を合わせて作る料理は、ヨルダンの長い歴史に根づいたものだ。主にアラブ風だが、かつて中東の十字路として、異国からの遠征軍が幾度となく往き来したこの国の歴史を物語っている。

メニューの主役は羊肉と鶏肉。栄養価が高く、簡単に作れる料理が多い。また、穀類や豆類のサラダもある。緑色のタイルを張った、台所道具の並ぶペトラキッチンの一室で、パセリとトマトを刻み、ブルグル(挽き割り小麦)をハーブやレモン汁と混ぜてタップーラサラダを作る。鍋をかき混ぜて、マンサフという郷土料理(柔らかく煮た羊肉を米とアーモンドを敷いた上にのせたもの)を仕上げる。子供たちもペストリーの四角い生地でチーズを包む作業に参加する。

ベストシーズン ヨルダンは、夏は灼熱地獄で、冬は非常に寒い。春か秋に行きたい。
旅のヒント ペトラキッチンは、できれば旅行にでかける前か、ワディ・ムーサに到着したらすぐに予約しよう。夜8時30分から遺跡にろうそくを灯すペトラ・バイ・ナイトツアーの夜は客が少ないかもしれない。ペトラキッチンでは、5晩にわたって中東の料理法を紹介し、シェフと一緒に地元の市場を訪れるコースも用意している。
ウェブサイト www.visitjordan.com(日本語あり)、www.jordanjubilee.com、www.bedouincamp.net

ヨルダン料理

■メイン料理や、メゼと呼ばれる前菜にはすべてレシピがつくので、家に帰ったらヨルダン訪問の記念に作ってみよう。

■料理の多くはベドウィンが起源。遊牧の民のようにテントの外で星空の下、キャンプファイアーをしながら食べてみたい。ワディ・ムーサから車で少し行った所にあるリトルペトラ郊外の**アンマリーン・ベドウィンキャンプ**で体験できる。

■ヨルダンで手作りの**フムス**を食べたら、二度と市販のものは食べられないだろう。フムスはゆでてつぶしたひよこ豆、練り胡麻、にんにく、オリーブ油、レモン汁を混ぜて作るペースト状の料理。ほとんどの食事に登場する。

ペトラにある古代ナバテア王国の遺跡。世界中から観光客を引き寄せる。後方には近代的なワディ・ムーサの町が見える。

ドルマは米、玉葱、挽き肉などの具をぶどうの葉で一つずつ丁寧に巻いて作る。まるで芸術品のようだ。

ギリシャ
ギリシャの島々の料理

ギリシャの島でゆったりした休暇を過ごしながら、
島の伝統料理がかもし出す繊細な味を学びたい。

野生のハーブを添えた魚、薄い生地を何層にも折り重ねたフィロペストリーパイ、いろいろなメゼ(前菜)、レモン汁を混ぜたオリーブ油をすり込んでバーベキューにした肉。いずれも、ギリシャの島の郷土料理だ。

多くの島に料理教室があるが、一番のおすすめは、東エーゲ海に浮かぶイカリア島の教室だろう。フードライターでレストラン経営者でもあるダイアン・コチラスと、その夫ヴァシリスがこの島で料理の講習会を開いている。場所はクリストス・ラチェス村という松林と海にはさまれた山あいの村だ。期間は1週間。授業は英語で行われ、毎日3～4時間かけて、昼食や夕食を本格的に作れるように指導する。

イカリア風ブレッドサラダ、スフィコ(いろいろな野菜を別々に炒めてから混ぜた料理)のほか、ドルマ(具をぶどうの葉で巻いたもの)や、フェタチーズとハーブを散らした焼き茄子のサラダなど、地元の名物料理を学ぶことができる。料理が終わる夕方、ギリシャの蒸溜酒ウーゾを片手に、エーゲ海に沈む夕日を眺めたい。

ベストシーズン イカリア島での7月と8月の3週間のコース以外に、9月中旬～6月中旬にはアテネでもダイアンによる講習会が行われている。
旅のヒント イカリア島の講習会には自由時間が十分あるが、さらに数日は島に滞在して、美しい村や山のハイキング、すばらしい海岸、興味深い考古学遺跡を楽しむのもいい。
ウェブサイト www.dianekochilas.com、www.greekislandactivities.com、www.holidayonthemenu.com

野菜、ひよこ豆、フェタチーズ入りのパスタグラタン

ヒロピテスとはギリシャ風卵入りパスタのこと。小さく四角に切ってスープに入れることが多いが、ここでは長いままで使う。ヒロピテスがなければ、フェットチーネでもいい。

材料(4人分)
長いヒロピテスまたはフェットチーネ 450グラム
端を切って洗い、水切りしたふだん草、ほうれん草、アマランサス、赤かぶの葉などの葉野菜 450グラム
ギリシャ産エクストラバージンオリーブオイル 1/2カップ
水切りして洗った缶詰のひよこ豆 480グラム
崩したギリシャ産フェタチーズ 300グラム

塩水を大きな鍋で沸騰させ、パスタを少し硬めにゆでて水切りする。
オリーブ油大さじ3杯を大きなテフロン鍋で加熱し、野菜を強火でしんなりするまで炒める。野菜は水分を切り、汁は別にとっておく。
パスタと野菜とひよこ豆、残りのオリーブ油を耐熱のグラタン皿に入れて野菜の汁と混ぜ、上にフェタチーズを散らす。アルミホイルで蓋をして、オーブンで15分焼く。
アルミホイルを取ったグラタン皿を再びオーブンに入れ、フェタチーズに軽く焼き色がつくまで数分間焼いて取り出す。

キッチンへようこそ | 115

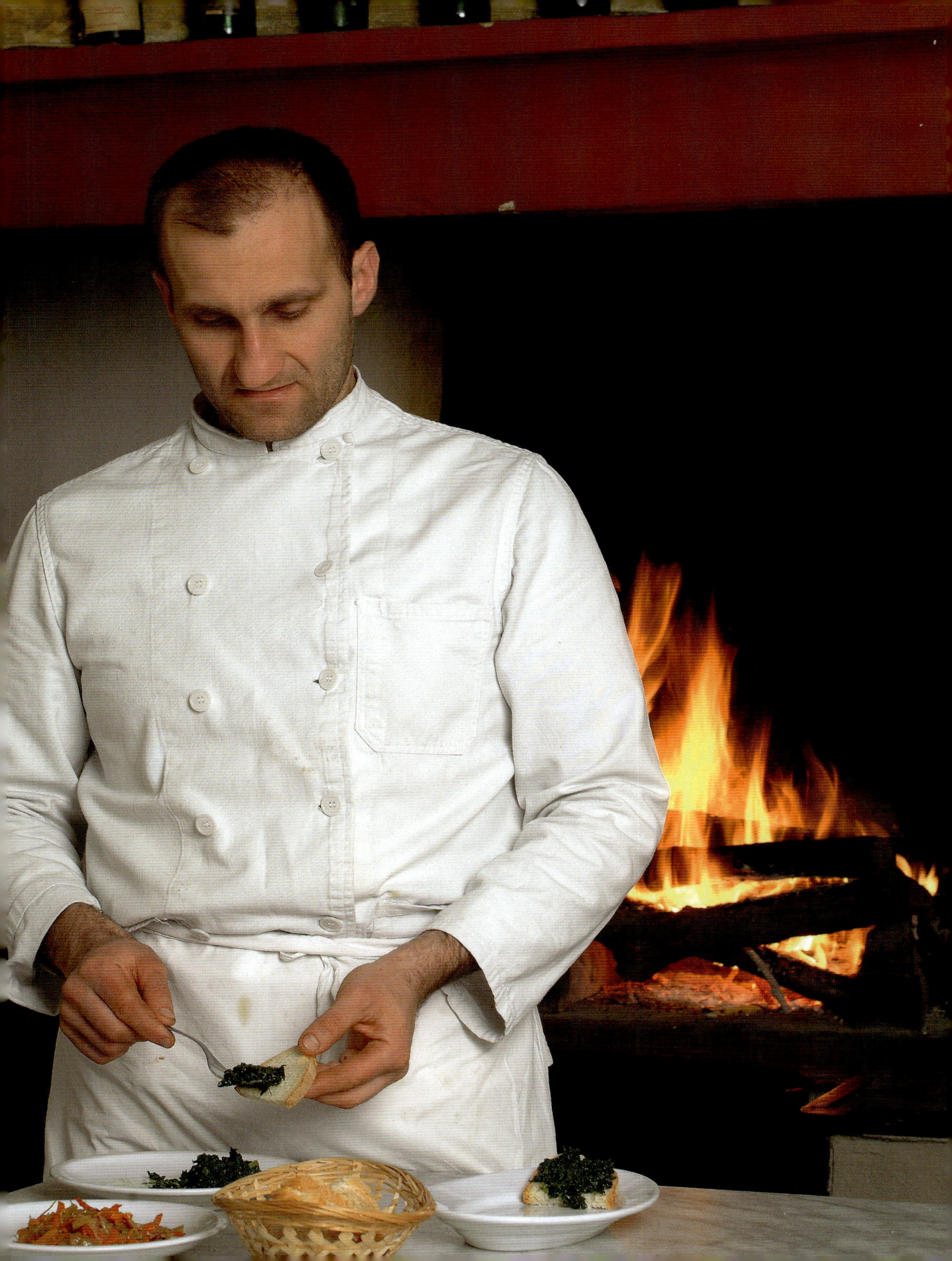

イタリア
トスカーナの優雅な伝統

トスカーナ地方でぶどうやオリーブを栽培する代表的な農園。
そこで、昔から受け継がれてきた料理の秘密の一端に触れてみたい。

中部イタリアのトスカーナ州は多くの人から愛されている。それは、美しい町、数々の芸術と文化の遺産、すばらしいワインと定評ある料理があるからだ。地元の名物料理には、ローズマリーの香る炭火焼きステーキや、古くなったパンを使う風味豊かな野菜スープ、リボッリータなどがある。その伝統の味を、すばらしい風景に囲まれながら学べるところがある。家族経営の大農園、バディア・ア・コルティブオーノとテヌータ・ディ・カペッツァーナだ。

トスカーナ中部の森林地帯、キャンティ丘陵地に立つコルティブオーノは、もともとは修道院で、約1000年前にベネディクト派の修道僧がここにぶどうの木を植えたのが始まりだった。1980年代に、料理研究家のロレンツァ・デ・メディチ（かつてトスカーナを支配した一族の末裔で、ここの農園主の妻だった）がここで料理教室を開き、現在にいたる。さらに北のモンタルバーノ丘陵にあるカペッツァーナ農園では、1200年にわたってぶどうとオリーブを栽培している。ここでは伝統を肌で感じながら、パッパルデッレ（幅広の生パスタ）に野ウサギを煮込んだソースを合わせる郷土料理や、料理に合うワインの選び方を学べる。カペッツァーナでは、ぜひヴィン・サント（"聖なるワイン"の意）を試してみたい。農園内の専用の蔵で桜やオーク、栗材などの樽を使って熟成させたデザートワインだ。

ベストシーズン　コルティブオーノの料理教室は5〜10月開催。1日、3日、1週間コースから選べる。カペッツァーナでは、3〜10月に1日または5日コースを開催。どちらも早めに予約すること。
旅のヒント　両農園ともにフィレンツェ、ルッカ、シエナにかなり近い。コルティブオーノから、市場の町グレーヴェや中世の美しい丘の町ラッダやカスティーナまで足をのばしてもいい。カペッツァーナからは、ヴェルシリア海岸の保養地ヴィアレッジョやフォルテ・デイ・マルミなどがおすすめ。
ウェブサイト　www.coltibuono.com、www.capezzana.it

貧乏人のクロスティーニ

豊かな文化と歴史を誇るトスカーナも、かつては何世紀にもわたって物質的に貧しい時代があった。その名残は今も料理に残っている。伝統的なトスカーナ風クロスティーニは、固くなったパンをワインに浸して作る、カナッペ風の前菜。固いパン一つも無駄にしないトスカーナの心が生んだ一品だ。

材料（4人分）
固くなったパン（皮をとったもの）
　50グラム
辛口の白ワイン　300cc
ケイパー（洗ったもの）　50グラム
刻みパセリ　小さじ1
トマトペースト（ピュレでも可）
　小さじ1
エクストラバージンオリーブオイル
　100cc
チャバッタ（パン）　4切れ

固くなったパンとワインをボウルに入れて5分ほど浸しておく。ふやけたパンを取り出し、余分なワインを軽くしぼる。ワインを捨ててボウルにパンを戻したら、ケイパーを加え、軽くかき混ぜながらオリーブオイルをかける。トマトペーストとパセリを加えて十分に混ぜ合わせた後、トーストした薄切りのチャバッタに塗る。

左ページ：クロスティーニの作り方を実演するカペッツァーナのシェフ。
上：なだらかな起伏が続くトスカーナの田園地帯。

トップ10
イタリアの料理教室

すばらしい環境に、郷土色が驚くほど豊かで変化に富んだ料理。
イタリア半島では各地で料理教室が開かれ、地元の伝統料理を本格的に学ぶことができる。

① ヴィラ・ジオーナ（ヴェネト州ヴェローナ）

16世紀に建てられた豪華なヴィラ・ジオーナに滞在して、ふだん草とリコッタチーズを詰めたトルテローニなどの作り方を学ぼう。指導にあたるのは料理研究家のジュリアーノ・ハザン。ヴィラの近くにあるアッレグリーニワイナリーのマリリッサ・アッレグリーニによるイタリアのワイン生産地についての講習や、パルミジャーノ・レッジャーノ・チーズを作る農家の見学ツアーも組み込まれている。

旅のヒント 年に4～5回、1週間コースを開催。www.villagiona.it

② ディヴィーナ・クチーナ（トスカーナ州フィレンツェ）

プロの料理人として20年以上の経験を持つ、フィレンツェ在住の米国人ジュディ・ウィッツ・フランチーニの料理教室。定員は最大6名で、受講者全員が料理実習を体験できる。メニューは、フランチーニの自宅近くにあるフィレンツェの中央市場からの仕入れに応じて季節ごとに替わる。

旅のヒント 年間を通して開催。www.divinacucina.com

③ クチーナ・コン・ヴィスタ
（トスカーナ州バーニョ・ア・リーポリ）

フィレンツェのレストラン「ラ・バラオンダ」の厨房を10年間取り仕切ったエレナ・マティが、フィレンツェ南東の丘陵地にある農家に開設した料理教室。チキンレバーパテをのせたトーストや肉団子のトマトソース和えなど、昔ながらの"おばあちゃんの味"の地元料理を学べる。フィレンツェ市民の台所、サンタンブロージョ市場へのガイド付きツアーも人気がある。

旅のヒント 年間を通じて1～4日の教室を開催。www.cucinaconvista.it

④ ヴィラ・サン・ミシェル（トスカーナ州フィエーゾレ）

15世紀に建てられた元フランシスコ会修道院で開かれる料理教室。イタリアのオリエントエクスプレスホテルからプロの料理人が指導に出向く。パスタやリゾット、スープなどイタリアの主要料理を紹介し、特にトスカーナの伝統料理に力を入れている。

旅のヒント 開催期間は4～10月。8～14歳の子供向けクラスもある。www.villasanmichele.com（日本語あり）

⑤ アッラ・マドンナ・デル・ピアット
（ウンブリア州アッシジ）

アッシジの北にあるB＆Bの農家で開かれる料理教室。講習は近くの村サンタ・マリア・デリ・アンジェリへの買物から始まる。ラビオリやフェットチーネ、カンタロープメロンのムースなど、ウンブリア料理とシチリア料理が中心。季節の野菜とハーブは、庭の菜園から採れたものを使う。

旅のヒント 開催期間は3月中旬～12月。授業は平日に週2回。www.incampagna.it

⑥ フォンタナ・デル・パパ（ラツィオ州トルファ）

ローマの北にある16世紀に建てられた農家で、アッスンティナ・アントナッチと夫クラウディオが指導にあたる。家庭的な雰囲気の中、料理を通してイタリアを体感できるだろう。パスタやニョッキ、サルティンボッカ（生ハムとセージをのせて焼いた仔牛肉）、カルツォーネ（詰め物をして折りたたんだピザ）などの作り方を学ぶ。田園地帯へのハイキングでは地元の"食べられる花"を試食できる。どのコースにもワインとオリーブ油の試飲が組み入れられている。オリーブ油は自家製。

旅のヒント 年間を通して開催。www.cookitaly.it

⑦ ダイアン・シードのローマンキッチン（ラツィオ州ローマ）

英国生まれの料理研究家ダイアン・シードは、ローマに住んで30年。ドリア・パンフィーリ・パレスにある彼女の自宅で行われる教室で教われば、ローマ料理のレパートリーが増えるに違いない。イースト入りの衣をつけて揚げたズッキーニの花やパンナコッタ、フェンネルとオレンジ風味の豚肉料理などが学べる。

旅のヒント 年間を通して開かれるが、8月は休講。シードは講習にローマの歴史を盛り込むことでも知られる。www.dianeseed.com

⑧ マンマ・アガタ（カンパニア州ラヴェッロ）

アマト・"マンマ"・アガタが料理を教える家は、サレルノ湾を見下ろす300メートルの断崖の上にある。1日コースには3時間の実習もあり、南イタリアの家庭料理を学ぶ。マンマご自慢の得意料理は、自宅の庭で採れる有機栽培のレモンで作るレモンケーキとリモンチェッロ（レモンリキュール）だ。

旅のヒント 年間を通して開催。www.mammaagata.com

⑨ セイバリング・サルデーニャ（サルデーニャ島オロゼイ）

サルデーニャ島の東海岸に面した村オロゼイで、シェフのマライア・ケッサが、シーフードリゾットや魚入りラビオリなど、島の郷土料理のコツを教える。ぶどう畑めぐりのほか、パーネ・カラサウ（二度焼きしてぱりぱりの薄いパン）を焼くパン屋の見学もできる。

旅のヒント 9～5月まで開催。4日と7日いずれかのコースを選べる。www.ciaolaura.com

⑩ カーサ・ヴェッキエ（シチリア島ヴァレルンガ）

パレルモ近郊にある一族経営のワイナリー兼農園。料理研究家のアンナ・タスカ・ランツァがカポナータ（揚げ茄子などをワインビネガーで味つけした料理）やイワシのパスタなどシチリア料理を教える。ヴァレルンガ村の市場での買物やワイナリー訪問、羊飼いが作る地元産チーズの製造工程の見学なども楽しい。

旅のヒント 開催期間は9～11月と3～5月。1日、2日、3日および5日コースから選べる。www.absoluteitalia.com

---

右ページ：ナポリの南、アマルフィ沿岸の食料品店。太陽が降り注ぐ南イタリアの大地が生み出した果物や製品が店先に並ぶ。

CANTINE
ETTORE SAMMARCO
ITALY- RAVELLO - SALERNO
CANTINE
ETTORE SAMMARCO
ITALY- RAVELLO - SALERNO

イタリア
地元の人と食すフィレンツェ料理

フィレンツェに行ったら、地元の人たちと同じ場所で、
同じように食べてみたい。本場ならではの醍醐味が味わえるはずだ。

　フィレンツェの栄華を語るドゥオーモ（サンタ・マリア・デル・フィオーレ大聖堂）やサン・ジョバンニ洗礼堂を見た後の疲れを癒すには、1区画先のデッローリオ広場にあるフィアスケッテリア（立ち飲みのワイン屋）でグラス片手に温かな料理を楽しむのが一番だろう。「フィアスコ」とは、藁にくるまれたフラスコ型のワインのびんのこと。庶民的な「フィアスケッテリア・ヌーヴォリ」では、湯気の立つリボッリータ（ボリュームのあるパン入り野菜スープ）やパッパ・アル・ポモドーロ（トマトとパンのスープ）、フィレンツェ風トリッパ（牛の胃の煮込み）などの料理を、芳醇な赤のサンジョベーゼワインとともに味わえる。

　イタリアのほかの都市と同様、フィレンツェにも気軽な食堂がたくさんある。観光ルートからはずれた路地に入り、装飾がひかえめで、客が長いカウンターか背もたれのない椅子に座っている店を探してみよう。戸口に貼った紙切れに手書きで、本日の料理として郷土料理を4、5品紹介していたら、入ってみたい。

　手っ取り早くおいしい料理を食べたいなら、匂いを頼りに一番近いトリッパイオ、すなわちトリッパを売る小さな売店か屋台をめざそう。そこに集まる地元の人と肩を並べて食べれば、フィレンツェの人々がどのように暮らし、食べているかを実感できる。

ベストシーズン　大部分のレストランが休業する8月を除いて1年中いつでもいい。日曜日は閉まっている店が多い。
旅のヒント　こぢんまりとしたレストランが多いのは、チマトーリ通り、マッチ通り、ネーリ通りとメディチ家礼拝堂周辺。昼食時とアペリティーヴォ（勤務時間終了後2時間の"ハッピーアワー"）の時間帯はどこも混雑する。
ウェブサイト　www.theflorentine.net　www.firenzeturismo.it　www.faithwillinger.com

屋台のトリッパ

伝統料理の**フィレンツェ風トリッパ**は、下ゆでした牛の第2胃（ハチノス）を細切りにして玉葱、セロリ、人参、トマトと一緒に煮込み、仕上げにエクストラバージンオリーブオイルで風味を添えたもの。

フィレンツェとローマは何世紀にもわたって"カピターレ・デッラ・トリッパ（トリッパの都）"の称号を争ってきたが、最終的にはトリッパイオというユニークな形態の店を生んだフィレンツェが一歩リードしている。

色鮮やかな古い木製の屋台の大半は、今ではスチール製の売店に変わってしまった。しかし、露天商たちは相変わらず陽気で、町の伝統を守っていることを誇りにしている。

トリッパにはこくのある赤ワインが合う。牛の第4胃（ギアラ）をよく煮込んでパンにはさんだランプレドットも試してみたい。にんにくとパセリのソースをかけてかぶりつこう。

心地良い夏の夜に夕食を楽しむフィレンツェの人々。ドゥオーモと洗礼堂があたかも劇場の背景のような雰囲気をかもし出す。

生徒の料理を細かくチェックする講師。細部へのこだわりがコルドン・ブルーの流儀だ。

フランス

名門コルドン・ブルーで腕を磨く

世界で最も有名な料理学校に入るのは、未来の料理長だけではない。
一般の人でも参加できる短期コースが用意されている。

パリ左岸の閑静な通りにある料理学校、「ル・コルドン・ブルー・アカデミー・ダール・キュリネール」。1895年設立の伝統あるフランス料理の殿堂では、肉や魚の調理法からペストリーの作り方まで、幅広い分野で腕を磨きたいと願う料理愛好家たちのために、1〜4日のコースを開いている。授業はすべてフランス語で行われ、英語の通訳がつく。教室は、専門の設備を備えた厨房だ。まずシェフによる実演が行われる。天井には鏡が設置してあり、シェフの手元もつぶさに観察できる。続いて、最高級の食材を使って実習が始まる。

世界でも早くからシェフの実演を公開してきた同校の伝統は、短期コースの授業にも受け継がれている。前菜、テリーヌ、クレープを作る教室のほかに、ソース、パン、チョコレートの調理法をマスターする教室もある。プロのシェフには名誉あるグラン・ディプロームを、アマチュアには、料理界の最高峰でソテーのコツや完璧なスフレの作り方を学ぶ機会を与えてくれる。それがここ、コルドン・ブルーだ。

ベストシーズン　年間を通して開催。授業と実演は平日に行われることが多い。
旅のヒント　短期コースの定員は10〜15名なので、遅くとも1カ月前には予約が必要。特定の前菜かメインコースと、デザートの作り方を学ぶ2〜3時間のグルメワークショップもある。コルドン・ブルー・インターナショナルは、世界約20カ国で料理教室を開いている。
ウェブサイト　www.cordonbleu.edu（日本語あり）、www.epiculinary.com

フランス料理の女性大使

コルドン・ブルーの著名な卒業生のひとりが、料理研究家で、米国のテレビの料理番組で実演シェフとして活躍した**ジュリア・チャイルド**（1912〜2004年）だ。彼女は、第二次世界大戦後に夫がパリの米国大使館に赴任した時に、初めてフランス料理に出合った。それが生涯にわたる情熱の始まりだった。その出合いは"魂と精神の解放"だったという。

コルドン・ブルーに入学したジュリアは、校長と意見を衝突させながらもグラン・ディプロームを取得。1963年には最初のテレビシリーズ**フレンチシェフ**が米国で放映された。1メートル90センチの長身で堂々としたジュリアは、特別な存在感を持っている。料理番組では、オムレツの作り方などの基礎から、新鮮なレモンシャーベットの作り方などの洗練された技にいたるまで、フランス料理の多様な技法を米国の視聴者に紹介し、91歳で故郷のカリフォルニアで亡くなった。

トップ10
発祥の地で楽しめる料理

世界的に名を知られた料理や飲み物には、それぞれに誕生のきっかけがある。その料理が生まれた場所を訪ね、誕生にまつわる物語を楽しむのも一興だ。

❶ バナナフォスター（米国、ルイジアナ州ニューオーリンズ）

バナナをバターとブラウンシュガー、シナモン、バナナリキュールでソテーした後、ラム酒を加えてフランベ（酒を注いで火をつけ、一気にアルコール分を飛ばす調理法）し、バニラアイスクリームにかけたデザート。テーブル脇で調理するという演出も楽しい。1951年にレストラン「ブレナンズ」のシェフが考案した。

旅のヒント　「ブレナンズ」の住所は、ニューオーリンズのフレンチクオーター、ローヤル通り417番地。www.brennansneworleans.com

❷ シンガポールスリング（シンガポール）

このばら色のフルーツカクテルが生まれたのは1910年頃。ラッフルズホテルのバーテンダー、ニャン・トン・ブーンが考案した。ジンとチェリーブランデー、コアントロー、ベネディクティン、グレナデンシロップ、少量のビターズ、パイナップルとライムのジュースをかき混ぜて、さくらんぼとパイナップルのスライスを飾る。

旅のヒント　ラッフルズホテルはビーチロード1番地にある（地下鉄はシティホール駅下車）。シンガポール航空では全クラスでシンガポールスリングを無料で提供している。www.raffles.com

❸ ダージリンティー（インド、ダージリン）

東ヒマラヤ山麓の高地、植民地時代の避暑地ダージリン周辺の緑豊かな田園地帯は、紅茶栽培の楽園と呼ぶにふさわしい。ダージリンティーは紅茶のシャンパンといわれており、その黒い茶葉には常に最高の値がつく。生産工程を知るには、グレンバーン茶園の豪華な宿泊施設に泊まるのが一番。

旅のヒント　ダージリンヒマラヤ鉄道での旅は夢のような体験となるだろう。茶葉の生育期間は3～11月。www.glenburnteaestate.com

❹ ベリーニカクテル（イタリア、ベネチア）

サンマルコ広場のそばにあり、季節を問わず多くの人でにぎわう「ハリーズバー」で生まれたのがベリーニカクテル。プロセッコワインと白桃のピュレをミックスした香りのよいカクテルだ。1934年にオーナーのジュゼッペ・チプリアーニが考案し、各地のイタリア料理店を通じてまたたく間に世界中に広まった。

旅のヒント　観光客で混雑する店が苦手なら、ジュデッカ島にある姉妹店「ハリーズドルチ」が落ち着く。www.cipriani.com

❺ パルマハム（イタリア、パルマ）

パルマハムの生産地は、北イタリアのパルマ市周辺の小規模な農村地帯。生ハム作りに必要なのは四つ。特別に飼育された豚の脚、保存用の少量の塩、乾燥した空気、そして忍耐だ。なにしろ、製造に最低でも400日はかかる。ハムにはかすかにナッツのような風味がある。

旅のヒント　旅行会社パロマゴローザは生産者を訪ねるグルメツアーを開催。www.prosciuttodiparma.com（日本語あり）、www.parmagolosa.it

❻ タルト・タタン（フランス、ラモット＝ボーヴロン）

カラメルで風味を付けた生食用のりんごをパイ生地の下に敷いて焼いた"さかさまの"タルト。フランス中部の村ラモット＝ボーヴロンに住むタタン姉妹の手により偶然に生まれたとされる。2人はその村の「オテル・タタン」のオーナーだった。

旅のヒント　「オテル・レストラン・タタン」は今も営業しており、タルト・タタンを出している。www.hotel-tatin.fr

❼ ピーチメルバ（英国、ロンドン）

バニラアイスクリームの上に桃のシロップ煮をのせ、ラズベリーソースをかけたデザート。誕生のきっかけは、1892年か93年のある晩、コベントガーデンで行われたソプラノ歌手ネリー・メルバの公演。テムズ川沿いのサヴォイホテルのシェフが歌に感動し、彼女に捧げるために考案した。

旅のヒント　サヴォイホテルは2010年に140億円を投じたリニューアルが完了する予定。www.fairmont.com

❽ バノフィーパイ（英国、ジェヴィントン）

バノフィーは、南イングランドのサウスダウンズにあるパブ「ハングリーモンク」のオーナーが1972年に考案した。名前は"バナナ"と"タフィー"を合わせたもの。練り込みパイ生地の上にコンデンスミルクを缶のまま煮て作ったタフィー（ミルクジャム）を敷き、その上にバナナとあわだてた生クリームを重ねる。

旅のヒント　景色のよいサウスダウンズウェイを歩いてお腹をすかせよう。www.hungrymonk.co.uk

❾ チェダーチーズ（英国、チェダー）

チェダーというブランドは特定の地域やレシピに限定されず、原産地銘柄に関する取り決めもない。そのため、大量生産されたまがい物が多く出回っている。伝統的な製法では、低温殺菌していない牛乳を使う。この作り方を守っているのは、英国最大の渓谷のふもと、サマセット村にあるチェダーゴージュチーズカンパニーだ。

旅のヒント　工場は年中無休。イースターから10月までガイド付きで見学できる。www.cheddargorgecheeseco.co.uk

❿ エクルズケーキ（英国、ソルフォード）

干しぶどうが入った平らな折り込みパイ生地のケーキ。ぶどうがぽつぽつとみえるので、子供たちがふざけて"デッドフライパイ（死んだ蠅のパイ）"と呼ぶこともある。正確な誕生地は不明だが、1790年頃、このケーキで初めて商業的に成功したのが、イングランド北西部エクルズのジェームズ・バーチの店。

旅のヒント　エクルズの「マーティンズベーカリー」でこのケーキを売っている。また、「スミスズレストラン」では紅茶と一緒に楽しめる。www.martinsbakery.co.uk、www.smithsrestaurant.net

---

右ページ：サマセット州エバークリーチ近くの酪農場のチェダーチーズ。重さは約2.3キロ。形は昔から"円筒形"で、布に包んで売られる。

Traditional Farmhouse Cheddar

EXPRESSO
THE . CHOCOLAT-CAFE
CAPPUCCINO
COCA.COLA
ORANGINA
LIPTONIC
GINI
SCHWEPPES
BANGA
PANACHE
AROMATES des ALPILLES
claude carbonel
CARPE DIEM
VÉRITABLE SAVON de MARSEILLE
Huile d'OLIVE
ou
Huile de Coprah
72% d'Huile

フランス
南仏プロヴァンスの誘惑

牧歌的な風景で知られるプロヴァンス中部・リュベロン地方。
そこには太陽の恵みを受けた料理との出合いが待っている。

夏の午後、丘の上の村ラコストにある「カフェ・ド・フランス」のテラス席に座ってみよう。見渡せば、のどかな農場やぶどう畑、森が隣の丘の町ボーニューまで続いている。地元の市場を散策すると、いろいろな食べ物が放つ香りに圧倒されるだろう。「愛のりんご」という名の完熟トマト、甘い香りを放つバジル、数珠つなぎのにんにく、摘んだばかりの野の花、丸い塊になった山羊のチーズ、地元の農家が収穫したばかりのオリーブ…。

こうした豊かな恵みは、土地の料理にも表れている。にんにくやオリーブ油、オリーブの実、バジルの豊かな風味。そして名高いミックスハーブ「エルブ・ド・プロヴァンス」にはタイム、フェンネル、ローズマリー、チャービル、セイボリー、オレガノのほか、時にオレンジピールやラベンダーも加わって、独特の風味を添える。

トリュフとトマトのオムレツ、バジルとにんにく、オリーブ油で作ったソース・ピストーを入れた野菜スープ、オリーブと白ワインを使ったウサギや鶏肉のソテーなど、そのときの気分で自由に選ぼう。さいの目に切った牛肉をにんにく、野菜、エルブ・ド・プロヴァンスと一緒に赤ワインで蒸し煮したドーブも味わいたい。

ベストシーズン　観光客が少なく気候が温暖な5～6月がベスト。夏は暑いが、6月下旬～7月下旬にはラベンダーが咲く。9～10月の風物詩はヴァンダンジュ(ぶどうの収穫)。冬は寒いが、11月中旬～1月初旬はオリーブの収穫が行われる。

旅のヒント　郷土料理のコツを学ぶなら、オーナーシェフのフィリップ・ドゥボールが指導する料理教室「メイド・イン・リュベロン」を予約しよう。昼食付きの午前クラスと夕食付きの夜クラスのどちらかを選べる。たいていの町や村には毎週市が立つ。おすすめはアプト、ボーニュー、ラコスト、ルーション、ソー、ヴェゾン・ラ・ロメーヌ。昼まてには店じまいしてしまうので、早めに行くこと。大部分の品が地元産だが、"デュ・ペイ"(地元産)の印を確認したい。

ウェブサイト　www.avignon-et-provence.com、www.visitprovence.com、www.beyond.fr
www.provenceweb.fr

アマンド・グリエ・オ・ゼルブ
(ハーブ風味のローストアーモンド)

春になるとリュベロンの丘で花を咲かせ、秋には収穫期を迎えるアーモンド。エルブ・ド・プロヴァンス風味のローストアーモンドは、地元産のロゼワイン、コート・デュ・リュベロンとともに食前につまむのにぴったりだ。アーモンドは煎る前に水につけて茶色の薄皮を軟らかくしておくと、味がしみ込みやすい。

材料(8人分)
アーモンド(皮付き)　300グラム
エルブ・ド・プロヴァンスあるいはローズマリー、バジル、ベイリーフ、タイムのミックス　20グラム
塩　小さじ2
挽きたての黒胡椒

アーモンドを大きめのボウルに入れてひたひたに水を注ぐ。20分後、水気を切り、塩、黒胡椒、エルブ・ド・プロヴァンスを加える。よく混ぜ合わせて1時間置いておく。

オーブンを180℃に熱し、天板にクッキングシートを敷く。味付けしたアーモンドをシートの上に均等に並べ、乾いてカリカリになるまで15～20分間焼く。アーモンドをオーブンから取り出し、冷ましてから食卓に出そう。

左ページ：絵のように美しい、村の食料品店。上：茄子は南仏プロヴァンス料理の重要な食材のひとつだ。

スペイン
アンダルシアの料理を楽しむ

イベリア半島南端・アンダルシア地方の料理は、食する者を驚かす。
アラブの影響を色濃く残し、思いもよらない味の組み合わせが魅力だ。

アンダルシア料理の基本は、北アフリカとアラブの遺産によるところが大きい。約800年にわたるムーア人の支配が残した置きみやげだ。ムーア人は高い農業技術を持っていたので、米やほうれん草、ふだん草、セモリナ(クスクスの材料)、茄子、砂糖、サフラン、柑橘類などをアル゠アンダルス(イベリア半島のイスラム支配下の地域)に伝えた。また、クミンやコリアンダー、ローズマリー、ナツメグ、シナモンなどのハーブや香辛料も、重要な食材として使われるようになった。

羊肉に蜂蜜、山ウズラになつめやしといった取り合わせが魅力的だ。セビリアに行ったらボケロネス・エン・アドボ(クミン風味のアンチョビー)を、コルドバでは伝統的なアルボローニャ(茄子、ズッキーニ、ピーマンの煮込み)を食べてみたい。ロンダのアホ・ブランコ(砕いたアーモンド、にんにく、オリーブ油を使った冷たいスープ)も逃せない。グラナダのバル「ロス・ディアマンテス」では、極上のクミン風味のカラマレス(コウイカ)のフライがおいしい。サンルカル・デ・バラメダの「カサ・ビゴテ」は、グアダルキビル川河口でとれた魚にほろ苦いオレンジソースをかけた料理が有名。

ベストシーズン　アンダルシアを楽しむには、息の詰まるような暑さを避けて、10〜5月に行きたい。
旅のヒント　サムとジェニーのチェスタートン夫妻が、アンダルシア西部のコルクガシと栗の山林に囲まれた自宅、フィンカ・ブエン・ヴィノでスペイン料理の教室を開いている。また、グラナダ南東の歴史的な山岳地域、アルプハラ地方にある「カサ・アナ」も選択肢のひとつ。テイスト・オブ・スペインやエピキュリアンウェイズなどの旅行会社では、料理教室に加えて、食事やワインのツアーも企画している。
ウェブサイト　www.andalucia.com、www.fincabuenvino.com、www.casa-ana.com
www.atasteofspain.com、www.epicureanways.com

コース料理

コース料理という形式は9世紀に**コルドバ**で誕生したという説がある。当時のコルドバは、強大なイスラム帝国の首都。考案者は、首長直属の筆頭音楽家だった**ズィルヤーブ**("黒い鳥")といわれている。

浅黒い肌と美しい歌声ゆえにその通称で呼ばれていた彼は、洗練されたバグダッドの宮廷からコルドバに戻った後、味覚に関する権威者としてもてはやされた。クリスタルガラスのゴブレットを食卓で使い始めたともいわれている。

料理の出し方についても、ずらりと卓上に並べるかわりに、最初にスープ、続いて肉と魚、最後に甘味や果物、ナッツ類と順番に出す方法を編み出した。この方式がアンダルシアのほかの地域に伝わり、はてはヨーロッパまで広まったのである。

アンダルシアを支配したムーア人たちは、料理の伝統だけでなく、グラナダのアルハンブラ宮殿のような輝かしい遺産も残した。

白ワインを飲みながら、朝の実習の成果を味わう「シーフードスクール」の受講生たち。

英国
パドストウの魚介料理

絵のように美しい英国南西部の漁港は、
新鮮な魚介類を使った料理を学ぶのに絶好の舞台だ。

　リック・スタインは、英国で最も人気の高いシェフのひとり。彼は、くつろいだ雰囲気の中で魚介料理の腕を磨いてもらおうと、コーンウォール州の町パドストウに「シーフードスクール」を開いた。そこでは、基本的な魚の下ごしらえや調理法に加えて、イカスミのリゾットやタイ風シーフードカレーなど多彩な料理を学べる。いずれも、主役はとれたての新鮮な魚介類だ。授業は昼食をはさんで行われ、午前の授業が終わると、ワインを飲みながら作った料理を味わう。

　もっと簡単に海の幸を楽しみたいなら、リック・スタインが経営する3軒の魚介料理のレストランが待っている。パドストウの港や色鮮やかな漁船の一団を見下ろす「シーフードレストラン」で、魚介類をさまざまに組み合わせた料理を堪能したい。

　気軽な「リック・スタインズ・カフェ」では、軽食や簡単なコース料理を用意している。タラを使ったコッド&チップスはもちろん、イカやアンコウの料理もある。

ベストシーズン　夏の週末と休日は混むので避けたい。
旅のヒント　料理教室はほとんどが1～2日のコースだが、熱心な魚料理愛好家のために、春に5週間の夜間コースが開かれる。滞在中は、キャメル川河口から東に広がるロック村を訪ねてみたい。ここは"英国のサントロペ"と呼ばれ、砂浜が美しく、富裕層の行楽地となっている。息をのむほどすばらしい別荘や洗練されたブティック、高級レストランがある。
ウェブサイト　www.rickstein.com、www.visitcornwall.com、www.thepicturehouse.eu

スズキのカリカリ焼き

英国中の若い料理人たちに刺激を与え続けるリック・スタイン。ここではブリストルにある「ザ・ピクチャーハウス」のメニューから、そうした新世代シェフのレシピを紹介しよう。

材料（2人分）
スズキの切り身
　　2切れ（175グラム×2）
コーン油　大さじ2
塩・胡椒　適量
オリーブ油　大さじ4
レモン汁　1/2個分
ディル（細かく刻んだもの）　大さじ2
ケイパー　大さじ1

　魚をよく洗い、ペーパータオルで押さえて水気をきる。塩と胡椒で下味をつけ、皮の側に塩をたっぷりふる。
　フライパンを中火にかけ、コーン油を入れて煙が出ない程度に熱する。
　皮側を下にして魚をフライパンに並べる。皮がカリッときつね色になり、身にも火が通るまで焼く。切り身が厚い場合は、皮がパリッとしたらひっくり返して2～3分焼こう。皮を焦がさないように注意すること。焼き上がったら、魚を温めた皿に移す。
　フライパンにオリーブ油とケイパーを加えて、カリカリになるまで揚げる。レモン汁とディルを加え、さっとかき混ぜて魚の上にかけて、最後に新じゃがいもを添える。

ホタテ料理を教わる受講生。

モロッコ
マラケシュの現代モロッコ料理

モロッコ中央の都市マラケシュにある洗練されたホテルで、
現代風にアレンジされた伝統的な郷土料理の作り方を学ぼう。

モロッコ料理の神髄は、絶妙にブレンドされた30種以上にのぼる香辛料とハーブにあるといっても過言ではない。

マラケシュにあるホテル「ジュナン・タムスナ」で行われる朝の料理教室もハーブ園から始まる。ジュナンとはアラビア語で"天界の庭園"の意味。ホテルのシェフで料理教室の講師も務めるバヒジャの案内で、ジュナン・タムスナの美しい庭園を歩いていると、まるで天国にいるような気がしてくる。ハーブと野菜の菜園に花壇、オリーブとレモンの果樹園、なつめやし…。

受講生は、シナモンやクミンなどの香辛料をローストし、みじん切り用の両手付き包丁で細かくすりつぶす。バヒジャはこのような香辛料を生かした料理の極意を伝授する。作るのは、昔ながらの土鍋を使って鶏と野菜を蒸し焼きにしたタジンやパスティラ（パイ包み焼き）、りんごのブリワット（パイ）といった郷土料理が中心だが、その作り方は決して伝統に縛られていない。パスティラの中身はふつうは若い鳩の肉だが、バヒジャは魚と塩漬けレモンを使って軽い食感に仕上げる。

ベストシーズン 　ジュナン・タムスナは1年中営業しているが、6〜9月は非常に暑い。

旅のヒント 　マラケシュのメディナ（旧市街）にある食料品や香辛料を扱う店や、ジャマ・エル・フナ（中央広場）の市場に並ぶ屋台は、料理好きには見逃せない場所。ジュナン・タムスナは、メディナの外にあるオアシスのようなパルメライエ地区にあり、建物はリヤド（中庭のある家）様式だ。料理や食事以外の時間は、五つあるプールで泳いだり、マッサージやヨガ、リフレクソロジーでくつろいだり、テニスを楽しむのもいい。

ウェブサイト 　www.jnane.com、www.visitmorocco.com

塩漬けレモン

塩漬けレモンは最長で1年もつ。漬け汁は、サラダのドレッシングやスープ、あるいは肉料理や魚料理のソースの風味付けに使える。

レモン　5個
塩　55グラム
オリーブ油　大さじ1
シナモンスティック　1本
クローブ　3粒
コリアンダー　6粒
黒胡椒の実　4粒
ローリエ　2枚

レモンは縦四つ割りに深く切れ目を入れる。このとき、完全には切り離さない。切り口の果肉に塩を振りかけてから元の形に戻す。消毒したびんにレモンを重ねて入れ、隙間に塩、オリーブ油、香辛料を加える。レモンをびんに押しつけて汁を出し、別にしぼった新鮮なレモン汁を全体がかぶるまで注ぐ。びんを密閉して暖かな場所に30日間そのまま置いておき、毎日びんを揺する。

マラケシュの西にある美しいメナラ庭園。後方には、雪をかぶったアトラス山脈が連なる。

ボ・カープにある香辛料の店。新鮮な生姜をはじめ、ケープマレー料理に欠かせない香辛料を買い求める客でにぎわう。

南アフリカ
ボ・カープのケープマレー料理

ケープタウン中央の歴史地区で生まれたケープマレー料理。
西洋と東洋、そして南アフリカの地元の食材が融合した独特の料理だ。

イスラム教の祈りの時刻を知らせる係が正午の祈りへの呼びかけを始めたら、玉石を敷きつめた通りを歩いてみよう。家々の台所の窓から、香辛料がたっぷり入った料理の匂いが漂ってくる。

ボ・カープ（アフリカーンス語で「岬の上」の意味）は、ケープマレー料理の故郷である。1830年代、マレーシアやインドネシアの奴隷たちがこの地に住み着き、地元の食材と東洋の風味を巧みに融合させた料理を生み出した。

まずはローズ通りのカフェで、牛乳とタピオカを混ぜたバラの香りのする飲み物、ファルーダを飲んでみよう。レストランの「ビエスミエラ」や「ボ・カープ・コムブイ」（テーブル山の全景が見渡せる）では、地元の人たちと一緒に、ボボティやデニングブレイス、スモアースヌークといったケープマレー伝統の料理を食べてみたい。

ベストシーズン 真夏のクリスマスと新年は航空運賃が高いものの、1月1〜2日に「ケープタウン吟遊詩人カーニバル」が開催される。色鮮やかな衣装に身を包んだ数百人の吟遊詩人たちがバンジョーを演奏しながら、ボ・カープはじめケープタウンの町をパレードする。

旅のヒント アンデュレラ旅行会社の1日ツアーはボ・カープ博物館からスタートし、ガイドが周辺地域を案内する。料理のワークショップと2回の食事付き。この地域の雰囲気を満喫したいなら、ローズ通り28番地にあるB&B「ローズロッジ」が便利だ。

ウェブサイト www.cape-town.org、www.andulela.com、www.biesmiellah.co.za
www.rosestreet28.com

ケープマレー料理

■**ボボティ**は、挽き肉や小粒の種なし干しぶどうを使ったカレーのような料理。香辛料は控え目だが、複雑な味で、香りのよいカスタードを上にかけて焼く。

■**デニングブレイス**は、骨なし羊肉を使った甘酸っぱい煮込み料理。タマリンドの風味が食欲を誘う。付け合わせとして、サフランライスにアーモンドと干しぶどうを添える。

■**スヌーク（クロタチカマス）**は地元産の濃厚な味を持つ魚で、燻製にすることが多い。これをじゃがいもと、刻んだトマト、クローブ、アーモンドと一緒に煮込んだシチューが**スモアースヌーク**だ。

■**コークシスター**はドーナツ状の生地を揚げて、カルダモンと生姜で味付けしたシロップに漬けたもの。仕上げにココナツの粉をまぶす。

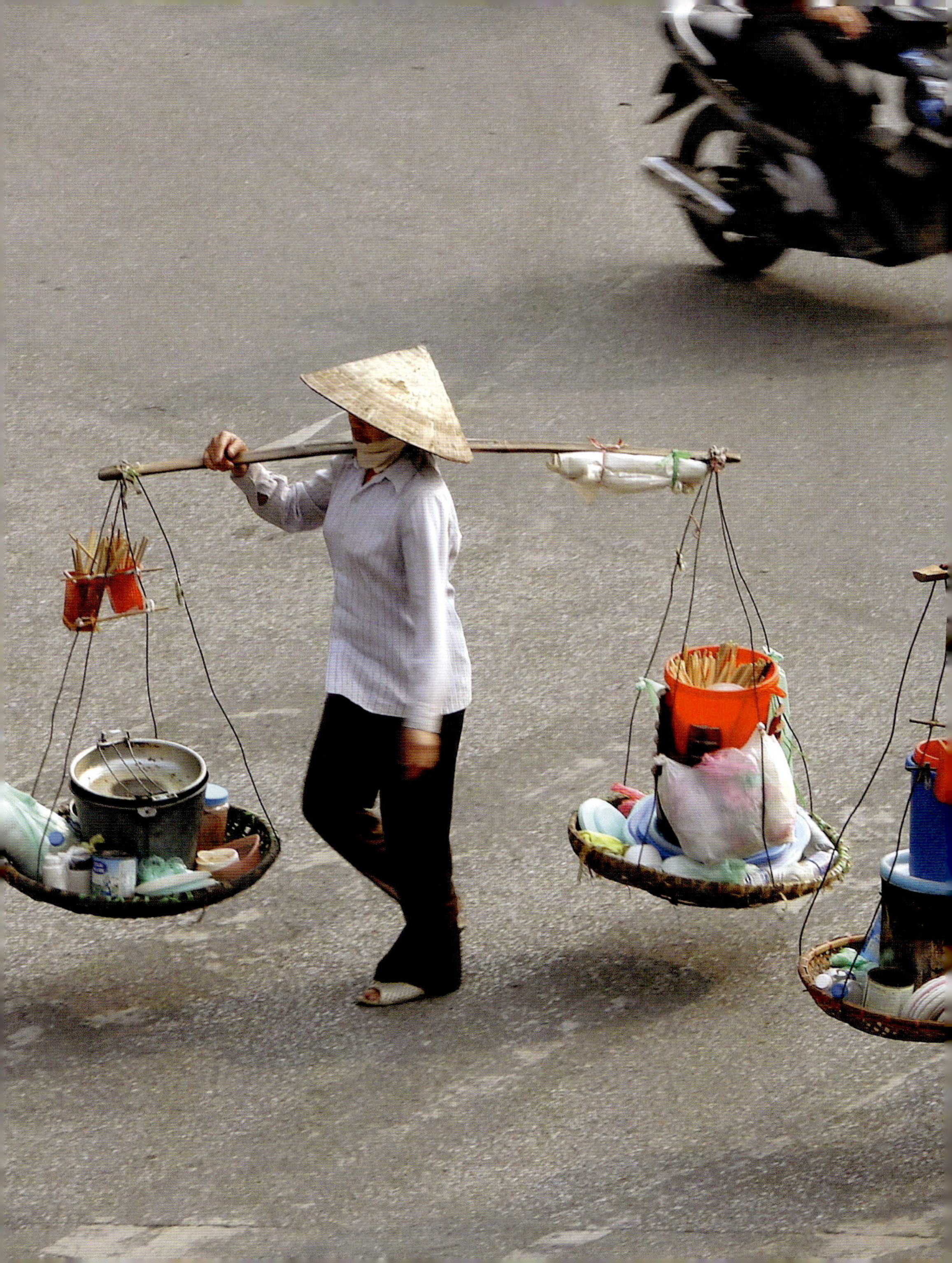

5 食べ歩き、屋台は楽し

煙やスパイスの香り、あるいはふと目にした屋台の見慣れない一品から、食の冒険は始まる。見知らぬ町の路地に迷いこむもよし、住みなれた町の知らない店に立ち寄るもよし。地元の客でにぎわう店をのぞけば、そこには食欲をかき立てる伝統の料理や異国情緒あふれる食べ物が待っている。

屋台の味で名高い町なら、食通はほかに用事がなくても出かけていく。たとえばシンガポールの屋台村は、それ自体がひとつの旅の目的地となる。麺類、炭火で焼いた肉、カレーによく合うインド風のパンケーキ。幅広いアジア料理から引き出されたその味が、食いしん坊たちを魅了する。

ひとつの料理がその町のシンボルになることもある。完璧な黄金色のフィッシュ&チップスは、ロンドン塔にまさるとも劣らない英国の観光資源だろう。ロサンゼルスのチリドッグ、メキシコの港町ベラクルスのトロピカルフルーツシェイク、ジャマイカのジャークポーク。こうしたさまざまな屋台の味が、それぞれの美味なる物語をつむぎ出す。

ベトナムの屋台に高価な厨房器具はいらない。1本のさおとかご、そして食材と料理道具さえあれば、バイン・コアイなどのご馳走を作れる。

ホットドッグを売るカートはニューヨークのシンボル。ドッグもプレッツェルも熱々だ。

米国ニューヨーク州

ニューヨーク、路上の名料理人

高級レストランに行く必要がどこにあるだろう。ニューヨークの街角には安くてうまい食べ物を売る屋台やスタンドがいっぱいだ。

　大都会は"眠らない町"。そこに住む人は、すばやい燃料補給が欠かせない。だからこそニューヨークには、食べ物を売るバンやスタンド、カート（手押し式の屋台）があふれている。それらの店主は米国外からやってきた移民が多い。彼らは世界各地の伝統料理をメトロポリスに持ち込んだ。
　ジャマイカの山羊肉パイにかぶりつき、中国の腸粉（チョンファン）（米粉をクレープ状に伸ばし、肉、魚介類、野菜などの具を包んで蒸した点心）を味わおう。エジプトのファラフェルをつまみ、スリランカのベジタリアン風カレーとドーサ（米と豆から作るパンケーキ）に舌鼓を打とう。屋台の味に目がないニューヨーカーは「ベンディ賞」というコンテストを毎年開き、"歩道のシェフ"を称えている。彼らの"追っかけ"をするのも楽しみの一つだ。車を使っている店主は、日ごとに場所を変えたりもする。同じような時間帯に現れる店主もいれば、週末だけ店を出す店主もいる。

ソーセージとアレーパ

■本場のドイツソーセージを食べるなら、マンハッタンの54丁目へ行こう。5番街との交差点近くの**ハローベルリン**というカートは、ニューヨークで最高のソーセージを出している。パピール兄弟がこの商売を始めたのは四半世紀も前のこと。お好みのソーセージに、炒めたじゃがいも、ザワークラウト、自家製ソースが付いた「デモクラシースペシャル」を頼んでみよう。座ってソーセージとビールを楽しむなら、パピール兄弟が経営するビアホールもある。

■アレーパはとうもろこしの粉で作るコロンビアの国民食だ。カリッとした食感で、口に入れるとすぐ溶ける。このアレーパでベンディ賞の常連になっているのが**アレーパレディ**。クイーンズ区を拠点にカートを出す女性主人は、比較的暖かい月の金～土曜日の夜10時以降にしか営業しない（しかも気分が乗ったときのみ）。彼女が店を出せばマンハッタンじゅうからアレーパ好きが押しかける。彼女が出没する場所を知るにはウェブサイト「マイスペース」をチェックするとよい。

変わらぬ人気のプレッツェルは、19世紀のドイツ系移民がもたらした。

ベストシーズン　ニューヨークの夏は蒸し暑く、冬はかなり冷える。訪れるなら春か秋がよい。路上の味を楽しむときにも、暑気あたりしたり、指がかじかんだりすることがない。
旅のヒント　「ストリートベンダープロジェクト」のウェブサイトで、前年のベンディ賞で最終審査に残った料理人たちのリストを公開している。いつ、どこに行けば彼らに会えるかがわかるはずだ。
ウェブサイト　www.streetvendor.org、www.myspace.com/arepalady（日本語版あり）
www.halloberlinrestaurant.com

米国ペンシルベニア州
フィラデルフィアの名物サンドイッチ

フィラデルフィア生まれの豪快なサンドイッチ。
牛肉とチーズがたっぷり入った名物にかぶりつこう。

チーズステーキサンドイッチ、ローストポークサンドイッチ、ホーギー（サブマリンサンドイッチ）。固めの長いロールパンにあふれんばかりの肉をはさんだフィリーサンドイッチの生まれ故郷は、南フィラデルフィアの古いイタリア人街だ。なかでも焼いた牛肉にチーズと玉葱を添えたチーズステーキサンドイッチは人気が高い。9番街とパシュンク通りの角には、いつも人だかりができている。このサンドイッチを考案した「パッツ・キングオブステーキ」と、ライバル店の「ジェノズ」が日々、張り合っているからだ。だが、地元の人は、そうした有名店は観光客にまかせて、工業地帯の奥にある「ジョンズ・ローストポーク」や「トニー・ルークス」などに行く。そちらの方が肉もプロボローネチーズもたっぷりと入っている。

ホーギーは19世紀にイタリア系露天商が考案した。彼らはロールパンに前菜風サラダをはさんで売った。現在、最高のホーギーを出すのは、「ロンバルディーズ」や「コズミズ」、「リッチブラザーズ」といった南フィラデルフィアの総菜店だ。

イタリア市場

9番街を行くと、**ワシントン通り**との交差点近くに天幕に覆われた一角がある。米国でも古い青空市場として名高い、イタリア市場が立つ場所だ。そこでは100年前から変わらずイタリア系の商人たちが食べ物の露店や屋台を出している。

輸入食品を扱う店で、何百種類というチーズやサラミ、オリーブ油から好みの一品を選ぼう。昔かたぎの食肉店はソーセージや自家製のイノシシのハムで客を誘う。できたての手打ちパスタを売る店もお見逃しなく。最後は甘みのあるリコッタチーズを詰めたパイ、**カンノーリ**で締めよう。

ベストシーズン　天気を考えるなら3〜5月と9〜11月がよい。ただ7月の第1週に行けば、「フィラデルフィアフリーダムフェスティバル」の花火やパレード、コンサートが楽しめる。この町で1776年に米国の独立宣言が署名されたのを記念するイベントだ。

旅のヒント　9番街とワシントン通りにはメキシコ人街とベトナム人街がある。メキシコ料理の「ラ・ルーベ」（南9番街1201）は、じっくり焼いた仔羊肉を作りたてのトルティーヤで包んで出す店だ。ワシントン通りの小さな食堂でベトナム名物のフォーを食べるのもいい。レストラン「ナム・フォン」は、春巻、ブロークンライス（砕いた米）、レモングラスで味付けした肉などを大皿で出している。

ウェブサイト　www.gophila.com・www.phillyitalianmarket.com

東オレゴン通りにある「トニー・ルークス」。色とりどりのネオンがフィリーサンドイッチの故郷であることをアピールする。

133

米国ミズーリ州、カンザス州
カンザスシティのバーベキュー

食肉産業で発展したカンザスシティは、まさにバーベキューの都。
この町のバーベキューは、今も食通の情熱をかき立てている。

　ッションロードと47番街の角にあるガソリンスタンドの横に、人々が行列を作っている。彼らのお目当ては2～3人前は優にあるポークリブや、ポンド（約450グラム）単位で売られるブリスケット（牛の胸肉）、柔らかく煮崩した豚肉入りサラダだ。店の名は「オクラホマ・ジョーズ・バーベキュー」。カンザスシティに何百軒もあるバーベキューレストランの中でも屈指の人気店である。

　カンザスシティバーベキューの誕生は1908年前後にさかのぼる。アフリカ系アメリカ人のシェフ、ヘンリー・ペリーが、トマトや唐辛子、糖蜜を混ぜたソースをポークリブに塗り、ヒッコリーや樫材の火でじっくりと焼いたのが始まり。

　家畜の取り引きと食肉加工で富を築いたカンザスシティでは、肉は王様。バーント・エンズ（燻製にしたブリスケットの切れ端）からヘンリー・ペリー風のバーベキューまで、ありとあらゆる食べ方がある。ジャズやブルースを聴きながら食べれば、天にも昇る味がするはずだ。ヘンリー・ペリー以降の料理人たちが秘密の味を加えてきたが、基本的なバーベキューソースと調理法はほとんど変わっていない。

ベストシーズン　秋なら空は澄み、気温も快適。「アメリカンロイヤルバーベキュー」も開かれる。夏にも数多くのバーベキューコンテストがあるが、竜巻が発生したり、気温が38℃近くに達したりすることもある。

旅のヒント　ブルックリン通りにカンザスシティバーベキューの二つの名店がある。ともにヘンリー・ペリーの味を受け継ぐ「アーサー・ブライアンツ」と「ゲイツ&サンズ」だ。前者で食事をした客の中にはトルーマンやカーター、レーガンといった大統領経験者も。後者はいくつか支店を出している。

ウェブサイト　www.visitkc.com、www.kcbs.us、www.americanroyal.com

バーベキューの
ワールドシリーズ

　バーベキューのコンテスト**アメリカンロイヤルバーベキュー**が開かれる10月になると、腕自慢の料理人たちが世界中からカンザスシティへとやってくる。1980年に始まったこのコンテストは、自称"バーベキューのワールドシリーズ"。約600組の参加者が5部門（**チキン、ポークリブ、ビーフブリスケット、ポークショルダー、ソーセージ**）でそれぞれ腕を競い合う。

　4日間のコンテストはカンザスシティのバーベキューシーズンのクライマックス。同時に、ロデオや家畜の品評会からなるイベント「アメリカンロイヤル」の幕開け行事でもある。

　グランドチャンピオンをめざすなら、ソーセージ以外の全部門に参加しなければならない。プロの料理人が優勝するとは限らず、たとえば初代チャンピオンは精神科医だった。メーンイベントとは別に副菜やデザートのコンテストも開かれる。

じっくり焼いたポークリブ、唐辛子、トマト、とうもろこし、にんにく、角製の握りが付いたナイフ。カンザスシティバーベキューの食材と道具だ。

ロサンゼルスのダウンタウンとサン・ガブリエル山に夕暮れが迫る頃、町に明かりがともる。

米国カリフォルニア州
ロサンゼルスのファストフード

ロサンゼルスは健康志向のレストランで有名だ。
しかし地元の人はファストフードも楽しんでいる。

駐車場係のいるホットドッグスタンドは、世界広しといえども「ピンクス」だけだろう。なにしろここはハリウッド。2008年2月、歌手のアレサ・フランクリンがグラミー賞の授賞式のためにこの町を訪れたとき、まずは「ピンクス」に立ち寄って、8個のホットドッグを買って帰った。1939年に開店したこのスタンドは、トレードマークのチリドッグやチリチーズドッグを売っている。店に入って注文し、目の前でホットドッグができあがるのを見物しよう。

チリソースが食べ足りないなら「ジ・オリジナル・トミーズ・ワールドフェイマスハンバーガーズ」へ。1946年に小さなスタンドから始まったこの店は、今では市内に複数の支店を持つまでになった。どの店でもチリソースたっぷりのハンバーガーやホットドッグを出している。食べながら音楽を聞きたければ「ファットバーガー ザ・ラストグレートハンバーガースタンド」へ。ジュークボックスから流れるロックやソウル、R&Bを聞きながら、ファストフードの定番を味わおう。

偶然生まれた
名物サンドイッチ

フィリップスは、ロサンゼルスには珍しく、客を相席にしてすべての席を埋める店だ。90年以上前の開店当時の雰囲気そのままに、床にはおがくずをまき、壁には古い写真や新聞の切り抜きを貼っている。

看板メニューは**フレンチディップサンドイッチ**。肉汁につけたパンに肉をはさんだサンドイッチだ。これはちょっとした失敗がきっかけで生まれた。創業者のフィリップ・マチューが、誤ってパンを熱い肉汁の入った鍋に落としてしまったのだ。それが意外においしかったので、客たちがそれを目当てに来るようになった。

メニューにはサンドイッチやスープ、シチュー、サラダなどのほか、豚足のピクルスのような珍品もある。ワインリストもある。

ベストシーズン 天気がいいのは10〜6月上旬。アカデミー賞やグラミー賞の授賞式がある2月はスターに会える確率が高まる。

旅のヒント 「ピンクス」は午前9時30分〜翌日午前2時まで営業(金曜日と土曜日は午前3時まで)。「オリジナル・トミーズ」の支店はロサンゼルスの北部に多く、一部は24時間営業。「ファットバーガー」はインターネットで注文できる。「フィリップス」はユニオン駅から1ブロック。午前6時〜午後10時まで営業。

ウェブサイト www.pinkshollywood.com、www.originaltommys.com、www.fatburger.com
www.philippes.com

ジャマイカ北岸のジャークの屋台。原色を使った熱帯風の色づかいは、ぴりっと辛い味付けによく似合う。

ジャマイカ
ボストンベイのジャークポーク

2ドルもあれば、ジャマイカで最高の食べ物にありつける。
包装紙に包まれたジャークポークのかたまりだ。

ジャマイカきっての大波が、北東岸のボストンベイに打ち寄せる。潮の香りに、海岸通りの屋台から広がるジャークポークの匂いが混じる。ボストンベイではあらゆる肉がジャークにされる。豚肉に鶏肉、山羊に仔羊、時には生きのいい魚まで、アルミホイルにのせて、炎であぶる。オールスパイス、唐辛子、分葱、タイム、にんにく、ナツメグ、シナモンなど、味付けはお好み次第だ。

「逃亡奴隷が始めた料理法です」と、「ミッキーズ・ジャークセンター」の料理長兼ソース係、デボン・アトキンソン氏は語る。「彼らは穴を掘り、その中で肉を焼いていました。木の葉やオールスパイスの枝を肉の上にかぶせてね」

掘った穴の中で焼くことはなくなったが、オールスパイスの薪とジャークソースは今でも必須だ。木のスプーンに取ったソースを差し出し、アトキンソン氏が言った。「これがうちの秘伝のソースです。じいさんや、そのまたひいじいさんから伝えられた味ですよ。私たちはオリジナルの焼き方を守っているんです」

ベストシーズン　ジャマイカは常夏の国。ジャークは1年中食べられる。
8〜10月にはハリケーンがくることもあるが、それさえなければ海岸沿いの天候はうららかだ。
旅のヒント　ボストンベイのほとんどの屋台では、びん詰めにしたジャークソースを売っている。レシピは少しずつ違うが、いずれも香辛料がきいて美味だ。オチョ・リオス近郊のウォーカーズウッド農園で作られるジャークソースや香辛料は、国じゅうのホテルや商店で手に入る。
ウェブサイト　www.visitjamaica.com

ジャークソース
材料
オールスパイスの実　カップ3分の2
唐辛子　2〜3本
タイム（みじん切り）　大さじ3
にんにく　5粒
分葱（わけぎ）　2〜3本
ローリエ　大を1枚
黒砂糖　小さじ1と2分の1
生姜（すりおろし）　小さじ1
シナモン（粉）　小さじ1
ナツメグ（すりおろし）　小さじ1
ライムジュースかラム　大さじ2

油をひいていないフライパンに、オールスパイス、種をとって刻んだ唐辛子、タイム、つぶしたにんにく、分葱を入れ、かきまぜながら5分間炒める。(1)

1をミキサーに移し、ほかの材料を加え、塩と黒胡椒で味をととのえる。必要に応じて水を加えながらペースト状になるまでまぜる。(2)

2を肉にすり付け、少なくとも1時間おいてから焼く。

ベネズエラ
カラカスのアレーパ

とうもろこし粉の皮にいろいろな具を詰めたアレーパは、
ベネズエラで小腹がすいた時の強い味方だ。

ベネズエラの首都、カラカス。ここでは熱々のアレーパを売る屋台や食堂が、蒸し暑い夜を徹して営業を続けている。ベネズエラの人にとって、アレーパはなくてはならない日常食だ。

見た目はイングリッシュマフィンのようなアレーパは、食べておいしく、作るのも簡単だ。材料はコーンスターチと水と塩だけ。ベネズエラではこれを朝食やおやつにし、あるいは料理と一緒に食べる。夜遊びの後に小腹がすいたときにもつまむ。アレーパには無数の食べ方がある。テニスボール大の生地を手のひらで平らにしたら、揚げてよし、焼いてよし、"電気アレーパメーカー"で調理してもよし。

皮ができたら、次は何を詰めるかを考えよう。アレーパは薄切りにしてバターを塗るだけでもおいしいが、レイナ・ペピアーダ（鶏肉とアボカド）やドミノ（とけるチーズと黒豆）といった具も試してみよう。カルネ・メチャーダ（細切りの牛肉）入りのアレーパは、しばしばチーズかトマト、野菜ソースと一緒に出る。

甘いものが欲しい時は、塩の代わりに砂糖を使ったアレーパ・ドゥルセを頼もう。アレーパ片手に公園に行き、椰子の木陰でひと休みというのも楽しい。

ベストシーズン　ベネズエラへの旅はあまり季節を選ばないが、乾期（9〜4月）がおすすめ。
旅のヒント　カラカスの繁華街、サバナグランデ地区では、買い物とアレーパの両方が楽しめる。カサノバ通りの「アレーパ24オラス」は、アレーパを売る店のご多分に漏れず、24時間営業だ。アレーパはカラカスに限らず、ベネズエラ全土と隣国のコロンビアで味わえる。
ウェブサイト　www.venezuelatuya.com、www.southamerica.cl

ベネズエラの味

■ アレーパから肉料理まであらゆるものに付いてくる**グアサカカ**は、メキシコ料理のワカモレのベネズエラ版。アボカド、唐辛子、玉葱、にんにく、パセリ、コリアンダーの葉で作るアボカドのディップだ。

■ ゆでた牛肉を手などで裂いて黒豆のソースと混ぜたのが、ベネズエラの人の大好物、**パベロン・クリオロ**。米、揚げた料理用バナナ、卵などを添えて出す。

■ **カチャーパ**はモッツアレラ風の白くて柔らかいチーズをとうもろこし粉のパンケーキで包んだもの。しばしば朝食で出される。

オリーブ、チーズ、唐辛子。アレーパの具の材料には、ほとんど無限の選択肢がある。

GLORIAS y RASP
DIABLITOS DE FRUTAS NATURAL

メキシコ
三つの食文化が交わる港町

メキシコ湾に面した港町ベラクルスの屋台の味は、先住民、
スペイン人、アフリカ系カリブ人の食材が交わって生まれた。

蒸し暑いベラクルスでは、外出に一番いい時間帯は夜。日が暮れると、街の空気はアフリカがルーツの熱帯の音楽に合わせてふるえだす。フルーツシェイクや凍らせた果物、アイスクリームなどの冷たいスナックでのどをうるおし、海辺を散策し、広場を取り巻くナイトスポットめぐりに繰り出そう。

1519年にスペインの征服者エルナン・コルテスが町を開いて以来、ベラクルスはメキシコ東部の主要な港であり、また食文化の交差点だった。オリーブ油や地中海産のハーブ、香辛料が次々と旧世界からもたらされ、中米原産の食材（とうもろこし、唐辛子、各種の豆類など）に味や香りを付け加えた。ちなみにバニラビーンズを初めて食用に加工したのは、この地に暮らすトトナコ族の人々。パイナップル、さとうきび、ピーナツ、料理用バナナも彼らの食材に加わった。

こうした豊かな遺産は今日、いたるところで目にとまる。大通り沿いの屋台から人々を誘うボロバネスは、カニ肉、マグロ、パイナップルなどの具を選べる軽いペストリーだ。朝はゆでたての小海老が食欲をそそる。バナナの葉に包んだタマーレス、料理用バナナを生地に加えたトルティータス（パンケーキの一種）、とうもろこし粉の分厚いトルティーヤなども、ぜひ味わいたい。強い酒に挑戦するなら、ミルクセーキにさとうきびのリキュールを垂らしたトロがおすすめだ。

ベストシーズン　蒸し暑い土地なので、秋から冬にかけてがおすすめです。四旬節直前の週には、町一番のお祭り「カルナバル」が開かれる。7月には2週間に及ぶアフリカ音楽とダンスの祭典もある。

旅のヒント　ベラクルスの南にあるボカ・デル・リオで午後の半日を過ごそう。海岸沿いのレストランでみごとなシーフード料理を味わえる。アクヨという地元のハーブで味付けしたものもある。ベラクルスの北のパパントラまで足を伸ばしてもいい。先住民の遺跡「エル・タヒン」を見学したり、バニラビーンズを買ったり、ボラドレスと呼ばれるダンスパフォーマンスを鑑賞したりできる。ボラドレスは「飛行者」という意味で、ポールからロープにぶら下がった4人の男性が宙を舞う。

ウェブサイト　www.planetware.com、www.carnaval.com、www.mexconnect.com

トロピカルフルーツ

ベラクルスとその周辺はトロピカルフルーツの楽園だ。いろいろな果物が、生で、あるいは氷菓にして出される。**マンゴー、ココナツ、パパイヤ、パイナップル**といったおなじみのものもあるが、初めての味を体験してみるのもいい。

■**チェリモヤ**はグレープフルーツほどの大きさで、うろこ状の緑の皮と、汁気の多い白い果肉を持つ。香りが強く、ややいちごに似た風味。生で食べるときは大きな黒い種にご用心。

■**グアナバナ**（トゲバンレイシ）はとげのある緑の皮が特徴。クリーミーな白い果肉は、つぶしてフルーツシェイクやアイスクリームに使う。

■桃色や橙色をした**マンメア**の果肉は、かぼちゃを思わせる味。ライムジュースをかけて、生で食べよう。

■見た目が大きめのプラムのような**サポテ・ブランコ**は、フルーツシェイク用に大人気。黄色みがかった白い果肉の風味は、梨とバニラを混ぜたようだといわれる。

左ページ：「ディアブリート（小さな悪魔）」はフルーツシェイクに唐辛子を入れた飲み物だ。
上：バナナの葉で包んだタマーレス。

日本
大阪のたこ焼き

小麦粉の生地にタコの小片を入れたたこ焼きは、
食いだおれの町、大阪が誇る屋台の味だ。

使いこんだ鉄板の上で店員が素早く、たこ焼きをひっくり返していく。外側はこんがりと焼けていくが、中はとろりと柔らかいまま。具はぶつ切りのタコや紅生姜、キャベツ。焼き上がると、店員は熱々のたこ焼きを手際よく皿に盛ってソースを塗り、削り節と青海苔をたっぷりとかけて客に手渡す。

意外なことに、この大阪自慢の屋台の味は、苦境の中から生まれた。関東大震災と第二次世界大戦の余波で、日本は一時期、食料不足に陥った。そこでたこ焼きのような安価な粉ものが広く食べられるようになり、復興してからも大阪の人々はその味を伝え続けた。粉ものとは、小麦粉やそば粉などが材料の食べ物のこと。特に大阪では、小麦粉を使った粉ものに人気がある。うどん、お好み焼き、そしてたこ焼きが"三大粉もの"とされる。なかでもたこ焼きは、どこでも気軽に食べられるファストフードとして、大阪の食文化を代表する食べ物になっている。

たこ焼きは大阪中の屋台や店で売られている。だが、関西の躍動感にひたりながらうまいタコをかみしめたいなら、道頓堀に足を運ぼう。ネオンサインの下で、たくさんの酒場や食堂に囲まれながら、たこ焼きの屋台が商いに精を出している。

ベストシーズン いつ行ってもいい。4月初旬には桜の開花に合わせたイベントが市内の各所で行われる。

旅のヒント 道頓堀は地下鉄なんば駅からすぐ。街の雰囲気をより強く感じたいなら、混雑を覚悟で夕方以降に訪れよう。日本の屋台の食品は全般に安全だが、地元の人が長い行列を作っている店ほど、おいしいたこ焼きが売られている。夏場はタコが冷蔵されているかどうかをチェックしよう。

ウェブサイト www.osaka-info.jp（日本語）、www.japan-guide.com

いろいろな種類のたこ焼き

■たこ焼きの生地にねぎを入れれば**ねぎたこ焼き**になる。客が自分でたこ焼きを焼ける店もある。

■**明石焼き**（または玉子焼き）は、だし汁につけて食べるふんわりしたたこ焼き。

■大阪の人々は、たこ焼きを愛するあまり、小さなテーマパークまで作った。**大阪たこ焼きミュージアム**ではたこ焼きの歴史が学べるほか、人気の店のたこ焼きが試食できる。

道頓堀のたこ焼き店。店員がたこ焼き器に生地を注ぐ。

新鮮な野菜と魚介類を一緒に揚げれば、ソウルならではの路上のスナックができあがる。

韓国
韓国式ファストフード

ソウルをはじめとする韓国の町では、
いろいろな魚介料理などが路上で調理されている。

ソウルの街に夕闇が迫ると、明るく照らされた屋台の中で、料理人たちが大きな中華鍋に火を入れる。香辛料の匂いがあたりに満ちる頃、テントのような覆いを張りめぐらせた一画は、巨大な食堂街へと姿を変える。カウンターには円筒形や四角形、球形の食べ物が並ぶ。その味を知らない人は、見慣れない形や色の食材が並ぶ様子に、いまひとつ食欲がわかないかもしれない。だが思い切って口に運べば、その勇気はきっと報われるはずだ。

軽食向きなのはキムパブ（海苔巻き）やティギム（魚介類や野菜の天ぷら）。マンドゥ（餃子）やオデン（練り物）は冬場に好まれる。トッポギ（餅）は、野菜と一緒にコチュジャンのたれで炒める。お好み焼きに似たチヂミはいろいろな種類があり、緑豆の粉で作るピンデトックもそのひとつだ。串焼きの種類も豊富。デザートには韓国風ワッフルや、シナモン風味のあんを詰めたおやき風のホットックがおすすめ。

韓国料理
■ 韓国ではどんな料理にも**キムチ**が付いてくるため、その味のとりこになる旅人も少なくない。野菜をにんにく、唐辛子、生姜、魚介類などと一緒に漬け込み、素焼きのかめで発酵させて作る。

■ いろいろなスープやプルコギ（焼き肉）も韓国の食卓には欠かせない。**ビビンバ**はご飯、キムチ、肉や魚介類、卵を一緒に盛りつけた一品。

ベストシーズン 大半の屋台は夕暮れ時に開店し、午後11時頃に店じまいする。週末には閉店時間を延ばす店も。夏場のパッピンス（果物などを使った氷菓）や冬場のスープなど、季節限定の味もある。

旅のヒント 鍾路はソウルを東西に貫く大通りで、屋台の味を探訪するには一番のスポットだ。新村や明洞、あるいはターミナル駅の周辺もいい。仁寺洞地区の古い路地では伝統的な餅菓子やいろいろなスイーツが味わえる。

ウェブサイト www.visitkorea.or.kr（日本語あり）、www.foodinkorea.org

川记海鲜 76
SUAN KEE
SEAFOOD
Makanan Laut
No Pork No Lard

シンガポール
シンガポールの屋台村

ホーカー（屋台）が軒を連ねたシンガポールの屋台村では、ポケットの小銭程度の金額で、多様な食文化に触れられる。

シンガポール料理にはインド、中国、マレーという偉大な三つの伝統がとけ込んでいる。島のいたるところにあるフードセンター（屋台村）は、地元の有力者からタクシー運転手まで、みんなが足を運ぶ場所だ。そんな屋台村で、シンガポールの人と一緒に最良の味を探してみよう。手始めは、シンガポールきっての有名料理ロティ・プラタ。「平らなパン」を意味するインド風のパンケーキは、レンズ豆のカレーととても相性がいい。インドの味をさらに追究するなら、ロティ・プラタに羊の細切れ肉や玉葱を詰めたムルタバを頼もう。

中華料理にルーツを持つ海南チキンライスは、シンガポールの国民食。お好みで醤油や唐辛子、生姜を入れて食べよう。米粉の麺をシーフードや豚肉のソーセージと一緒に炒めたチャー・クイ・ティオも、中国からの移民がもたらした料理だ。

マレー料理で最も知られているのはサテーだろう。鶏肉、牛肉、羊やシーフードを串に刺し、炭火であぶった一品だ。そのまま食べてもいいし、ピーナツソースや、きゅうり、玉葱と一緒に食べてもいい。ココナツミルクと唐辛子を使ったラクサという海鮮スープも、マレー発祥の料理のひとつだ。カレー味の肉、野菜、米の取り合わせが絶妙なナシ・パダンは、インドネシアのスマトラ島がルーツだ。

ベストシーズン 穏やかな熱帯性気候のシンガポールは、1年を通して気持ちよく戸外で食事ができる。ほとんどの屋台村は屋根付きなので、午後のにわか雨に見舞われても大丈夫だ。「シンガポールフードフェスティバル」が開催される7～8月には、屋台村もイベントの会場になる。

旅のヒント 屋台村の良し悪しは、近くに停まっている高級車の数でわかる。シンガポールの歩道は清潔だし、政府の規制も厳しいので、屋台の食品はまず安全だ。見知らぬ人と相席になっても、おしゃべりや情報交換は食事の一部。屋台村はそれを眺めるにももってこいだ。

ウェブサイト www.visitsingapore.com（日本語あり）、www.singaporefoodfestival.com.sg
www.laupasat.biz

おすすめの屋台村

シンガポールの**屋台村**は、屋台の衛生状態を清潔に保とうという政府の肝いりでできた。島じゅうにあるが、特に評価の高いところを紹介しよう。

■**ニュートンサーカス**はクレメンソー通りの環状交差点にある屋台村。80以上の屋台が馬蹄形に並ぶ。24時間営業で、タクシー運転手やクラブでの夜遊びを終えた人が深夜に集まる場所として有名。牡蠣入りのオムレツや、ポピアという春巻が人気だ。

■**イーストコーストラグーン・フードビレッジ**はチャンギ国際空港に近いベドック地区にある。看板料理はチリソースをかけたカニと、蒸した魚。

■**チャイナタウン・コンプレックスフードセンター**にロマンチックなムードはあまりないが、中華街のスミスストリートにあるだけに、多くの人はここをシンガポールで最高の屋台村と評している。

■**ラウ・パ・サ・フェスティバルマーケット**はビクトリア時代の市場を転用した建物で、典型的なシンガポールの屋台料理が味わえる。精緻な鋳鉄製の屋根組みは1894年にスコットランドで造られたもの。

左ページ：ニュートンサーカスで注文する品を選ぶ客。
上：イーストコーストラグーン・フードビレッジのサテー売り。

北京の人気店の多くが出店する「九門小吃」。最高の小吃がよりどりみどりだ。

中国
北京の屋台料理

狭いテーブルで、北京っ子と肩を並べて胃袋を満たそう。
宴席料理と同じくらいおいしいのに、値段はぐっとお手頃だ。

　北京の繁華街、王府井(ワンフーチン)にある小吃街(シャオチー)は、屋台が密集する路地だ。小吃は軽食・スナック類のこと。外国の旅番組のレポーターたちがカメラに笑いかけながら、さそりの串揚げなどの珍しい料理を口に運んでいる。

　この路地の屋台は、今では観光客向けとなっている。"本物"に触れるなら、通りの向かいにあるデパート「工美大厦(ゴンメイダーシャ)」に行った方がいい。地下の食堂街は地元の買い物客やサラリーマンなどで大変な混雑だ。ここをひととおり見て回れば、中国B級グルメツアーを満喫できる。注文するときは料理を指さすだけ。湯気を上げる饅頭あり、山西省の酸味のきいた麺類あり、北西部に住むイスラム教徒の羊肉料理ありだ。飲み物は青島ビールか、タピオカがたくさん浮いた台湾式のバブルティーがおすすめ。注文したものを受けとったら、店内中央のテーブル席に移ろう。そこにはゴシップの花を咲かせ、互いの料理をチェックし合う人々がいる。

　北京ならではのスナックを味わうなら「九門小吃」に行ってみよう。ここの自慢はいろいろな具を詰めた餃子、中華風煮込み、麺類、豆腐の炒め物など。サンザシの実の砂糖漬けや艾窩窩(アイウォーウオー)(中国風おはぎ)など、お菓子もそろっている。

食堂街の利用法

買い物と食べ歩きの両方を満喫するなら、デパートやショッピングセンターの地下か最上階にある食堂街に行こう。海外の中華料理店ではほとんど見かけないような料理を味わえる。北京で最も豪華なのは、朝陽区のデパート新光天地の地下にある、大理石が敷かれた食堂街だ。

食堂街での支払いは専用のカードシステムになっている。最初にカードのデポジット（預かり金）を含む一定金額をチャージする。まずはレジで30元以上をチャージし、その後は注文するたびにカードを読み取ってもらう。思ったより食が進むようなら、さらにチャージ額を増やせばいい。帰る時はレジにカードを返却し、デポジットを含む残金を受けとる。

ベストシーズン　気候がいいのは4〜5月中旬と9〜10月。デパートなどの食堂街は厳冬期でも暖かい。
旅のヒント　食堂街の多くは夜9〜10時まで開いている。最も混み合うのは平日の正午前後と夕方だ。
ウェブサイト　www.shinkong-place.com

タイ
バンコクの屋台はよりどりみどり

タイの首都・バンコクを歩いてみよう。食欲を誘う匂いが
あらゆる通りであなたの足を止め、味覚を刺激する。

　新鮮な甘い匂いが、果物の屋台へとあなたを誘う。別の屋台は、ソムタム（グリーンパパイヤのサラダ）か、イカの串焼きか、とうもろこしや小豆、甘く煮たかぼちゃをトッピングしたアイスクリームか。バンコクには2万店前後の屋台があり、213種類もの食べ物を売っているという。

　メニューを置いている店はほとんどないので、食べたいもののタイ語の呼び名を覚えていくか、食材を眺め、何ができるかを推測しよう。今日の気分はカレーライスか、豚肉の炒め物か、あんかけヌードルか。それともパッタイ（干し海老、豆腐、もやし、アーモンド、香草類の入った焼きそば）のような凝った料理だろうか。

　店で注文を済ませたら、中華鍋に覆いかぶさる料理人の動きを観察しよう。もうもうたる湯気の中で食材がジュージュー音をたてたと思ったら、数分後には山盛りの皿を手渡される。あとは折りたたみ椅子を広げて食べるのみ。屋台はバンコク全域に出ているが、シーロムロード近辺には優良店が多い。ソイ・コンベントやサムセン・ロード・ソイの屋台は夜通しやっている。一皿の値段は20〜50バーツ（1バーツは約2.8円）。5バーツほど余分に出せばピセット（大盛り）にもできる。

ベストシーズン　気候がいいのは乾期にあたる11〜2月。ほぼ毎日が晴天で、気温は平均29〜35℃ほどだ。
旅のヒント　夜間は昼間以上に屋台が増える。衛生面に関していえば、タイの厚生省は屋台の経営者に10カ条の規約を守らせており、地区によっては定期的な査察も実施している。一般的には、長い行列ができる忙しい店ほど食材は新鮮だ。
ウェブサイト　www.tourismthailand.org（日本語あり）、www.thaistreetfood.com

バナナの葉に盛った麺料理。

麺類ほか
■ 麺類はタイで最も普通に食べられる屋台料理。チキンヌードル、ダックヌードル、ワンタン入りのエッグヌードル、**イェンタフォー**（腐乳、つみれ、イカなどを使った麺料理）など選択肢は多い。

■ 注文次第でお好みの料理を作ってくれる屋台もある。**肉のバジル炒め**、**タイ風オムレツ**、**豚肉のにんにく炒め**、**豚の焼き肉**、**カレーライス**、**チャーハン**など、何でもござれだ。

食材と調理器具を整然と配置した中で、女主人が注文をこなす。

トップ10
一風変わった食の祭典

ウナギにスイカ、ガラガラヘビにキャベツ。意外なゲテモノやごくありふれた食品にも、それを称える祭典がちゃんとある。パレードや料理コンテスト、ゲームやレースを楽しもう。

① ガラガラヘビ・ロデオ（米国、テキサス州スイートウォーター）

毎年3月第2週の週末に開かれる祭典。蛇の大きさの測定や性別を判定する技術の実演、ガラガラヘビ料理のコンテスト、ガラガラヘビ肉の大食い大会などが4日間にわたって繰り広げられる。屋台で売られる蛇肉のフライは、味は鶏肉に、食感はワニ肉に近い。各種の蛇関連商品も買える。

旅のヒント　スイートウォーターはダラスの359キロ西、エルパソの663キロ東。グレイハウンドバスの路線がある。
www.sweetwatertexas.org

② スイカ祭り（米国、テキサス州ルリング）

西部開拓時代のカウボーイの町だったルリングは、19世紀中には「テキサス一の無法の町」と呼ばれていた。今でこそずいぶん平和になったが、それでも4日間の祭典の間はテーブルマナーなどそっちのけで、スイカの大食い大会や種飛ばしコンテストが行われる。

旅のヒント　スイカ祭りは6月最後の木～日曜日に開催。ルリングはサンアントニオの95キロ北東にある。一方、州都オースティンでは毎年エイプリルフールの前後に、スパム（缶入りランチョンミート）の祭典「スパマラマ」が開かれる。
www.watermelonthump.com

③ バーベキュー世界選手権（米国、テネシー州メンフィス）

200組の参加者、9万人の観客、6万ドル以上の賞金を誇る世界最大級のバーベキュー大会。3日間に及ぶ料理コンテストは真剣そのもの。ゆるめのイベントを楽しみたい向きには、豚がテーマの女装大会「ミセス・ピギー」がある。

旅のヒント　メンフィスで5月に開かれる国際フェスティバルの一環。開催場所はトム・リー・パーク。www.memphisinmay.org

④ 日本一の芋煮会フェスティバル（日本、山形市）

山形市の河川敷で開かれるイベント。直径6メートルの巨大な鍋で芋煮を作ってふるまう。材料は里芋3トン、牛肉1.2トン、葱3500本、醤油700リットル。芋煮会は主に東北地方で続く伝統行事で、家族や友人知人が集まり、里芋を煮て秋の収穫を祝う。

旅のヒント　芋煮を食べるには整理券が必要。
http://www.y-yeg.jp/imoni/

⑤ キャベツフェスティバル（ハンガリー、ヴェチェーシュ）

ヴェチェーシュはブダペストのフェリヘジ空港に隣接する小さな町で、周囲にはキャベツの一大生産地が広がっている。この町のザワークラウトは健康にいいと有名だ。キャベツフェスティバルでは、料理コンテストやキャベツがテーマの野外劇などが行われる。

旅のヒント　開催は10月。ヴェチェーシュまではブダペストの西駅から列車で25分。www.hungarytourism.hu

⑥ 豚祭り（フランス、トリ・シュル・バイズ）

フランス南西部のトリ・シュル・バイズで1975年から開かれている祭典。豚の生産がさかんな地方らしく、豚にちなんださまざまなイベントが行われる。子豚のレースあり、豚の仮装大会あり、鳴きまねコンテストあり。フランス国内に唯一残る豚肉専門市場で買い物をするのもよい。

旅のヒント　開催は8月の第2日曜日。トリ・シュル・バイズはオートピレネー県の県都タルブの32キロ北東。www.bigorre.org

⑦ ホットチョコレート祭り（フランス、バロー・ド・セルダーニュ）

アンドラ公国にほど近いこのピレネーの村では、8月15日はワインをしこたま飲む祭日と昔から決まっている。この300年間、翌朝の二日酔い対策に欠かさず飲まれてきたのが、大鍋で作ったホットチョコレート（ココア）。いまでは、多くの観光客がその輪に加わるようになった。午前11時にふるまわれるホットチョコレートは、熟練の菓子職人が秘伝のレシピで作ったものだ。

旅のヒント　バロー・ド・セルダーニュに行くには、ラ・トゥール・ドュ・カロルとヴィルフランシュ=ド=コンフランを結ぶ列車を利用する。最寄り駅はブール・マダム。www.midi-france.info

⑧ チーズフェスティバル（フランス、ロカマドゥール）

フランス南西部ロット県にあるこの村では、50ほどの生産者が参加する大規模なチーズの祭典が開かれる。チーズ市、コンサート、ダンスパーティーなどが主なイベントだ。村の名を冠したロカマドゥールチーズは低温殺菌しない山羊の乳で作る。熟成が進まないうちに、焼いた胡桃入りのパンと一緒に食べる。

旅のヒント　ロカマドゥールは市場町ブリーヴ・ラ・ガイヤルドの南にある。フェスティバルの開催は5月下旬の週末。www.rocamadour.net

⑨ ウナギの日（英国、イーリー）

イール（ウナギ）が町名の由来であるにもかかわらず、このケンブリッジシャーの町に、ウナギをとって生計を立てている漁業者は1戸しかない。2004年から開かれているこの祭典は、「ウナギのエリー」（地元の子どもたちが作った巨大な張り子）が先導するパレードから始まる。ウナギの燻製や煮こごりを味見しよう。

旅のヒント　開催は4月末から5月初めの土曜日。ウナギの燻製は第2及び第4土曜日の農民市場に出品されることも。www.eastcambs.gov.uk

⑩ 唐辛子フェスタ（英国、チチェスター）

この祭典は「ウエストディーン」という教育機関の庭園で開かれる。ビクトリア時代の温室で唐辛子の栽培について学んだり、100店もの屋台で約300種類の唐辛子を食べ比べたりできる。

旅のヒント　8月の週末2日間で開催。入場料が必要。
www.westdean.org.uk

右ページ：果物で飾った重さ100キロのアイスクリーム。横浜市で2008年に開かれたアイスクリームのイベント「横濱あいすくりん博覧会」の光景。

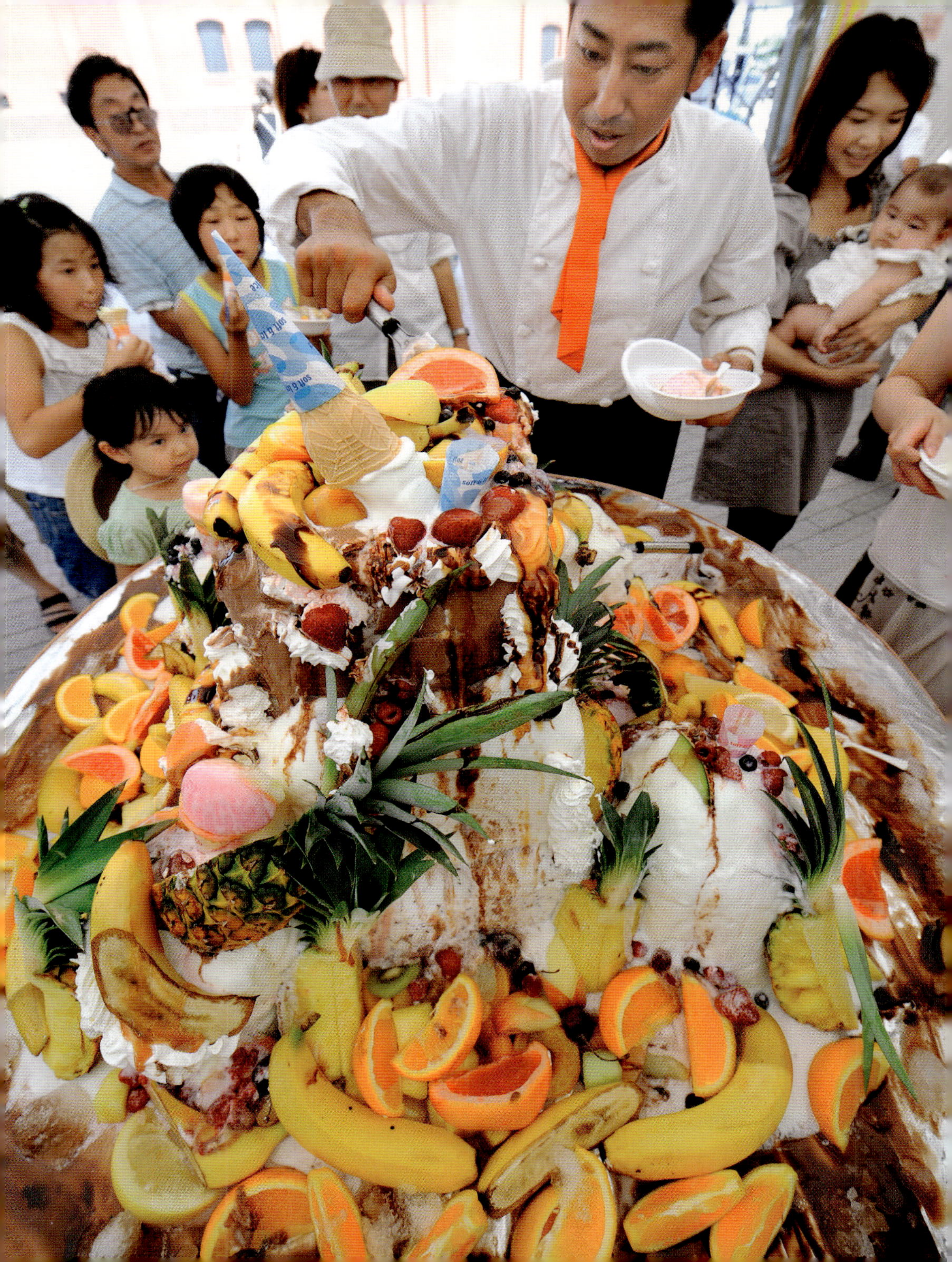

コタバルの夜市の料理人。手押し車を利用した移動式の台所で、この地方ならではの料理を出す。

市場での作法

マレーシアの路上市で夕食をとるときは、ゆったり構えて、一品ずつ平らげていこう。

■ 最初の一品を選んだら、市場に置いてあるテーブルのひとつに運ぶ。

■ ナイフとフォークは用意されているが、手づかみで食べるのがこの地の習慣だ。テーブルの中央に水を入れた器があるので、食前、食中、食後に手を洗える。イスラム教徒は食事をする際、右手しか使わない。

■ 一品目を食べ終わったら屋台に戻り、次の品を選んで再びテーブルへ。

■ テーブルは飲み物の売店が運営しているので、売店の人が注文を取りにくるのを待とう。酒類は出ないが、フルーツジュースの種類は豊富だ。

マレーシア
コタバルの夜市

星空の下、マレーシア北東部の小都市コタバルで
この国きっての屋台料理を心ゆくまで味わおう。

カランタン州の州都コタバルのパサール・マラム（夜市）。中華鍋の湯気と炭火の煙に包まれた料理人たちが作っているのは伝統のマレー料理だ。
ムルタバ（インド風クレープ）を作っている料理は生地を熱いグリルに落とし、羊皮紙の薄さになるまで片手で均等に広げていく。そこに鶏肉の細切れ、玉葱のみじん切り、卵を乗せて端を折りたたむと、裏返して黄金色になるまで焼く。かたわらでは椰子の葉を手にした少女が炭火をあおいでいる。その母親は赤ん坊を腰で支えたまま、辛いソースに漬け込んだ牛肉の串焼きを手際よく裏返す。
混み合った夜市には、アヤム・ペルチック（マレーシア風焼き鳥）、レンダン（牛肉のココナツ煮込み）、サンバル・ウダン（海老チリ）、魚や仔羊のカレーを売る屋台などもある。食後には1杯のテー・タリク（紅茶とコンデンスミルクを混ぜた後、カップからカップへと何度も注ぎかえ、それによって温度を下げ、泡立てる）がいい。

ベストシーズン いつ行ってもいいが、春と秋は雨期なので、毎日にわか雨が降る。
旅のヒント コタバル行きの飛行機はペナンとクアラルンプールから毎日出ている。ほかの都市とは陸路や鉄路で結ばれている。屋台は午後5時ごろから始まるが、7時の祈りの時間になると市場全体が45分間休止になる。その間は全員が建物から出なければならない。再開後は真夜中過ぎまで続く。夜市が立つのは中央市場に近いジャラン・ピントゥ・ポンで、多くのホテルから歩いていける。
ウェブサイト www.tourism.gov.my、www.tic.kelantan.gov.my

ベトナム
ベトナムの屋台の味

ベトナムの多彩な料理を味わうなら
通りに出て、屋台めぐりをするのが一番だ。

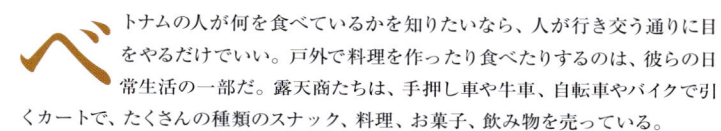

　ベトナムの人が何を食べているかを知りたいなら、人が行き交う通りに目をやるだけでいい。戸外で料理を作ったり食べたりするのは、彼らの日常生活の一部だ。露天商たちは、手押し車や牛車、自転車やバイクで引くカートで、たくさんの種類のスナック、料理、お菓子、飲み物を売っている。

　ベトナム風の春巻を出す店もあれば、焼いた豚肉、人参と大根のピクルス、パテ、コリアンダーの葉をバゲットパン（フランス植民地の名残）にはさんだバイン・ミーを売る店もある。中部の海沿いの町ホイ・アンの市場では、屋台の料理人が炭火のコンロの脇にかがみ、長い柄の付いたフライパンでバイン・コアイ（もやし、豚肉、海老を乗せたクレープ）を焼いている。北部の首都ハノイでは、ドラフトビールを売る店の横に、ベトナムの国民食、フォーを出す屋台が並んでいる。このほかブン・リュウ（カニのスープのビーフン麺）やバイン・クオン（豚肉やキクラゲ、エシャロットをライスペーパーで巻いて蒸した春巻）は、あまり知られていない北部の味だ。

　料理の種類の多さにとまどうかもしれないが、何でも食べてみるといい。ベトナムでは、おいしそうに見えるものは、たいてい期待にたがわずおいしいのだ。

ベストシーズン　12～2月は、南部は比較的乾燥している。中部は南部より涼しく、時に雨が降る。北部はじめじめして寒い。本格的な雨期が始まるのは6月。9～11月は洪水が多いので避けよう。

旅のヒント　ベトナムでは週7日、24時間、何らかの屋台が出ている。屋台の数が一番多いのは夜明けから昼時までと、仕事の引け時だ。

ウェブサイト　www.spirithouse.com.au、www.vietworldkitchen.typepad.com

フランスパンを売る露店。

市場で味わう屋台料理

　ベトナムの**生鮮食品市場**は、1カ所でいろいろな屋台の味を楽しめる場所だ。ごく小規模な市場を除けば、どこにでも常設の食堂街があり、フォーやフルーツジュース、ぜんざい風の**チェー**などを出している。

　なるべく繁盛している店か、市場内の業者に数多くの出前を届けていそうな店を選ぼう（よく観察すれば、店の自慢料理をトレーで運んでいる女性たちに気づくはずだ）。

　注文するとき、ほかの客が食べているものを指さしてもいい。値段が表示されていることはまれなので、席に着く前に尋ねよう。衛生面で不安なら、フォーのような熱い料理だけを頼もう。

座って食べられるよう、椅子を用意している屋台もある。

Banarshi BHEL PURI

SEV BATATA PURI · DAHI BATATA PURI · RAGDA PETICE · SUKHA BHEL

インド
ムンバイの屋台スナック

仕事や学校からの帰り道、ムンバイ市民は
砂浜で、公園で、名高い屋台の味を楽しむ。

ムンバイはインド最大の都市であり、金融の中心だ。この町の歩道には、露店で営業する歯科医や耳の掃除人、靴磨き職人や理髪師がいる。旅行者には驚きの光景だ。同様に、道ばたのスタンドや屋台で売っているチャート(スナック類)の種類の多さにも驚かされる。

しょっぱくてパリッとした食感のものあり、甘酸っぱいものあり。チャートの材料は、揚げたひよこ豆、ライスパフ、生姜、じゃがいもなど。これにヨーグルトや玉葱、香辛料などをトッピングする。インドの有名な映画俳優の中にもこの手軽でおいしいスナックのファンは多く、夜になると、人気店を取り巻く人混みの中でしばしば目撃されるとか。流行歌の中にもチャートのことを歌ったものが少なくない。

悩ましいのは何百種類ものチャートのどれを選ぶかだ。ベルプリはライスパフ、ゆでたじゃがいも、ひよこ豆の粉、玉葱、ハーブ、チャツネ、ライムを混ぜ合わせたもの。指かパンのかけらを使って食べると、一口ごとに味わいが変わる。チョウパティ海岸では特に人気がある。ワダは香辛料をきかせたじゃがいものドーナツで、パンやチャツネと一緒に出す。ムンバイでは、なくてはならない一品だ。のどがかわいたらラッシーを飲もう。このヨーグルトの飲み物は甘くしてもいいし、塩をひとつまみ加えてもいい。唐辛子でほてった口を心地よく冷やしてくれる。

ベストシーズン　7〜9月のモンスーン期は蝿が多い。屋台の味を堪能するなら、その時期は避けた方が無難。
旅のヒント　チャートの屋台は町じゅうに出ているが、チョウパティ海岸のそれは全国的に有名。鉄道の駅や大学の周辺にも屋台が集まる一角がある。あとでお腹をこわさないよう、目の前で食材を準備して料理してくれる店を選ぶこと。インドでは生水や、氷の入った飲み物は避けること。果物の皮は自分でむいた方が安全。
ウェブサイト　www.mumbai-masala.com/index.html

左ページ:カートを押していつもの場所に向かう。上:ベルプリはいろいろなトッピングが楽しい。

マンゴーラッシー

ラッシーが生まれたのはインドのパンジャブ地方。ヨーグルト、水、塩、香辛料だけで作るのが本式だが、甘みのあるフルーツラッシーも人気がある。

材料(4人分)
マンゴー(生または缶詰)　1個分
ヨーグルト　カップ3
牛乳　カップ1
砂糖　カップ2分の1
挽いたカルダモン

生のマンゴーを使うときは、果肉を薄切りにし、種をとる。マンゴー、ヨーグルト、牛乳、砂糖、カルダモンを2分ほどミキサーにかける。
グラスに半分ほど氷を入れ、できあがったラッシーを注ぐ。上からさらにカルダモンを散らして飲む。24時間以内なら冷蔵も可。

遠くまで目を配り、店開きしそうなプチュカの屋台がないか探してみよう。

インド
コルカタのプチュカ

お腹がすいたらプチュカをいくつかほおばろう。
液状の具が詰まったスナックが、口の中で文字どおりはじける。

インド北東部の都市コルカタで、町の中心部にあるビクトリア記念堂を訪ねれば、まったく違った二つの感動を体験できる。まるで宮殿のような白亜の記念堂は英国のビクトリア女王（インドの皇帝を兼務）に捧げられたもの。1921年の落成までに20年の歳月と1000万ルピーの建設費が費やされた。

　その向かいの庭園で出合えるもう一つのお楽しみが、香辛料がきいたスナック、プチュカだ。その舌ざわりと味がもたらす驚きは、ほかの食べ物とはまったく比較にならない。プチュカはコルカタ市民の誇りともいうべきもので、町じゅうの屋台やスタンドで売られている。店主はプリと呼ばれる中空の揚げパンに穴を開け、ピリッとして甘酸っぱい液状の具を詰めていく。かむと中身がしたたり落ちるので一口にほおばるのが正解だ。うっかりすると服を汚すが、いろいろな味が次々と舌を刺激してくる感覚は何物にも代えがたい。通常は5〜8個を注文し、1〜2個ずつ手渡してもらう。具を詰める店主に後れを取らずに食べるには、少々の慣れが必要だ。プチュカの大食いコンテストも開かれている。

ベストシーズン　コルカタは冬（11〜3月）が一番いい。夏に比べて空気が乾燥し、蒸し暑さが和らぐ。
旅のヒント　コルカタへはインド内外の主要都市から定期便が飛んでいる。市内の交通機関は非常に安く、レンタカーも半日400ルピー（1ルピーは約1.84円）ほどで借りられる。屋台で何か食べるときは小銭を用意しよう。雑踏を走り回る、いまにも壊れそうな路面電車に乗ってみるのも一興。
ウェブサイト　www.indianholiday.com、www.kolkata.org.uk

プチュカの具

　プチュカはインドの多くの地域で愛されており、ムンバイでは**パニプリ**、デリーでは**ゴルガッパ**と呼ばれている。液状の具は通常、タマリンド、ゆでて裏ごししたなつめやし、クミン、ミント、唐辛子、コリアンダー、シナモン、ブラックソルト（インド産のミネラル塩）などで味付けされる。混ぜるものは地域によってさまざまだ。

　かつては屋台でしか見られなかったプチュカだが、次第におしゃれな食べ物となり、今では結婚式のブッフェなどでもよく出される。ウオツカなどを使った新顔も登場している。

イスラエル

エルサレムの屋台の味

多彩な食文化の系譜を引くエルサレムの屋台料理の中でも
ファラフェルはまさに王様とでもいうべき料理だ。

アラブ人が長く住んでいた土地に、イスラエル政府が世界中のユダヤ人を呼びよせた。それによって、この国は地中海と中東の食文化が出合う場となった。その味の組み合わせにどこよりも手軽に触れられるのが、エルサレムの路上の屋台だ。エルサレムの旧市街にある老舗「ジャファーズ・スイーツ」は、カナフェなどのこってり甘いアラブ菓子を毎日作っている。マクルーバ（米、茄子、トマト、玉葱、仔羊肉か鶏肉などを入れたキャセロール料理）も、この地域ならではの料理の一つだ。中東の食生活に欠かせないフムス（ひよこ豆から作るペースト）を味わうなら、旧市街に行くか、「リナ」や「アブ・シュクリ」といった店を訪ねよう。もちろん新市街にある大衆食堂で、昼食時に手早く味わってもいい。

エルサレムの屋台料理の神髄が、ファラフェル（ひよこ豆をすりつぶし、ボール状にして揚げたもの）だ。これを平焼きパンに包み、いろいろなトッピングと供する。コリアンダーやパセリ入りの緑色がかったファラフェルを作るのがエルサレムの主流だが、イエメン系の店ではそれらを加えずに揚げている。

ベストシーズン　冬の祭典「ハヌカー」や、春と秋の収穫祭の期間中、エルサレムは魅惑的な顔を見せる。ただし混雑と物価高は覚悟すること。同じことは夏にもいえる。おまけに耐えがたいほど暑くなる日もある。

旅のヒント　旧市街の散策には2〜3日をあてよう。そのほかの見どころは、オリーブ山、イスラエル博物館など。死海、ベツレヘムとワイナリー、ユダヤン・ヒルズのゴートチーズ工場やオリーブ油工場などへの日帰り観光も可能。

ウェブサイト　www.jerusalemite.net、www.jerusalem.com、www.goisrael.com

平らなパンに包んだファラフェルは、大人気の屋台料理だ。

ファラフェルの付け合わせ

ファラフェルを包む平焼きパンを**ラッファ**と呼ぶ。ラッファはイラクからの移民がイスラエルにもたらした。

キャベツにはいろいろな色のものがあり、通常はピクルスにして、また時にはマヨネーズを添えて出す。

アンバはマンゴーで作るイラク風のソース。

シャリフという唐辛子のペーストはイエメンが起源。赤いものや緑色のものがあり、辛さが違う。

ファラフェルは油で揚げて作る。よいファラフェルには油っぽさがない。

サラエボの旧市街にはレストラン、商店、市場がひしめく。

ボスニア・ヘルツェゴビナ
サラエボのチェバピ

ボスニアの国民食のチェバピを味わうなら、
首都の旧市街に繰り出すのが一番。

　　サラエボの旧市街は、15世紀にこの地を占領していたオスマン帝国が建設した町だ。一帯には数多くのチェバピ専門店があり、狭い石畳の道を行き交う人を、うまそうな匂いで誘う。チェバピとは、香辛料をきかせた、小ぶりで肉汁たっぷりのソーセージ。炭火で焼いて、ピタパンに似た柔らかなパンにはさんで出す。この食べ物は、おそらくオスマン帝国がもたらした。イスラム教徒が大半を占めるボスニアでは、牛肉か仔羊、またはその両方を使って作る。

　通常は生の玉葱とともに出されるが、カイマック（未熟成のチーズ）やアイバル（茄子と香辛料で作るペースト）と一緒に食べてもいい。飲み物はアイラン（薄いヨーグルトドリンク）か果物のジュース。辛いもの好きには、牛挽き肉に唐辛子を混ぜて作ったタイプもある。「ジェーリョ」と姉妹店の「ジェーリョII」は最高のチェバピを出すと評判の店。どちらもバザールやガジ・フスレブ＝ベグ・モスクに近い。

ベストシーズン　いつ行ってもいいが、気候がよいのは5～9月。毎年7月のフェスティバルではボスニアの音楽、演劇、ダンスが披露される。世界的に知られた「サラエボ映画祭」は毎年8月の開催だ。
旅のヒント　サラエボ観光には2～3日はかけたい。中心街は歩いて十分回れる。バスターミナルから旧市街まではタクシーや路面電車ですぐ。空港にはタクシー、路面電車、バスで行ける。レストランは事前の予約は不要。
ウェブサイト　www.sarajevo-tourism.com、www.sarajevo.ba、www.bascarsijskenoci.ba

サラエボのスナック

　サラエボにはおいしい**パイ（ピタ）**を売る店がたくさんある。最も人気があるのは**ブレック**というタイプ。薄いペストリーに肉を詰め、それを渦巻き状にした形が基本だ。具には肉のほか、チーズ、チーズとほうれん草、かぼちゃ、香辛料をきかせたじゃがいもなどがある。

　パイ類はひと切れ単位で売られるか、または量り売りされる。プラバジルク通りの「ボスナ」は屈指の人気店だ。

ベルギー
ヘントのフライドポテト

ヨーロッパでも屈指の美しい都市で
フライドポテトの粋を極めよう。

　ベルギーの人は食べることが大好きだ。ほとんど生まれた瞬間から食の美学を学び始めるといっても過言ではない。当然、屋台に向ける目も厳しくなる。そんなベルギーを代表する屋台の味は何かと聞かれたら、迷うことなく、フリットと呼ばれる庶民的なフライドポテトだと答えよう。外側がカリッと揚がった熱々のポテトに、たっぷりのマヨネーズを添えて食べる。

　古い大学町ヘントに行ったら、中心街にあるフレイダグマルクト広場を訪ねてほしい。「フリトゥール・ヨセフ」という名の、1898年からフライドポテトを売り続けている店がある。この店は手抜きとは一切無縁。経営者夫婦が毎朝、自らじゃがいもの皮をむき、刻んでいる。この店のフライドポテトならそれだけで一食を済ませることもできるが、トマトソース味の肉団子、揚げソーセージ、牛肉のビール煮などを一緒に注文してもいいだろう。こうした店は大切に守り続けていきたい。

ベストシーズン　ヘントはどの季節に訪れても楽しめる。夏は気候が快適。冬は寒さが厳しいが、教会の尖塔は日が当たるとまばゆく輝き、運河は静かな鏡面のようになる。熱いフライドポテトがよりおいしく感じられるのもこの時期だ。

旅のヒント　ヘントはオランダ語圏の主要都市。首都ブリュッセルからは鉄道が便利だ。フランス、オランダ、ドイツとも陸路で結ばれている。市内の見どころは教会、博物館、美術館など。大聖堂には北ヨーロッパ美術の至宝のひとつ、ファン・アイク兄弟が15世紀に描いた祭壇画「神秘の子羊（の礼拝）」がある。

ウェブサイト　www.frites.be　www.visitgent.be

完璧なフライドポテト

　ベルギーのフライドポテトは世界最高の水準にあるといわれる。その味を生み出すポイントは次の四つだが、中でも肝心なのは二度揚げだ。

　適度な澱粉質を含むむじゃがいもを選ぶ（ベルギーの人は地元産の**ビンチェ種**を好む）。

　女性の小指ほどの大きさに切る。

　きれいな油（伝統的には牛脂）を高温に熱して揚げる。柔らかくなったら、いったん取りだしてさます。

　もう1度揚げ、外側をカリッと黄金色に仕上げる。

ヘントのいたるところにフライドポテトを売る店がある。たいていは円錐形の紙の容器に詰め、マヨネーズを添えて手渡される。

オランダ
ハーグのニシン

毎年6月、ハーグ近郊の魚港スヘフェニンゲンで、
新ニシンのシーズン到来を告げる祭典が開かれる。

売り手に「メット・オフ・ゾンダー？」と聞かれたら、それは「（玉葱のみじん切りを）付けるか、付けないか」という意味だ。屋台には、「新ニシン」という貼り紙。「メット」と答えれば、ポリスチレンのトレーにのった生ニシンの切り身が差し出される。尾を付けたまま、大きなスプーン1杯分の玉葱を添えて。

ピンク色がかった銀色のニシンの輝きは、どこか北海の夜明けの空を思わせる。尾をつまんで、玉葱をまぶしたら、天を仰いで切り身をまるごと口に入れよう。脂がのった新鮮な魚の旨みが堪能できるはずだ。オランダの人はこのスナックをよく食べる。若くて柔らかい初物のニシンが食べられる夏の間はなおさらだ。生のニシンは専門の屋台やスーパーマーケットで年間を通して買えるが、時期が遅くなるにつれ、ニシンのサイズは大きくなり、脂っこさも増していく。

カウンターのうしろでは、店主が驚くべき速さでニシンをさばいている。短く鋭いナイフを使って皮をはぎ、切り身にする（はらわたは漁船ですでに抜いてある）。

初物の新ニシン

毎年6月が近づくと、ハーグの人は気もそぞろになる。ニシンが十分な大きさに育った日から、**ニシンの初物の取引**が解禁されるのだ。人々はハーグ近くの港町スヘフェニンゲンに押しよせ、屋台で新ニシンを味わう。水揚げされた最初のひと樽には5万ユーロ以上の競り値がつくが、売上は寄付される。

漁期に入った最初の土曜日、スヘフェニンゲンで、新ニシンの季節の到来を祝う**フラフヘチェスダフ**（「旗の日」の意味）の祭典が開かれる。漁船を満艦飾に飾り立て、集まった数千人の人々は演芸や展示会、シーフードを楽しむ。

ベストシーズン　新ニシンのシーズンが始まる6月初旬に行くのがベスト。「フラフヘチェスダフ」と呼ばれるニシン解禁の祭典は、例年は6月の第2土曜日に開かれる。「初物」が味わえるのはそれから7月いっぱいまで。ただしニシンそのものは1年中買える。ハーグ自体、いつ訪れても楽しい町だ。

旅のヒント　ハーグはアムステルダムから50キロ、スキポール国際空港からは40キロ南西にある。漁港と海辺のリゾートがあるスヘフェニンゲンは、ハーグの中心から5キロほど。優雅で活気あるハーグの町には、質の高いホテルやレストラン、博物館や商業施設がたくさんある。

ウェブサイト　www.denhaag.com、www.vlaggetjesdag.com

オランダの人がこよなく愛するニシンの切り身。天を仰いで、口の中へ放りこもう。

フィッシュ&チップスを新聞紙にくるんでいたのは昔の話。今では白い紙が使われることが多い。

パイ&マッシュの店

フィッシュ&チップスと並ぶ英国の庶民の味が、パイ&マッシュだ。この料理を出す店の人気を支えているのは、実はウナギ。**ジェリー・ド・イール**（煮こごりを添えた冷製）と**シチュー**（マッシュポテトを添え、パセリのソースをかけて出す）の2種類がある。

ウナギに食指が動かないなら、ミートパイでもいい。牛肉を詰めたものが定番だが、ほかの具もある。

ロンドンの南部と東部には、**M・マンゼ**をはじめとする昔ながらのパイ&マッシュの店が今も残っている。木製のベンチや大理石のテーブル、タイル張りの壁が特徴だ。

英国
フィッシュ&チップス

フィッシュ&チップスは、英国の海辺の町で身が引き締まるような海風に吹かれながら食べるのが一番うまい。

黄金色のカリッとした衣をつけた魚のフライとフライドポテト。この組み合わせは、ビクトリア時代の漁師が初めて北海のタラを水揚げして以来、英国の労働者階級の大好物だ。フィッシュ&チップスは国中で見かける料理だが、最高の一品を出しているのは、優良な漁港を抱えた英国北部のフィッシュ&チップス専門店だ。こうした店は、地元で「チッピー」と呼ばれている。

評価の高いチッピーでは、昔ながらのレシピを守り、牛脂を使ってフィッシュ&チップスを揚げる。高温の油で短時間で揚げるので、衣はカリッと香ばしくなるが、中の白身魚は肉汁たっぷりだ。1杯の甘いミルクティーとえんどう豆のプディングを添え、たっぷりの塩とモルトビネガー（麦芽酢）をふりかけて出す。これがフィッシュ&チップスの伝統だ。ジョン・メージャー元首相が「必ず酢、塩の順でかけるべきだ」と国民にアドバイスしたほどに、この料理は英国の象徴なのである。

ベストシーズン フィッシュ&チップスは1年中食べられる。英国の天気は変わりやすいことで有名だ。チッピーを訪ねるなら、あえて凍てつく冬を選ぶのも一興。英国の北部地方は往々にして、この季節に最も美しく、ドラマチックな姿を見せる。

旅のヒント 北海沿岸の清冽な空気は、不思議と食欲を増進させる。どこの店でも持ち帰りができ、たいていは紙に包んで渡してくれる。フィッシュ&チップスの店はよく新規開店したり廃業したりする。よい店を探すにはフィッシュフライヤーズ連盟が主催する年間コンテストの結果をチェックしよう。

ウェブサイト www.federationoffishfriers.co.uk、www.clickfishandchips.co.uk、www.manze.co.uk

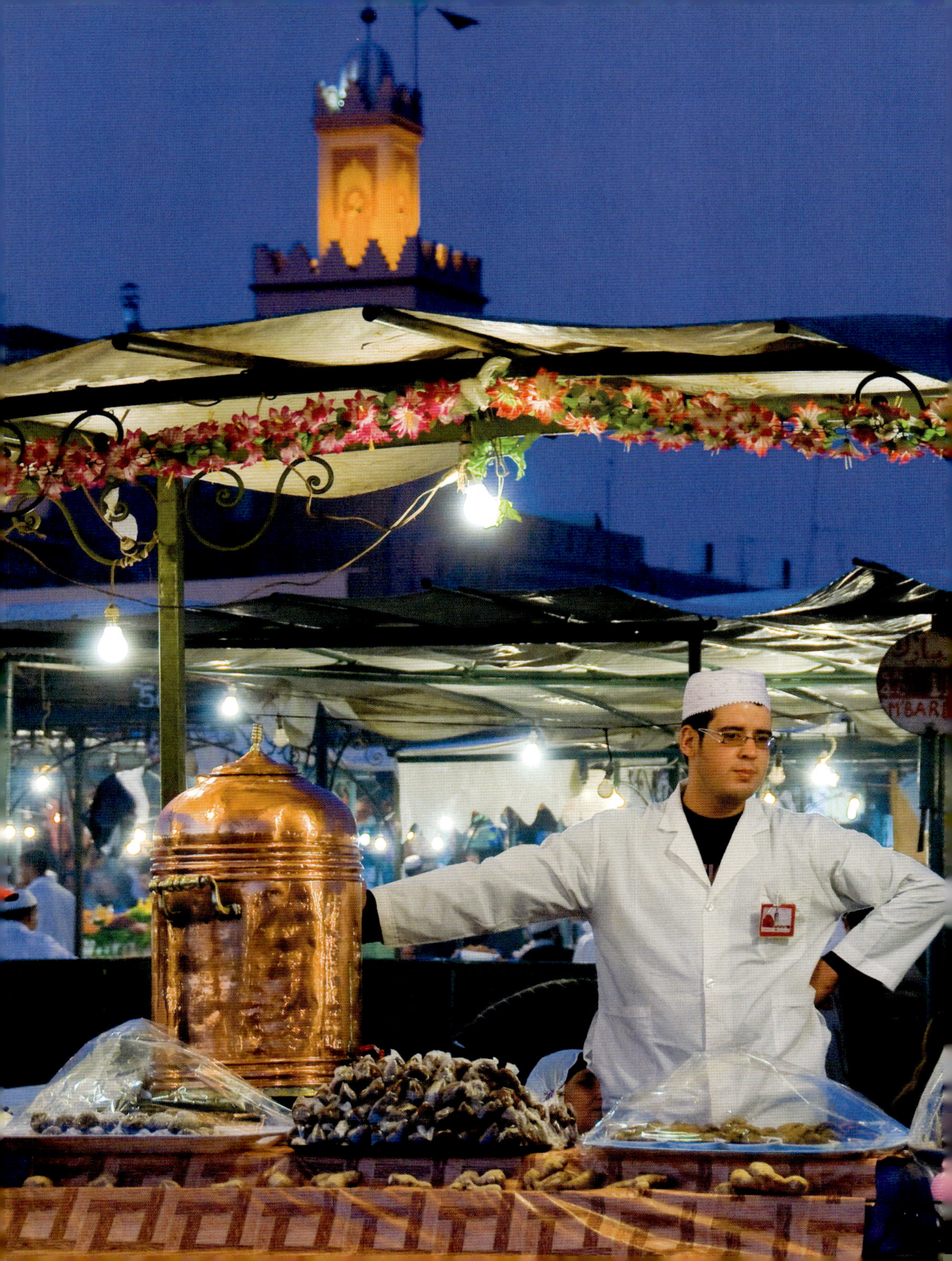

モロッコ
マラケシュ、夜の屋台村

モロッコ西部にあるこの美しい都市の中央広場は、
夜ごと活気ある巨大な野外レストランに変わる。

マラケシュの旧市街のジャマ・エル・フナ広場に夕闇が迫ると、折りたたみ式のテーブルやコンロ、壺、鍋などを携えた男性や少年が集まってくる。それから数分のうちにテーブルと椅子が並べられ、壺は液体で満たされ、コンロには火が入る。やがて、ケバブや魚のフライ、パンの匂いがあたりに漂い始める。

夜の屋台村の幕開けだ。これほど強烈で華々しい食の体験ができる場所は、モロッコにはほかにない。太鼓やベルの奏者、蛇使い、物語の語り部、火食い芸人、奇術師などを見ながら、この町きっての安くて新鮮な食べ物を味わうとしよう。

まずは広場を一周したい。それ自体が楽しいし、どこで何を食べたらよいか事前に見当を付けることもできる。モロッコ料理になじみがないなら、タジン、クスクス、ケバブなどを少しずつ食べさせてくれる屋台がおすすめ。食べたいものが決まっているなら、じっくり焼いた仔羊、ハリラ（ひよこ豆のスープ）、メルゲーズ（羊肉のソーセージ）、ケバブなど、それぞれを専門に出す屋台に向かおう。冒険したい気分なら、トリップ（牛や羊の胃）の煮込みや、ゆでた仔羊の頭を食べてもいい。

モロッコ料理がどれだけ洗練を極めようと、このばら色の都市で最も多様で美味なる食の体験ができるのは、やはり夜の屋台村なのだ。

ベストシーズン 屋台は毎晩6時以降に始まる。モロッコでは9〜5月が比較的涼しい。
旅のヒント 広場とその北側の市場はたっぷり時間をかけて見て回ろう。日中もオレンジジュースの屋台や水売り、蛇使いが出てにぎやかだ。カフェもたくさんある。カフェに座って、世の動きにしばし思いをはせるのもいい。「カフェ・ド・フランス」には広場を一望する屋上のテラスがある。有名なレストランをチェックしながら町全体を見て回るには3〜4日必要。「リアド・タムスナ」は昼食におすすめだ。夕食だったら「ル・フンドク」で、おいしいフランス風モロッコ料理が食べられる。「ダール・モハ」と「ダール・ヤクート」は、マラケシュの美食レストランの双璧。
ウェブサイト www.morocco-travel.com、www.cadoganholidays.com、www.darmoha.ma

タジン
タジンは時間をかけて煮込んだ香り高いシチューの名前。もともとはベルベル人の伝統料理だったが、今ではモロッコ料理の代表格となった。通常は肉または魚を野菜と一緒に煮込むが、野菜だけで作ることもある。

この料理に使う、円錐形のふたがついた陶製の鍋も「タジン」という。伝統的なモロッコの家庭では、この鍋を炭火のコンロの上に置き、均等に熱が加わるよう、だんだんと炭を足していく。蒸し煮の状態でゆっくりと火を通していくので、ソース自体は煮詰まっていくが、肉の柔らかさとたくさんの肉汁は保たれたままだ。

ほとんどのタジンは鶏肉か仔羊肉が主役。油と香辛料の使い方はさまざまだ。**バター**と**アーモンド**を使うレシピもあれば、**玉葱**を入れるものもあり、**生姜**と**サフラン**で味付けするものもある。レモンのジャムは多くのレシピで使われる。

左ページ：ジャマ・エル・フナ広場で客を待つ屋台の料理人。上：大人気のケバブ。

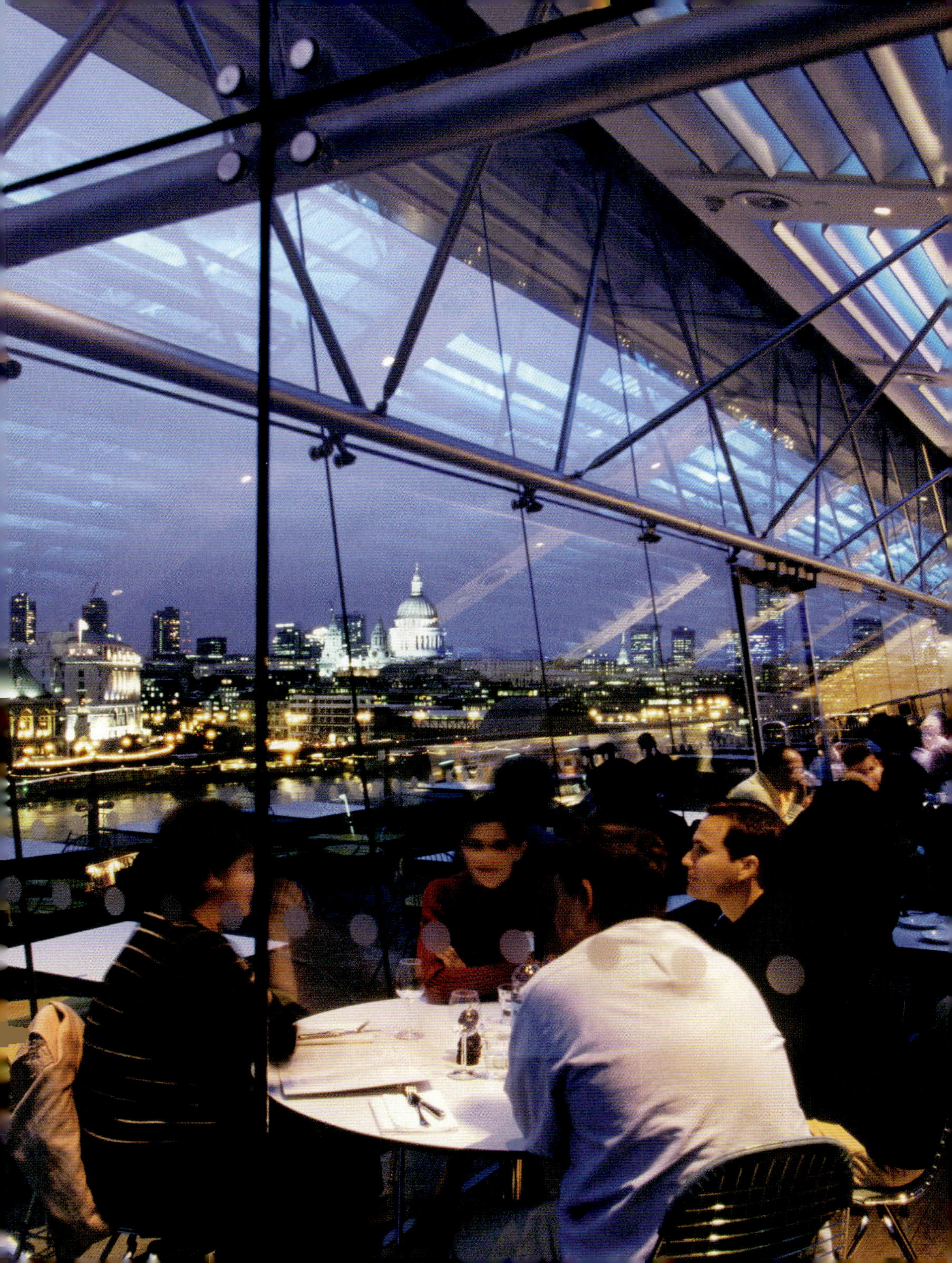

6 偉大なる食の都

　食の都の定義とはなんだろう。多種多様なレストランがある、郷土料理が大切にされている、独創的なシェフがいる…。これらはもちろん重要な要素だ。では、ある場所に人が引きつけられる理由はなんだろう。風景、名所旧跡、街の雰囲気、博物館の至宝など、いろいろあるだろう。おいしいものが食べられる、これも大きな魅力の一つだ。

　食を愛する人にとって、旅に出るのにあれこれ理由はいらない。米国のニューオーリンズやチャールストンでケイジャンフードを味わう。サウスカロライナのアオガニのスープを堪能する。それだけで十分だ。

　本物を求める美食家は、究極のピザを求めてイタリアはナポリの裏通りをくまなく歩くだろう。あるいは、フランスの名物料理カスレを味わうためにフランス南西部の中世の都市をめぐるだろう。シーフードに目がない人は、シドニーのすばらしい甲殻類をとるか、はたまたインドのゴアで香辛料たっぷりの豪勢な魚介類カレーをとるかで悩むかもしれない。

ロンドンのテムズ川南岸には新しいレストランが続々と開店している。すてきな街の景色を愛でながら、すばらしい創作料理が味わえる。

カナダ
モントリオールのケベック料理

大陸性気候、フランス移民の伝統、進取の気性。
それらの相乗効果で、ケベックにすばらしい料理が生まれた。

ケベック州は、ラテン気質の農夫、太陽を浴びて育った作物、フランス風の味と香りが特徴だ。モントリオールでは、高級レストラン（地元では「レスト」という）から、プラスチックのテーブルで相席が当たり前のスモークミートの店まで、どこへ行っても特色ある料理に出会える。

ケベックのファストフードといわれるプーティンを食べてみよう。フライドポテトに濃厚なグレービーソースとチーズを固める前の凝乳をかけたものだ。モントリオールの料理人たちは、地元の農家や漁師、山菜やきのこを採る人たちとの強い絆で知られている。肉の加工品は極上で、特にハムやフォアグラはぜひ味わいたい。世界最高級のフォアグラはケベック産という説もある。

ケベックの製糖所で毎年春に作られるメープルシロップは、ここでは料理に年中使われている。プディングショマー（メープルシロップのソースに浸したスポンジケーキ）や、甘いタルトシュクル（砂糖のタルト）などにたっぷり入っている。

ベストシーズン 春から秋の間に行こう。新鮮な旬の食材が出回る季節だ。春にはこごみ（山菜）が食べられる。夏は野菜が豊富だが、木々が色づく秋が最高かもしれない。天然きのこ、ピーマン、茄子、かぼちゃ、トマトがとれ、この街で大人気の肉料理を引き立てる。

旅のヒント 小規模なレストランの中には（特にモン・ロワイヤル地区）酒類の販売許可を得ていないため、客が持ち込む方式の店もある。レストランの窓に"Apportez Votre Vin"の看板があるか注意して見よう。「ワイン持参で」という意味だ。たいていの高級レストランは要予約。

ウェブサイト www.montreal.ccm、www.restomontreal.ca、www.restaurantaupieddecochon.ca
www.restaurant-toque.com、www.schwartzsdeli.com

特選レストラン

オ・ピエド・コションはいかにもケベックらしいレストランだ。シェフのマルタン・ピカールは、贅沢さと味に妥協を許さない。この店の名物料理は「カモ肉の缶詰」。カモの胸肉に大きなフォアグラ一切れをはさみ、にんにく1片、タイムの小枝、バルサミコ酢とメープルシロップの濃厚なソースとともに缶詰めにして20〜30分ゆで、中身をトーストしたパンと根セロリのピュレの上に乗せて出す。このフォアグラは絶品で、メニューにあるほとんどの料理に使われる。

賞を獲得した**トケ！**は、カナダでも指折りの高級レストラン。最高の材料を使った、上品でしゃれた料理が楽しめる。

低予算なら**シュワルツ**がおすすめ。モントリオール最古の総菜店で、燻製肉で有名。燻製肉は焼いたブリスケット（牛胸肉）とパストラミ（牛肩肉の燻製）の中間といった感じだ。赤身のところを多めに、などと注文しないように。脂身にこそ旨みが詰まっているのだ。

モントリオール旧市街の中心にあるジャックカルティエ広場。レストランやいろいろな店、画廊が軒を並べる。

ボリュームたっぷりのガンボ。サウスカロライナ州沿岸部の定番メニューだ。

米国サウスカロライナ州
チャールストンの料理

チャールストンの歴史地区にある石畳の道を歩けば、
米国の南部料理と南部気質の温かさにどっぷりと浸れる。

サウスカロライナ州とジョージア州の沿岸部はローカントリーと呼ばれ、特にサウスカロライナのチャールストンはこの地域の食の都になっている。
　ローカントリーフードの要は、昔ながらの調理法と地元で手に入る新鮮な食材だ。まず、朝食にグリッツを食べよう。とうもろこしの粗挽き粉を牛乳で煮てバターをたっぷりかけたグリッツは、揚げた海老と一緒に食べる。
　本物の農園料理を味わうなら、18世紀の農園を修復・再建したミドルトンプレースハウス博物館へ行こう。チャールストンの中心から車で30分ほどだ。併設のレストランでは、農園料理を忠実に再現した「メアリー・シェパード風ガンボ」がおすすめ。豚足や牛のあばら肉、オクラ、海老、玉葱、トマト、白いんげん豆など具だくさんの一品だ。そしてシークラブスープを味わうまでチャールストンを訪れたとはいえない。雌のアオガニを使ったこのスープは、カニ肉と明るい橙色のカニの卵をドライシェリー入りのホワイトソースで煮たクリームスープだ。

ローカントリーを味わう

■ローカントリーの料理をプロの料理人から習おう。調理用具店**チャールストンクックス**では定期的に料理の実演と料理教室を開いている。「ローカントリーの味覚」と題した教室のメニューは時々替わり、作った料理を味わえる。

■歴史地区の**ファーマーズマーケット**へ行こう。3月から11月までの毎週土曜日に開かれる。地元で採れた野菜や果物、花、装身具、民芸品が売られ、バンドの生演奏もある。

■チャールストンの食文化を歩いてたどるガイド付きツアーに参加するのもいい。「キュリナリーツアーズ・オブ・チャールストン」が主催する徒歩とバスのツアーは、この町の歴史をたどりながら、レストランの厨房や地元の食材の生産者を訪ねる。

ベストシーズン　平均気温が15〜26℃の早春か晩秋がいい。毎年3月初めに4日間開催される「BB＆Tチャールストン・フード＆ワイン祭り」では、地元の料理人の実演やワインの試飲などのイベントがある。

旅のヒント　チャールストンには少なくとも5日間は滞在しよう。料理、音楽、再建された農園など楽しみはたくさんある。自然を楽しむなら、沿岸や人工島をカヤックやフェリー、エコツアーのボートで見て回ろう。

ウェブサイト　www.charlestoncvb.com、www.middletonplace.org、www.mavericksouthernkitchens.com、www.charlestonfoodandwine.com、www.culinarytoursofcharleston.com

偉大なる食の都 | 163

トップ10
旅人のためのレストラン

旅人のためのレストランは、通り過ぎる人のための憩いの場だが、
そこをめざしてわざわざやってくる場合もある。特別な場所で最高の料理を味わうために。

❶ ビーバークラブ（カナダ、モントリオール駅）
1958年開業のモントリオールで最も豪華なホテル、フェアモント・ザ・クイーンエリザベスは鉄道の駅の上にある。ホテルにはレストランが三つ。最高級の「ビーバークラブ」はディナーのみで、カナダで一、二を争うレストラン。カナディアンウイスキーでフランベしたサーロインステーキなど、カナダ風のフランス料理が楽しめる。

旅のヒント レストランは火曜日から土曜日まで営業。ドレスコードあり。ジーンズ、スニーカー、Tシャツ不可。www.beaverclub.ca

❷ グローブ＠YVR（カナダ、バンクーバー空港）
空港のホテルにある普通のレストランとは趣が違う。防音ガラスの窓は床から天井まであり、カナダの北岸山脈が見渡せる。フライト前で時間がない人には「5分ランチ」が便利だが、できれば時間をかけて一流の料理を味わってみよう。

旅のヒント グローブ＠YVRは、米国行きターミナルの上にある。www.fairmont.com

❸ オイスターバー（米国、ニューヨーク市・グランドセントラル駅）
昔のマンハッタンと鉄道の旅の栄華を再現した華麗なオイスターバー。1913年、グランドセントラル駅が新築された年に開業した。駅舎はボザール様式の傑作。洞窟のようなドーム型天井の下にあるバーはシーフード料理が売りで、生牡蠣だけで30種類もある。

旅のヒント 日曜日と祝日は休み。www.oysterbarny.com

❹ インディアナポリス国際空港（米国、インディアナ州）
環境に配慮した設計を取り入れた新ターミナルでは、郷土料理や音楽の生演奏が楽しめる。ターミナル内には朝食レストラン「パタシュー・オン・ザ・フライ」「シャピロのコーシャーデリ」「サウスベンド・チョコレートカンパニー」、自動車レースをテーマにした「インディ500グリル」などがある。

旅のヒント レストランはランドサイド（出国審査・搭乗手続き前の誰でも入れる区域）の明るいシビックプラザのほか、エアサイド（手続き後の区域）にもある。www.indianapolisairport.com

❺ チワワ太平洋鉄道（メキシコ）
絶景が望めるこの鉄道は、太平洋側のロスモチスから、グランドキャニオンの4倍の広さがあるコッパーキャニオンを通って、内陸のチワワまでを結ぶ。食堂車では、エンチラーダス、鶏肉のケサディーヤ、ナチョス、自家製のコーンスープ、肉汁たっぷりのバーガーなどのメキシコ料理が楽しめる。

旅のヒント 食堂車がある急行列車に乗ろう。普通列車にはスナックの自動販売機しかない。www.chepe.com.mx

❻ 東京駅（日本）
東京駅には1階に「キッチンストリート」と呼ばれるレストラン街があり、いつもにぎわっている。さらに、駅近くの丸ビルと新丸ビルにはたくさんのレストランがある。東京駅からは地下道で通じている。

旅のヒント これだけたくさんのレストランがあれば、そんなに歩かなくてもすぐに入りたい一軒が見つかるだろう。www.jnto.go.jp

❼ コロニアル・トラムカーレストラン（オーストラリア、メルボルン）
創業1983年、世界初の走る路面電車レストラン。優雅なワインレッドの車両は1920～40年代のもの。車内はビロードや真鍮を使った内装で、揺れ防止装置とエアコンが付いている。メルボルンのダウンタウンと郊外を走りながら本格的ディナーが楽しめる。オーストラリアらしいメニューとして、よくカンガルーの肉が出る。

旅のヒント どの時間帯の食事を選ぶかにもよるが、3～5品のコースメニューはいずれも飲み物付き。数カ月前からの予約が必要で、ドレスコードあり。www.tramrestaurant.com.au（日本語あり）

❽ ル・トラン・ブルー（フランス、パリ・リヨン駅）
旅の途中のレストランで「ル・トラン・ブルー」にまさるところはあまりない。1901年開業のこのレストランは、欧州の優雅さ、豪華さ、ロマンを漂わせるベルエポック建築の最高傑作。木の羽目板、シャンデリア、革張りの椅子、天使の彫像、大きなアーチ型の窓。41枚あるフレスコ画は、パリ＝リヨン・地中海鉄道の沿線の風景を描いたものだ。

旅のヒント カメラかスケッチ帳を持って行こう。レストランの隣には同じような内装と優雅な雰囲気でもっと安いカフェもある。www.le-train-bleu.com

❾ シャンパンバー（英国、ロンドン・セントパンクラス駅）
ロンドンの輝かしいヴィクトリア朝時代の建物、セントパンクラス駅。ユーロスターのターミナルとして改装されたこの駅に、欧州最長のカウンターを誇るシャンパンバーがお目見えした。大陸間鉄道の復興と長年荒廃していたこの地区の再生を祝うのにぴったりだ。料理はモダンブリティッシュ。

旅のヒント バーは2階のコンコースにある。www.stpancras.com

❿ プレーンフード（英国、ロンドン・ヒースロー空港）
ミシュランの星を多数獲得し、テレビでもおなじみの有名シェフ、ゴードン・ラムゼイのレストラン。モダンブリティッシュ料理、空気力学的なデザイン、滑走路の眺め、空の旅をテーマにしたハイセンスな内装が売り。値段は高いがそれだけの価値はある。急いでいる旅行者のための持ち帰り用ボックスはありがたい。

旅のヒント 第5ターミナルにある。www.gordonramsay.com

右ページ：パリの「ル・トラン・ブルー」は、南仏リビエラ行きの豪華列車にちなんで名付けられた。列車の最盛期は1920年代から30年代だった。

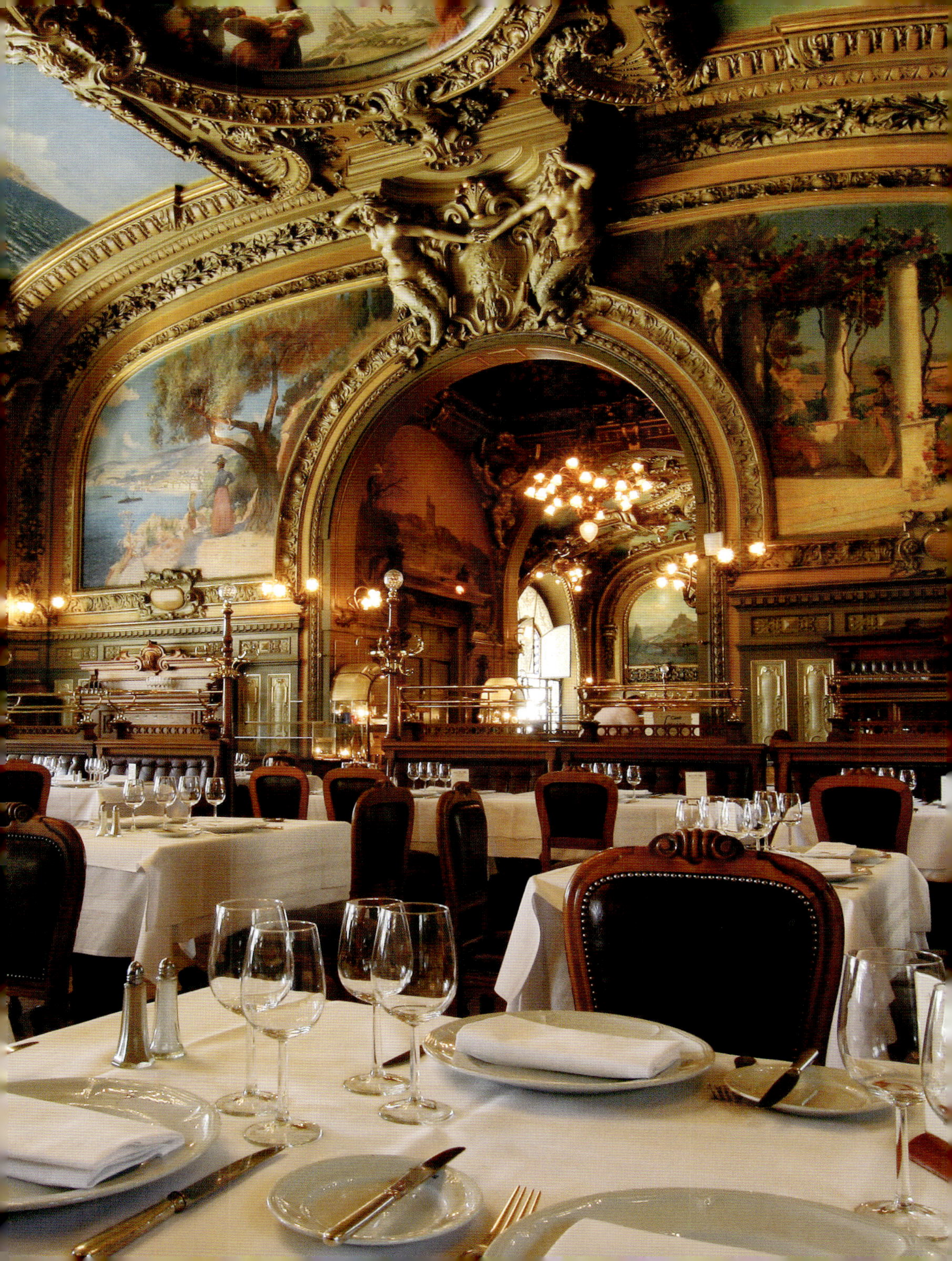

米国テキサス州
サンアントニオのテクスメクス料理

テキサスとメキシコの出合いが生んだこの料理のファンは、
サンアントニオ中心部で新しい店を探したり、長年のなじみの店に通ったりする。

テクスメクス料理とは、テキサスとメキシコの文化が融合した、この土地ならではの料理のこと。サンアントニオの有名なテクスメクス料理の店「ミ・ティエラ」や「ロサリオ」には当然行くとして、繁華街の喧噪にうんざりしたら北へ向かおう。「カフェ・サルシータ」は、イーストバス通りのショッピングモールにある朝食と昼食のみの店で、テラス席と屋内席がある。赤唐辛子のサルサ（チリソース）は、平凡な内装からは想像もつかない独創的な味。明るい橙色のクリーミーなソースで、モレ（カカオソース）のような質感と甘さがある。これを特大タコスの朝食、エリックスペシャルと一緒に味わおう。

さらに北の「タコガレージ」はテクスメクス料理の殿堂だ。チリコンカーン、エンチラーダスなどの定番メニューもあれば、とびきりおいしいチラキレスもある。これは、できたてのトルティーヤにハラペーニョ（唐辛子）のナチョスとスクランブルエッグの具をのせた一品。落ち着いた雰囲気がお好みなら、1937年創業の「テカ・モリーナ」がおすすめ。アステカの絵が飾られた店内でトルティーヤを食べよう。

ベストシーズン サンアントニオの夏は暑いが、レストランはどこも冷房が効いている。
旅のヒント タクシーで街外れに行くときは、帰りのためにタクシーの電話番号を控えておこう。レストランは予約しなくてもいい。もっとも、ほとんどの店は予約を受け付けない。「ロサリオ」などの朝食タコスの人気店では行列ができるが、それほど長くは待たされない。
ウェブサイト www.cafesalsita.com、www.centralmarket.com、www.mitierracafe.com、www.tacohaven.info、www.titosrestaurant.com、www.arturosbarbacoa.com

勇敢な人向きのメニュー

「無駄がなければ不足もない」ということわざがあるが、サンアントニオでは牛のあらゆる部位が味わえる。まずは「アルトゥーロのバルバッコア」で定番の**バルバッコアのタコス**を食べてみよう。バルバッコアは牛の頬肉のバーベキュー。柔らかく肉汁たっぷりで、煙の香りがする。

まだ食べられそうなら、「ティトのメキシカンレストラン」で**ラ・レング**に挑戦しよう。グレービーのようなソースをかけたぶつ切りの牛タンが出てくる。サンアントニオのほかの店では、牛タンはタコスと一緒に供される。たとえば、「タコ・ヘブン」では、アサードのように煎った胡椒を振り、濃いソースはかかっていない。

そして、いつかは勇気を出して「ミ・ティエラ」に寄り、1杯の**メヌードスープ**を味わおう。この人気の伝統的朝食には牛のハツが使われている。マルガリータの二日酔いに効くという。

サンアントニオの芸術の町、サウスタウンにある「ロサリオ」は、マルガリータと現代的なテクスメクス料理が味わえる店。

ニューオーリンズのフレンチクオーター。どこへ行ってもジャズが聞こえてくる。

米国ルイジアナ州

ニューオーリンズのケイジャン

ケイジャンの料理人は、伝統的な欧州の調理法と
地元の食材を組み合わせ、新たなジャンルを生み出した。

ニューオーリンズの郷土料理、ケイジャンは、バイユーと呼ばれるミシシッピー川の下流域で生まれた。

初期のケイジャン料理は、フランスの田舎料理に、魚介類や米、さとうきびなど地元の食材を組み合わせたものだった。ガンボ(オクラと鶏肉や魚介類、野菜を煮込んだシチュー)、ジャンバラヤ(炊き込みご飯の一種)、クロウフィッシュパイ(ザリガニのパイ)の3品は名曲「ジャンバラヤ」にも登場する。

ケイジャンの本場にはまだまだたくさんの珍しい料理がある。ホッグスヘッドチーズ、ナマズのクールブイヨン煮、マックショー(とうもろこしと野菜を魚介類か鶏肉とバターで炒めたもの)や、カエルの脚とマッシュルームと胡椒の一品だ。

最初の有名シェフ

米国の有名なシェフ、ウルフギャング・パックとアンソニー・ボーデインは異議を唱えるかもしれないが、米国の有名シェフブームに火をつけたのは、ケイジャンのシェフだった。**ポール・ブルドム**と**エメリル・ラガッセ**の二人である。

1979年、ポール・ブルドムがフレンチクオーターに**K-ポールのルイジアナキッチン**を開いたとき、ミシシッピデルタの外では、ポールのことは(彼が作る黒い赤魚料理のことも)誰も知らなかった。

ルイジアナ南西部のセントランドリー郡の田舎で生まれ育ったポールは、のちに全国放送の料理番組に出演し、ケイジャンのレシピを紹介した。ポールは人目を引く白いベレー帽と銀の握りのついた杖がトレードマーク。米国生まれのシェフとして初めて、栄えあるフランス農事功労賞を受賞している。

一方、エメリル・ラガッセは別の道を歩んでケイジャン料理の名シェフとなった。マサチューセッツ州に住むフランス系カナダ人とポルトガル人の両親の間に生まれ、初めてルイジアナの厨房に足を踏み入れたのは、1982年のことだった。その後、ニューオーリンズの**コマンダーズパレス**のエグゼクティブシェフとして迎えられ、のちに自分の店**エメリル**を開く。それから20年近く、いくつもの食の番組の司会やNBCのコメディーの主役として、米国のテレビの顔となっている。

地元のザリガニ料理の一品。

ベストシーズン ニューオーリンズとルイジアナ南部の食の旅には春と秋が最適。
旅のヒント すばらしいケイジャン料理が味わえるのはニューオーリンズだけではない。ルイジアナの田舎の食の祭典では、おいしい郷土料理、陽気な音楽、小さな町の米国に出会える。3月に開かれるニューアイベリアの「ケイジャンホットソース祭り」では、ジャンバラヤの料理コンテストとホットソースの人気投票が行われる。8月の「デルカンバー海老祭り」では、ゆでた海老、揚げた海老、詰め物をした海老のほか、海老の串焼き、ガンボ、ポーボーイ(細長いパンのサンドイッチ)、ピカンティなどが食べられる。ニューオーリンズの東150キロの町セントマーティンビルで行われるイベント「ラ・グラン・ブシェリ・デ・ケジャン」は、伝統的な豚の丸焼きを作る催し。マルディグラ(謝肉祭の最終日)直前に行われる。ニューアイベリアでは10月に「世界ガンボ料理コンテスト」も開かれる。
ウェブサイト www.louisianatravel.com、www.chefpaul.com、www.emerils.com
www.shrimpfestival.net、www.cajuncountry.org/boucherie

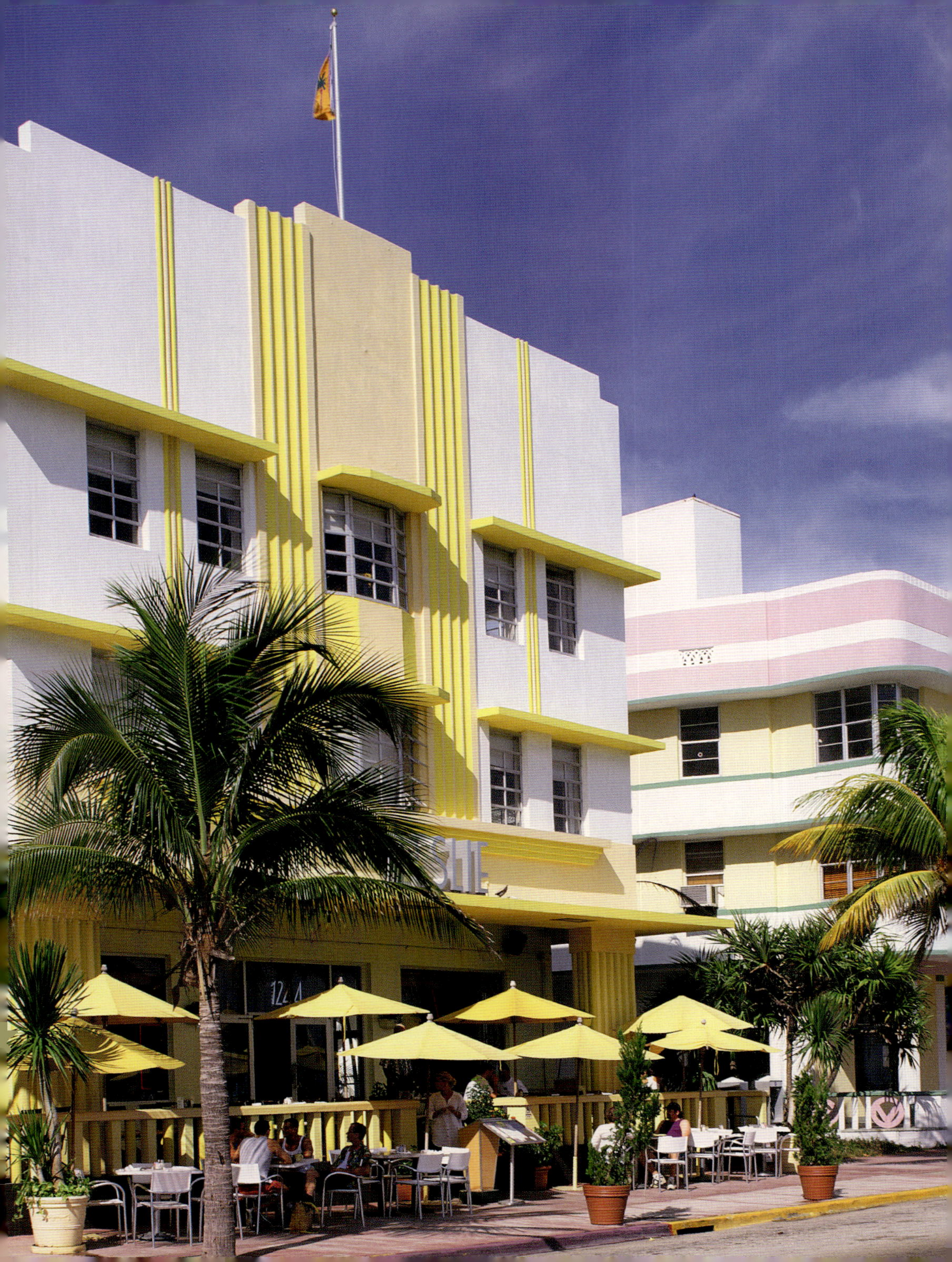

米国フロリダ州

マイアミのヌエボラティーノ料理

めずらしい地元の食材と独創的なラテンアメリカ人シェフの活躍で、マイアミは食の新しいスタイルの先進地となっている。

マイアミのヌエボラティーノ料理は、ぴりっとしたカリブ海料理とラテンアメリカ料理に、昔からの欧州の料理法を合わせたもの。フロリビアン（フロリダ風＋カリブ海風）とトロピカルの融合とも呼ばれている。

サウスビーチのレストラン「オーラ」では、シェフのダグラス・ロドリゲスがキューバ移民のルーツを生かした創作料理を出している。前菜にはロブスター、アボカドサラダ、サルサロッサが詰まったイカスミのエンパナーダ、そして主菜には27時間かけてじっくり焼いたクリスピーポークがおすすめ。これには揚げたキャッサバ（芋の一種）のレモン・モホ（マリネソース）がけ、黒豆のスープ、シラントロ・モホ（コリアンダーソース）を添える。同じサウスビーチの「ユカ」では、シェフのラモン・メドラーノが作るユカ・セビチェが人気だ。鯛、海老、イカ、タコ、ロブスターを生姜とライムのマリネ液で軽く和えたもので、少量のハバネロ（唐辛子）がきいている。

海から離れてドラールの郊外へ行くと、サメの模型と力強いラテン音楽でひときわ目立つ「チスパ」がある。もちろん料理も一流だ。料理用バナナの揚げものを扇状に並べ、焼いたタコと海老のマリネをのせ、アボカドディップとケソ・ブランコ（白いチーズ）を添えたものや、ほうれん草とマンチェゴチーズを詰めたラテン版マヒマヒに揚げたキャッサバとレモングラス・シラントロ・モホを添えたものがおすすめ。

ベストシーズン マイアミは暖かく、年間を通して晴れた日が多い。夏は暑く、夕立のため湿度が高い。
旅のヒント マイアミを見て回るにはレンタカーが最適だ。毎年多くのフードフェスティバルが開かれる。「サウスビーチ・ワイン＆フードフェスティバル」（2月）、「フェブ・フェスト」（2月）、「マイアミ・ワイン＆フードフェスティバル」（4月）、「マイアミバハマ・ゲームベイフェスト」（5月／6月）、「国際マンゴーフェスティバル」（7月）。上に紹介したレストランは予約がおすすめ。普段着でもよいが、上品な服装で。
ウェブサイト www.miamiandbeaches.com、www.visitflorida.com、www.olamiami.com、www.yuca.com

料理用バナナが大活躍

熱帯地方の主食、プラタノ（料理用バナナ）。見た目は普通のバナナそっくりだが、皮が厚く、実は硬くて糖分が少ない。野菜として使われ、くせのない味と食感がラテン料理にぴったりだ。

トストーネは熟す前の緑色のプラタノを2度揚げする料理。まず輪切りにして揚げ、ペーパータオルに余分な油を吸わせる。これを平らにつぶして再度揚げ、辛いソースをつけて食べる。チーズをトッピングして前菜にすることもある。

プラタノ・マドゥロを作るには、皮が黒くなった完熟のプラタノを厚さ1センチぐらいに斜め切りする。フライパンで油を熱し、両面を数分ずつこんがりと焼く。砂糖をまぶしてから焼くこともある。

左ページ：オーシャンドライブはサウスビーチの中心にある。上：レストラン「オーラ」のレインボーセビチェ。

スペインの入植者が建設した当時の趣を伝えるサンフアンの旧市街。伝統料理と創作料理の店が続々と開店し、街に新たな魅力を加えている。

プエルトリコ
サンフアンの新創作料理

プエルトリコの首都、サンフアンは
大胆で新しいフュージョン料理の都だ。

ヌエボラティーノ、ニューカリビアン、ニュープエルトリカン、エクソティコ・クリオーリョ（エキゾチック・クレオール）など呼び名はいろいろあるが、基本はラテンアメリカ料理をフランス料理の手法でアレンジし、遊び心を取り入れて現代風にした創作料理だ。

この分野の開拓者といえば、間違いなくアルフレード・アヤラだ。ニューヨークやフランスの一流レストランで修業を積んだアヤラは、1981年にプエルトリコに戻り、新しいレストランを次々開店して、島の料理人たちに影響を与えた。

中でも、「ピカヨ」のオーナーシェフ、ウィロ・ベネットは有名。店はプエルトリコ美術館の中にある。また、「カリベ・ヒルトン」のマリオ・フェッロ、「パシオン・ポエル・フォゴン」のミルタ・ペレス、「ペラ」のダイン・スミスらがいる。ヌエボラティーノ料理は新鮮さが売りで、基本は地元の食材だ。プラタノやキャッサバ、山羊肉を、マンゴーや柑橘類を入れたマリネソースや黒いラムのソースで大胆に仕上げる。

島の名物料理

■プエルトリコではさとうきびはわずかしか栽培していないが、世界最大のラム生産国で、200以上の銘柄がある。地元で人気があるのは**ドンQ**と**パリリット**。

■**ザ・ウーフ**はプエルトリコ最大のレストランチェーン。ヌエボラティーノ料理の「アクアビータ」「パロットクラブ」「ココ」、アジア風フュージョン料理の「ドラゴンフライ」、タパスの「トロ・サラオ」を展開している。

■毎年4月に開かれる**サボレア料理祭り**は、海岸でプエルトリコ料理を味わうイベントだ。島の最高級レストランの味が楽しめる。実演テントではプエルトリコの有名なシェフの料理教室が開かれる。

ベストシーズン　プエルトリコは年中温暖で、気温は23～29℃。
旅のヒント　サンフアン旧市街の移動には公共交通機関と徒歩が最適。高級レストランはドレスコードあり。要予約の店もある。冷房完備。
ウェブサイト　www.gotopuertorico.com、www.restaurantsinpr.com
www.oofrestaurants.com、www.saboreapuertorico.com

メキシコ

メキシコシティの味

新旧のレシピの巧みな取り合わせで、
昔の料理が見違えるように生まれ変わる。

　地元では「DF」で知られる連邦地区、メキシコシティには1万5000軒以上のレストランがある。全国各地の郷土料理、地元の名物料理、メキシコの創作料理など、誰の口にも合い、懐具合にもやさしい店が必ずある。

　アクサポツァルコ・コロニア近くにある小さなレストラン「エル・バヒオ」のシェフ、ティチータ・ラミレスが作るミチョアカン風カルニータス（肉汁たっぷりで香辛料がきいた豚肉の小片の揚げ煮）は、ここで食べられる最高の郷土料理の一つだ。

　オアハカ州の名物料理を食べるなら、コロニア・ポルトーレスにある「カサ・ネリ」がおすすめ。プエブラ州の有名なモレ（唐辛子、香辛料、チョコレートで作ったソース）とピピアン（かぼちゃと胡麻をベースにしたピカンティに似たソース）を各種取りそろえているのが、ナルバルテにある「イカロ」だ。ユカタン半島のピビル（香辛料をきかせ、マリネした豚肉）を味わうなら、コロニア・ナポーレスにある「エル・ハバネロ」に行こう。新創作料理なら、チャプルテペック公園北のポランコにある「イソテ」がスペイン征服以前の食文化をうまく取り入れている。

ベストシーズン　メキシコシティはいつ行ってもすばらしい食の都だ。
旅のヒント　予約をしてドレスコードがあるか確認しておこう。メキシコは公共交通機関が発達しており、タクシーの数も多い。夜遅い時間は公認タクシー（Taxi Seguro）が安心だ。レストラン、バー、クラブには公認タクシーの電話番号リストがあり、頼めば呼んでくれる。
ウェブサイト　www.visitmexico.com（日本語あり）、www.mexconnect.com

七面鳥の細切りをのせたトスターダス（揚げたトルティーヤ）。

メキシコの食事時間

デサユーノは軽い朝食。たいていは甘いロールパンとコーヒーのみ。本物志向でいくなら、街頭の屋台で売っているタマーレスを食べよう。

アルムエルソはブランチ。ウエボス・ランチェロスといった卵料理か、チラキレス（トルティーヤチップスにサルサをかけ、鶏肉とチーズをのせたもの）が一般的。ほとんどのレストランは午前10時頃からアルムエルソを出す。

コミーダは午後2時から4時にかけて食べる一日で一番しっかりした食事。「コミーダ・コリーダ（定食）」の表示を探そう。

メリエンダは軽めの早い夕食。コーヒーとペストリーをカフェで、あるいはカクテルとスナックをバーで。

セナは午後9時から10時ごろにとる軽めの夕食。

モレは香辛料をきかせた、どろりとしたソース。メキシコ伝統の味で、地域によって作り方や味はさまざま。

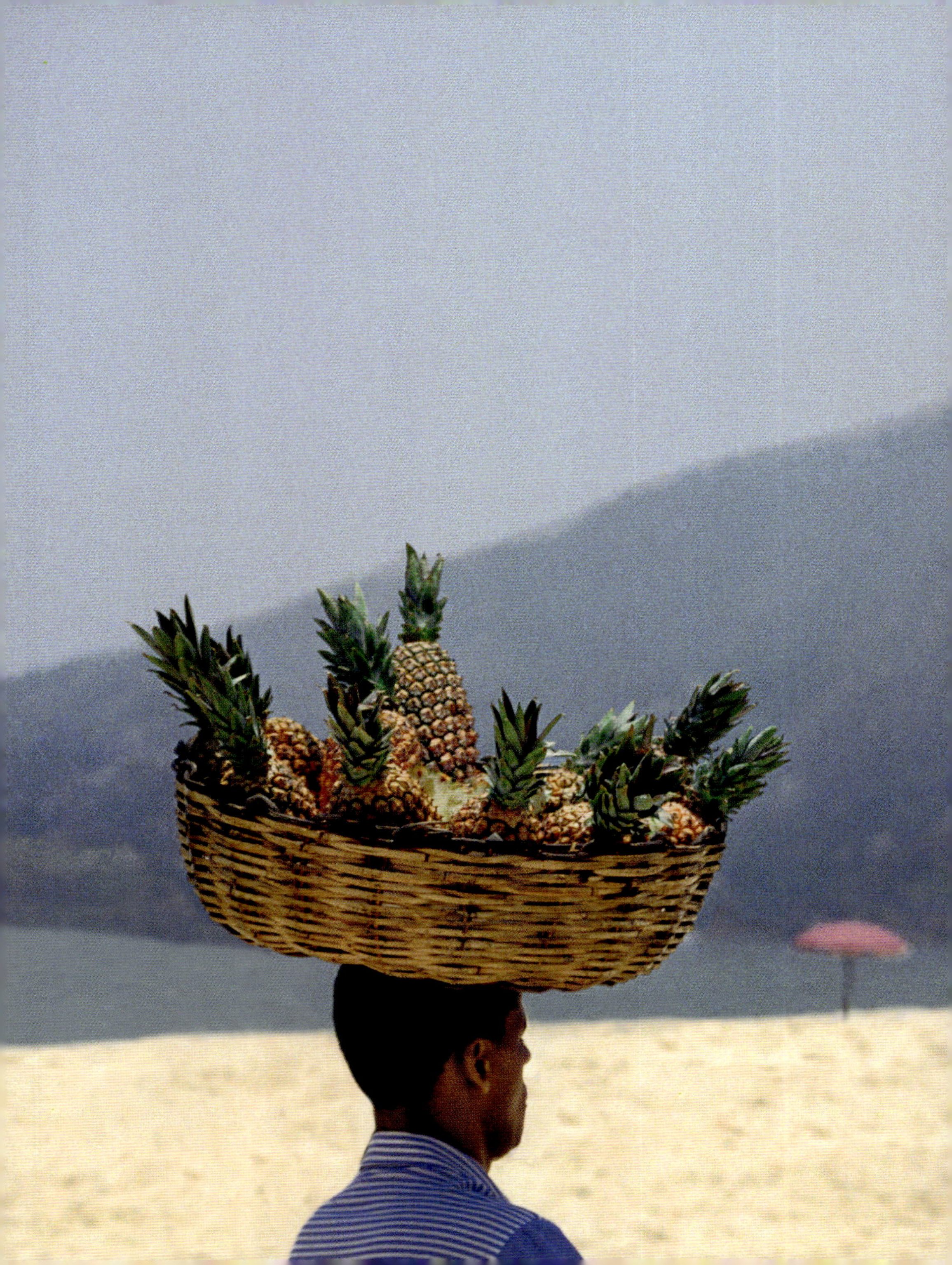

ブラジル

リオデジャネイロのフェジョアーダ

ブラジルの国民食で、国じゅうのレストランで作られる煮込み料理。
レシピは1001通りあるともいわれ、それぞれが正統派を主張している。

ブラジルの国民食といっても、いつもメニューにあるとは限らない。多くのレストランでは、土曜日と祝日の昼食に限って「今日のおすすめ」として出す。食いしん坊の旅人は、フェジョアーダを探すことで本物のリオを体験できる。フェジョアーダは黒いんげん豆と肉を煮込んだシチューだ。できれば、薪の火かれんがのかまどで煮込むのがいい。使う肉は人それぞれだが、伝統的なフェジョアーダは、豚の耳や尾、内臓、ベーコン、ソーセージ、干した牛肉、豚ロースを使う。高級レストランでは、豚の耳や尾の代わりにもっと肉の多い部分を使うこともある。ベジタリアン用のフェジョアーダを出すレストランもある。

付け合わせには、白米、ファロッファ（炒ったキャッサバ粉）、コウベ（キャベツに似た食用の葉のみじん切りを炒めたもの）、オレンジの輪切りが一般的だ。

この食事に合う飲み物は、冷やしたライトビールかカイピリーニャ。これはカシャーサ（さとうきびの搾り汁の蒸溜酒）とライムを砕いた氷に注いだカクテルだ。

フェジョアーダは、国民の祝日には、イパネマにある五つ星レストランから丘のスラム街までいたるところで作られる。アールヌーボー調の装飾で有名なレストラン「コンフェイタリア・コロンボ」は、リオでも一、二を争う昔ながらのフェジョアーダを出す。週末まで待てないなら、リオ南部のイパネマ地区にある「カサ・ダ・フェジョアーダ」へ行こう。数種類のフェジョアーダを毎日出している。

ベストシーズン　リオデジャネイロは冬（7～9月）も暖かく、最高気温は24℃。夏は暑く、40℃にもなる。観光シーズンのピークはクリスマスから2～3月のカーニバル後まで。一番混雑するが、最も盛り上がる時期でもある。

旅のヒント　カーニバルと大晦日の宿泊予約は遅くとも1年前でないと取れない。この時期はどこへ行ってもおいしいフェジョアーダがある。街頭のパーティーやサンバチーム主催の音楽と踊りの集まりでも出される。

ウェブサイト　www.travel.aol.com、www.ipanema.com

フェジョアーダの起源

フェジョアーダはアフリカからブラジルに連れてこられた奴隷が考え出した料理、というのが通説だ。

奴隷たちは豆や干し牛肉、キャッサバに味をつけるために、主人が捨てた豚の内臓などを使ったという。

しかし、豆と肉の煮込みは、古くからポルトガルの一般的な料理であり、初期のポルトガル移民がブラジルに持ち込んだと考える歴史家もいる。誰が考え出したにしろ、先住民の影響があるのは間違いない。

正統派フェジョアーダには必ずファロッファが添えられる。ファロッファの材料のキャッサバ粉は、昔からブラジルの先住民の主食だった。世界中のすばらしい料理に共通するように、おそらくフェジョアーダも多文化の食材と調理法が混じり合って生まれたのだろう。

左ページ：イパネマの海岸を歩くパイナップル売り。上：フェジョアーダと定番の付け合わせ。

アルゼンチン
ブエノスアイレスのステーキ

ブエノスアイレスは世界屈指の肉の都。
朝昼晩の牛肉三昧が許される。

活気あふれる美しい都市ブエノスアイレス。世界一の牛肉に恵まれたこの街では、特大ステーキの食事に2000円も出せばお釣りがくる。まず、街で最古のサンテルモ地区へ向かおう。ドレッゴ広場の骨董市で時計などを眺め、タンゴダンサーを見物したら、気さくなレストラン「デスニヴェル」へ。完璧なグリルステーキを赤ワイン、マルベックとともに味わおう。

街の北東部にある華やかなショッピング街、パレルモ地区なら「ラ・カブレラ」へ。このステーキハウスでは、古典的なカットのステーキが豪華な付け合わせとともに出てくる。アルゼンチンでは牛のあらゆる部分を使い尽くす。食後は牛革バッグか靴を買い、おいしいアイスクリームの店で一休みしよう。ドゥルセ・デ・レチェ（「甘い牛乳」という意味）を混ぜたキャラメル味のアイスクリームがおすすめ。

ダウンタウンのマヨ通りにある「カフェ・トルトーニ」でカフェ文化の一端を体験して、そのあとプエルト・マデーロ地区へ。高級レストラン「カバーニャ・ラス・リラス」はステーキ以外にもエンパナーダ（肉詰めパイ）などの名物料理がある。

アルゼンチン流のカット
アルゼンチンのステーキは米国や欧州とは肉の切り分け方が違う。主なカットは、**ロモ**（フィレ、テンダーロイン）、**カドリル**（ランプ）、**アンチョ**（リブアイ）、**チョリゾー**（サーロイン）の4種類だ。ほかにも**ティラ・デ・アサード**（リブ）、**バシオ**（わき腹の肉）、**ビフェ・デ・コスティージャ**（Tボーン）などがある。

ステーキは屋外のバーベキュー用の炉の上で広げて焼くか、串に刺して垂直に立てて焼く。安い部位は、**チミチュリ**（唐辛子、胡椒、ハーブ、にんにく、塩、玉葱、オリーブ油、酢を合わせたソース）でマリネにして付け合わせとして出す。

普通のバーベキューでは、腎臓や胸腺もよく使われる。

ベストシーズン　クリスマスから2月までの夏期はポルテーニョ（地元の人）が休暇で山に行くので、ブエノスアイレスは閑散とする。本来の活気ある街を体験するには、この時期は避けよう。

旅のヒント　パレルモ・ビエホ地区かレコレタ地区にあるモダンなホテルに宿泊し、地下鉄を利用して街を歩き回ろう。地下鉄は午後10時20分に終わる。ブエノスアイレスは比較的安全な街だが、免許をもった無線タクシーを利用し、スラム街には近寄らないようにしよう。

ウェブサイト　www.easybuenosairescity.com、www.bue.gov.ar

「カフェ・トルトーニ」からマヨ通りを西へ行くと、有名な建物「パラシオ・バローロ」がある。繊維会社の社屋で1923年に完成。

仕事帰りの人たちが一日の締めくくりに浅草の居酒屋で酒と料理を楽しむ。

外国人観光客にも大人気

居酒屋に言葉の壁はない。餃子を頼むにしても、ガーリックトーストを頼むにしても、ただ笑顔でメニューの写真を指させばいい。飲み物も料理も好きなときに追加注文できる。

ずらりと並ぶメニューには加熱調理したものもあれば、生ものもある。牛タンのシチュー、焼き茄子、イカの塩辛、牡蠣、寿司など、メニューを挙げればきりがない。

人気のドリンクメニューは**グレープフルーツサワー**。大きなグラスに氷と水で薄めた焼酎を入れ、生のグレープフルーツを搾って加えるさわやかさが受けている。

日本
東京の居酒屋

豊富なメニューがよりどりみどりで、気軽に入れる居酒屋。
食事とお酒の両方を楽しむのに、もってこいの場所だ。

　居酒屋にはビール、酒、焼酎などアルコール類がそろっていて、西洋のバーやパブと同じく、にぎやかで活気がある。日本では酒を飲みながらつまみや料理を食べることが多く、おいしい料理が自慢の居酒屋もある。料理はスペインのつまみ、タパスに例えられるが、居酒屋だともう少しボリュームがある。とはいっても、数品を取り合わせて楽しめるくらいの量だ。

　たいていの店では、洋風の料理もおいている。チーズのかかった焼きじゃがいもや小さなピザなどがどこのメニューにもあるのが外国人観光客に喜ばれている。和風の味に飽きてきたときは、洋風のつまみで目先を変えられるので日本の人にも好評だ。巨大チェーン店には、団体客が一度にテーブルにつける広い席もある。

　「嘉多蔵」(新宿区市谷)は、1898年の創業以来ずっと同じ場所で営業している。料理もすばらしい。クリームチーズのような食感のざる豆腐、海ぶどうの酢の物、鮭とバジル風味のポテトなど、どれもおいしい。

ベストシーズン　桜が見られるかもしれない春の終わり、または紅葉の秋の中頃がよい。東京の夏は蒸し暑い。
旅のヒント　ホテルのコンシェルジュに頼んで居酒屋チェーンの最寄りの店に電話してもらい、地図をファクシミリで送ってもらおう。日本では小さな通りには名前がないので、地図は必要だ。ほとんどの居酒屋は狭くて、騒々しくて、繁盛している。予約していけば確実だし、そうでないと入れないこともよくある。
ウェブサイト　www.japantravelinfo.com

トップ10
行ってびっくり！驚愕のレストラン

世界には風変わりなレストランがいくつかある。
そこで食事をすれば、全く新しい未知なる体験をすることになるだろう。

❶ ロイヤルドラゴン（タイ、バンコク）

1990年代に世界最大のレストランとしてギネスブックに掲載された。たしかに何もかもスケールが大きい。スタッフは1000人以上、座席数は5000。毎日1万人の客が訪れる。屋外のレストランエリアは1.5ヘクタールあり、給仕係は料理を早く運ぶためにローラースケートをはいている。

旅のヒント　街の南東、バンナトラッドハイウエー沿いにあり、年中無休。www.royal-dragon.com

❷ タイタニックシアターレストラン
（オーストラリア、メルボルン）

「大惨事の夜をお約束する世界でただ一つのレストラン」という謳い文句を掲げ、タイタニック号の最後の晩餐を再現する。乗客（食事客）は三等船室、一等船室、船長のテーブルのいずれかで、それぞれにふさわしい服装をして、モダンな欧風コース料理を楽しむ。役者や音楽家が雰囲気を盛り上げる。

旅のヒント　通常、土曜日のみの営業。コスチュームのレンタルあり。www.titanic.com.au

❸ イター
（モルディブ、コンラッドモルディブ・ランガリアイランドリゾート）

レストランに生け簀があるのは珍しくないが、「イター」は海の中に設けたアクリル製トンネルの中にあり、最新の水族館のような海中を270°見渡せる。サメやエイをはじめ、いろいろな魚がのぞき込み、どっちが見られる側なのかわからなくなる。料理はモルディブと西欧のフュージョン。

旅のヒント　食事客はほぼ100％このリゾートの宿泊客。ディナーは予約が確実。ドレスアップして行こう。www.hiltonworldresorts.com

❹ スノーキャッスル（フィンランド、ケミ）

ウオツカの完璧な給仕を求める人ならきっと満足するだろう。スノーキャッスルは本物の氷でできていて、酒も氷のグラスに入って出てくる。建物は毎年建て直され、外観が変わらないのはマイナス5℃という温度だけ。服装は北極探検に行くような格好で。

旅のヒント　営業期間は1月下旬から4月中旬。天候によって変わる。要予約。www.snowcastle.net

❺ ヴィトルド・ブドリクの部屋（ポーランド、ビエリチカ）

1996年に浸水するまで、ビエリチカは700年もの間、採掘を続けた岩塩坑だった。現在は坑夫に代わって観光客がここを訪れている。このユニークな地下レストランで、ラビオリ入りボルシチなどのポーランド料理を楽しもう。

旅のヒント　ガイド付きツアーは3時間かかる。遅くとも2週間前に予約すること。気温は14℃前後なのでそれなりの服装で。www.kopalnia.pl

❻ グロッタ・パラッツェーゼ
（イタリア、ポリニャーノ・ア・マーレ）

ロマンチックという点では、この自然の洞窟レストランは突出しているだろう。場所は、イタリア半島のかかと（プーリア州）の北にある中世の漁村、ポリニャーノ・ア・マーレ。巨大な石灰岩の海食洞に設けられた中二階のテラス席で、アドリア海を眺めながらシーフードやプーリア料理が楽しめる。

旅のヒント　洞窟レストランの営業は5月から10月まで。ポリニャーノはプーリア州の州都バーリから列車で30分。www.grottapalazzese.it

❼ フォルテッツァ・メディチェア（イタリア、ボルテッラ）

堂々たる要塞（一方は14世紀、もう一方は15世紀に建造）に設けられた最も警備が厳重な刑務所に、月に一度だけ営業する特別なレストランがある。客はセキュリティーチェックを受け、粗末な木のベンチに座り、プラスチックのナイフとフォークで食事をする。それでも数カ月先まで予約でいっぱいだ。料理は囚人が作っているが、トスカーナの一流シェフが指導している。

旅のヒント　ボルテッラはピサから列車で1時間半から2時間。予約はメールでボルテッラ・ツーリストオフィスへ。犯罪歴のある人は不可。www.volterratur.it

❽ ダン・ル・ノワール（英国、ロンドン）

真っ暗闇の中で、盲目の給仕が運んでくる何だかわからない料理を食べる。心惹かれる演出とはとても思えないが、この人気のレストランにはまじめな点もある。目の不自由な人が目の見える人を導くことで、障害に対する客の見方をくつがえそうという試みなのだ。料理は現代風の世界各国料理。

旅のヒント　ディナーのみ。日曜休み。住所はクラーケンウェル・グリーン30-31。地下鉄フェアリントン駅近く。www.danslenoir.com

❾ ザ・ツリーハウス（英国、アルンウィックガーデン）

アルンウィックの城主、ノーサンバーランド公爵夫人は、荒れ放題だった敷地を世界有数の庭園によみがえらせた。だが、彼女の最大の偉業はこの世界最大級のツリーハウスだ。16本の生きたライムの巨木を抱くように作られた大きなコテージは吊り橋でつながっている。鹿肉など地元の食材中心の料理。

旅のヒント　アルンウィックは英国中部の都市ニューカッスルの北約50キロ。最寄り駅はアルンマス。www.alnwickgarden.com

❿ パーラン（アイスランド、レイキャビク）

六つの巨大な貯水タンクをつなげた風変わりな建物は、ロマンチックなディナーとはほど遠いかもしれない。しかし1991年にタンクの上に回転するガラスのドームが設けられ、レイキャビク有数の豪華レストランに生まれ変わった。

旅のヒント　レストランは夕食のみ。www.perlan.is

右ページ：モルディブのサメ、エイ、ウミガメ、ハタをはじめ、熱帯魚の群れをぞんぶんに眺めるなら、昼間に席を確保しよう。

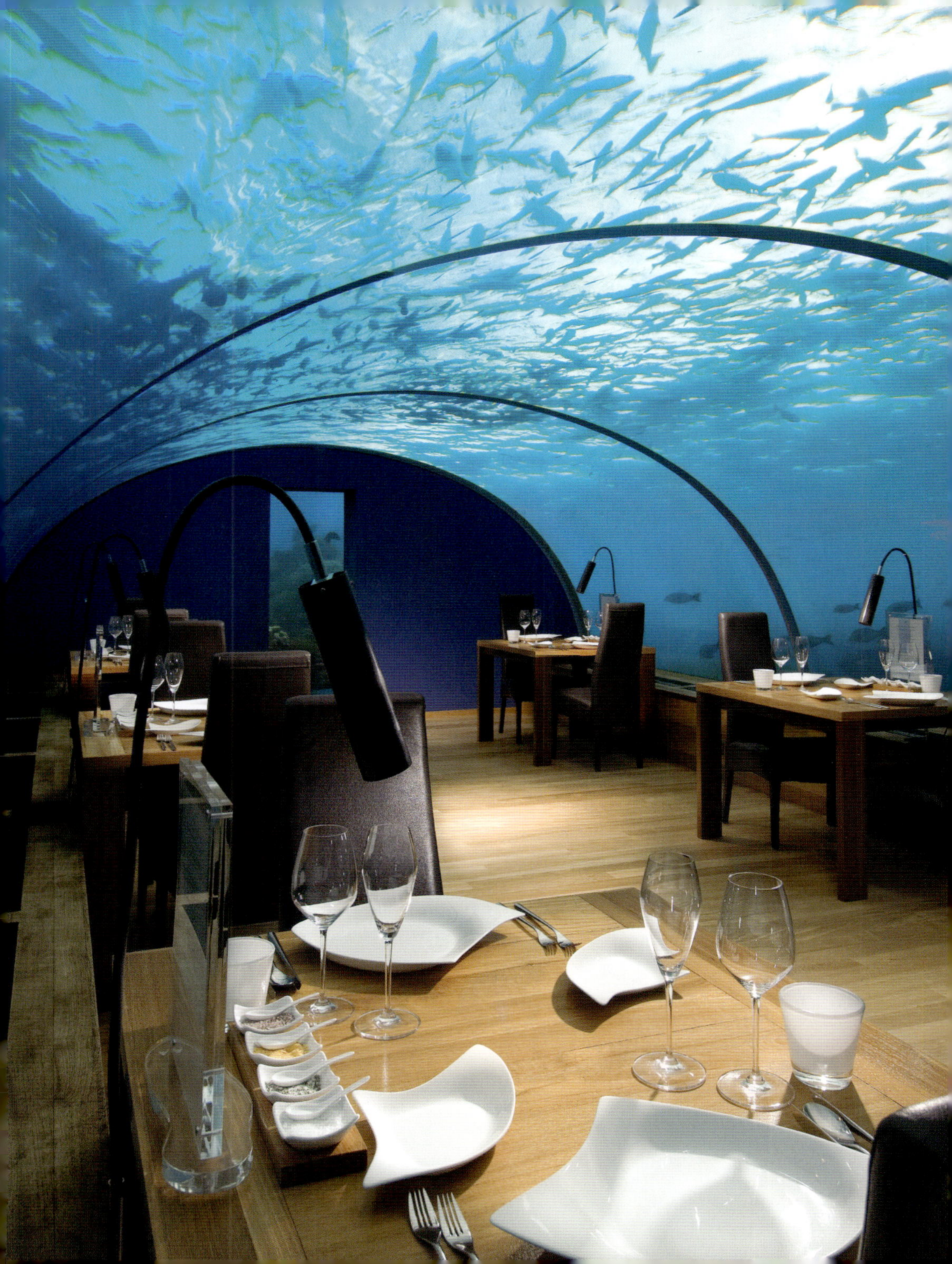

フィリピン
マニラの豚の丸焼き

レチョンはフィリピンの首都マニラ名物の驚きの料理だ。
市場で買って持ち帰るか、専門レストランで食べてみよう。

イスラム教徒でないフィリピン人（人口の9割はキリスト教徒）にとって、豚肉は食べものの王様だ。その頂点にある料理がレチョン、串刺しにした豚の丸焼きだ。味付けや付け合わせは地域によって異なるが、最高のレチョンの条件は同じ。皮はつやつやかなあめ色で、ぱりっとしており、肉は肉汁たっぷりで柔らかく、骨から簡単にはずれること。ルソン島など北部の島々では塩・胡椒だけ、ビサヤ諸島やミンダナオ島など南部の島々ではレモングラスや葱で味付けする。

マニラのレチョン地区、ラロマには、黄金色にこんがり焼いた豚をずらりと並べたレストランや持ち帰りの店が軒を連ねている。その眺めは壮観だが、必ずしもここで味わうのがベストというわけではない。フィリピン料理のレストランチェーン「カマヤン」本店は俗悪さが魅力。ガラス越しに豚が焼かれている様子が入り口から丸見えだ。レチョン・デ・レチェ（乳飲み仔豚）には数種類の付けだれがつく。甘いのや、酸っぱいのや、辛いものなど、いろいろな味が楽しめる。複数の店舗を持つ落ち着いたレストランチェーン「リディア」は、肉汁たっぷりのレチョンで有名だ。

土曜日のサルセードの市場はにぎやかで、レチョンを食べるのにぴったりの雰囲気だ。地域によって違いがあるので、食べ比べもできる。

ベストシーズン レチョンは年中食べられる。洪水がよく起こるモンスーンの時期（6〜10月）は避けよう。
旅のヒント ラロマは古都ケソン市の西部にあり、広大なマニラ首都圏の北東部にあたる。ラロマにはお祝い用のレチョンの店が集中している一角がある。レチョンを出すレストランはマニラのいたるところにある。
ウェブサイト www.lydias-lechon.com、www.manila.gov.ph

食べるときのエチケット

レチョンは家族や友人と楽しく分け合って食べるものだが、守るべきエチケットがいくつかある。

全員そろってテーブルについて、レチョンが出てくるのを待つ。テーブルに置かれたら、みんな一斉に自分の分を取る。最初はおいしく貴重な皮、それから耳、尾、リブ、脂身の多い首の肉。

手づかみで食べてもいい。ナイフやフォークで上品に食べるより、手で食べるほうが、同席した人との親近感が強まる。ただし、欲張るのは禁物。フィリピンでは一人分の量よりたくさん食べる客は軽蔑される。

マニラのレチョンで有名な地区にて。巨大な溝の上で3時間かけて焼き、棒に刺した状態で売る。

シンガポール島の海辺にはココヤシの木が生え、遠くには高層ビル群がそびえる。

シンガポール
シンガポール式の食事

ふわふわのインド風クレープに、香りのよい春巻。
シンガポールの食事は複数の食文化が詰まった味の万華鏡だ。

シンガポールの人の特徴は、食に対する並々ならぬ情熱。挨拶は「こんにちは」ではなく「もう食事は済みましたか」だ。おいしいものには事欠かない。
　朝はリトルインディアにあるテッカ市場に出かけよう。屋台は活気に満ちあふれている。ブリンジャル（茄子）、ココナツ、コリアンダーとレモングラスの束、丸いトマト、太い唐辛子、サバ、川魚、薄赤色の海老など、いろいろなものがある。
　市場周辺には小さな食堂がひしめき合い、クミンとパイナップルで味付けした魚の頭のカレー、ふっくら焼けたナン、バター入りの鶏肉シチューの香りが漂ってくる。タンジョンパガーのチャイナタウンでは、麺類や魚介類の土鍋煮込みがおすすめ。
　一方、アラブ人街では、さまざまな色が混じり合ったケーキ、サフランライスとビーフレンダン（牛肉のココナツミルク煮）など、異国情緒あふれる料理が味わえる。時間がない人は、島に120カ所以上あるホーカーズ（屋台村）に行こう。めまいがするほどいろいろな店があり、牡蠣のオムレツから揚げ春巻まで味わえる。

ベストシーズン　熱帯気候のシンガポールはいつ行ってもあまり変わらない。平均気温は年中30℃前後だが、12〜1月のモンスーンの時期は少し低い。
旅のヒント　できれば1週間は滞在したい。高級ホテルのほとんどはオーチャード通りかマリーナベイに集中している。そこから地下鉄やタクシーを使えば、主な観光名所に簡単に行ける。チップは不要。
ウェブサイト　www.visitsingapore.com（日本語あり）

プラナカン料理

　プラナカンとは、18〜19世紀にシンガポールに移住してきた中国人の子孫で、マレー半島生まれの人をいう。長い年月の間にそれぞれの文化が融合し、独特の言語、服装、習慣、そして何よりも重要な食文化が生まれた。
　プラナカン文化の中心はイーストコースト周辺、特に**イーストコーストロード**沿いに集まっている。ここで食べ歩きをしていると、時間が過ぎるのを忘れてしまう。香辛料がきいたラクサ（豚肉、つみれ、銀杏などの具が入った麺料理）、パンダンリーフ（甘い香りがするタケノコ科の植物の葉）の香りをつけてココナツをまぶしたお菓子などがある。
　プラナカン料理のレストランでは、サンバル（チリソース）、鶏肉と黒い木の実の煮込み、豚肉とカニ肉の団子、香りのよい魚肉団子などが楽しめる。デザートには、パームシュガー（椰子の樹液を煮つめて作る砂糖）で甘みをつけたタピオカプリンや、タピオカ入りの甘いココナツミルクなど、おいしいスイーツがいろいろある。

中国
北京ダック

薪の炎で皮をこんがりとあぶり焼きにしたアヒル。
素朴な調理法が最大限に生かされた代表的中華料理だ。

黄色いくちばしの巨大なアヒルが目印の「全聚徳(チュエンジューデ)」は、北京ダックで有名なレストランチェーンだ。中国共産党が政権を握った初期の数十年間で私企業はほとんど姿を消したが、1864年創業のこの店は生き残った。現在は北京全域に支店があり、北京ダック以外のメニューもそろっている。北京ダックの味わい方はいろいろ。路地裏で売られている持ち帰り用もあれば、豪華なコース料理の一品もある。焼き方はだいたいどこのレストランでも同じだ。

まず、アヒルの皮と肉の間に水を注入し、内臓を取り出す。次に、熱湯をくぐらせてから皮に水飴を塗る。そして、香りのよい薪（りんご、インドナツメ、梨、柿など）を焚いた炉につり下げて高温で焼く。こうすることで、皮がぱりぱりに香ばしく焼ける一方で、肉はしっとりとやわらかく仕上がる。できあがった北京ダックを薄切りにしたものと、葱、きゅうりの千切り、甜麺醤(テンメンジャン)、小麦粉の薄い皮が一緒に出てくる。小麦粉の皮に甜麺醤を塗り、肉をのせ、その上に野菜をのせて巻いて食べる。

コース料理では、このあと鴨湯というスープが続く。さらに、心臓の炒め物、水かきの辛子和え、舌の唐揚げなど、アヒルのあらゆる部位の料理が出てくる。

北京ダックを求めて

■ **大董烤鴨**の脂っこくない新方式の北京ダックは、現在北京一のおいしさといわれ、オーナーシェフの作る創作中華料理もすばらしいと評判だ。写真入りの英語メニューもある。

■ 北京胡同の雰囲気を懐かしむ人々が、中庭を囲む昔ながらの住宅に戻り、北京ダックの食堂**利群烤鴨店**を開いた。北京では、古い前門の南東にある迷路のような路地は急速に失われつつある。厨房を通って食堂へいくので、料理をしている様子が見られるかもしれない。

ベストシーズン 春か秋。冬は非常に寒い。夏は蒸し暑く雨も多い。
9月と10月が最高、次いで4月か5月初旬。春は黄砂に見舞われることもある。

旅のヒント タクシーの運転手に見せるため、ホテルのスタッフに頼んで目的地を漢字で書いてもらおう。レストランの電話番号を控えておけば、道に迷ったとき、携帯電話で行き方を訊ける。

ウェブサイト www.quanjude.com.cn、www.meiguoxing.com、www.thebeijingguide.com

薪を燃やす昔ながらの炉でアヒルをつり下げてあぶる。

九龍の街路脇の店。持ち帰り用の点心が湯気を立てている。

中国
香港の点心

点心は数えきれないほど種類が豊富だ。
それだけで、ちょっとした晩餐が開ける。

広東の飲茶には、点心と呼ばれるお茶請けがつきものだ。シュウマイ、餃子、麺、饅頭、お菓子、海鮮や肉を使った蒸し物などさまざまなものを、中国茶を何杯もおかわりしながら食べる。

香港の点心は世界一だといわれている。街頭で売られている定番の点心から、高層ビルのレストランで出される高価な珍味や新しい創作点心まで、種類も豊富だ。古典的なメニュー、海老の蒸し餃子とシュウマイは、その店の点心を評価する際の基準とされている。ウスターソースを添えたゼリーのような牛肉団子、カレー風味の蒸しイカなどの点心には、1997年まで150年間英国の植民地だった影響が見られる。小さなものは竹の蒸し器に3〜4個入って出てくる。

もっと高価な点心やめずらしい点心、たとえば蒸した上海ガニのシュウマイなどはたいてい1個単位で注文できる。たいていの店では料理を大、中、小に分けており、分量の違いではなく、内容によって値段に差がある。

ベストシーズン 11〜1月は暖かく、雨も少なく快適。
夏は非常に蒸し暑いが、レストランはどこも冷房が効いている。

旅のヒント 点心は朝早くから食べられるが、午前中の半ばから午後の半ばにかけて食べるのが一般的。新界にはとてつもなく広い点心レストランがある。午前11時半には長蛇の列ができ、受付係と給仕係がトランシーバーで連絡を取り合って客をさばいている。

ウェブサイト www.discoverhongkong.com（日本語あり）、www.hkstreet.com

点心を楽しむ

観光客の行きそうなところにはたいてい点心がある。赤柱（スタンレー）の市場にある**書斎**は、古風な内装がおしゃれ。**東薈軒海鮮酒家**は、東涌（タンチュン）の超モダンなショッピングモールにある。香港の周辺諸島のうち、**南Y島（ランマ島）**では、港に面した食堂で海を眺めながら手ごろな点心を楽しめる。レストランによっては、点心の入った蒸し器をいくつも重ねてワゴンに乗せてテーブルを回るところもある。ウェイトレスがふたを取って熱々の中身を見せてくれるので、注文は指さすだけよい。

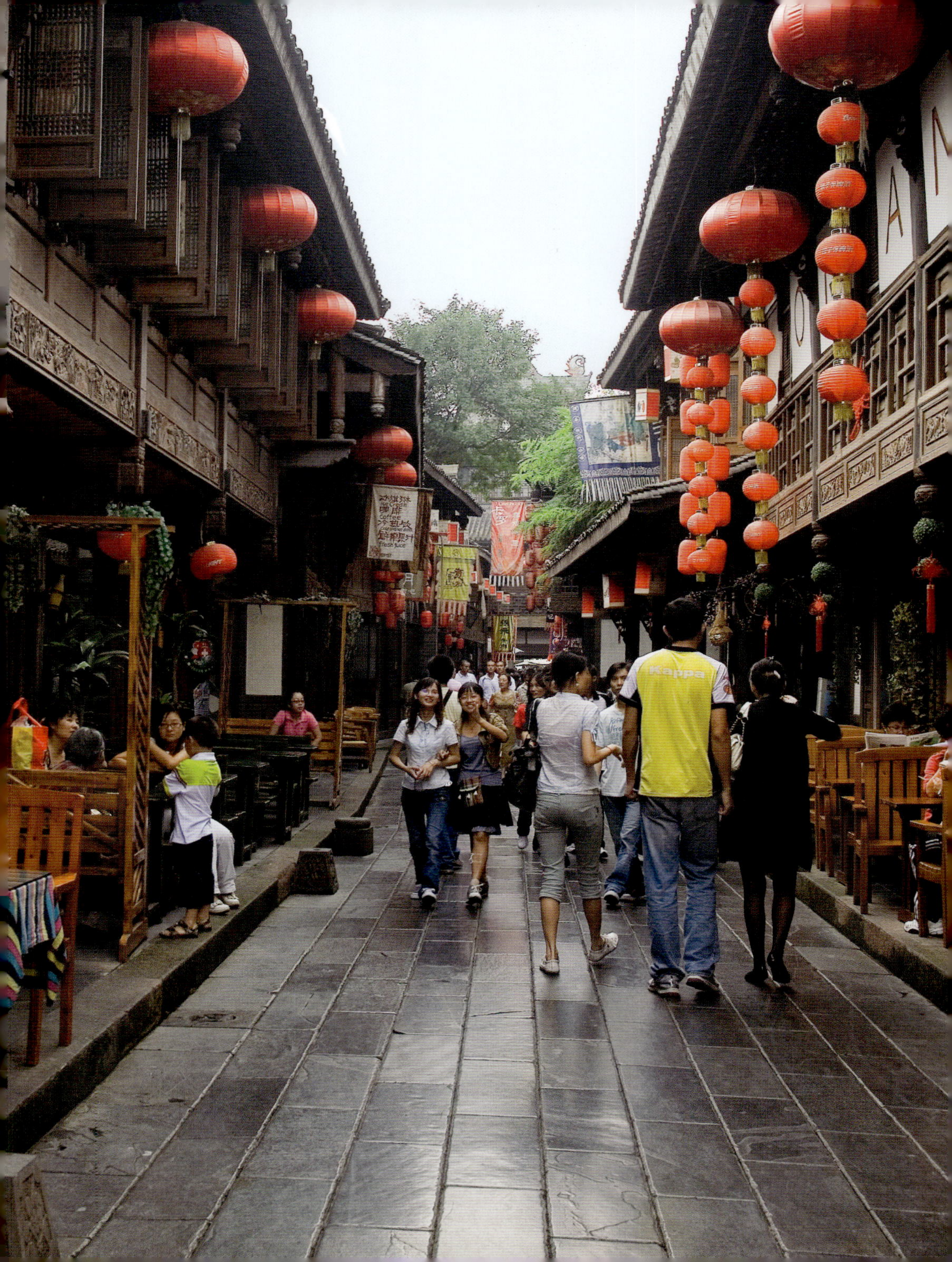

中国

四川料理

「天府の国」と呼ばれる中国南西部の四川省へ行き、
口から火が出るほどの辛さで有名な、絶品の四川料理を味わおう。

四川料理の特徴は「麻」と呼ばれるヒリヒリとしびれる辛さだ。この辛さは黒胡椒でもなければ唐辛子でもない。辛さの元は小さな山椒だ。その実は舌がしびれるほど辛く、柑橘系の香りがする。

中国では、医食同源の考えが浸透している。たとえば、体を温める食べものは、湿度が高く、曇りの日が多い季節を乗り切るのに有効と信じられている。四川料理はただ辛いばかりではない。四川の料理人は、辛味や甘味、酸味、塩味など、あらゆる味と香りを絶妙にとり合わせ、地元の食材を最大限に生かす調理法を考え出した。

省都の成都は、四川料理を味わうのに最適の町だ。麻婆豆腐、魚香茄子、茶葉で燻製にした樟茶鴨（四川ダック）、牛肉細切り揚げの唐辛子炒め、宮保鶏丁（鶏肉とナッツの唐辛子炒め）、ザーサイをはじめとする漬け物などいろいろある。火鍋も四川料理の名物だ。これは、二つに仕切られた鍋に、白濁したスープと唐辛子や山椒を入れた赤いスープをそれぞれ入れ、肉や魚介類、野菜を煮て食べるものだ。

また、中国の人は、アヒルの舌や蒸し煮にしたスッポン、腱、胃袋など、あらゆる臓物を好んで食べる。成都では街角の屋台、麺の店、レストランなどいたるところに食欲をそそる料理があり、水餃子からとても辛い担々麺まで、豊富にそろっている。

ベストシーズン　成都を訪れるには4〜5月と9〜10月が最も快適。冬は寒く雨が多い。夏は蒸し暑い。
旅のヒント　最低2日あれば成都を満喫できる。成都パンダ繁殖研究基地を訪ね、街の骨董市をぶらつき、府南河沿いか人民公園にある茶館の一軒によって中国茶を飲み、猛烈に辛い四川料理を味わおう。四川オペラ（川劇）もぜひ鑑賞したい。
ウェブサイト　www.hiasgourmet.com、www.panda.org.cn（日本語あり）

お茶好きの天国

茶館で丸一日過ごすのは簡単だ。軽食が出るし、プロに頼んで爪切りや耳かきをしてもらうのもいい。カードゲームもできる。もちろん、ジャスミン茶や緑茶、烏龍茶など、お茶はいくらでも飲める。

茶碗のお茶を飲み干したら、すぐに給仕（茶博士）がきて、注ぎ口が長い銅のやかんから茶碗の底に残った茶葉の上に湯を注ぐ。腕前を披露するように、部屋の反対側から小さなカップめがけて湯を注ぐ茶博士もいる。

茶館は若者と年寄りがともに語らい、活気があってなおかつ落ち着ける場だった。しかし残念なことに、それも近代化の波に押されて消えつつある。

しかし成都では、公園や仏教寺院の中など街のあちこちに今なお茶館が残っている。運がよければ、客の耳掃除をしている耳かき屋を目撃できるかもしれない。耳かき屋はいろいろな耳かき棒を使い分け、驚異的な手際で客の耳を掃除する。一度経験してみるといい。

左ページ：成都の繁華街。バーやレストランがずらりと並んでいる。上：成都の西にある安瀾吊橋。

チャオプラヤ川（別名「王たちの川」）に面したレストラン「バーン・クラング・ナーム」での昼食。

バンコクのおすすめ

■「今日はどんなものをお召し上がりになりたいですか」。歴史ある**コ・ラタナコーシン地区**の端にある小さな老舗食堂に入ってテーブルに着くと、やさしい笑顔の女性がそう迎えてくれる。彼女は厨房に戻り、大きな音を立てて料理を作る。あまりのおいしさに、正しい注文をした自分をほめたらいいのか、ぴったりのものをすすめてくれた彼女に感謝したらいいのか、わからなくなる。店の名は**チョーテー**（Chote Chitr）。発音は難しいがきっと好きになるだろう（タナオ通り、プラン・プー・トーン146）。

■バンコクのにぎやかなショッピング街、スクンビット通りのソイ36にある**マイチョイス**は、余計なサービスなしのレストランで、タイ料理が味わえる。店内は1970年代のホテルのロビーのような雰囲気。これがお気に召さない人もいるかもしれないが、料理人たちの腕は確かだ。

タイ
驚きのバンコク

タイ料理が大好きな人にとっては、とてつもなく広く、活気あふれる大都会バンコクこそ、食の都である。

無数のバイクをよけながら、人の波と麺の屋台の間を縫うように歩いていくと、レストランにたどり着く前にすっかり感覚が麻痺してしまう。これこそまさにバンコク。雰囲気も刺激的なら食べものも刺激的だ。ここでは、わざわざ教えてもらわなくても、驚くほど満足のいく食事ができる。

人間の味覚は、甘味、塩味、酸味、苦味、旨味の五つとされている。しかし、本物のタイ料理を食べると、杓子定規な考えをしなくても、料理を楽しめることがわかる。スープがよい例だ。トム・ヤム・プラー（魚のスープ）は、辛さと酸味の両方をしっかり味わえる。ちょっと冒険して魚の内臓のスープを飲んでみれば、刺激的な辛さがやみつきになるだろう。もっと歯ごたえのあるものがお望みなら、丸々と太った海老の料理やタイ風唐揚げ（かりかりに揚げた香ばしいにんにくがまぶしてある）を食べてみよう。サラダは味も食感もさらに大胆だ。珍しい果物と野菜に、刻んだバナナの花など異国情緒あふれる風味が加わる。

ベストシーズン　バンコクの気候は蒸し暑いか、暑くて乾燥しているかのどちらかだ。ほとんどの人は後者を好むが、それなら11月から2月までが最適。

旅のヒント　公共の交通機関が発達しているので移動は簡単。ホテルを決めるときは立地よりも料金と設備を重視しよう。レストランの予約はまず必要ない。自分の鼻と胃袋を頼りに探そう。まわりの席の人が笑顔だったら、いいレストランを選んだという証拠だ。

ウェブサイト　www.bangkoktourist.com（日本語あり）、www.alifewortheating.com

オーストラリア
シドニーのシーフード

簡単に手に入る豊富な食材を使って、シドニーのシェフたちは
シーフード料理を新たな高みに押し上げた。

シドニーは美食家たちの楽園だ。オーストラリア最大の都市は、多様な文化が混じり合っている。それを反映して、シドニーのレストランは、西洋とアジアの料理を基本に次々と新しいメニューを開発している。心をこめて飼育された牛の肉など、世界最高水準の食材がよりどりみどりだ。

だが、シドニーの名物はシーフードだ。ハーバーブリッジ周辺のロックス地区にある「ロックプール」は、有名シェフ、ニール・ペリーの旗艦店。シドニーのシーフード料理の質の高さを決定づけて20年以上になる。一方、湾の絶景が見渡せるローズベイにあるグレッグ・ドイルのレストラン「ピア」は、新鮮な魚、ホタテ貝、牡蠣、カニの味を生かした創作料理で有名だ。カフィールライムとバジルを入れて鍋で蒸し焼きにしたロブスターをさっぱりしたオーストラリアの白ワインと味わう。

モダンオーストラリア料理なら、ダーリングハーバー近くのケント通りにある「テツヤズ」がおすすめ。和久田哲也氏が腕をふるうこの店は、日本料理とフランス料理の融合で名高い。昆布とフェンネルを使ったタスマニア産マスのコンフィは絶品だ。

ベストシーズン　季節の味を楽しむなら春（10〜11月）、穏やかな気候を望むなら秋（3〜4月）。夏（12〜1月）は蒸し暑く混雑するので、春か秋がよい。シドニーは冬も快適で、気温は21℃前後だが、夜は冷えるのでセーターを持って行こう。

旅のヒント　いいレストランは街のいたるところにある。特にすばらしい店はシドニー中心部のビジネス街、ロックス地区、サーキュラーキー近辺、オペラハウス近くに集中している。

ウェブサイト　www.rockpool.com.au、www.pierrestaurant.com.au、www.tetsuyas.com
www.sydneyfishmarket.com.au、www.visitnsw.com/sydney.aspx（日本語あり）

最高に生きのいい魚

ピアモントにある**シドニー魚市場**には、タスマニア島やクイーンズランド、ノーザンテリトリーなどオーストラリア全土から新鮮な魚介類が集まる。

月曜日と木曜日の早朝に行われるガイド付きツアー（要予約）にぜひ参加したい。価格を下げていくダッチオークションの説明を聞き、競りの会場を見学し、刺身アーケードを歩いて回る。売り場にはシドニーの岩牡蠣、ウチワ海老、鯛、カニ、マトウダイ、養殖のタイセイヨウサケが並んでいる。

市場には気取らないシーフードレストランがあり、**飲茶**を出す中華料理店もある。国内外の有名シェフが担当する料理教室も開かれる。

シドニーのレストラン「ピア」の一品。オマール海老にアーティチョークとチェリートマトをあしらった料理は、見た目を裏切らないおいしさ。

世界のチャイナタウン

トップ10

悩みや心配事を忘れたくなったら、チャイナタウンに行っておいしいものを食べよう。
どの店がいいかわからなかったら、中国人についていこう。

① マンハッタン（米国、ニューヨーク市）

市の中国系住民の3割が住むチャイナタウンは、ローアー・マンハッタンの一画にある。数百のレストラン、屋台、食料雑貨店、強烈な匂いのシーフード市場がひしめき、干し肉から揚げ団子まで、あらゆる料理が食べられる。世界でも最大級のチャイナタウンで、マクドナルドも中国語を併記している。

旅のヒント ガイド付き食べ歩きツアーあり。カナル通りには総合案内所がある。
www.explorechinatown.com

② バンクーバー（カナダ）

バンクーバーのアジア系住民のおよそ3分の1が住む、カナダ最大のチャイナタウン。19世紀にできた町で、中国以外では唯一の本格的中国庭園がある。夏の夜市では巨大ウナギや干し魚、生活必需品が売られる。

旅のヒント 中国文化センターで情報が得られる。
www.vancouver-chinatown.com

③ サンフランシスコ（米国、カリフォルニア州）

チャイナタウンは中国移民が移り住んでできたもので、それほど中国色は濃くはない。しかし、1906年の地震で街が倒壊したサンフランシスコは、チャイナタウンを伝統的な中国様式で再建した。非常に人口密度が高いこの街区は北米最大級のチャイナタウンで、おびただしい数の東洋の食品が訪れる人を圧倒する。高級レストランもあれば、路地裏の安食堂もある。

旅のヒント 夜市から、ガイド付き食べ歩きツアーまで、いろいろなイベントが一年中ある。www.sanfranciscochinatown.com

④ ハバナ（キューバ）

最盛期にはチャイナタウンは44ブロックを占め、キューバの中国移民は4万人を数えたが、現在の主な見どころは歩行者専用のクチージョ通りに移っている。中国から贈られた巨大な中国風アーチの奥には、派手な色のレストランがあり、キューバ風中華とイタリアンを混ぜた独特な料理を出している。

旅のヒント 「天壇」では本格的な中華料理が楽しめる。
www.cuba1847.com、www.cubatravel.cu

⑤ シンガポール

1821年誕生の歴史あるチャイナタウン。再開発が進み、高級感漂う中華街になっている。中心となるスミス通り、別名「フードストリート」には、土地の名物を売る屋台が整然と並ぶ。それほど観光客向けではないが、改装が済んだチャイナタウン総合ビルの2階には、200店舗が入った巨大なフードコートがある。

旅のヒント スミス通りにある屋台の多くは夕食時だけ営業する。チャイナタウンヘリテージセンターではシンガポールのチャイナタウンの歴史が学べる。
www.chinatown.org.sg

⑥ ビノンド地区（フィリピン、マニラ）

1594年にできた世界最古のチャイナタウン。スペイン植民地時代の建築もあるが、400年以上にわたる中国移民の歴史が感じられる。スペイン風の教会、仏教寺院、商売繁盛の神様の祭壇が入り交じり、マニラ有数の食堂街でもある。レストランや屋台で仔豚から中華風ピザまで何でも食べられる。

旅のヒント 昔ながらの方法でビノンドの雰囲気を味わうには、カレッサ（二輪馬車）で見てまわるのがいい。
www.tourism.gov.ph、www.islandsphilippines.com

⑦ ジャカルタ（インドネシア）

インドネシアの数あるチャイナタウンの中で最も魅力的なのは、ジャカルタのグロドックだろう。旧宗主国オランダとインドネシアの要素がとけあったフュージョン料理が楽しめる。よその豆腐料理に飽きた菜食主義者も食欲をそそられるだろう。

旅のヒント グロドックは夜はいかがわしい雰囲気になる。
www.jakarta-tourism.go.id

⑧ ブリスベーン（オーストラリア）

もっと大きくて古いチャイナタウンはたくさんあるが、中華のみならず、広く東洋の味という点では、これほど狭い一画に質の高い店が集まっているところはほかにない。広東、北京、湖南、四川など有名な中華料理をはじめ、日本、タイ、シンガポール、マレーシア、ベトナム、カンボジア、ラオス料理が味わえる。

旅のヒント 多くのレストランには割安のランチがある。
www.ourbrisbane.com、www.visitbrisbane.com.au

⑨ ロンドン（英国）

ロンドンのチャイナタウンは、かつてはライムハウス（ロンドン東部）にあった。第二次世界大戦中の空襲で破壊され、その後ソーホーに移った。今では市の全域に住む中国系の人たちが集まる場所となっている。特にすばらしいレストランはライル通りにある。「ミスターコン」や「ヒン・ルーン」などだ。

旅のヒント 旧暦で祝う正月は盛大で、ロンドンのウエストエンド一帯でイベントが繰り広げられる。www.chinatownlondon.org

⑩ マンチェスター（英国）

1970年代にできたチャイナタウン。欧州初の巨大な本格的中国式のアーチを構え、かつては隆盛を誇っていた工業都市だったこの町の再生に貢献し、ロンドンの中華街に匹敵する斬新で質の高い料理を提供している。最も人気の高いレストラン「ヤン・シン」は最高級の点心、1930年代の上海のインテリア、客の好みに合わせた宴会で知られている。

旅のヒント 北イングランド全域から中国人が集まる日曜日がおすすめ。
www.visitmanchester.com

右ページ：サンフランシスコのチャイナタウン。パン屋や喫茶店とともにレストランが立ち並ぶ。

大酒樓

NG TI
STAURANT

酒大龍

TONG CO.
HERBS
ESSEN

estaurant
飯店

公司 美味食品

金

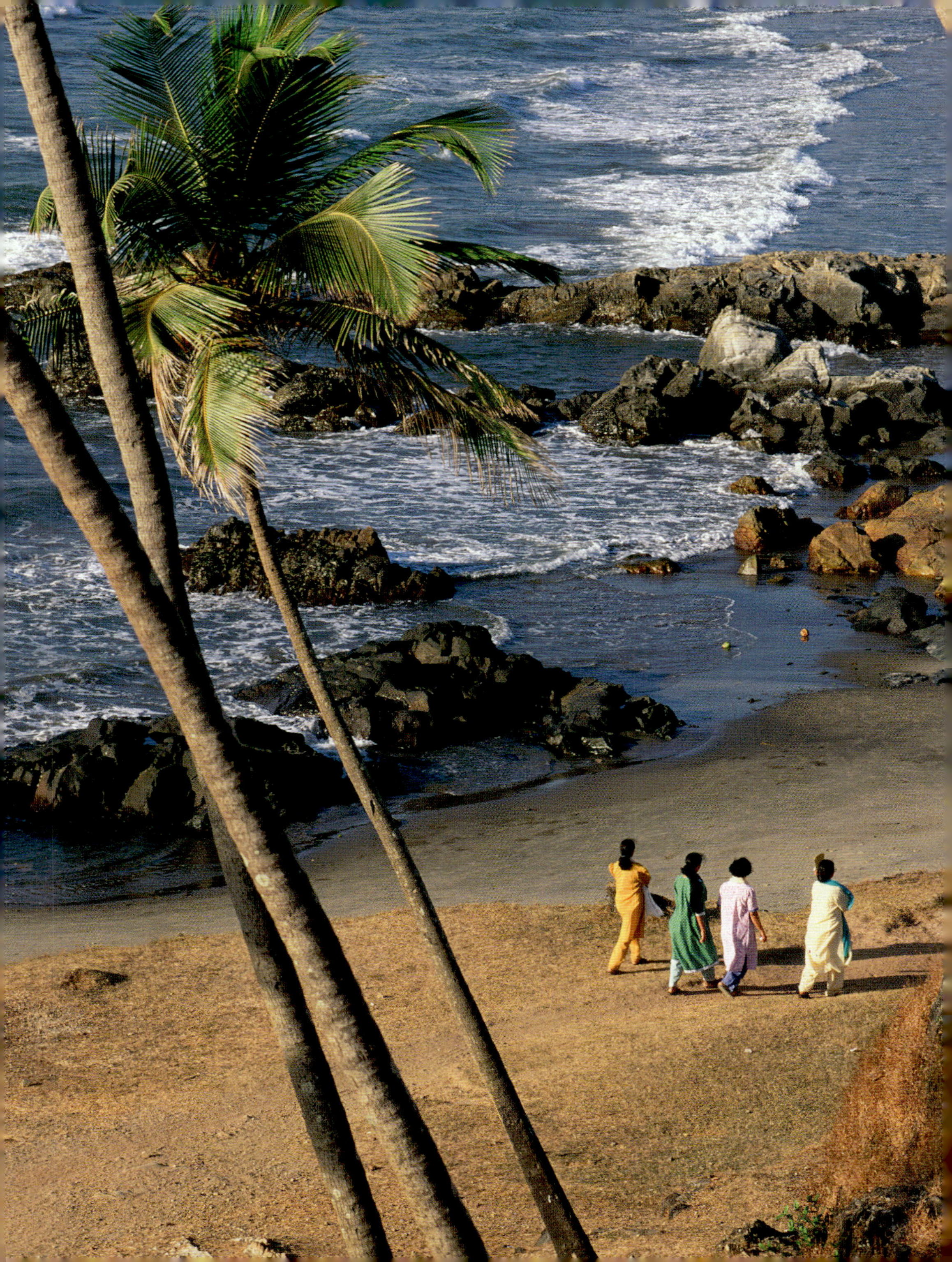

インド

変化に富んだゴアの郷土料理

インド西海岸の州ゴアは、世界屈指の美しいビーチで名高い。
いろいろな文化が融合し、変化に富んだ料理も魅力だ。

香 辛料をふんだんに使い、燃えるような赤色が特徴のゴア料理は、インドの他の郷土料理とは趣が異なる。風味の基本はココナツ、酸味があるコクム(マンゴスチンの果皮を乾燥させたもの)、カシミール産赤唐辛子の三つ。ゴアの人たちは魚介類を好むが、1961年までこの地を支配したポルトガルの影響で、豚肉や鶏肉もよく食べる。さまざまな民族の文化が混じり合っているゴアでは、料理も変化に富んでいる。土着の民、イラン人(中世のイスラム王朝バハマニのスルタンの影響)、ポルトガル人に加え、東アフリカなどの影響もある。

美しい海岸線に沿って旅をすると、無数にある小さな海辺の食堂で、最高のゴア料理が味わえる。北のアンジュナビーチでは、フリーマーケットの奥の「ザビエル」が、その日に採れた魚介類をココナツやカレーリーフ、香辛料で味付けした料理を出す。カラングートビーチにある「ソウザ・ロボ」の焼きサバは絶品だ。ゴア州北部の町、サリガオの「フロレンティン」は、ゴアで一番おいしいカフレアル(香辛料たっぷりのアフリカ風鶏肉料理)を出す。カンドリムビーチに近いムロドバッドにある「ティーマ」では、魚のカレーかシーフードカレーを味わいたい。

南部では、ウトルダビーチの「ズィーボップ」は絶対に外せない。屋根を竹で葺いた海の家風の店で、本格的なゴア料理が楽しめる。

ベストシーズン 10月から3月。4~6月はとても蒸し暑い。6~8月はモンスーンの時期で雨が多い。ゴアはキリスト教徒が多く、2月は四旬節前のカーニバルがあり、山車と踊り手、楽士のパレードがある。
旅のヒント こぢんまりとして魅力的な州都パナジ(パンジム)はぜひ旅程に入れよう。狭い道や鮮やかな色のポルトガルの植民地風邸宅が残るフォンティナス地区は必見。パナジのレストランでは、「マムズキッチン」「ビバ・パンジム」、ポルトガル・ゴア料理を出す小粋な「ホースシュー」がおすすめ。
ウェブサイト www.goahub.com、www.gogoa.com

酒、ソーセージ、スイーツ

■ゴアの地酒**フェニ**は、ココナツやカシューナッツでつくる蒸溜酒。たいていはストレートかオンザロックで飲むが、パイナップルジュースで割るのもおいしい。フェニは強い酒なので、飲みすぎに要注意。

■ゴアでは、どの家も香辛料をきかせた**自家製**ソーセージを台所の棚に常備している。さいの目に切った豚肉を**ピリピリ**というスパイスミックスで味付けしたソーセージは、冷蔵庫が普及する以前、夏の間に肉を保存する方法として考え出された。ソーセージとパオ(パン)の一皿は軽食には申し分ない。

■ゴアのスイーツには、インド風の**ケリ・ハルワ**(砂糖のシロップに漬けたバナナ)や甘い米のデザートがある。甘党の人はゴアの定番スイーツ、**ビビンカ**を食べてみよう。ココナツのパンケーキを何枚も重ねたポルトガル風デザートだ。

■ゴアの食文化を一度に体験できる最も盛大でにぎやかな場所は、金曜日に北部の**マプサ**で開かれる**バザール**だ。マプサとは「秤を満たす」(ものを売る)という意味。何か売るものがある人は皆、ここに売りにくる。ゴアのソーセージ、地元で採れたカシューナッツの巨大な缶詰、フェニのびんが並んだ屋台を見て歩こう。自家製のスグリ酒、しょうが酒、赤かぶ酒も味わってみたい。

左ページ:ゴア北部のバガトールビーチを散歩する人々。上:カラングートビーチ近くのレストラン。

偉大なる食の都 | 189

インド
バンガロールのターリー

南インドの都市、バンガロールでは
いろいろな種類のターリーがわずか200円で食べられる。

レストラン「マヴァリ・ティフィン・ルーム」(MTR)は、口コミのおかげで、開店から売り切れで閉店するまで、おなかをすかせた客で常に満席だ。外観は実用一点張りでそっけないが、料理が運ばれてくると、それも気にならない。メニューは1924年の創業時から変わっていない。料理はどれもすばらしく、これこそ南インド料理の極みといえる。香り高く、熱々のできたてで、添えられたスナックまですべておいしい。食材を自家製のギー(液状バター)で調理し、香辛料は辛さを出すためというより、風味を加えるために使われている。

ターリー(金属の大皿)で出てくる定食「ミールス」の一般的なメニューは、インドのパン(ロティかチャパティ、パランタ)、米飯、サンバル(レンズ豆のスープ)、あるいはそれと似たカレーの一品、ラッサム(トマト味の香辛料がきいた澄んだスープ)、野菜料理、生のきゅうりの薄切り、ヨーグルトかバターミルク、といったセットだ。まわりを見ると、朝食に立ち寄ったドーティ(腰布)姿の年配の紳士たちもいれば、スニーカーを履いたジョギングウェアの人たちもいる。インドのシリコンバレーといわれるバンガロールの今を改めて思い起こさせる風景だ。

ベストシーズン バンガロールの気候は年中快適。
旅のヒント MTRでは、客に食事時間と席を割り当てるために整理券を配る。順番がくる前に品切れになることもあるので、休日や週末は避けよう。左手は不浄とされるので、MTRでは客に右手で食べることを求める。MTRは「ナモ」という店舗で、調合した香辛料や冷凍食品を販売している。
ウェブサイト www.mtrfoods.com、www.karnatakatourism.org

ティフィンタイム

ティフィンの語源は、旧宗主国である英国スコットランドの方言で「すする」という意味の「ティフ」が変化したものといわれている。ティフィンはスナックや軽食をさす言葉として、南アジア全域で広く使われている。**ティフィンルーム**は、そんなスナック類の売店や軽食堂のこと。

南インドの伝統的ティフィンは、朝食か午後遅く(ティフィンタイム)に**イドゥリー**や**ドーサ**を食べる。米を籾殻のままゆでて乾かし、豆と一緒にすりつぶしてペースト状にし、一晩おいて発酵させる。この生地を専用の型に入れて蒸したのがイドゥリーで、鉄板でぱりぱりの香ばしいクレープ状に焼き上げたのがドーサだ。

また、**ワダ**は豆をペースト状にすりつぶして青唐辛子と生姜で風味をつけ、小さな団子状にして揚げたもの。イドゥリーやドーサと同じく、ワダにもココナッツチャツネやサンバルがついてくる。

2個のワダ(右上欄参照)を伝統的な形式で出す。ターリー(金属の大皿)にバナナの葉を敷き、付け合わせのソースを二つ。チャイを添える。

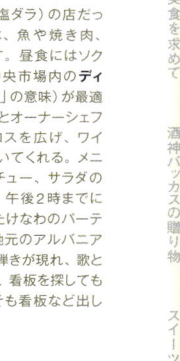

アテネのアクロポリスの丘に立つパンテオン。食事がますますおいしくなるような眺めだ。

ギリシャ
アテネのタベルナ

絶妙な火加減で焼いた肉や魚介類と新鮮な野菜の数々。
ギリシャの首都アテネで、本場の味を見つけよう。

世界的に有名なアクロポリス遺跡の北、アテネのプシリ地区。ここに「タベルナ・トゥ・プシリ」がある。第二次世界大戦後から地元の人に愛されている食堂で、壁には古い写真や絵が飾られている。パイダキア（ラムチョップ）などのグリル料理をはじめ、ケフテデス（肉団子）、コロキティア・ケフテデス（揚げたズッキーニの団子）、ホルタ（ゆでた青菜）、サラダなどがおすすめ。

アクロポリスの東、観光客でにぎわうプラカ地区の端にある「カフェニオン・パラドシアコ」の店はこじんまりとしている。女主人エウゲニアが料理し、夫のディミトリスが給仕をするこのカフェでは、アテネ最高の家庭料理が味わえる。メニューはあまり多くなく、「本日のおすすめ」は日替わり。シーフードのグリルを注文すると、その新鮮さがわかる。特に丸ごとのトラプサラやカラマリ（両方ともイカ）がすばらしい。魚はギリシャ諸島でよく見かける大衆的な料理が多い。焼いたイワシやコリオス（サバ）、揚げたガブロス（カタクチイワシ）など。

地下レストラン

アテネに行くなら夏の観光シーズンは避けたい。その理由の一つは、地下レストランだ。ここは夏の間は閉まっているが、他の季節には食事を楽しむのに最も快適な場所だから、ぜひ訪ねてみたい。

キダテネオン通りにある、もとはバカリアロス（揚げた塩ダラ）の店だったタベルナ **サイタ** は、魚や焼き肉、オーブン料理を出す。昼食にはソクラテス通りにある中央市場内の **ディオポト**（「二つのドア」の意味）が最適だ。テーブルに着くとオーナーシェフが紙のテーブルクロスを広げ、ワインのピッチャーを置いてくれる。メニューは魚料理かシチュー、サラダのいずれかから選ぶ。午後2時までにはディオポトは宴もたけなわのパーティーのようになり、地元のアルバニア人のアコーディオン弾きが現れ、歌と踊りが始まる。なお、看板を探しても無駄である。そもそも看板など出していないのだ。

ベストシーズン アテネは5〜6月、9〜10月が快適。
外で食事しても暑くも寒くもないし、夏の盛りより観光客が少ない。

旅のヒント おすすめのタベルナはほかにもある。「パラドシアコ」の近く、レッカ通りにある「トリアンタフィロ・ティス・ノスティミアス」、ティシオン地区のエプタハルコウ通りにある「ステキ・トゥ・イリアス」。地元の人が通う店なら、北アテネのキプセリス通りとスキロウ通りの交差点近くにある「カラミア」に行ってみよう。

ウェブサイト www.greecetravel.com、www.greecefoods.com、www.athensguide.com

トップ10
海の眺めがすばらしいレストラン

至福の眺望、岸に寄せる波の音、食欲をそそる潮の香り。
海辺のレストランは五感に訴える。

❶ ウィカニニッシュ・イン
（カナダ、ブリティッシュコロンビア州トフィーノ）

バンクーバー島の西端、波が打ち寄せる人里離れた海岸にあり、冬は特に嵐を眺める人が集まる隠れ家的リゾート。「ポイントレストラン」では極上の西海岸料理を味わいながら、視界240度に広がる太平洋が眺められる。

旅のヒント バンクーバー島へはブリティッシュコロンビア州の本土側と米国ワシントン州の港からフェリーが出ている。最寄りの空港はトフィーノロングビーチ。www.wickinn.com

❷ ボートハウス（米国、サウスカロライナ州アイル・オブ・パームズ、ブリーチ・インレット）

大西洋と沿岸内水路の間の入り江にあるレストラン。松とマホガニーでできた室内か、屋外のデッキ、あるいは屋上のバーで食事ができる。いずれも夕日の眺めがすばらしく、クラブケーキや生牡蠣など、新鮮なシーフードが味わえる。

旅のヒント 住所はパーム大通り101。www.boathouserestaurants.com

❸ ネペンシ（米国、カリフォルニア州ビッグサー）

カリフォルニアの険しい崖の上にあり、沈む夕日を正面から眺められる家族経営のレストラン。太平洋の眺めがすばらしく、それを目当てにたくさんの人が訪れる。運が良ければコククジラが見えるときもある。新鮮な材料を使った郷土色豊かな料理とカリフォルニアワインが楽しめる。

旅のヒント 眺めのいい席をとるには予約するか、混む時間をずらして行くこと。日没時は特に混み合う。www.nepenthebigsur.com

❹ ザ・バース（オーストラリア、ビクトリア州ソレント）

ソレント湾内の砂浜に立つレストラン。メルボルンを望む、ポートフィリップ湾の眺めがすばらしい。夏は広いバルコニーで、寒いときは暖炉のある屋内で食事ができる。魚介類を中心にしたモダンオーストラリア料理がゆったりしたオージー流のサービスで提供される。

旅のヒント ソレントとクイーンズクリフを結ぶカーフェリー乗り場近くのポイントネピアン通り3278。www.thebaths.com.au

❺ アプスリー・ゴージ・ヴィンヤード・カフェ
（オーストラリア、タスマニア州ビチェノ）

タスマニア島の東岸、眼下に砕ける波を眺めながら、極上の牡蠣やホタテ貝を冷えたシャルドネとともに味わえる。素朴な作りの野外テーブルも、木製のナイフとフォークもここの魅力の一部だ。店のぶどう畑では、オーストラリア・ワインのうち最も名高いピノ・ノワールとシャルドネを生産している。

旅のヒント カフェは小さな町ビチェノの端にある。www.apsleygorgevineyard.com.au

❻ ウナワトゥナ（スリランカ）

島の南岸にあるこの隠れ家的な常夏の楽園は、スリランカ一美しいビーチリゾート。スリランカ料理には、オランダ、インド、マレーシア、アラブ、英国、アフリカ北西部、ポルトガルの影響が混じり合っている。代表的な料理は魚のカレー。「キングフィッシャー」や「ラッキーツナ」などの海辺のカフェで、椰子の木に縁取られた海の景色を眺めながら味わおう。

旅のヒント ウナワトゥナはコロンボから陸路で122キロのガレの南にある。www.srilankatourism.org

❼ クラブ55（フランス、サントロペ）

1955年、ブリジット・バルドーが映画『素直な悪女』の撮影でコートダジュールの小さな漁村を訪れて以来、「クラブ55」はサントロペの砂浜の中心的存在になった。新鮮な地元の食材を使った料理と地中海の豪華な眺めが満喫できる。ハウスワインのロゼはぜひ注文しよう。

旅のヒント 非会員の昼食の予約は数週間、数ヵ月前に埋まる。特に週末は予約を取るのが難しい。www.ot-saint-tropez.com

❽ レイアル・クラブ・マリティム（スペイン、バルセロナ）

1881年創立のバルセロナ・ロイヤル・ヨットクラブは会員限定だが、併設のレストランは誰でも入れる。スペインの美男美女が、ヨットハーバーの眺めと一流のシーフード料理を目当てにやってくる。特にシーフードパエリアが絶品。

旅のヒント クラブはエスパーニャ埠頭にある。非会員は脇のドアからレストランに入る。www.barcelonaturisme.com

❾ カフェ・デル・マール（スペイン、イビサ島サンアントニオ）

このバロック調の幻想的なカフェは、コネヘラ島に沈む夕日を眺めるのに最高の場所にある。また、チルアウト（電子音を使ったスローテンポの音楽）発祥の地でもあり、世界で最も有名なサンセットバーだ。音楽、眺望、内装、気候が調和し、パーティーに繰り出す前に立ち寄る場所一番の人気を誇る。

旅のヒント 夏だけ営業するカフェは日没の頃は満席になる。その後、隣の「マンボ」で火の曲芸を見よう。www.cafedelmarmusic.com

❿ ムイスボスカーム（南アフリカ、西ケープ州）

ランバート湾の外側の海岸にあるこの野外レストランでは、砂にまみれた素足のままテーブルにつく。定食の主役は地元でとれた魚介類。粘土窯で焼くなど、リクエストに応じて調理してくれる。店同士の競争も激しいが、この店は南アフリカの人気レストランの地位を保っている。

旅のヒント 食事には3時間はかかる。ロブスターがメニューにあるときは注文して損はない。www.muisbosskerm.co.za

---

右ページ：80キロにわたる険しい海岸線を見下ろす「ネペンシ」。カリフォルニア随一の眺めの良い場所にある。

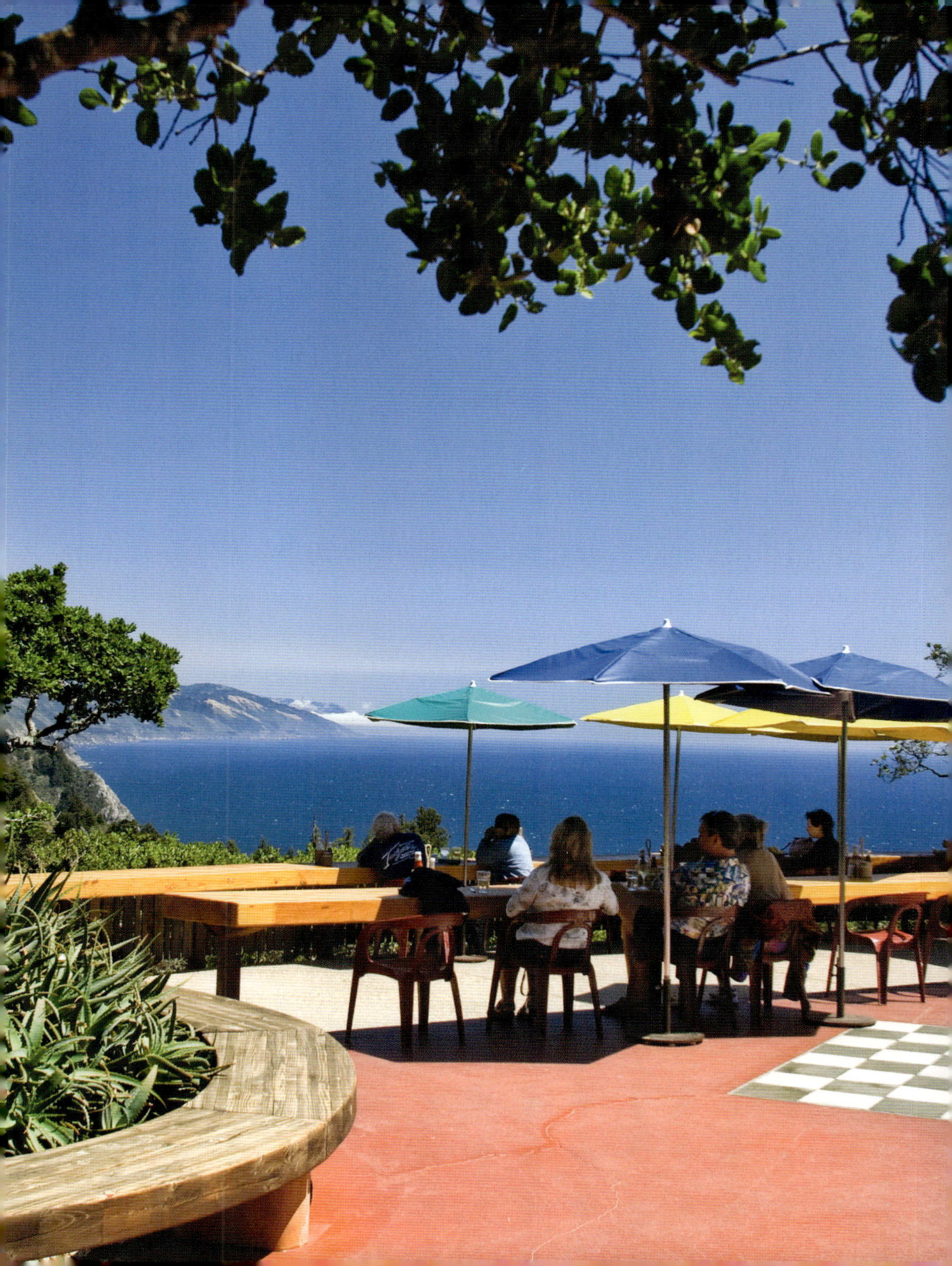

なんといっても、ここはナポリ。派手なパフォーマンスで、ピザの生地をのばし、焼き、客に出す。

ナポリの名物焼き菓子

マルゲリータとマリナーラの次に覚えておくといいのは、**スフォリアテッラ**（複数形はスフォリアテッレ）だろう。カフェや菓子屋など、どこにでもあるペストリーで、**リッチャ**と**フロッラ**の2種類がある。

貝の形をした幾層にも折り重なったパイ生地の中に、甘味をつけたリコッタチーズとバニラ、オレンジやレモンなど果実の皮の砂糖漬けの小片を混ぜ込んだカスタードクリームが入っている。リッチャは「巻いた」という意味で、ホタテ貝の形に似ていることからこの名がついた。外側はサクサクで、一口かぶりつくと、皮がぼろぼろこぼれて服が食べかすまみれになる。

フロッラ（「柔らかい」の意味）はふわふわのパンのようで、きれいなきつね色に焼けている。

スフォリアテッラはタイミングが肝心だ。狙いをつけた菓子の店に午前中半ばに行き、オーブンから取り出されたばかりの熱々を手に入れよう。

イタリア
ナポリのピザ

本場南イタリアのピザは、熟したトマトと香り高いバジルが不動の主役。

ナポリではいつも何かがふつふつと沸き立っている。といっても、ベスビオ火山の溶岩ではない。町中のピザ屋でモッツァレラ・ディ・ブッファラ（水牛の乳から作るモッツァレラチーズ）が窯の中の熱でとけ、沸き立っている。それこそは、ピザの女王、マルゲリータだ。1889年にイタリア国王ウンベルト1世の王妃マルゲリータに献上するために考え出された。

マルゲリータは、モッツァレラチーズと新鮮なバジル、地元産のサンマルツァーノという品種のトマトで作る。この白と緑と赤はイタリア国旗の色だ。深紅のトマトピュレと野の香りがするオレガノをトッピングしたマリナーラも、ナポリのどのピザ屋にもある。正統派でない店は、辛みを感じるほどにんにくを加え、バジルの葉を少々足している。にんにくとバジルを使いすぎているようだったら、礼儀正しく「チャオ」と言って、次の店に向かおう。だが、どの店に入ろうが、どのピザを注文しようが、生地はまぎれもなくナポリ風だ。縁は厚く歯ごたえがあり、底は薄くぱりぱり。

ベストシーズン　7月と8月は避けよう。気温が40℃にもなる。冬は温暖、春と秋が快適。
旅のヒント　正しいピザ巡礼の旅としては、「ダ・ミケーレ」は外せない。マルゲリータとマリナーラの2種類しかないが、おなかをすかせた大勢の客のために次々とオーブンから出てくる。昼食の時間に行くのがベスト。そうすれば夕食の予定を変更して、また後で食べにこられる。「ダ・ミケーレ」から歩いてすぐの、焼き菓子の店「R. M. アッタナシオ」は、一日中いつでも温かい焼き菓子、スフォリアテッラを売っている。
ウェブサイト　www.damichele.net

イタリア
ボローニャ

イタリアの食の都、ボローニャは食品の豊富さで知られ、
あだ名を「ラ・グラッサ (肥満の街)」という。

赤い屋根の街、ボローニャは食品の種類が実に豊富だ。マッジョーレ広場の東、クラバトーレ通りとドラッペリエ通り周辺の路地を散歩しよう。この旧市街には中世の市場があったが、現在は数十軒のボッテーゲ (「小さい店」の意味) が立ち並ぶ。果物や魚、パスタ、チーズを専門に売る店が、開け放した店先からはみ出すほど商品を並べる。

なかでもサルメリアと呼ばれる総菜店がすばらしい。「タンブリーニ」か「ブルーノ・エ・フランコ」に寄ろう。数十種類のチーズ、詰めものの種類も豊富な生のトルテッリーニ (右欄参照)、トリュフ、きのこ、金色のオリーブ油などが売られている。

目玉商品は肉の加工品だ。モルタデッラ (胡椒の実、ピスタチオ、オリーブ入りの大きなポークソーセージ)、クラテッロ (豚のしり肉で作る生ハム)、ザンポーネ (豚足に肉を詰めたソーセージ)、生ハム。これらの旨味を引き出した料理を味わうには、街のレストランへ行こう。「リストランテ・ディアナ」や、もっと手頃な値段の食堂「ダ・ジャンニ」と「アンナマリア」はすべて旧市街近くにある。

ベストシーズン ボローニャは夏は暑く、冬は雨が多い。新野菜が出回る春か、トリュフやきのこがシーズンを迎える秋がいい。レストランでそれらの食材が味わえる。

旅のヒント 3日間は滞在したい。その後、ボローニャに近い二つの美食の都、パルマ (パルマハムとパルメザンチーズの産地) と、モデナ (バルサミコ酢で有名) にも足をのばそう。

ウェブサイト www.italytraveller.com、www.eurodestination.com、www.citalia.com、www.deliciousitaly.com

ボローニャに入れば…

紙のように薄くのばすので**スフォリア** (薄い箔) と呼ばれる卵黄のパスタを味わってみよう。口の中でとろける絹のようになめらかな食感なのは、普通のデュラム小麦ではなく、軟質種の小麦粉を使うため。生地は切ってフェットチーネにしたり、具を包んで成形したりする。トルテッリーニとは、豚肉か生ハム、香辛料、パルメザンチーズなどを詰めた小さなパスタで、澄んだスープ (ブロード) に入れて出す。それより大きなトルテローニは、ほうれん草とリコッタチーズを詰めたパスタで、バターとセージをからめて食べる。

地元のパンも、じっくりとかみしめよう。**クレッシェンテ** (豚の脂身に生ハムかパンチェッタを加えた四角いパン)、**クレシェンティーネ** (軽い揚げパン。熱いうちに冷たい肉料理とチーズを添えて出す)、**ピアディーナ** (円形の薄いパン。焼いてハムとチーズをはさんで食べる) などがある。

マッジョーレ広場で北イタリアの陽光を浴びよう。そばには世界で5番目に大きな教会、サンペトロニオ聖堂がある。

デンマーク
デンマークのスモーブロー

コペンハーゲンでは、いろいろな具をトッピングした
おいしいオープンサンドをおなかいっぱい食べよう。

　誰にでも親切で、古い建物と現代的なホテルやブティックが混在する。コペンハーゲンは、おいしい料理の本場でもある。その代表格がスモーブロー。直訳すれば「バターとパン」。この街の有名なオープンサンドだ。
　作り方は名前の通り、まずパン一切れ(たいていデンマークの黒いライ麦パン)にバターを薄く塗る。その上にいろいろな具をのせ、間食として食べたり、軽い食事にしたりする。人気がある具は、パンに豚のレバーパテを塗り、歯ごたえのあるきゅうりのピクルス、ベーコン、香り高いマッシュルームのソテーを添えたもの。
　コペンハーゲンは魚介類も豊富だ。燻製ニシンと卵黄、セイヨウアサツキ、すり下ろした大根の組み合わせはシーフード好きにはおすすめ。ニシンの代わりに鮭の燻製もいい。鮭の濃い味は、マッシュルームのクリーム煮と合う。また、デンマークの海老は普段見慣れているものより小さいが、ぷりぷりした食感で味もよい。
　いろいろな具を楽しむには、レストラン「イーダ・ダビットセン」へ行こう。ツノガレイのフィレからデンマークチーズまでそろっている。コンゲンスゲーデ通りにあるこの店は、サンドイッチの種類が世界一。スモーブローだけで300種類ある。

ベストシーズン　コペンハーゲンに限らず、デンマークを訪れるのは春か秋がいい。
冬は寒くて湿度が高い。夏は快適だが観光客でふくれあがる。
旅のヒント　町じゅうにある一流レストランに加え、街角の多くの店で上質のスモーブローが食べられる。
サービス料は料金に含まれるが、特別なサービスに感謝の気持ちを表したいときは、チップを渡してもいい。
ウェブサイト　www.idadavidsen.dk、www.visitcopenhagen.com

スモーブローのエチケット

■ デンマークの人はマナーにとても気を遣う。スモーブローを食べるときは、手づかみでかぶりつくのではなく、ナイフとフォークで食べる。

■ **獣医の夜食**という変わった名前のスモーブローがある。これは、レバーパテを塗った上にコンビーフ、肉のアスピック(煮こごり)、玉葱をのせたもの。

■ コペンハーゲンの**チボリ公園**は、1843年に開園した世界最古の遊園地の一つ。ここにはレストランやカフェがたくさんある。港側のカラフルな町並みで知られる**ニューハウン地区**もバーやレストランが多い。

波止場があるニューハウン地区のバーに立ち寄り、行き交う船を眺めながらデンマークのビールを飲み、スモーブローを食べよう。

ライスターフェルの無数の料理は色とりどりで、見ているだけで食欲がそそられる。

オランダ
アムステルダムの「米の食卓」

火のように辛い牛肉の煮込み、ピーナツソースで和えた野菜、バナナの揚げ物。これらはインドネシア料理「ライスターフェル」のほんの一部だ。

オランダ最大の都市アムステルダムは、ライスターフェル（「米の食卓」の意味）が生まれた熱帯とは別世界のようだ。だが、香辛料たっぷりの料理をたくさん並べるライスターフェルは、オリジナルのレシピに忠実に再現されている。アムステルダムにあるインドネシア料理店「トゥジュ・マレ」か「サマセボ」に一歩足を踏み入れると、はるか南国の暖かい土地が思い浮かぶ。料理はブッフェ形式か、あるいは盆にのせテーブルに運ばれ、保温器の上に置かれる。

インドネシアは320年間、オランダの植民地だった。食文化はオランダの食習慣にしっかりと入り込んでいる。植民地時代、ライスターフェルは最も豪華な食事だった。ジャカルタ、スラバヤ、ジョグジャカルタの広々とした大きなレストランで、天井で回っている扇風機の下で食べるごちそうだった。現在、アムステルダムだけでなくオランダじゅうにインドネシア料理の小さな食堂や持ち帰りの店がたくさんある。そういう店に行けば、ライスターフェルの雰囲気を味わえる。

ライスターフェルの料理

ライスターフェルは、6皿から20皿の料理からなる。20皿以上になることもある。ライスターフェルは「米の食卓」の意味。ライス（米）とターフェル（食卓）が組み合わさったその名が示すように、ご飯が主役になる。

■ライスターフェルの一般的な肉料理には、**ナシゴレン**（肉や魚介類が入った焼き飯）、**バビケチャップ**（豚肉の醬油煮込み）、**ルンダン**（香辛料がきいた牛肉の煮込み）、**プルクデル**（じゃがいもと肉のかき揚げ）、**サテー**（肉の串焼きピーナツソース添え）、**サンバルゴレン**（辛いソースで煮た肉魚料理）などがある。**サンバル**は唐辛子をベースにした調味料。

■その他の一般的な料理は、**アチャ**（野菜を薄切りにした香辛料たっぷりで甘酸っぱいサラダ）、**ガドガド**（ピーナツソースをかけた野菜）、**ピサンゴレン**（バナナの天ぷら）、**ナシクニン**（インドネシアの黄色い米料理）、**クルプック**（空気のように軽い、揚げた海老せんべい）などがある。

ベストシーズン　アムステルダムは四季折々の良さがあるので、いつ行ってもいい。
旅のヒント　「サマセボ」はベーセーホーフト通り27にあり、世界的に有名な国立美術館にも近い。「トゥジュ・マレ」はユトレヒト通り73。両方とも人気があるので予約したほうがいい。網目状の運河の街、アムステルダム旧市街は、徒歩や自転車で見て回れる。中心部に宿をとると便利。
ウェブサイト　www.samasebo.nl・www.iamsterdam.com

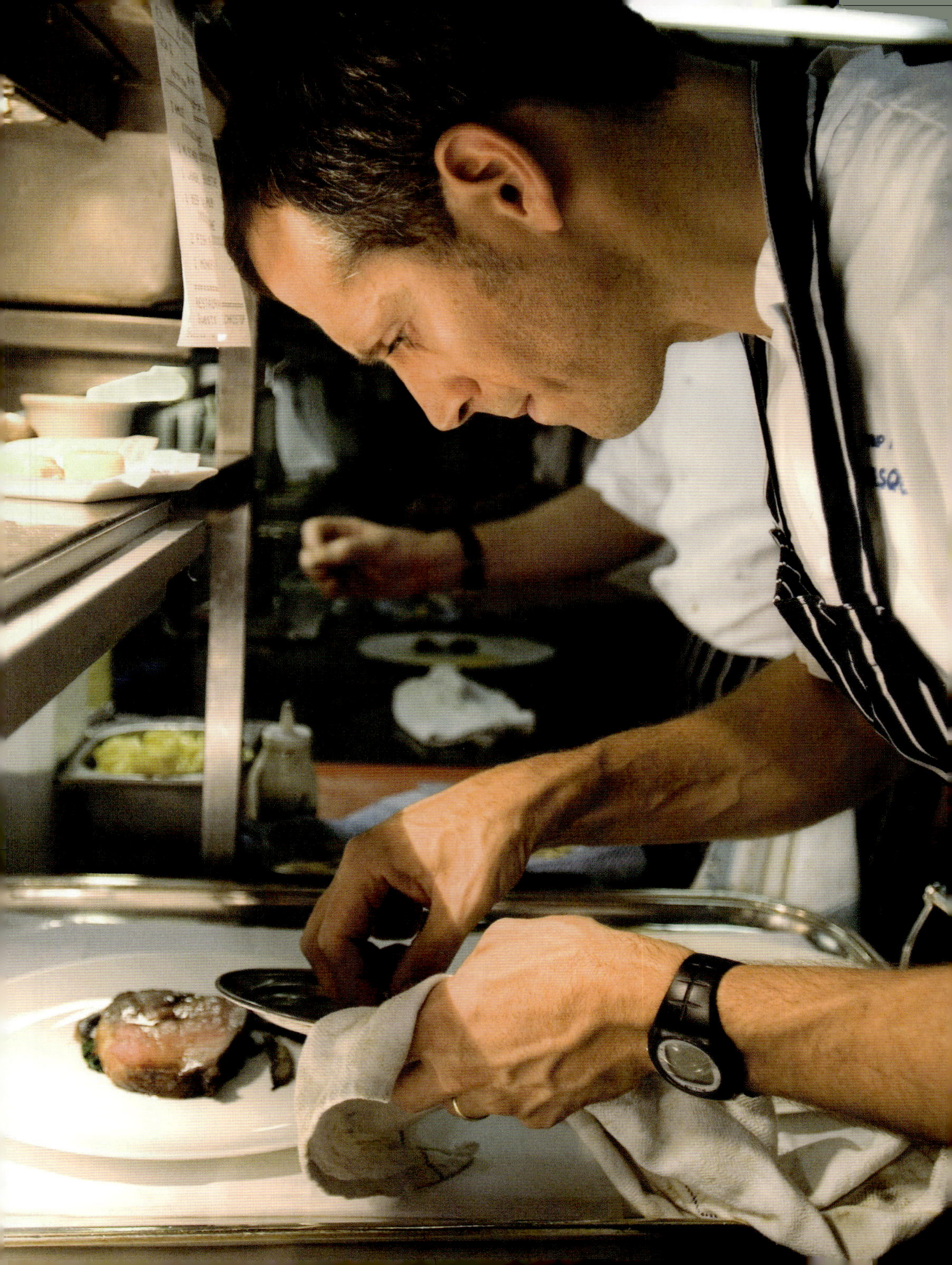

英国
ロンドンのレストラン

かつては笑い話のネタにされるほど、そのまずさに定評のあったイギリス料理。
現在、世界的に有名なシェフがわくわくする料理を生み出している。

ロンドンの精肉卸売市場スミスフィールドから1ブロック、シェーカー教徒のように厳格なシェフ、ファーガス・ヘンダーソンの「セント・ジョン」は、「頭からしっぽまで食べつくす」のがメニューの基本だ。たとえば、狩猟の季節にメニューをにぎわすヤマシギやヒドリガモなどのローストとともに、焼いた豚の骨髄や豚の腸が並ぶ。「セント・ジョン」は、この30年にロンドンに現れた新世代のレストランの代表格だ。その多くは由緒ある市場の周辺に集まっている。新鮮な食材を手に入れるには都合のよい場所だからだ。ウエストエンドの最高級の一画でさえ、英国の旬の食材と食文化の伝統を見せることを重視している。

そんなシェフたちの代表が、メイフェア地区にある「ザ・スクエア」のフィリップ・ハワードと「コリガンズ」のリチャード・コリガンだ。テレビでおなじみのシェフ、ゴードン・ラムゼイは、繊細さと見た目にもこだわる料理で名声を獲得した。彼の弟子だったアンジェラ・ハートネットやマーク・サージェントは、今では有名シェフの仲間入りを果たしている。サージェントは映画俳優や海外の王族御用達の老舗ホテル「クラリッジズ」の厨房を任されている。

さらに西には、ロンドンで最も神々しい食の殿堂といわれている「リバーカフェ」がある。ローズ・グレイとルース・ロジャースが1987年にテムズ川沿いに開いたレストランだ。料理はイタリア料理だが、新鮮な材料の大半は英国産を使っている。

ベストシーズン ロンドンは一年中いつ行ってもいい。夏が一番魅力的だが、観光客で混雑する。
旅のヒント ロンドンの食品市場に足を運び、どんな生鮮食料品があるか見てみよう。市場のリストはウェブサイト、アーバンパスにのっている。
ウェブサイト www.urbanpath.com、www.stjohnrestaurant.co.uk、www.squarerestaurant.org、www.corrigansmayfair.com、www.gordonramsay.com、www.rivercafe.co.uk

「セント・ジョン」の
ウェルシュ・レアビット

小腹がすいたときのスナックか、食事の締めくくりに食べる塩味の料理にぴったり。ポートワインに合う。

4人分
バター 適宜
小麦粉 大さじ1
イングリッシュマスタード（粉末）
　小さじ1
カイエンペッパー 小さじ2分の1
ギネスビール 200cc
ウスターソース 多めにひとふり
香りの強いチェダーチーズ
すり下ろしたもの450グラム
トースト 4枚

フライパンにバターをとかし、小麦粉を入れてかき混ぜる。ビスケットのような香りがするまで火を通すが、茶色く焦げないように気をつける。そこにマスタードとカイエンペッパーを加える。ギネスとウスターソース、チーズを入れ、弱火でチーズをとかす。全体がなめらかになったら火から下ろし、浅い容器に入れる。これを厚さが1センチぐらいになるようにトーストにのせ、温めておいたグリルに入れて焼く。こんがりきつね色に焼けたらできあがり。

左ページ：「ザ・スクエア」で料理を作っているフィリップ・ハワードは元微生物学者だ。
上：ビッグベンと国会議事堂。

エディンバラ城（左）とハブ（元教会）の尖塔。レストラン「ザ・タワー」からの眺め。

英国 スコットランド

エディンバラのすばらしい料理

スコットランドの首都で、ほかにはない郷土料理を味わおう。
そこはミシュランの星を獲得した新世代のレストランだ。

　エディンバラは、欧州でも有数の美しい都市といわれていたが、これまでどの美食の都のリストにも、エディンバラという名はなかった。しかし最近はスコットランド産の食材のよさが見直されている。青く澄んだ北海でとれる魚介類、欧州最高レベルの肉牛、海辺やヒースの丘の牧草で育った繊細な味の羊、きのこ、狩猟鳥獣（ジビエ）。これら豊かな食材を生かした創作料理を手がけるシェフたちによって、エディンバラのレストランは変貌を遂げている。

　その先駆者の一人がアンドリュー・ラドフォードだ。レストラン「アトリウム」と姉妹店「ブルー」の創業者である。また、タクシーで簡単に行ける古い港レイスは徐々に生まれ変わり、活気あるレストラン街が誕生した。シェフのマーティン・ウィシャートとトム・キチンは、それぞれ自分の名前をつけたレストランを経営している。

　市の中心部では、魅力的な旧市街にあるスコットランド博物館最上階の「ザ・タワー」で、極上の現代風スコットランド料理をみごとな眺望とともに味わえる。

ファーマーズマーケット

　キャッスルテラスのファーマーズマーケットにはぜひ行きたい。営業は毎週土曜日の午前9時から午後2時まで。ここでいろいろな食べ物を味見できる。スコットランドの朝食の定番、温かい**ポリッジ**（オートミールの一種）を食べてみよう。生の果物、ジャム、ウイスキー、クリームなどが入っている。

　肉の好きな人には、熱々の**ローストポークサンドイッチ**がおすすめ。スコティッシュボーダーズの農場で飼育された豚の肉とアップルソース、かりかりに焼けたクラックリング（皮の部分）がはさんである。

　運がよければスコットランドの名物シーフード、**アーブローススモーキー**に出合えるかもしれない。移動式燻製小屋でつくるタラの燻製で味は絶妙。注文に応じて骨をとってくれるので、その場で食べられる。

ベストシーズン　エディンバラは8月が最も活気があり、混雑する。「エディンバラ国際フェスティバル」「ブックフェスティバル」「フリンジ（エディンバラ国際フェスティバルの公式外の催し物）」などに出演者や観客が集まり、人口が普段の何倍にもふくれあがる。

旅のヒント　人気レストランは要予約。特に週末や8月のフェスティバル開催中は、数週間か数カ月前には予約が埋まる。

ウェブサイト　www.list.co.uk、www.atriumrestaurant.co.uk、www.thekitchin.com、www.martin-wishart.co.uk、www.tower-restaurant.com

フランス
パリのネオ・ビストロ

パリの新旗手のシェフたちによって、舌にも財布にもうれしい、
すばらしい料理がビストロで食べられるようになった。

ネオ・ビストロブームは、凝りに凝った高級料理への反動から生まれた。その先駆者が、ホテルリッツ、マキシム、トゥール・ダルジャンで伝統的フランス料理の修業を積んだイブ・カンデボルドだ。彼は1992年、パリ南部に最初の自分のレストラン「ラ・レガラード」を開き、濃厚で美味なフランスのビストロ料理を前例のない価格で提供した。今では同様のビストロがたくさんある。

セーヌ川左岸では、ムッシュ・ル・プランス通りにある、ジャン＝フランソワ・ドブレの「レ・ラシーヌ」か、テナール通りにあるドゥラクルセル兄弟の「ル・プレ・ヴェール」に行ってみよう。パリ東部では、バスティーユ広場近くにトマ・デュフールの「レボショワール」と、メニルモンタンにニドサン兄弟の「ラ・ブランジェリ」がある。

このブームの火付け役、カンデボルドは2005年に「ラ・レガラード」を売却し、セーヌ河左岸にあるホテル・ルレ・サンジェルマンに「ル・コントワール」という20卓だけの小さなビストロを開いた。夜は5皿のコースメニューのみだが、本格的でとびきりおいしい食事だ。そんなディナーが45ユーロ（約6000円）で堪能できる。

ベストシーズン　春のパリは夢みる恋人たちによく似合うが、美食家には晩秋がいい。トリュフやフォアグラの季節、夏のバターミルクで作ったチーズが熟成する季節なのだから。

旅のヒント　ビストロの情報を仕入れるには、ちょっといいカフェでほかの客に話しかけてみるのがよい。パリっ子はどこがおいしいかよく知っているし、いわれているほど冷淡ではない。できれば予約して行こう。

ウェブサイト　www.hotel-paris-relais-saint-germain.com（日本語あり）
www.lebauchoir.com、www.lepreverre.com（日本語あり）

ビストロ料理

■パリのネオ・ビストロになくてはならないのが、テリーヌ、ソーセージ、ハム、肉の珍しい部位。**ブーダン・ノワール**（血のソーセージ）、**シャルキュトリー**（豚肉加工品）、**リ・ド・ヴォー**（仔牛の胸腺）、**ピエ・ド・コション**（豚足）などを食べてみよう。**ジュ・ド・ブフ**（牛頬肉の煮込み）も濃厚でおいしい料理だ。

■ネオ・ビストロはフランスの極上チーズを味わうのにもってこいの場所でもある。ワゴンやトレーで運ばれてくるいろいろな種類をギャルソンに説明してもらおう。ビストロによっては10種類以上のチーズを用意している。優秀なギャルソンは客の好みに合ったチーズとそれに合うワインをすすめてくれる。

ネオ・ビストロの魅力の一つ、目もくらむようなチーズの数々。チーズは食後ではなく、デザートの前に食べる。

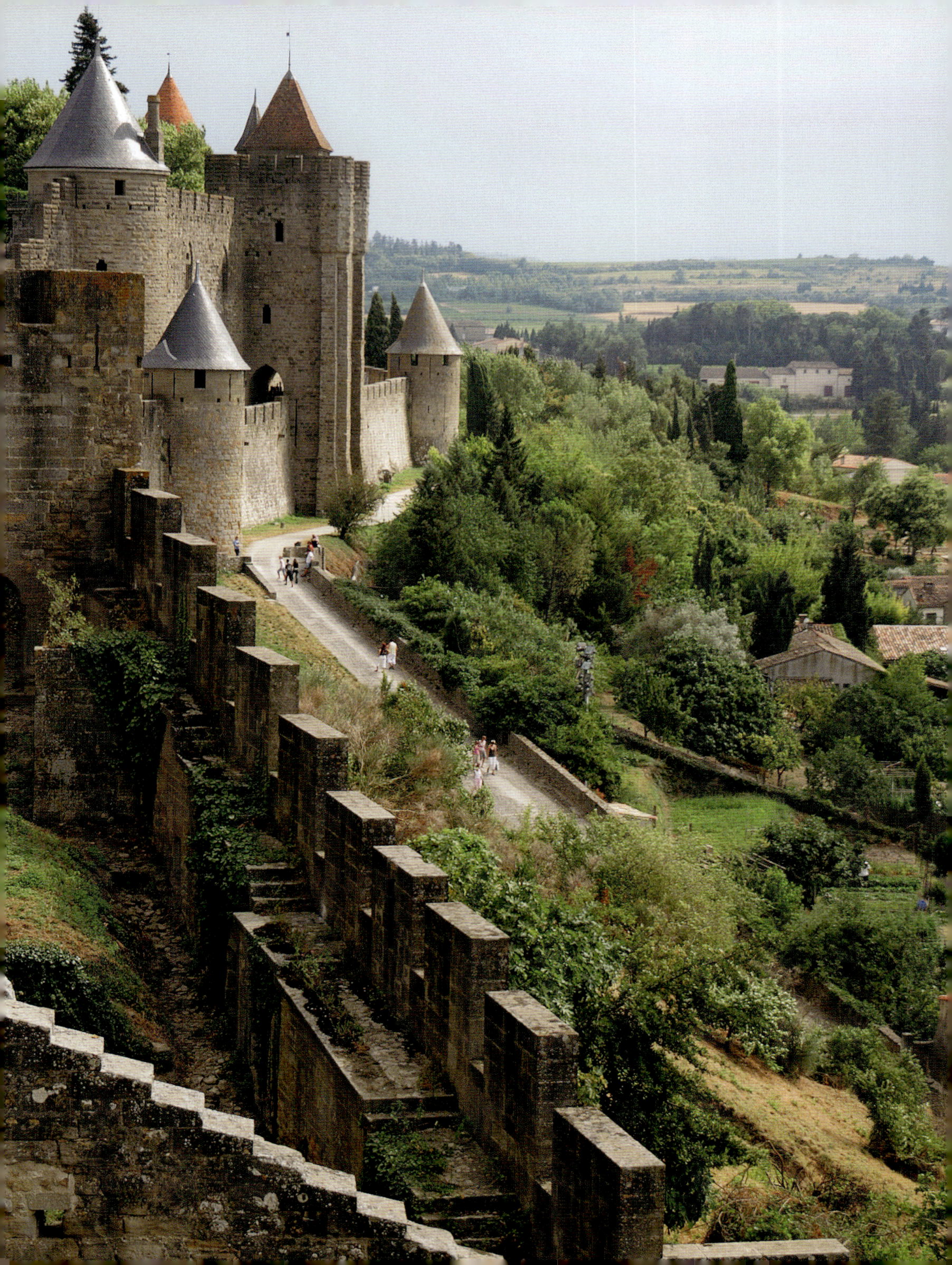

フランス
カスレの秘密

南フランスでは三つの都市とその周辺地域が、
自分たちの町こそカスレの本場であると主張している。

フランス南西部ラングドック地方のカルカソンヌでは、おいしいカスレ（煮込み料理）にヤマウズラの肉が欠かせない。一方、その100キロほど北のトゥールーズでは、豆や豚肉、玉葱、人参が入ったカスレを風味豊かに仕上げるために、ソーセージとカモ肉のコンフィを加える。この二つの都市の間にあるカステルノダリでは、豚バラ肉と、周辺のロラゲ地方で作られるガチョウのコンフィが不可欠とされる。このように、それぞれの土地ごとにカスレの作り方が守られている。特にカルカソンヌとカステルノダリでは、そのレシピを守るために組合まで作っている。これは、親睦のための料理というカスレの本質を反映している。もともとは身近な材料を使った、収穫期の臨時雇いや親族の集まりに出す料理だった。

作り方は違っても、白いんげん豆（タルブ産のものやランゴ種のもの）が基本の材料であること、表面がこんがり固まるまで長時間、弱火のオーブンで煮込むのは共通している。カスレを味わうにはどうすればいいだろうか。中世の城壁に囲まれたカルカソンヌの旧市街では、メニューに5種類のカスレがある「レキュドール」へ行こう。トゥールーズでは、まず歴史あるミディ運河沿いを散歩し、それから「オー・ガスコン」へ行こう。手頃な値段で高級カスレが味わえる。カステルノダリでは「オテル・ド・フランス」に行き、カスレ愛好家に混じって昼食を食べよう。

ベストシーズン フランス南西部は年中快適。だが、カスレの本場で美食とワインを堪能するなら涼しい時期がいい。冬は黒トリュフもレストランのメニューに登場する。

旅のヒント 国際都市トゥールーズには週末を使って滞在しよう。コンサートや美術館など見どころがたくさんあり、夜遅くまでにぎわう酒場で寝る前の1杯を楽しめる。カルカソンヌの北西、セサックには13世紀のアルビジョワ十字軍に破壊されたカタリ派の城の廃墟がある。

ウェブサイト www.carcassonneinfo.com、www.cassoulet.com
www.uk.toulouse-tourisme.com（日本語あり）

カスレの本場

■カルカソンヌに本部があるカスレ総合アカデミーは、各地の代表的なカスレをたどる**カスレの道**を定めている。小麦や豆、ひまわりの畑、アヒルやガチョウが飼われている農場を眺めながらドライブすると、この料理が生まれた土地が実感できるだろう。

■**トゥールーズ**では、街で一番大きな**カピトル広場**で、有機農産物のファーマーズマーケット（毎週火曜日と土曜日の朝）が開かれる。近くには屋根付きの**ビクトル・ユーゴー市場**もあり、こちらは毎日新鮮な食材を売っている。冬には黒トリュフを売る店も出る。

■カステルノダリの北西、**マ・サンテ・プエル**に住むノット兄弟は、**カゾール**という土鍋を今も作っている数少ない陶器職人だ。カスレという料理名はこの鍋に由来する。南フランスで広く使われているオック語では「カスーレット」あるいは「ルウ・カソール」という。カステルノダリを見渡せる**城塞博物館**には昔のカゾール（土鍋）が展示されている。

■ラングドック産のフルボディのワインは、こってりした田舎料理のカスレにとてもよく合う。**カバルデス**、**マルベール**、濃いざくろ色の**コルビエール**がおすすめ。

左ページ：カルカソンヌの旧市街から、カスレが生まれた田園風景を望む。上：大皿に盛られたカスレ。

「ミラマー」のようなレストランでは、魚はコースの一品として、魚介類のスープとは別に出てくる。

フランス
本物のブイヤベース

かつては漁師の食事だったマルセイユ風ブイヤベースは、
ハーブの香り高い世界屈指のシーフード料理に発展した。

　フランス最大の地中海の港マルセイユに行ったからといって、とりあえずブイヤベースならどれを注文してもいい、というわけではない。
　かつてマルセイユの漁師たちは、とれた魚のうち上等なものを売り、残りの魚を持ち帰った。それを煮て、クルトンとルイユ（にんにくと香辛料をきかせたマヨネーズのようなソース）を添えて夕食にした。その後、マルセイユが貿易港として栄えた19世紀、上流階級の人々がブイヤベースをより高級な料理に仕立て、世界三大スープの一つになった。気をつけたいのは、観光客相手の質の悪い料理で、「魚のスープ漁師風」や「当店流ブイヤベース」といった名前が付いていることが多い。
　1980年、シェフたちがブイヤベースに入れる材料を定めた憲章をつくった。本物のブイヤベースを求め、旧港周辺にあるレストラン「ミラマー」に行こう。その近くには、本物を出すことを誇りにしている別のレストランが2軒ある。カタラン通りに店を構える「シェ・ミシェル」と、ヴァロン・デ・ゾッフにある「シェ・フォンフォン」だ。

ベストシーズン　マルセイユの夏は暑く、冬は温暖。6月と7月にはマルセイユ祭りが開かれ、ダンス、音楽、演劇、映画の出し物がある。フランスの人は8月に長い休暇をとるので、レストランの多くは8月は閉まる。
旅のヒント　朝、ベルジュ埠頭に行ってみよう。漁師がとってきた魚を見ることができる。マルセイユで一番高い丘の上には、19世紀半ばに建てられたビザンチン様式のノートルダム・デ・ラ・ガルド教会があり、そこから街と旧港が見渡せる。
ウェブサイト　www.marseille-tourisme.com（日本語あり）、www.chez-fonfon.com

本物の材料

　本物にこだわる人は、ブイヤベースには少なくとも4種類の地中海産の魚を入れなくてはならないと主張する。たとえば、最も一般的な**カサゴ**、**アナゴ**、**ホウボウ**、**マトウダイ**などだ。これに生のトマト、じゃがいも、生のフェンネルをたっぷり加え、アニスの香りのペルノ酒を入れて煮れば、正真正銘のブイヤベースだ。
　乱獲で、地中海産の魚を使うのは年々難しくなっている。それでも、鮭の入ったブイヤベースは断じて本物ではないし、貝の入ったものですら議論が分かれる。
　伝統的に、ブイヤベースは2段階に分けて出される。最初はスープ。にんにくを塗ったクルトンにルイユをまぶしてボウルに入れ、その上からスープを注ぐ。クルトンはスープの後から足して表面に浮かせてはならないし、すりおろしチーズをかけてもいけない。
　スープの後、魚を食べる。給仕が目の前で身と骨を分けてくれる。ブイヤベースにぴったりのワインは辛口のカシス（プロヴァンス産のワイン）の白かバンドール・ロゼ。もちろん両方ともマルセイユ近郊で造られる。

スペイン
バスクの料理

スペイン北部の高級リゾート地、サンセバスチャンは、
人口に対するミシュランの星の数が世界一の食の都だ。

サンセバスチャン（バスク語でドノスティア）は、ホタテ貝の形をした入江と、壮麗な19世紀末の建築が美しい高級リゾートだ。ミシュラン三つ星シェフのフアン・マリ・アルサック、マルティン・ベラサテギ、ペドロ・スビハナの本拠地でもある。一流レストランで出ないバスク料理にも注目。アサドールという焼き肉の店や、バカラオ・アル・ピルピル（香辛料がきいた塩漬けタラの料理）などの郷土料理、シドレリア（発泡りんご酒の醸造所）の料理も食べてみよう。

本物のバスクを体験するなら、旧市街の「ラ・セパ」のようなバルがいちばん。サンセバスチャンで最高のピンチョス（タパスとも呼ばれる一口サイズのつまみ）が食べられる。ピンチョスにはトルティーヤ（オムレツ）、生ハム、ししとうの揚げ物、チョリソー（ソーセージ）、タラのコロッケなどがある。黒板を見て、本日のおすすめを確かめ、食べたいものを皿に盛り、地酒のチャコリとともに味わう。これは微発泡性の白ワインで、空気を含ませるために高い位置からグラスに注ぐ。こうして一晩、バスクの人のようにバルをはしごすると、雲の上に登った気分になる。

ベストシーズン　春と夏がいい。サンセバスチャンにはすばらしい海岸が3カ所あるが、バスク地方のこのあたりには大勢の観光客は押し寄せてこない。冬は雨が多い。

旅のヒント　旧市街にあるラ・ブレチャ地下食品市場にはぜひ寄ろう。そして、美しいバスクの海岸沿いにある小さな漁村をめぐろう。レケイトでは、港のそばのカフェでとれたての魚を食べられる。ゲタリアでは魚介類を大きな炭火コンロで焼いている。

ウェブサイト　www.basquetours.com、www.arzak.info、www.martinberasategui.com、www.akelarre.net

料理の革命

サンセバスチャンの三つ星レストラン「アルサック」のオーナーシェフ、**フアン・マリ・アルサック**は新バスク料理の第一人者。1970年代、フランス人シェフ、ポール・ボキューズが熱く語ったヌーベルキュイジーヌの新潮流に触発され、ボキューズの思想にもとづき新しいバスク料理を作ろうと決心した。同僚のシェフたちを集めて親睦会を開き、伝統的バスク料理を刷新したものや、創作料理を披露した。彼の革命は新しいスペイン料理**ラ・ヌエバ・コシーナ**の土台となった。

アルサックは娘のエレナとともに今もレストランを経営し、昔ながらのバスク料理をもとにした新しい料理を提供している。オリーブ油で作った白いソースで食べるロブスター、揚げたじゃがいも団子に盛った海老のサフランソース和えなどをじっくり味わってみよう。

サンセバスチャンの名高い海岸。貝の形にカーブを描いていることから、プラヤ・デ・ラ・コンチャ（貝殻の海岸）という名が付いた。

スペイン
セゴビアの仔豚

マドリードから北西へ車で1時間、19世紀のメソン（宿屋）では
すばらしい眺めと美食家の至福が同時に味わえる。

　古都セゴビアにあるレストラン「メソン・デ・カンディード」の格子窓からは、古代ローマの水道橋が見える。その優美な橋桁に午後の日差しが照りつけ、テーブルの脇では給仕がこんがり焼いた仔豚を切り分けている。

　セゴビア名物のこの料理は、気の弱い人には向かないかもしれない。肉屋の処理が済んだ仔豚は、体の毛を焼いて落とし、にんにくと月桂樹の葉、ラードを混ぜたものをすり込む。そしてメソン・デ・カンディードにある150年前のレンガの窯で、オークの炭を赤々と燃やしながら2時間かけて焼く。これでテーブルに出す準備はととのった。儀式にのっとって、給仕は皿の縁をナイフのように使って一人分ずつ肉を切り分ける。表面は完璧にぱりぱりで、肉は口の中でとろけるほど軟らかいことを示すためだ。使い終わった皿は勢いよく石の床にたたきつけて割る。

　この名物料理に合うのが上質の赤ワイン、リベラ・デル・ドゥエロだ。ゆっくり食事を楽しみながら、日が傾いて巨大な水道橋が金色に染まるのを眺めよう。

ベストシーズン　乳飲み仔豚は年中食べられるが、冬は仔羊やウズラを使った焼き肉料理も味わえる。カスティーリャ地方の夏は非常に暑く乾燥している。

旅のヒント　セゴビアはマドリードから楽に日帰りできるし、見るものもたくさんある。ローマの水道橋のほかに、大聖堂、後期ゴシック様式の建築物、アルカサール（古城）などだ。また、周辺の田園風景が見渡せる丘の頂上には、中世カスティーリャの王の住居がある。セゴビアには「メソン・デ・カンディード」に迫るレストランも数軒あるが、水道橋の眺めがいい店はほかにはない。

ウェブサイト　www.mesondecandido.es、www.turismodesegovia.com（日本語あり）

カスティーリャのもてなしの心

　家族経営の「メソン・デ・カンディード」は単なる食堂ではなく、ある種の公共施設というべき存在である。店が繁盛し始めたのは1931年、**カンディード・ロペス・サンズ**（1903-92）が義母から店の経営を引き継いだときからだ。

　彼のモットーは「国籍、境遇を問わず、店にきてくれるすべての人に敬意を表し、カスティーリャのもてなしの心で隅々にまで気を配ること」。その長い生涯を通して、ドン・カンディードは多くの客を迎えた。その中には、王族や伝説の闘牛士エル・コルドベス、文豪アーネスト・ヘミングウェイ、オーソン・ウェルズやウルスラ・アンドレスといった大勢の映画スターもいた。レストランは今ではカンディードの名で子や孫が経営している。2006年にはセゴビア郊外に豪華なホテル・カンディードも開業した。

仔豚の丸焼きがテーブルに置かれると、給仕は皿を使って切り分ける。

最高のバレンシア流パエリアは、晴れた冬の日に、焚き火でつくる。

スペイン
バレンシアのパエリア

地中海に面したスペインの都市バレンシアは、
議論の余地なくスペインで最も有名な料理の本場だ。

バレンシアの人々がこだわるものが、いくつかある。北のバルセロナやカタルーニャとの関係、その言語（カタルーニャ語と同一言語扱いされることを拒む）、そしてパエリアだ。ムーア人の農民が考え出したパエリアは、最初は貧しい人の食事だった。短粒米とオリーブ油、サフラン、野菜、そのほかあり合わせの材料（鶏、ウサギ、カモ、カタツムリなど）を一緒に調理したのが始まりだ。米は、できあがったとき、上のほうは軟らかく、下の層はあめ色でかりかりになっているのが理想だ。ソカラット（おこげ）と呼ばれる下の層が最もおいしい。

パエリアは、肉を入れるバレンシア風と、魚介類を入れるパエリア・マリネラがある。バレンシアには、パエリア調理法の戒律がある。汝、ソーセージを加えることなかれ、肉は魚介類と同時に入れることなかれ、グリーンピースを入れ忘れることなかれ、等々。バレンシアの有名店は、「カーサ・ロベルト」「エル・フォルカット」「ラ・ペピカ」「ラ・マルセリーナ」「エル・ラール」などだ。

ベストシーズン パエリアは年中食べられる人気メニュー。3月15日から19日の5日間はバレンシアの火祭り。巨大な張り子の人形や石膏の人形（ニノッツ）が町中に飾られる。もちろんパエリアもある。

旅のヒント バレンシアの主な見どころは、歴史あるカルメン地区や、バレンシア出身の建築家サンティアゴ・カラトラヴァが設計した超モダンな芸術科学都市など。おなががすいたら魅力的なコロンブス市場へ行こう。

ウェブサイト www.gotovalencia.com、www.valencia-on-line.com、www.whatvalencia.com
www.lapepica.com

鍋と作り方

■ パエリアを作る浅い金属製の大きな鍋のこともパエリアという。もとは平鍋を示すラテン語の「パテーリャ」からきている。パエリアが大好きなスペインの人の台所には、パエリア鍋が置ける特大コンロが付いている。

■ バルセロナにはパエリアのほか、**アロス**（「米」の意味）という米料理もある。**アロス・ア・バンダ**（魚介類で作る）、**アロス・ネグロ**（イカスミ入り）などいろいろある。**フィデワ**という料理は、米の代わりに短く折った極細のパスタを使う。

■ バレンシアの純粋なパエリアにこだわる正統派はけっしてソーセージなど入れない。しかし、パエリアがあまりに広く浸透してしまった今では、スペインじゅうで、香辛料がきいたチョリソーの入っていないパエリアには見向きもしないという現象が起きている。

■ パエリアのファストフードチェーン**パエリアドール**は、あちこちの観光名所のそばにある。そのお味はどうかというと、家庭できちんと調理した、あるいはレストランのパエリアとは比べるまでもない。

トップ10
歴史あるレストラン

記念碑的レストランには、それぞれに長い歴史、品格あふれる雰囲気、伝統のメニューがある。そのために貴重な場所になっており、世代を超えて、今も人々を引きつけている。

❶ ユニオンオイスターハウス
（米国、マサチューセッツ州ボストン）

1826年創業で、現在も営業中の米国最古のレストラン。名所めぐりの道「フリーダムトレイル」の途中にある。店は魅力的なジョージア朝時代の建物の中。ニューイングランド名物のクラムチャウダーや牡蠣のシチューがおすすめ。ジョン・F・ケネディお気に入りのブースには銘板がはめ込まれている。

旅のヒント　ユニオン通り41（地下鉄はガバメントセンター駅）。1階のバーに座り、目の前で牡蠣がむかれる様子を眺めよう。www.unionoysterhouse.com

❷ 尾張屋（京都）

京都御所に近い風格あるそば処。創業1465年。北海道利尻産の昆布と、目近（めぢか）、うるめ、さば節を合わせてだしをとっている。店の主人は京都の山の水がだしに欠かせないとして、京都以外には支店を出していない。

旅のヒント　営業は午前9時から午後7時まで。年中無休（元日休み）。本店は中京区車屋町通二条下る。烏丸店は中京区烏丸通二条下る東側。www.honke-owariya.co.jp

❸ アシターネ（トルコ、イスタンブール）

19世紀の邸宅に1991年に創業したアシターネは、オスマントルコの宮廷料理を再現して出している。料理の多くは1539年にスレイマン大帝の息子の宴会で出されたもの。夏は、コーラ教会（カーリエ博物館）が影を落とす静かな中庭にテーブルが置かれる。

旅のヒント　アシターネはカーリエホテル内にある。www.asitanerestaurant.com

❹ ヤール（ロシア、モスクワ）

創業は1826年。1910年に記念碑的ホテル、ソビエツキーの中に移転し、現在に至る。大理石の柱、床から天井まで届くフレスコ画、化粧漆喰と金メッキをたっぷり使ったレストランは、20世紀転換期の華やかさを再現している。フランス料理に目がいくが、ボルシチやピロシキといったロシア料理もぜひ味わいたい。

旅のヒント　レニングラドスキー・プロスペクト32/2（地下鉄はジナモ駅）。www.sovietskyhotel.com

❺ オルデ・ハンザ（エストニア、タリン）

旧市街にある中世の商人の館に造られたこのレストランは、中世の晩餐風景を忠実に再現している。壁画やタペストリーが掲げられ、リュート奏者がバラードをつま弾き、田舎娘が料理の盛られた大皿や飲み物の入った水差しを運び、ろうそくの灯りがゆらめく。徹底的に時代考証を重ねたメニューには、ヘラジカのヒレ肉、イノシシのすね肉、熊の肉などが並ぶ。

旅のヒント　住所はヴァナ・トゥク1。www.oldehansa.ee

❻ ヴィェジネク（ポーランド、クラクフ）

ポーランド随一のレストラン。1364年、欧州の王族が訪れたときの晩餐会を機に創業した。近年もスペインのフアン・カルロス国王が訪れ、ウズラと鹿肉やイノシシ肉の取り合わせ、カモとりんごのロースト、ピエロギ（ポーランド風の餃子）などの高級ポーランド料理を味わった。

旅のヒント　旧市街の広場が見えるテーブルを予約しよう。www.wierzynek.com.pl

❼ ル・プロコップ（フランス、パリ）

1686年創業のパリ最古のカフェ。フランス革命当時に栄えた。ロベスピエール、ナポレオン、フランクリン、ジェファーソンのほか、ヴォルテールなどの作家たちも常連客だった。1989年に改装され、18世紀の豪華さをそのままに伝える店内は、レストランといくつもの個室に分かれている。

旅のヒント　サンジェルマン・デ・プレのランシアン・コメディ通り13（地下鉄はオデオン駅）。www.procope.com

❽ ラ・トゥール・ダルジャン（フランス、パリ）

フランス高級料理の代名詞だったこの老舗レストランをミシュランが三つ星から二つ星に（後に一つに）格下げしたことは、美食家の関心を集める訴訟事件に発展した。だが、テーブルをめぐって高貴な人々が決闘した時代と同じく、現在でも予約を取るのは難しい。定番料理のカモは、中がレアで外側はこんがりあめ色に焼けている。

旅のヒント　ケ・ド・ラ・トゥルネル通り15-17（地下鉄はサンミシェル駅）。www.tourdargent.com

❾ ルールズ（英国、ロンドン）

1798年創業のロンドン最古のレストラン。1873年に改装された店内はほの暗く、ビクトリア朝時代の調度品で飾られている。メニューは伝統的英国料理。ブラウンウィザースープ、ポッテドシュリンプ、スポッテドディック（干しぶどう入り蒸しケーキ）のほか、野ウサギのシチュー、シギなど狩猟鳥獣（ジビエ）料理もある。

旅のヒント　メイデンレーン35（地下鉄はレスタースクエア駅）。www.rules.co.uk

❿ ボティン（スペイン、マドリード）

創業1725年。マドリードの城壁に16世紀に造られた建物の中にあり、木の梁がみごとなレストラン。ヘミングウェイも足しげく通った。今もこだわりのスペイン料理を出す。おすすめは、創業当初から使われている窯で焼いた仔豚や仔羊。

旅のヒント　クチリェロス通り17（地下鉄はラ・ラティーナ駅）。www.botin.es（日本語あり）

右ページ：ロンドンのコベントガーデンにある「ルールズ」は狩猟鳥獣（ジビエ）料理で有名だ。鳥獣肉はレストランの所有地でとったもの。

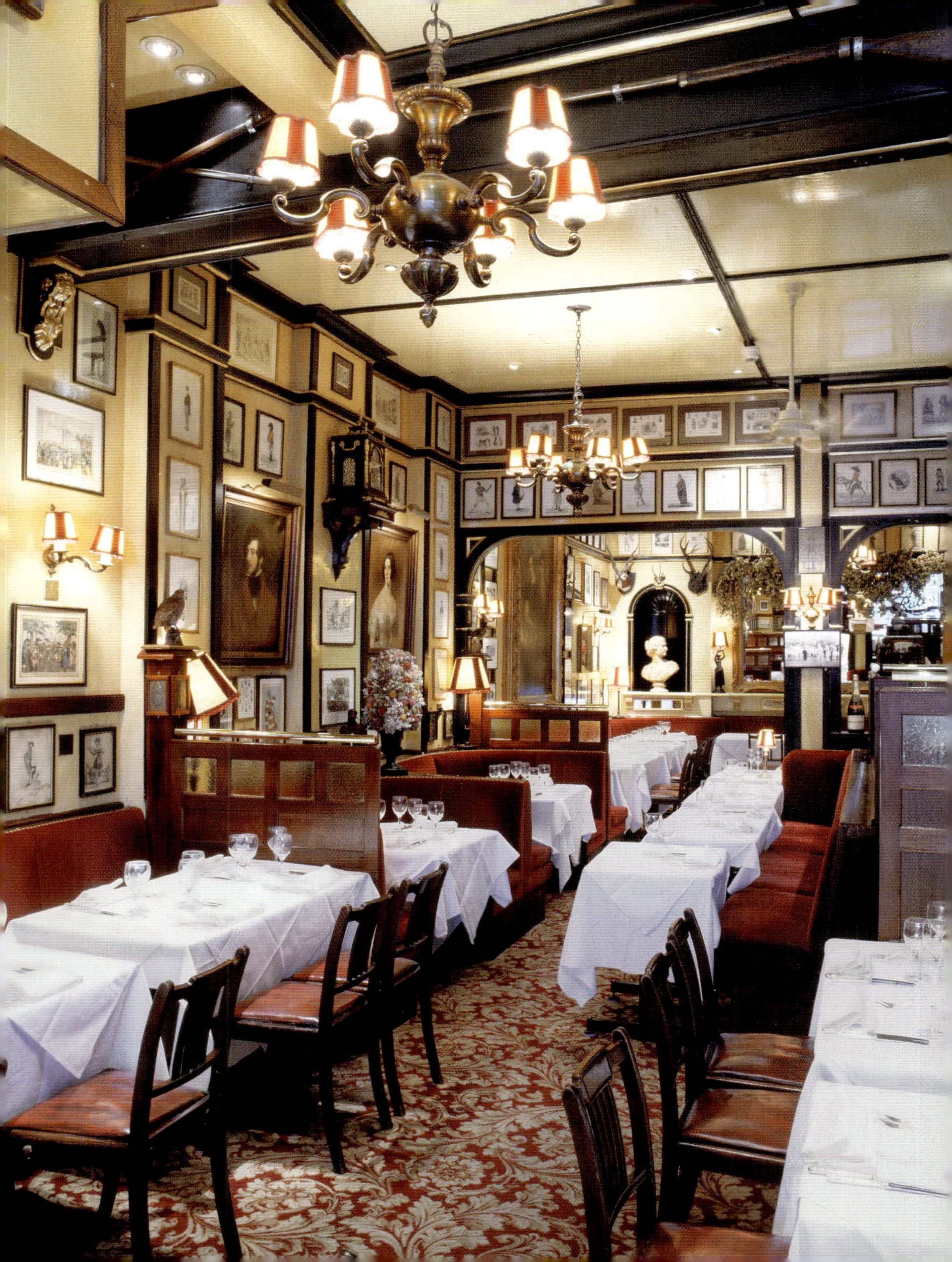

スペイン
マドリードのレストラン

スペインの食べ物は実に種類が豊富だ。
首都のレストランは、それらをすべて取りそろえている。

スペインのフェリペ2世は、エリザベス女王を屈服させようと無敵艦隊を率いて敗北した人物という印象が強い。しかし、1561年に宮廷をトレドからマドリードに移し、帝国の黄金期を築いたのもフェリペ2世である。マドリードは、内陸にもかかわらず、大西洋と地中海でとれた魚が生きのいい状態で届けられた。カスティーリャ料理は、焼き物や煮込みなど、冬向きのものが多いが、各地の名物料理レストランがそろうマドリードでは、どの季節の料理も味わえる。

アンダルシアのガスパチョ、地中海の米料理、バスクの魚、ガリシアの魚介類が地方料理の代表格だ。焼き肉なら「アサドール・フロントン」、マドリード風の肉と豆の煮込み、コシード・マドリレーニョなら「ラ・ボラ」と「ラアルディ」。「カサ・シリアコ」と「カサ・ルシオ」は、ウズラと空豆の煮込みなど、カスティーリャ料理。「カサ・ベニグナ」と「ラルブフェラ」は米料理、「ラ・トライネラ」と「コンパッロ」は魚料理がおいしい。バスクの牛肉料理なら「アサドール・ガステル」と「フリアン・デ・トロサ」、創作料理なら「ラ・テレサ・デル・カシノ」か「サンセローニ」へ。

ベストシーズン イベリア半島の中心、標高667メートルにあるマドリードは両極端な気候。冬は凍えるような寒風が吹き、夏は乾燥して暑い。春と秋が快適。
旅のヒント マドリードでは芸術で目を肥やそう。この街には貴重な名画の数々がある。プラド美術館、ソフィア王妃芸術センター、ティッセン・ボルネミサ美術館の共通入場券は芸術の宝庫への切符。すべてをきちんと鑑賞するには一生かかる。
ウェブサイト www.esmadrid.com（日本語あり）、www.gomadrid.com

おいしいタパス

スペインではタパスを食べにバルをはしごすることを**タペオ**という。これはマドリードの食習慣の一つだ。酒の添え物として始まったスペインのタパスは、おいしい小皿料理に発展した。大勢の客で混み合い、野外のカクテルパーティーみたいに騒々しくて陽気な酒場を探そう。

店に入ったら、カップの受皿くらいの小皿に盛られた**ボケロネス**（イワシ）や**ガンバス**（海老）、**ケソ・マンチェーゴ**（山羊の乳のチーズ）、焼いた**ピミエント**（青唐辛子）などを食べてみよう。サンタアナ広場とウエルタス通り界隈には、タパスバルが何十軒もある。ヘミングウェイの行きつけの店だった「セルベセリア・アレマナ」もここにある。マヨール広場南のカバ・バハとアルメンドロ通り沿いには人気のバルが多い。サラマンカ地区にもすばらしい店がたくさんある。

マドリードのマヨール広場のカフェでくつろぐ人々。種類豊富なタパスを食べさせるバルが付近にいくらでもある。

リスボンの魚市場のある地区からバイロアルト地区へと登っていくケーブルカー。

ポルトガル
リスボンの魚

魚が大好きな国の首都で、しかも大西洋に面した港町。
当然のことながら、とびきりおいしいシーフードが味わえる。

魚の一人当たりの消費量が欧州で第2位のポルトガル。その思いを体験する最適な場所が、リスボンのバイロアルト地区だ。「高い町」を意味するこの活気ある街区は、市の中心部から坂を登った高台にあり、夏には簡易コンロでイワシを焼く香りがあたりに漂う。ポルトガル料理の本質は大衆料理だ。バイロアルト地区の南にある家族向けレストラン「トマ・ラ・ダ・カ」で味を試してみよう。魚なら何でもそろっている。バカリャウ（塩漬け干しダラ）もあるだろう。

ポルトガルではバカリャウは前菜に食べる。パスティス・デ・バカリャウ（コロッケ）、バカリャウ・ア・ブラス（玉葱とじゃがいもを一緒に炒めて卵で和えたもの）、バカリャウ・コン・ピメント・エ・チョリソ（ピーマンとソーセージ入り）、バカリャウ・コン・モロ・デ・カリル（カレーソース）など365通りの調理法があるといわれている。ぜいたくに味わうなら「パッパソルダ」に行こう。鏡や金箔、クリスタルのシャンデリアの豪華な店だが、その名前はパンと魚介類の素朴なスープ料理にちなんでいる。

ベストシーズン　4月下旬か5月初旬がいい。空気が澄み、通りは花でいっぱいだ。
リスボンは一年中活気があるが、7〜8月は気温が32℃を超えるときもある。

旅のヒント　バイロアルト地区はナイトライフの中心でもあり、民族音楽ファドが聴ける店も多い。
ポルトガルの人は午後10時頃から夕食を食べ始めるので、レストランは午前2時くらいまで開いている。
「パッパソルダ」はアタライア通り57、「トマ・ラ・ダ・カ」はセケイロ通り38（予約不可）。

ウェブサイト　www.visitportugal.com（日本語あり）、www.golisbon.com

魚の塩釜焼き

塩釜焼きはあっさりした魚の味を引き立て、身がくずれるのも防ぐ。そのため、魚の中でも肉厚だが身がもろく、脂が少ない白身魚に向いている。ポルトガルではこの料理にはアカメをよく使う。なければスズキでもおいしくできる。いずれにしても新鮮な魚を使うこと。内臓を取り出し、尾頭付きで丸ごと調理する。

4〜6人分
スズキ　内臓を取り除いて2.5キロ弱のもの　1尾
粗い海塩　3キロ
卵白　3個分
レモンの輪切り　1個分
生のハーブ（タイム、パセリ、野生のフェンネルの茎など）1束

オーブンを220℃に熱しておく。オーブン皿にクッキングペーパーかアルミホイルを敷く。魚の外側と内側の水気をキッチンペーパーで拭き取る。

卵白を泡立て、塩を加えてよく混ぜる。軽く固めた雪のようになればよい。その3分の1をオーブン皿に均一に広げる。魚を置き、腹の中にレモンの輪切りとハーブを詰める。残りの塩を魚の上に空け、手でそっと押さえながら形を整える。オーブンに入れ、40〜45分間加熱する。

オーブンから取り出し、10分ぐらいおく。食卓に出すときは、塩の殻を割り、丁寧に塩と皮をすべて取り除く。魚を新しい皿に移し替え、切り分けてオリーブ油とレモンを添える。

チュニジアの色鮮やかなごちそうの主役、クスクス。飲み物はミントティーと決まっている。

チュニジア
チュニスのごちそう

チュニジアの首都では香辛料と肉の焼ける香りに混じって、
真ちゅう細工に模様を打ち出す金槌の音と、礼拝を呼びかける声が響く。

アフリカ北部のチュニスでの食べ歩きは、メディナ（旧市街）から。バブ・エル・バハル（「フランス門」とも呼ばれる）をくぐると、そこは中世の町並み。道はどれもスーク（市場）に通じている。スークは商品ごとに区分けされ、安食堂はそこらじゅうにある。店内の席か路地の小卓について、驚くほど安いメルゲーズ（仔羊肉のソーセージ）やブリック（半熟卵入り揚げ春巻）を食べよう。

本格的な食事ならチュニスの港、ラグレット港へ行こう。地元の人も通う魚料理のレストランは寄る価値がある。フランクリン・ルーズベルト大通りはレストランが軒を連ね、「ル・カフェ・ベール」や「ラヴニール」は、生きのいい魚を出す。

チュニジアの人は、一日のうち何度も、カルダモン入りの濃くて甘いアラビアコーヒーかフレッシュミントティーを飲む。カルタゴ方面に足をのばし、「カフェ・デ・ナット」に行こう。スイス生まれの画家、パウル・クレーはここで新しい作風の着想を得た。通りを何本か隔てて「カフェ・シディ・シャバネ」もある。

ベストシーズン 夏は暑く冬は寒いので、春か秋がいい。
ただし、冬でも晴れた日には屋外で昼食を食べられるほど暖かい。
旅のヒント チュニスの喧騒から逃れたくなったら、シディ・ブ・サイドに滞在しよう。白い壁と青い扉の家々、赤いブーゲンビリアの花に彩られたこの村は、チュニスの中心部から電車でわずか20分だ。勘定書にTGVとある場合、これは税金でサービス料ではない。女性が一人で歩き回るのは非常に珍しいことなので、一人旅の女性は注意が必要だ。
ウェブサイト www.darsaid.com.tn、www.tourismtunisia.com

チュニジアの用語集

国民食クスクスは、粒状のパスタ。香辛料をきかせた、肉や野菜の汁気の多い煮込みをかけて食べる。昼食に出ることが多いが、観光客向けレストランではディナーでも出される。

ムルキアは月桂樹の葉で香りをつけた仔羊か牛肉の煮込み料理で、フランスパンとともに食べる。

メルゲーズは香辛料をきかせた仔羊肉の細いソーセージ。焼いてレモン汁をかけて食べる。

ブリック・ア・ルフは小麦粉の薄い皮に卵を包んで揚げたもの。外側はぱりぱりだが、中の卵は半熟状でナイフを入れると黄身がとろりと流れ出る。レモンを添えて前菜として出す。

チュニジアの**タジン**はオムレツに似た具だくさんの卵料理。有名なモロッコの煮込み料理と同じ名前だが、まったく別のものだ。

南アフリカ
ケープタウンで食事を

ケープタウンでは毎晩、各国の料理を楽しむことができる。
地元のケープマレー料理をはじめ、世界の味を堪能しよう。

朝食には焼きたてのペストリー、昼食には地元でとれる新鮮なスヌーク（スズキの一種）を使った魚料理を食べ、午後には本格的な英国式のアフタヌーンティー。夕食では、フランス料理、エチオピア料理、地元のケープマレー料理の選択に迷う。ケープタウンの外食には、こんな葛藤がつきもの。

沿岸には海の見えるレストランがいくらでもある。キャンプスベイの有名な「ブルース」、バントリーベイの岩場の上に立つ「ソルト」、ホウトベイの「マリナーズワーフ」などが代表格だ。シティボウル地区の「アディス・イン・ケープ」でエチオピアのインジェラ（サワードウの平パン）を食べてみる。「アナトリ」でトルコのメゼ（前菜）を味わう。あるいは「オーベルジーヌ」や「95キロム」といった歴史的建物を改装したレストランで、アフリカと欧州の料理を融合した斬新な創作料理を堪能する。

ケープワインランド周辺では、「ラ・コロンブ」や「ル・カルティエ・フランセ」などのフランス料理。「マリナーズワーフ」のテイクアウト、「バルダッチ」の寿司、「バイア」で海を見ながら食べる料理。「ビエスミエラ」の香辛料たっぷりの料理も味わいたい。

ベストシーズン クリスマスの時期（真夏）、ケープタウンは観光客でごった返す。気候は4月までは快適なので、訪れるのは2月か3月がいい。

旅のヒント ケープタウンは公共交通が発達していないので、レンタカーが必須。レストランは予約しておこう。治安が悪いので、夜は出歩かないこと（V&Aウォーターフロントは比較的安全）、貴重品を持ち歩いたり、現金を見せたりしないこと。行き先が安全かどうかを、ホテルで確認しよう。

ウェブサイト http://www.dining-out.co.za、http://www.waterfront.co.za

パンプキンフリッター

この甘い揚げ物は、南アフリカで人気のケープマレー料理だ。

- 小麦粉　125グラム
- ベーキングパウダー　小さじ山盛り1
- シナモンパウダー　小さじ1
- 塩　ひとつまみ
- 卵　2個
- かぼちゃ（ゆでてつぶしたもの）650グラム
- ひまわり油（揚げ油用）
- グラニュー糖　小さじ3

小麦粉にベーキングパウダー、シナモンパウダー小さじ1、塩を入れて混ぜる。卵をとき、かぼちゃと一緒に小麦粉に加え、よく混ぜ合わせる。
フライパンの底が隠れるくらい油を入れ、熱する。フリッターの種をスプーンですくって油の中に落とし、両面がきつね色になるまで揚げる。
キッチンペーパーにとって油を切り、グラニュー糖とシナモンパウダーを3対1の割合で混ぜたものをまぶす。

ケープタウン郊外、高級感あふれるキャンプスベイのレストラン「ブルース」。静かで優雅な極上のひとときが味わえる。

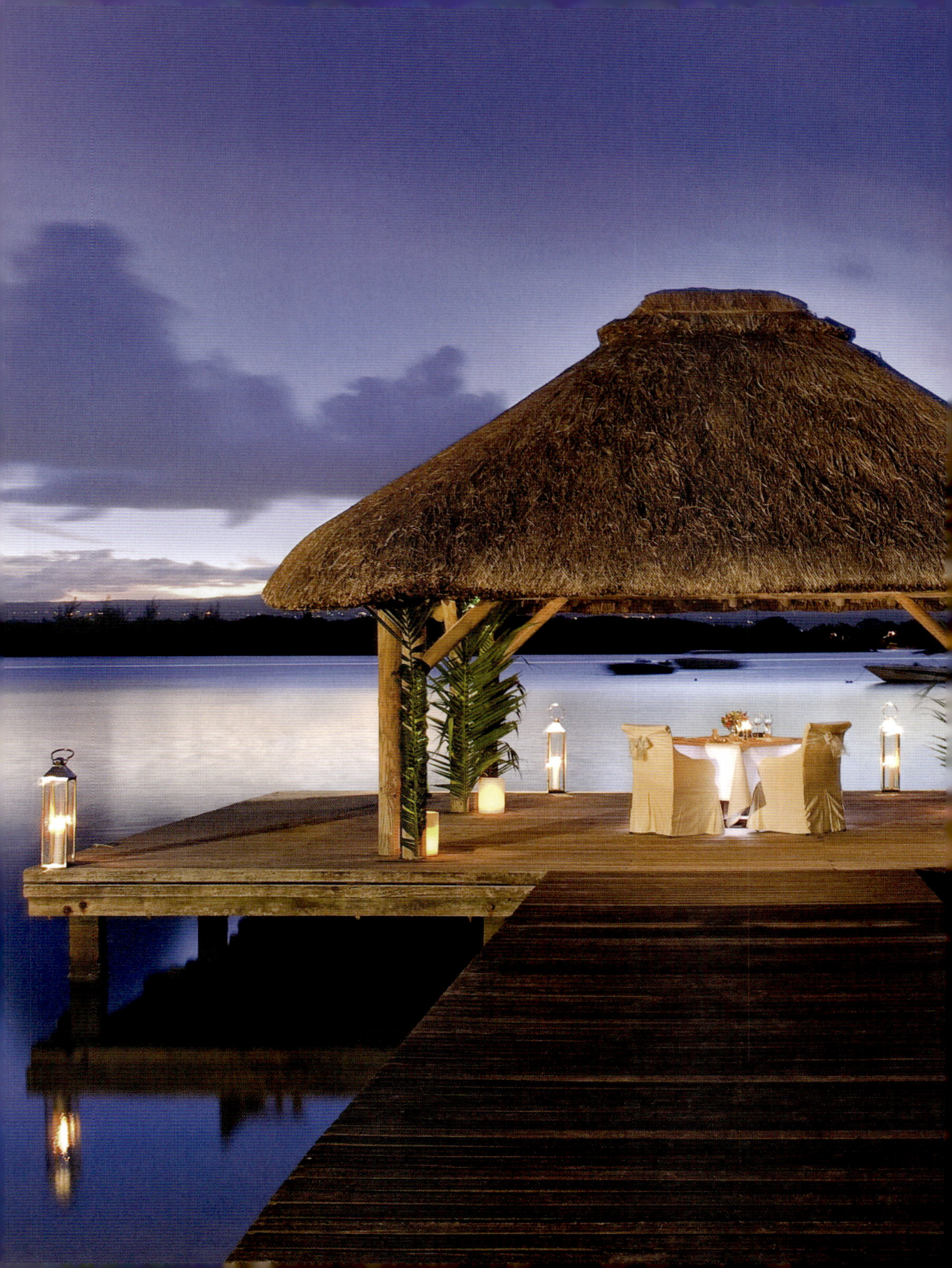

7
究極の美食を求めて

ここに登場するのは、まぎれもなく美食を極めた名店ばかりである。テーブルにつき、最初の料理を口にした瞬間から、至福の時が始まる。

こうした店で極上の料理を味わいたいと情熱を燃やす方々には、覚悟しておいてほしいことがいくつかある。まず必要なのが、忍耐と根気。予約をとるのに数カ月、あるいは数年待たされる場合もある。そして店に入ったら、すぐに雰囲気にとけ込む能力も必要だ。最後に、勘定書がきたときに失神しないような丈夫な心臓（そして健全な口座）を用意しておくこと。美食を極めた名店で食事をすれば、値段が安くあがることはめったにない。

食の旅に輝きを添えるぜいたくには、いろいろな形がある。トリュフや神戸牛など、希少で高価な素材を味わうこともあり、五感に訴える芸術的な独創性を堪能することもある。料理を楽しむ場所も忘れてはならない。マンハッタンの高層ビルの最上階、あるいはベネチアの大運河のほとり、など。美食を極める道に限りはない。

楽園の中の楽園といわれる、モーリシャス島のル・サン・ゲラン・ホテル。インド洋の波が打ち寄せるレストランでは、世界でも最高級の料理をゆったりと味わえる。

マンハッタンのグランドセントラル駅の向こうにそびえるアールデコ調のクライスラービル。

米国ニューヨーク州

"メトロポリス"の名店をめぐる

あらゆる地域から最高の料理が集まるニューヨーク。
世界の経済、文化、そして美食の中心地で、食の旅を堪能しよう。

ニューヨーク最高の料理は、アップタウンにもダウンタウンにもある。チーズ好きなら、リンカーンセンター近くの「ピショリーン」がおすすめ。シェフのテレンス・ブレナンによる、軽い口あたりのクレープがおいしい。

パークアヴェニューの「ブレナンズ・アルティザナル・フロマジェリー・ビストロ&ワインバー」に行けば、世界各地のチーズ約250種類がメニューにずらりと並んでいる。グリニッジビレッジを散策中に有機栽培の素材を使った料理が食べたくなったら、「ブルーヒル」に立ち寄るか、人とエネルギーがあふれる「ルーパ・オステリア・ロマーナ」に行き、トラットリア風のイタリア料理で空腹を満たそう。

ミシュランで三つ星のレストランがお好みなら、「ル・ベルナルディン」を予約しておくこと。豪華なダイニングルームには美術館級の油絵が飾られ、テーブル同士も離れているので、ゆったりと食事ができる。高級レストランの中でも高い人気を誇る「ユニオンスクエアカフェ」では、カリフォルニアワインと季節料理を味わおう。

おすすめのレストラン3店

■ ニューヨークでいちばん独創的な創作料理を楽しむなら、ローアー・イーストサイドをめざそう。**WD−50**では、シェフのワイリー・デュフレヌが、フォアグラにオリーブの砂糖煮とグリンピースとビーツの汁、あるいは牛タンの揚げマヨネーズとトマトシロップ添えといった、一風変わった取り合わせで楽しませてくれる。

■ ミッドタウンの **ル・ベルナルディン** では、名シェフのエリック・リペールによる魚介料理が名物。ほとんど生、あまり手を加えていない、軽く火を通した、の三つに分類された独特のメニューだ。干しとうもろこしにのせた、薄切りの巻貝のペルー風マリネを試してみたい。

■ アッパー・イーストサイドの **ピショリーン** では、オーナーシェフのテレンス・ブレナンによる、メイン州産牡蠣のフリカッセが最高においしい。ポワロー葱とじゃがいも、ベーコンをあえて、パセリの茎を散らしたなめらかなベルモットソースがかけてある。

ベストシーズン 夏は猛暑になることもある。

旅のヒント ニューヨークの高級レストランはどこも予約が必要。少なくとも2週間前にならなければ、大半のテーブルがうまってしまう。あこがれの店で席がとれなければ、バーコーナーに直行すればいい。ここで紹介した店は、予約なしでも有名シェフのすべてのメニューがバーコーナーで味わえる。

ウェブサイト www.picholinenyc.com、www.le-bernardin.com、www.unionsquarecafe.com、www.wd-50.com

米国イリノイ州
シカゴらしさを求めて

洗練された現代料理を作り出す、創意あふれるシェフたちによって、
今やシカゴは食通に愛される都市になっている。

シカゴで最も尊敬されているシェフの一人、チャーリー・トロッター。彼の出発点は、リンカーンパーク近くにある「チャーリー・トロッターズ」だ。8品からなるコース料理は二度と同じ品が繰り返されることがなく、季節の素材を存分に生かしたメニューになっている。もし予約がとれなかったら、レストランから数区画離れた所にある「トロッターズ・トゥー・ゴー」に行こう。

ダウンタウンにある「トゥリュ」では、現代アートの美術館で食事をしているような気分になるだろう。コース料理は6〜10品で、主菜などとともに注目すべきがデザートだ。デザート部門のシェフ、ゲール・ギャンによる創作デザートはみごとというほかない。もっとも、チョウザメの愛好家は、階段状の皿にキャビアをのせた料理、ラクジュリー・キャビア・ステアケースの方に引かれるかもしれない。ムースやゼリーが好きなら「アリニア」を予約したい。斬新な創作料理が披露される。

「チャーリー・トロッターズ」や「トゥリュ」では、厨房の真ん中にテーブルを置き、そこで食事をするという、いわゆるシェフズテーブル席も予約できる。

ベストシーズン 室内で食事を楽しむのに季節は問わない。厳しい寒さと風が平気なら冬でもいいだろう。夏は湿度が高いが、湖の近くでは大抵涼しい風が吹く。

旅のヒント 「チャーリー・トロッターズ」は日・月曜日が休み。「トゥリュ」は日曜日休み。「アリニア」は水〜日曜日営業。予約はとにかく早めに。たとえば「チャーリー・トロッターズ」は4カ月前から受けつけている。毎年2月には「シカゴレストランウィーク」が開かれる。

ウェブサイト www.charlietrotters.com、www.trurestaurant.com、www.alinea-restaurant.com
www.explorechicago.org、www.chicagofoodplanet.com、www.stylechicago.com

大統領のお気に入りの店

■ オバマ家が大統領選挙後初めて外で夕食をとったのが**スピアッジャ**。洗練されたイタリア料理と美しい湖の眺め、充実したチーズの熟成庫で知られる。

■ ホワイトハウスのシェフの有力候補といわれたリック・ベイレス。彼のカジュアル店**フロンテラグリル**（ジェームズ・ビアード財団の2007年度優秀レストラン賞を受賞）と高級店**トポロバンポ**は、いずれも本格的なメキシコ料理の伝統を守っている。

■ ミシェル・オバマ米大統領夫人がよく食事をするのが**セピア**。お気に入りのデザイナーのひとり、マリア・ピントの店の隣にある。

椰子（やし）の新芽を使った「アリニア」のデザート。一口大に切った椰子の新芽をくり抜き、濃厚な味のムースやゼリーを詰めたもの。

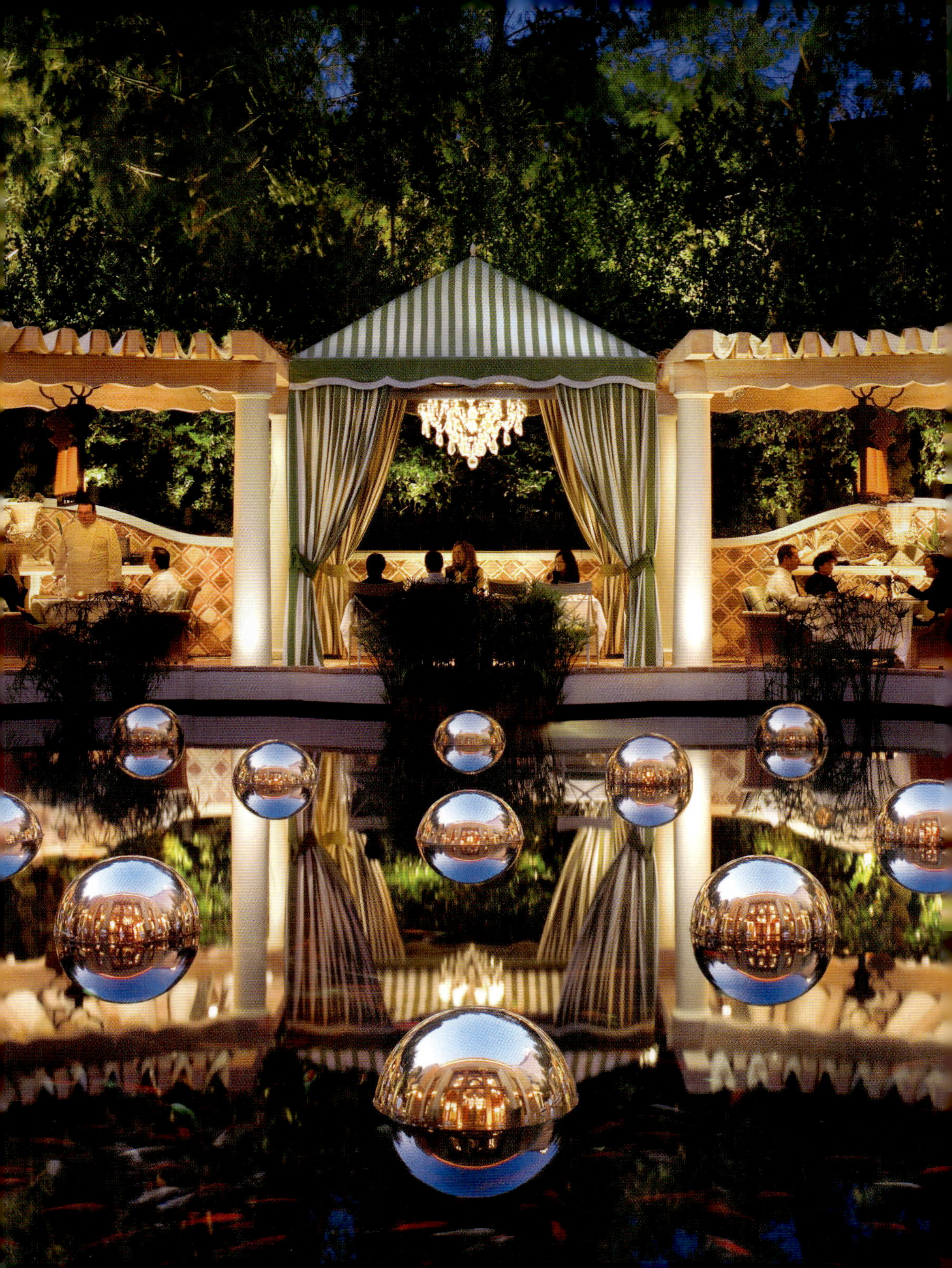

米国ネバダ州
ラスベガスの人気レストラン

世界に名高いスーパーシェフたちの登場で、
カジノの街ラスベガスに高級料理という新たな魅力が加わった。

歓楽の都、ラスベガス。その魔力に誘われるように、ビロード張りのカジノや最高級のスパ、ホテルの豪華なスイートルームに加えて、世界の料理界の大物たちが続々とこの街に集まってきた。まずはホテル・ベラージオにある「ピカソ」。カジノの噴水を見下ろすロマンチックなダイニングルームには、パブロ・ピカソの絵や彫刻があちこちに飾られている。シェフのジュリアン・セラーノが作る卓越したコース料理は、ラスベガスでも屈指の味といえるだろう。

シーザーズパレスの「ギー・サヴォワ」、MGMグランドの「ジョエル・ロブション」、マンダレイベイの新館、ザ・ホテルにあるアラン・デュカスの「ミックス」がラスベガスの夜を最高級の晩餐で彩る。カリフォルニアにある「ザ・フレンチランドリー」のトーマス・ケラー（米国一のシェフと称されることも多い）も、ホテルのベネチアンにビストロ「ブション」を出し、すばらしい朝食を用意している。早起きの人は、ふわふわのフレンチトーストや自家製のペストリー、完璧なオムレツを味わいたい。

こうした中には、いかなる費用も惜しまないと豪語する店も少なくない。食にいくらつぎ込んでも惜しくないと思う人は、ウィンにある「バルトロッタ」で、地中海から直接空輸した魚介類を使った、本格的なイタリア料理を試してみよう。

ベストシーズン 空いている時期にはホテル代が格安になる。まず、クリスマスの前の月は比較的空いているので予約がとりやすい。また、灼熱の太陽と極度に乾燥した暑さが敬遠される真夏も空いている。

旅のヒント 祝祭日周辺は市内が混雑するので、レストランの予約は早めにとっておこう。ほとんどのレストランはドレスコードがないが、高級店の中には例外もあるので、行く前にウェブサイトで調べておくこと。ラスベガスは渋滞が多い。車を使うときには時間に余裕を持ちたい。

ウェブサイト www.bellagio.com（日本語あり）、www.caesarspalace.com、www.venetian.com
www.lasvegasrestaurants.com

ラスベガスのおすすめブッフェ

ラスベガスはブッフェが有名だが、食通が満足できるものはめったにない。それでも多少の例外はあるので紹介しよう。

■ **おすすめのホテルはウィンとベラージオ**。週末にはシャンパンブランチを出している。

■ **バリーズ**では、毎週日曜日にスターリングブランチ（「第一級のブランチ」の意味）を用意している。ラスベガスで一番高価なブッフェだが、それだけの価値はあるはず。ペリエ・ジュエのシャンパンが飲み放題のうえ、ロブスターや牡蠣、野生のきのこ、ヒマラヤスギの厚板にのせて焼いた鮭など、肉や魚介類を存分に食べられる。キャビアが食べたかったら、寿司バーに注文しよう。

左ページ：ウィンの「バルトロッタ」で食事を楽しむ客たち。
上：ベラージオにあるレストラン「センシ」のカニのスープ。

米国カリフォルニア州
サンフランシスコ料理の挑戦

愛と平和を求める精神、ベイエリアの企業家気質、そして豊かな農産物。
サンフランシスコで食べる一皿には、こうした要素がすべて詰まっている。

　　採れたての農産物や新鮮な魚介類と最先端の調理法が融合した"カリフォルニアキュイジーヌ"の生みの親が、アリス・ウォーターズである。1970年代初め、ウォーターズはバークレーに「シェ・パニース」というこぢんまりとしたレストランを開店。有機食材を使ったその新しい料理はたちまち食の流行の最先端に立った。1970年代前半に流行したカウンターカルチャー（反体制文化）というカリフォルニアの雰囲気にぴたりと合っていたのだ。シェ・パニースの厨房からは、同じ哲学を信奉する新世代のシェフたちが続々と誕生した。ジェレマイア・タワー、マーク・ミラー、ラッセル・ムーアといった巨匠たちである。タワーはレストラン「スターズ」で、アジアとカリフォルニアの食材を驚くような手法で融合してみせる。一方、ミラーとムーアは、バークレーの「サンタフェ・バー＆グリル」やオークランドの「カミーノ」といった高級店でヒスパニック文化への回帰を模索する。

　ベイエリアの料理はきわめて幅広い。名物のカニを使ったダンジネスクラブのアスパラガス添えから異国的な趣きを持つものまである。

ベストシーズン　観光客の波が押し寄せ、濃い霧がたちこめる夏は避けたい。冬は雨が多く寒いので、春か秋、特に秋がおすすめ。

旅のヒント　10月初めにはジャスティン・ハーマン広場で料理とワインの祭典が開かれ、ベイエリアにある50のレストランの料理を試食できる。10月は「地産地消月間」として、サンフランシスコから400キロ圏内で調達した食材を使った料理を味わえるイベントも開かれる。

ウェブサイト　www.chezpanisse.com、www.caminorestaurant.com、www.camptonplacesf.com
www.cavallopoint.com、www.ubuntunapa.com、www.murraycircle.com

表面を焼いたコロラド産仔羊の骨付き肉。「キャンプトンプレイス」の自慢料理。

カリフォルニア料理の人気店3店
■ **マリー・サークル**はサンフランシスコから湾を隔てたカバロポイントにある。金門橋のたもとにあり、カリフォルニアで最もロマンチックな場所にある店の一つだ。

■ 米国の雑誌『フード＆ワイン』で、米国で最も優れた新進シェフと称えられたジェレミー・フォックス。ゴードン・ラムゼイの下で働いた後、自らの店**ウブントゥ**を開いた。

■ 優雅な景色を楽しめる**キャンプトンプレイス**。シェフのシュリジス・ゴビナスと、ソムリエのリチャード・ディーンが「景色に合う料理を」と作った9品のコース料理がおすすめ。

カバロポイントからは、サンフランシスコ湾越しに美しい夜景を楽しめる。

グスタビア湾を見下ろす丘の斜面に建つホテル・カール・グスタフ。カリブ海で最も美しい湾の絶景を楽しめる。

フランス領西インド諸島
南国のサン・バルテルミー島

丘の多い小さな島、サン・バルテルミー島。
富裕層や著名人に愛される、現代の代表的な保養地の一つだ。

レンタカーを借りて、北西海岸のミル岬にある「ル・ティ・サン・バルト」に向かおう。ここは、島内で最も洗練されたレストランだ。ほの暗い店内に足を踏み入れると、深紅の壁とシャンデリアの輝きが魅力的な夜を演出している。最初に登場するタイ風ビーフサラダに触発されて、さらに肉が食べたくなったら、メインにはぜひ「笑うライオン」を。この牛肉料理は申し分なくおいしい。店内には美しい男女が集い、モデルのようなウェイトレスがテーブルの間を歩く様子はファッションショーを思わせる。この店は島で一番目の保養ができる場所かもしれない。

静かに食事を楽しむなら、島の中心地グスタビアにある「ザ・ウォールハウス」で魚介類を中心としたフランス料理を堪能できる。鴨の胸肉の赤ワインソースがけもおいしい。カクテルを片手に夕日が沈むのを眺めるには、グスタビア湾を見下ろす丘の斜面に建つ、ホテル・カール・グスタフのプールサイドがおすすめだ。

ベストシーズン　有名人ウオッチングは楽しいとはいえ、人気の高い月（12〜1月）は25平方キロの島内がひどく混雑する。観光客が少なく、テーブルの予約もとりやすい春の終わりがおすすめ。

旅のヒント　WIMCO（ウェブサイト参照）を通じて別荘を借りるか、島の小さな高級ホテルに滞在するのがいいだろう。飛行機が苦手なら、サン・マルタン島からフェリーに乗れば45分だ。サン・マルタン島からの小型飛行機は、小さなサン・ジャン飛行場の滑走路に急降下する。飛行場にレンタカーを待機させておこう。サン・バルテルミー島は狭いが、移動には車が不可欠。

ウェブサイト　www.st-barths.com、www.wimco.com、www.hotelcarlgustaf.com

クレオールアーモンド

クレオールアーモンドは、ホテル・カール・グスタフのチーフバーテンダー、ジャッキー・ベルトランが考案した、眠気ざましの食後酒だ。カフェインとアルコールを組み合わせたこの一杯を飲めば、深夜のパーティーも楽しく過ごせること間違いない。

材料（2人分）
熟成させたラム酒　60cc
ディサローノアマレット　60cc
いれたてのコーヒーを冷やしたもの　120cc
アーモンドシロップ　30cc
バニラシロップ　30cc
飾り用のシナモンパウダーと焙煎したコーヒー豆　2個

氷を満たしたシェーカーに全部の材料を入れてよく振る。2個の冷やしたマティーニグラスに注ぎ、シナモンをふりかけてコーヒー豆を1個ずつのせる。

TOP 10 世界の名シェフ

食の世界を探求し続けるスーパーシェフたち。そして彼らが世界各地に築いた帝国は、進化を続ける料理界の最前線に位置している。

❶ アラン・デュカス

ロンドン、ニューヨーク、東京、モーリシャスなど、世界各地にレストランを展開するデュカス。太陽の日差しを感じさせるそのプロヴァンス料理は、どの国の人の舌をも満足させる。アルバ産の白トリュフはデュカス好みの食材の一つで、秋に味わえる。

旅のヒント　デュカスの旗艦店は、パリの高級ホテル、プラザ・アテネとモナコのオテル・ド・パリにある。www.alain-ducasse.com

❷ トッド・イングリッシュ

米国マサチューセッツ州のシェフ、トッド・イングリッシュは、1989年にボストン近くの店「オリーブズ」で第一歩を踏み出した。それ以降、数々の賞を受賞している。ハーブ風味のポレンタなど、北イタリアの素朴な伝統料理が得意。

旅のヒント　イングリッシュは、「オリーブズ」の姉妹店5店舗のほか、グルメピザチェーンの「フィグズ」、英国の豪華客船クイーン・メリー2世号の船内にある「トッド・イングリッシュ」など、各地で地中海料理店などを経営している。www.toddenglish.com

❸ ピーター・ゴードン

ニュージーランド人のゴードンは、1980年代から90年代にかけてさかんになった多国籍料理運動の先頭に立ち、東南アジア料理と西洋料理を融合した新たなジャンルを作りあげた。メニューは、ローズマリー風味のポレンタに羊肉をのせて、ケールのバター炒めとミント風味のスグリのチャツネを添えた料理など。

旅のヒント　ゴードンのレストランは英国、トルコ、ニュージーランドにある。www.peter-gordon.net

❹ エメリル・ラガッセ

米国ニューオーリンズのシェフであるラガッセは、米国ではテレビ番組でもおなじみの顔だ。ニューオーリンズの高級レストラン「コマンダーズパレス」の総料理長となり、一躍脚光を浴びた。自ら手がけるケイジャン風クレオール料理を"新ニューオーリンズ料理"と呼んでいる。

旅のヒント　ラガッセはオーランド、アトランタ、ニューオーリンズ、ラスベガスなど米国南部でレストランを展開している。www.emerils.com

❺ 松久・"ノブ"・信幸

日本料理とペルー料理を合わせた多国籍料理は、オーストラリアからラスベガスまで幅広い人気を誇る。伝統的な料理を欧米人の好みに合わせることに優れ、その技によって生み出されたテンプラシュリンプロールやソフトシェルクラブロールは、今やヨーロッパの寿司屋でもおなじみのメニュー。銀ダラの味噌漬けも世界中の和食レストランに広まっている。

旅のヒント　ノブのレストランはビバリーヒルズ、ナッソー、東京、メルボルン、ミラノなどにある。www.noburestaurants.com

❻ マイケル・ミーナ

ミシュランの三つ星を獲得した、マイケル・ミーナのきわめて繊細な料理は、世界中の食通たちを引きつけてやまない。有名な"三つのアプローチ"は、一つの食材を三つの異なる方法で料理して盛り合わせた一皿で、数々の賞を受賞している。ロブスターのポットパイは、ミーナのレストランの定番メニュー。

旅のヒント　ミーナは米国とメキシコに16のレストランを展開している。旗艦店はサンフランシスコ。www.michaelmina.net

❼ ウルフギャング・パック

米国のテレビアニメ番組「ザ・シンプソンズ」のゲストに招かれ、声優として出演した経験を持つシェフはめったにいない。パックの店に行けば、鮭の燻製とキャビアがのった最高級のピザなど、これまで食べたことのないようなピザが食べられる。

旅のヒント　高級レストランのほか、米国や日本でフランチャイズのカフェ、グリル、ビストロを展開している。www.wolfgangpuck.com

❽ ゴードン・ラムゼイ

フランス料理からインスピレーションを得た繊細な料理とビジネス感覚により、ラムゼイは世界中にそのレストラン帝国を広げた。ロンドンの洗練されたチェルシー地区にある「レストラン・ゴードン・ラムゼイ」では、「鹿肉のソテー キャベツのクリーム煮添え、ブラックチョコレートソースがけ」といった傑作に出合える。

旅のヒント　ラムゼイの店はトロント、ニューヨーク、東京、シンガポール、プラハ、ロンドン、ケープタウンと世界中に広がっている。www.gordonramsay.com

❾ ジョエル・ロブション

東京、モナコ、ニューヨークと世界各地に12以上のレストランを展開するロブションは合計17のミシュランの星を獲得し、その数は現在のシェフの中では誰よりも多い。一番シンプルな料理を食べただけでも、その理由がわかる。マッシュポテトはすばらしいし、トリュフ料理はいずれも絶品だ。

旅のヒント　ニューヨークにあるロブションの「ラトリエ」のフォアグラハンバーガーはおすすめ。www.joel-robuchon.com

❿ ジャン＝ジョルジュ・ヴォンゲリヒテン

『ニューヨーク・マガジン』誌は、ヴォンゲリヒテンを、ニューヨーカーの食に最も多大な影響を与え、米国のヌーベルキュイジーヌを築いたシェフと紹介した。砕いたヨルダンアーモンドを添えた鴨肉のハニーワインソースがけなど、軽い食感のさっぱりした料理が得意。

旅のヒント　ヴォンゲリヒテンのレストランはニューヨーク、ラスベガス、バンクーバー、上海、パリ、ロンドン、タヒチ・ボラボラ島にある。www.jean-georges.com

---

右ページ：ジョエル・ロブションが香港に開いた「ラトリエ」では、オープンキッチンで料理が作られるさまを見ることができる。

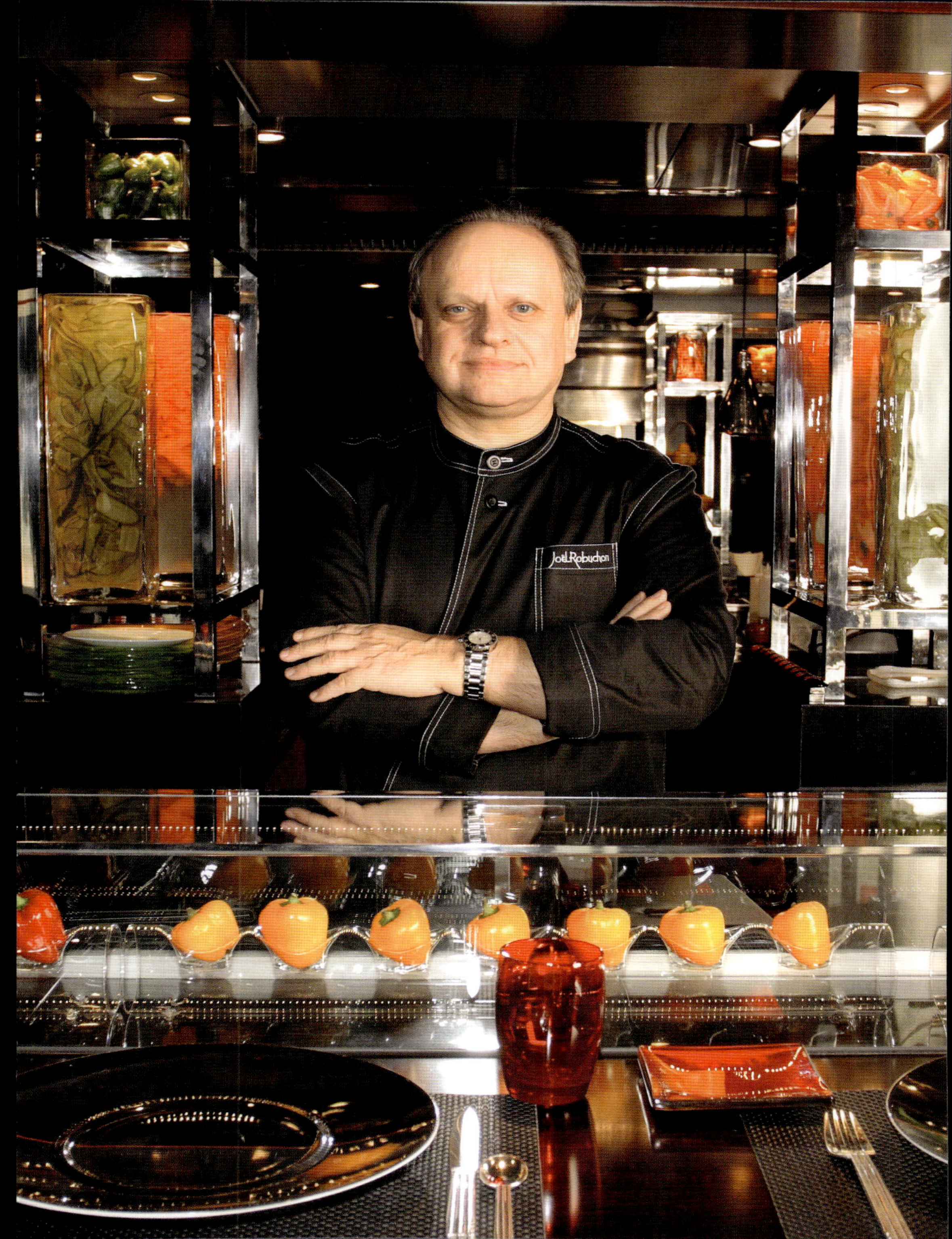
JoëlRobuchon

中国
北京の高級料理

中国経済の著しい発展によって、北京では優れた中国料理店だけでなく、世界各地から出店してくる一流のレストランが急速に増えている。

北京の高級料理といえば、かつてはふかひれにツバメの巣など高級食材を使ったコース料理が定番で、味を楽しむというよりは、富や権威を誇示する宴席の意味合いが強かった。店員は必ずといっていいほど無愛想で、店の装飾も安っぽかった。ところが今や、中国の料理学校は一流の人材を続々と輩出し、海外からも大物シェフが次々と進出してくるようになった。

北京で中華料理以外のものを食べたいときも、外資系ホテルに出向く必要はない。たとえば、ニューヨークのダニエル・ブールーが米国大使館だった建物に開いた「メゾン・ブールー」では、地元の素材を使った米国風のフランス料理を堪能できる。外からやってきたシェフたちは、中国料理自体をも進化させていく。シンガポール出身のジェレミー・リョンは、「ワンポア・クラブ(黄浦会)」を開いて、奥行きのある魅力的な中国料理を生み出した。リョンの店は中庭がある伝統的な建物の中にある。鳥かごに入った電球を飾った印象的なロビーからメインのダイニングルームに入ると、金魚の水槽を通した照明で照らされている。

ベストシーズン　一番のおすすめは9〜10月。次は4月と5月初め。

旅のヒント　レストランは予約すること。ディナーよりランチの方がかなり安い場合が多い。ソフィテル・ワンダホテルの中にある優雅な「ル・プレ・ルノートル」で古典的なフランス料理を堪能した翌日は、「ホライズン」で洗練された広東料理を味わいたい。

ウェブサイト　www.chienmen23.com、www.sofitel

地方の豊かな味わい

海外で中国料理を食べると、広東料理の主なメニューを現地風にアレンジしている場合が多い。だが、実際の中国料理は、地方によってかなり異なる。しびれるように辛い四川、唐辛子をきかせた湖南、杭州の中でも繊細な淮陽、甘く油っこい上海、酸味の強い広西、酢を生かした山西、そして風味豊かな雲南など、その味はきわめて多彩だ。

北京には中国全土から才能あふれる一流の料理人が集まっており、旅行者も北京市民とともにその恩恵にあずかることができる。

香辛料をきかせた油でナマズの切り身を調理した、四川風の**水煮魚**はぜひ試してみたい。香菜と蒸した豚肉を竹筒に入れて出す**竹筒紙包魚**は、雲南省の少数民族、ダイ族の伝統料理。また魚を紙で包んで調理する秘伝の料理**秘制紙包魚**は、南東の山地に伝わる客家(はっか)料理だ。

北京の中心に立つ紫禁城。約500年間にわたって皇帝たちの居城だった。

饅頭の金箔が淡い輝きを放つ。

精進料理

日本料理の神髄は季節の素材を生かすことにある。なかでも精進料理は、野菜の繊細な風味を最大限に生かした料理の一つだ。昔から寺で作られてきた菜食料理で、御膳に並んだ皿には、野菜や豆腐、豆、果物などの素材を使った料理が美しく盛られている。肉を使わないのは、仏教の教義によるためだ。

精進料理は禅寺近くの料理屋で食べられるほか、寺が提供している場合もある。いずれにせよ、事前に予約してから行こう。

日本

日本料理の最高峰

東京のレストランが獲得したミシュランガイドの星の数は、全部で191個。
世界を見渡しても、これほどの数字を誇る都市はほかにはない。

　世界の食通の間で"WAGYU"として名高い、霜降りの和牛を味わうなら、東京の伝統的な高級料亭がふさわしい。柔らかで豊かな風味を誇る高級和牛は、霜降り（脂肪が網の目のように入った状態）になるように、特別な飼育法で育てられる。有名産地の中でも評価が高いのは、兵庫県の神戸牛だ。神戸牛レベルの和牛を生み出すため、業者は金も手間も時間も惜しまずに、伝統的な方法で牛を飼育する。えさは穀物とビール。日常のブラッシングやマッサージも欠かさない。こうした高級和牛は、薄切りにしてすき焼きかしゃぶしゃぶで味わいたい。

　和牛のほかにもう一つ、究極の美味とされるのがフグである。この魚には毒があるので、正しく調理しなければならない。そのため、免許を取得した料理人だけが扱うことができる。透けるほど薄く切ったフグ刺しやフグちりなどは絶品だ。高級店や料亭では金箔を料理の飾りに使うことも多い。

ベストシーズン　季節感を大切にし、旬の食材を生かすのが日本料理の特徴。春は山菜や筍、初夏から夏にはカツオ、鮎、ハモ。秋は松茸、栗、冬にはカニやフグ、スッポン、鍋料理など、四季折々の味覚を楽しむ。8月半ばのお盆時期と5月初めのゴールデンウィークには休業する店が多い。

旅のヒント　人気の高い店は数日前に予約すること。

ウェブサイト　www.bento.com（日本語あり）、www.tsukiji-market.or.jp（日本語あり）
www.kahala.in（日本語あり）、www.fuchabon.co.jp（日本語あり）

フグは日本料理の美味のひとつ。

地の物と出会う　市場に出かけよう　旬の味を愉しむ　キッチンへようこそ　食べ歩き、屋台は楽し　偉大なる食の都　究極の美食を求めて　酒神バッカスの贈り物　スイーツの誘惑

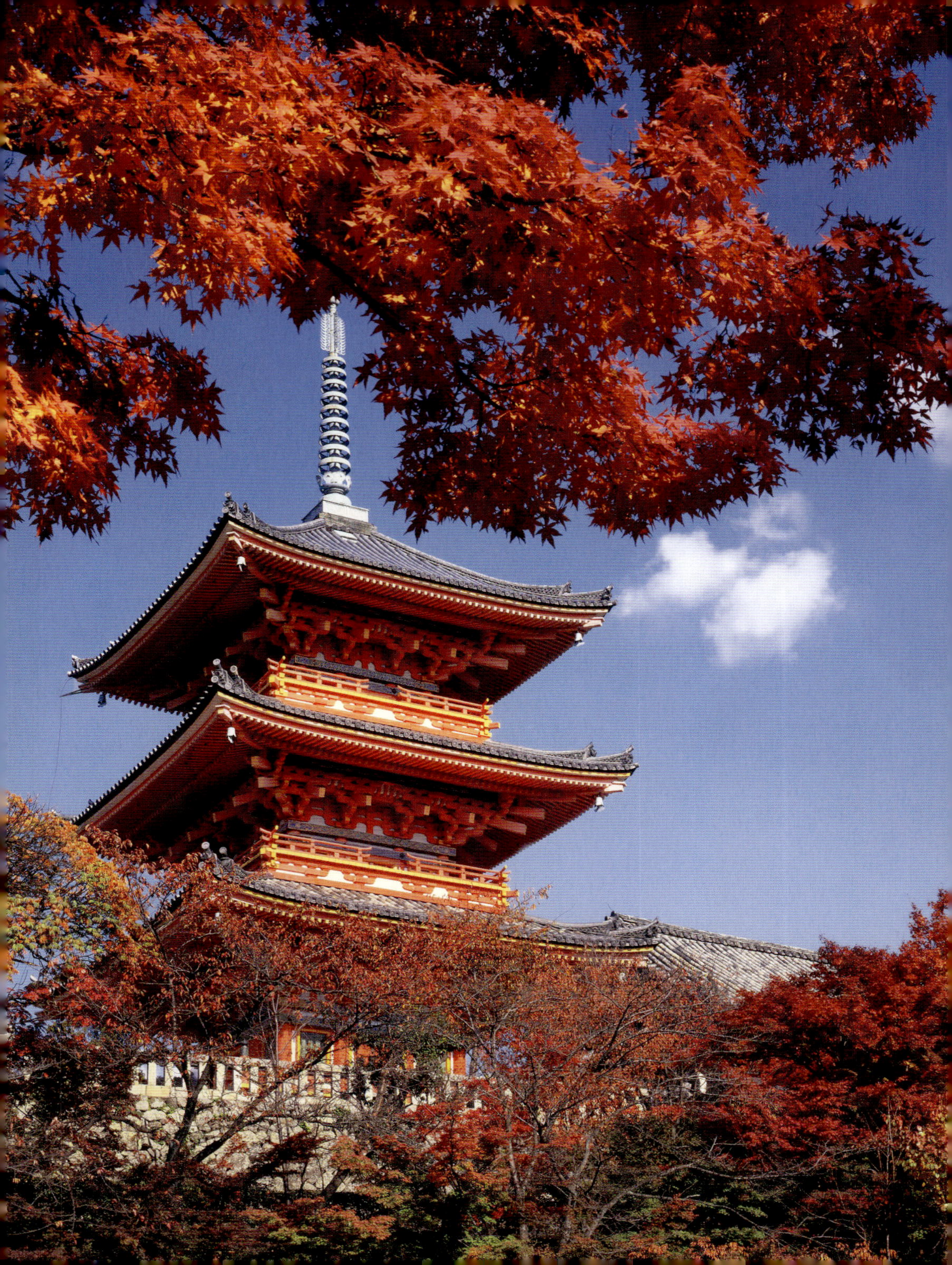

日本
懐石料理

"器の中に作られる完璧な世界"とも評される懐石料理。
京都はそれを味わうのに最もふさわしい舞台のひとつだろう。

日本の高級料理の一つ、懐石料理は禅宗に起源を持つ。修行僧が温めた石を懐（ふところ）の中に入れて空腹をしのいだことから、もともとは質素な食事を意味した。それが茶の湯と結びついて茶会の客をもてなすために出されるようになり、時代とともに変化して、四季折々の素材を使った品を順次出していく現在の様式になった。

懐石料理では、国内でとれる新鮮な食材を手間を惜しむことなく使う。ほとんどは野菜か魚介類が中心だが、現在では肉を取り入れる新進気鋭の料理人たちも現れ始めた。

「私は器の中に芸術作品を作り上げたいと思っているのです」と話すのは、和食の第一人者である村田吉弘氏だ。実際、一つひとつの料理はミニチュアの芸術作品を思わせ、おいしそうな匂いに食欲を刺激されなければ、食べてしまうのが惜しくなるほどだ。

懐石料理は全国各地の高級店で食べられるとはいえ、最高の体験を求めるなら、やはり京都を訪れたい。村田氏の「菊乃井」もそうした名店のひとつ。趣深い店内で手を尽くした料理の数々を味わう時間は、すばらしい思い出となるに違いない。

ベストシーズン 料理の内容は季節によって異なり、1年を通して楽しめる。気候を考えると、冬は寒く、雪も降り、夏は蒸し暑いことから、桜の咲く春か紅葉の秋がおすすめ。
旅のヒント 値段の高さは覚悟すること。本格的な高級店では、ランチコースでも、8000円～1万円以上で、夜のコースでは2倍にもなる。「菊乃井」などの有名な店は予約が必須。大半の店ではテーブル席と座敷席の両方が用意されている。
ウェブサイト www.jnto.go.jp（日本語あり）、www.kikunoi.jp（日本語あり）

懐石料理の一例

懐石料理は種類が多く、店によって独自のメニューを入れている場合もある。たいていは先付、お造り、焼物、煮物、蒸し物で構成されるが、料理人によっても違ってくる。ここでは京都の「菊乃井」の料理をいくつか紹介しよう。

■**八寸（はっすん）**（季節感を生かした前菜）は、なまこ、山桃、渓流でとれた鮎をそれぞれほおずきに入れた料理。

■**向付（むこうづけ）**（刺身）は、尾長鯛とハモのお造りに、梅とわさびを添えたもの。

■**中猪口（なかちょく）**（中継ぎのつまみ）は白味噌で煮たいちじくに葛あんをかけた無花果西京煮。

■**強肴（しいざかな）**はハモと焼き茄子を炊き合わせ、卵でとじた山椒風味のハモ鍋。

■**止め椀**は、生麩入りの味噌汁（蓮の葉で包んだハモを添えた蒸し飯、きゅうりと茄子の香の物とともに）。

■**水物**（デザート）は、抹茶シロップをかけたかき氷に小豆と白玉を添えた宇治金時。

左ページ：紅葉に彩られる秋の清水寺。上：懐石料理の器は、自然界にあるものの形を模している。

モスクワの高級レストラン「トゥーランドット」で、18世紀風の衣装でテーブルの準備をするウェイトレス。

ロシア
現代のモスクワ

一流のシェフ、選び抜かれた食材、豪華な内装。モスクワのレストランは、贅を尽くした食事を楽しむのに最も適した場所かもしれない。

革命前のロシアをしのび、「カフェ・プーシキン」に行ってみよう。2階のダイニングルームは、立派な書斎のようだ。「ヤール」は1826年の創業以来、モスクワのエリートたちが愛好している店だ。古き良き(あるいは悪しき)時代の料理は、「ゴーリキー」か「ポリティカ」で味わえる。

現在のモスクワにはありとあらゆる国の料理があふれている。たとえばモスクワ郊外の高級別荘地にあるバルビハ・ラグジュアリー・ビレッジのレストラン「オピウム」でベトナム料理を食べるのもいい。あるいはベルサイユ宮殿を模したレストラン「トゥーランドット」でアジア風の多国籍料理を試してみたい。フランス料理も再び流行をみせ、18世紀貴族の雰囲気を演出した「モン・プレジール」のようなレストランが登場した。コートダジュールの別荘風の「レストラン・ヴィラ」は地中海料理を出し、「カジュアル」はプロヴァンス料理が中心だ。モスクワ随一の景観を楽しむなら、リッツ・カールトンの高級レストラン「ヤラベアム」で、赤の広場を見渡すテーブルを予約したい。日本料理店「ヨーコ」も救世主キリスト大聖堂の眺めが楽しめる。

ベストシーズン 気温が急激に低くなる冬は、毛皮のコートとウオツカが必需品。夏は6～9月で、7月と8月は最も暑く、湿度も高い。

旅のヒント ロシアを旅行するにはビザが必要。旅行代理店に頼むのが一番簡単だろう。

ウェブサイト www.quintessentially.com、www.barvikhahotel.com、www.cafe-pushkin/ru/en/

ウオツカ

ウオツカは、アルコール度が35～50度の透明な蒸溜酒。ロシア式の飲み方は、冷蔵庫で数時間きりりと冷やし、乾杯の言葉とともに一気に飲み干す。つまみは**ザクースカ**(燻製の肉やキャビア、クラッカーなど一口大のスナック)。ロシア人は、ウオツカとソフトドリンクを交互に飲むことも少なくない。一度蓋を開けたら、全部飲んでしまうのが作法。再び閉まらないようになっている蓋もある。グラスを大きな音を立てて鳴らすのは、結婚パーティーのときだけだ。

ストリチナヤや**モスコフスカヤ**などの正統派ウオツカ以外にも、**ペルツォフカ**(赤唐辛子や黒胡椒などの香辛料で風味付けしたもの)などの珍しいウオツカも試してみたい。レモンの香りがする**リモンナヤ**、チョコレート風味の**ケレンスキー**、ホースラディッシュ風味のスプートニクなどがある。**ストリチナヤ・オーランジ**はオレンジのウオツカだ。

スイス
アルプスの至宝、クロースタルス

アルプスの洗練された高級リゾート、クロースタルス。
のんびりとくつろぎながら、太陽と雪と、とびきり上等な料理を楽しみたい。

　雪をかぶって輝く山々を背景に立つ、ホテル・ヴァルサーホフ。ミシュランの星を獲得している高級リゾートホテルだ。ここクロースタルス村は、ヨーロッパの王侯貴族や世界中の大富豪が集う冬のリゾート地として名高く、ホテルの優雅で居心地のいい雰囲気の中でおいしい食事が楽しめる。シェフのアルミン・アムラインによる料理への期待が、いやが上にも高まってくる。

　まずは、スペイン産の高級生ハムの細切りとアルバ産の白トリュフが入ったポテトスープが舌を刺激する。次の一皿は、薄切りの仔牛のフィレ肉のカルパッチョにアーティチョークと黒トリュフのテリーヌを添えたもの。主菜が2品のコースならこの後にシェフの得意料理、スズキの塩がま包み焼きにオリーブ油のソースがかかった一皿が登場する。この魚料理を引き立てるのは、ルッコラやじゃがいもなどの季節野菜だ。締めくくりのデザートは、温かなヴァローナチョコレートのスフレに、カラメルで覆われたシャンパンパフェと魅惑的なフルーツカクテルを添えたもの。

ビュントナーフライシュ

　牛肉を自然乾燥させて作る**ビュントナーフライシュ**。もともとはスイス南東部の高地、グラウビュンデン州で日常の保存食として作られていたが、今日ではその味わいが高く評価されている。脂肪の少ない牛のもも肉を、塩と香辛料、アルプス地方のハーブ類で風味付けした後、5週間低温で保戴し、その後10～15週間にわたって乾燥させたものだ。
　食卓に出すときは薄く切る。挽きたての黒胡椒少々と皮がパリパリのパン、一杯の赤ワインを添えればいうことない。ラクレット（チーズをとかして、ゆでたじゃがいもやピクルスを添えた料理）やフォンデュと一緒に出したり、さいの目に切ったり千切りにして、ピツォケル（一種の団子）や詰め物入りの仔牛肉料理といったグラウビュンデンの名物料理にも使う。

ベストシーズン　クロースタルスはスノーボードやスキー、アイススケートなど冬のスポーツの楽園だが、夏には花々が咲き乱れるアルプスの牧場やさわやかな森のハイキングを楽しめる。
旅のヒント　ホテル・ヴァルサーホフは鉄道の駅からも登山列車の駅からも歩いて5分。チューリヒからは車と列車のどちらでも2時間半かかる。12～4月は、ダヴォス・クロースタルスとチューリヒ国際空港間でシャトルバスが運行される。ヴァルサーホフのレストランは予約した方がいい。夏季は火曜日が休業。滞在客以外も利用できるホテルレストランには、「アルピーナ」と「アルテ・ポスト」がある。
ウェブサイト　www.walserhof.ch、www.davosklosters.ch、www.myswitzerland.com（日本語あり）

王侯貴族やジェット族の行楽地、クロースタルス。アルプスの村らしい雰囲気にあふれ、夏冬ともに魅力的だ。

トップ10
世界の頂点にあるレストラン

断崖や峡谷の上、あるいは超高層ビルの最上階で、目もくらむような景色を眺めながら、"世界最高"の場所での"世界最高"の食事を楽しもう。

1 レストラン360（カナダ、トロント市）

CNタワーと呼ばれる槍型の宇宙船のようなビルは、カナディアンナショナル鉄道が建設したもの。高さは553メートルもあり、かつては世界で最も高い自立式の建造物だった（2007年にブルジュ・ハリファに取って代わられている）。このビルの「レストラン360」は、めまいがするような眺めとカナダ料理、そして世界最高レベルのワインリストを誇る。

旅のヒント レストラン360は1回転するのに72分かかる。
www.cntower.ca

2 レインボールーム（米国、ニューヨーク市）[休業中]

マンハッタンで最も有名な高層ビルであるロックフェラーセンターのGEビルは、1933年に完成したアールデコ調の壮大な摩天楼だ。長年にわたってニューヨークのエリートたちを引きつけてきた65階のレインボールームでは、日によって、食事だけでなくビッグバンドの演奏でダンスも楽しめる。

旅のヒント 上着着用のこと。ジーンズ、スニーカー、Tシャツは不可。
www.rainbowroom.com

3 トップ・オブ・ザ・ワールド（米国、ネバダ州ラスベガス）

控えめな言い方を嫌う都市とはいえ、高さ350メートルのカジノホテル、ストラトスフィアは文句なく米国で最も高い展望台を持ち、屋上にはスリル満点の乗り物もある。80分で1回転するレストラン「トップ・オブ・ザ・ワールド」は、ステーキと魚介類が中心。

旅のヒント ストラトスフィアタワーはラスベガス・ブールバード・サウスにある。ディナーの服装は"ビジネスカジュアル"。www.topoftheworldlv.com

4 エル・トバール・ホテルのダイニングルーム（米国、アリゾナ州グランドキャニオン）

スイスの山小屋とノルウェーの別荘を合わせたような造りのこのホテルは、石とオレゴン産松材を使った1905年の建築。田舎家風のレストランでは、水牛のカルパッチョなど米国南西部の香辛料のきいた料理と、グランドキャニオンの息をのむような景観を楽しめる。

旅のヒント 食事の予約は、ホテルに宿泊する客は6カ月前、それ以外は30日前から受け付けている。www.grandcanyonlodges.com

5 ベラ・ビスタ（ボリビア、ラパス）

ラパス市のサンフランシスコ大聖堂とアンデス山脈を見渡すレストラン「ベラ・ビスタ」。世界で最も標高が高い首都にあり、"世界一高い所にある五つ星ホテル"と豪語するプレジデンテの最上階を占めている。肉のグリルがおいしいが、マス料理もすばらしい。

旅のヒント ラパスの繁華街の中心部にある。ラパスは標高3658メートルの高地にあるので、高山病に気をつけよう。www.hotelpresidente-bo.com

6 ゼックス（台湾、台北市）[開店未定]

世界で一番高いビルとは、何によって決まるのだろうか。これについては議論が尽きないが、高さ508メートルの台北101にもその資格は十分ある。86階にレストラン「ゼックス」（高級イタリア料理と日本料理）を開くにあたって、店のオーナーは「世界最高のビルにある、世界最高のレストランをめざす」と話す。

旅のヒント ゼックスは開店未定。
www.taipei-101.com.tw（日本語あり）

7 シロッコ（タイ、バンコク）

バンコクの蒸し暑い晩には、ステイトタワーホテル（247メートル）の最上階のドームにある、この街で一番高いバルコニーで食事とジャズの生演奏を楽しみたい。料理はアジア的な風味を加えた地中海料理。めまいがするような景観を眺めながら屋外で食事をしたいという人におすすめ。

旅のヒント 天気予報に注意しよう。非常に高い所にあり、照明も暗いので、晴れた日がおすすめ。www.lebua.com/en/the-dome-dining/

8 アラリン回転展望レストラン（スイス、サースフェ）

回転レストランとしては世界一高いところにあるアラリン回転展望レストラン（標高3500メートル）。サースフェ村のミッテルアラリンの頂上にあり、息をのむようなアルプスの眺めが欲しいままだ。13の峰々が見渡せる360°の大パノラマで、晴れた日には遠くミラノまで望むことができる。

旅のヒント サースフェからミッテルアラリンへ行くには、アルパインエクスプレスケーブルカーに乗り、その後メトロアルパイン地下ケーブル鉄道を利用する。www.myswitzerland.com（日本語あり）

9 アトミウムのブラッスリー（ベルギー、ブリュッセル）

パリのエッフェル塔と同じく、ブリュッセルのアトミウムも本来は一時的な建造物で、1958年のブリュッセル万国博のために建てられたものだ。最上階のブラッスリーでは、ハーブ入りのウナギのテリーヌなどのベルギー料理とみごとな景観が楽しめる。

旅のヒント 昼間はセルフサービスのレストランだが、ディナータイムには豪華な料理を出す。ブリュッセルの北西端にある、地下鉄ヘイゼル駅の隣。www.belgiumtaste.be

10 ジュール・ベルヌ（フランス、パリ）

1889年の建設以来、エッフェル塔はパリの上流階級から忌み嫌われていた。作家のモーパッサンなどは、この建造物を見ないですむからという理由で、毎日エッフェル塔のレストランで食事をしたほど。とはいえ、今ではアラン・デュカスが経営する「ジュール・ベルヌ」が、食通たちを引きつける。

旅のヒント レストランへは専用エレベーターを使う。
www.lejulesverne-paris.com

右ページ：タイのドームにある天空の屋外レストラン「シロッコ」。バンコクの街を360°見渡せるので、迫力ある食事が楽しめる。

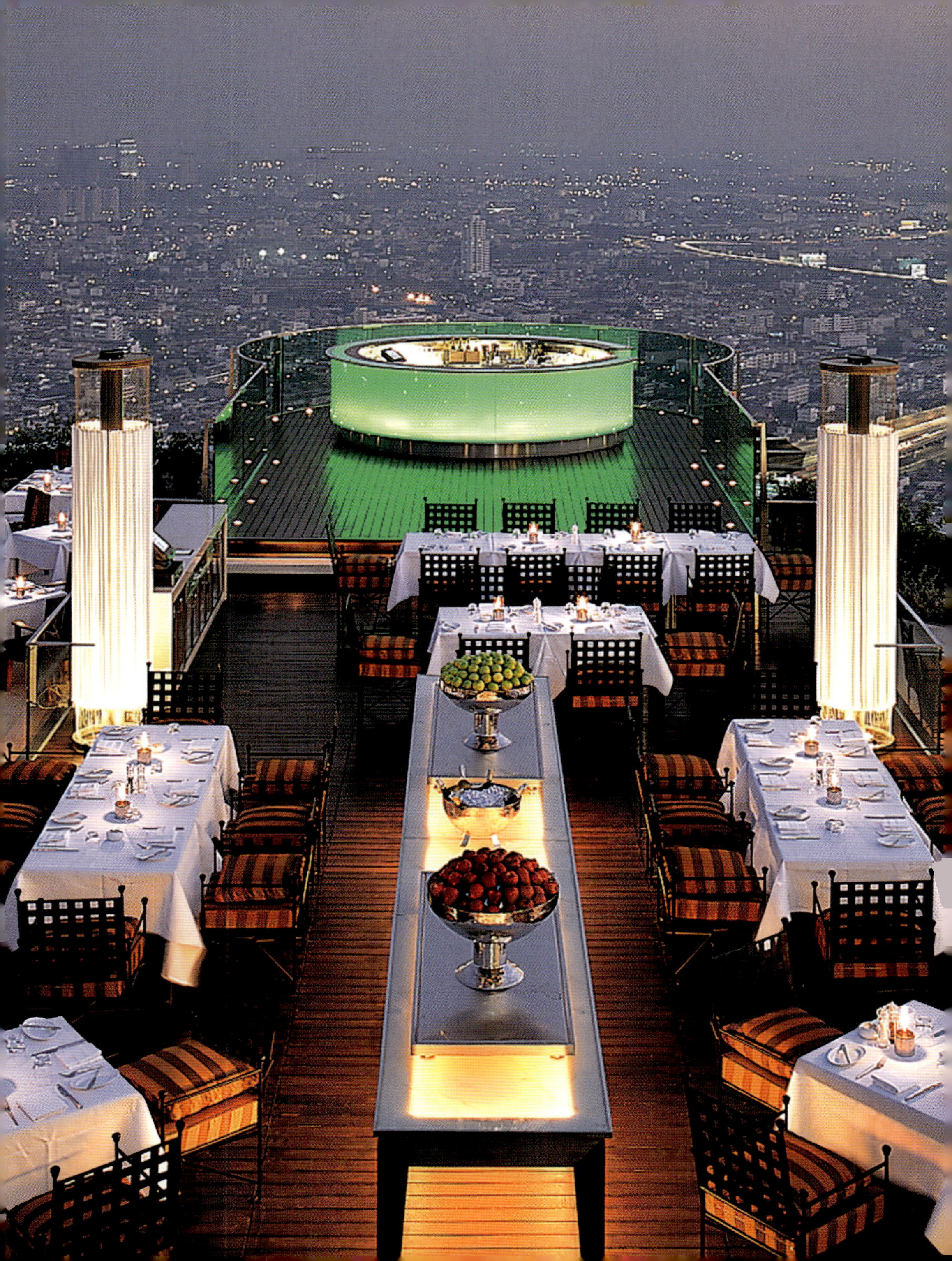

リヨン近郊の「コロンジュ・オ・モン・ドール」。壁にはシェフのポール・ボキューズのだまし絵。

フランス
リヨンの歴史ある食文化

フランスの食の中心地リヨンは、まわりの町や村から
食の文化と素材が集まる"食のるつぼ"だ。

　北からのソーヌ川と東からのローヌ川が合流し、流れが南に転じるところにあるリヨン。ここで、バターやクリームを使う北フランス料理の伝統と、オリーブ油を基本とする地中海料理の伝統とが結びついた。半世紀前にポール・ボキューズらが始めたヌーベルキュイジーヌも味わえる。

　そもそも食の都リヨンの源流には、昔ながらの労働者の食堂「ブション」があり、おかみさんやおばあちゃんがその味を支えてきた。今ではボキューズをはじめ、ニコラ・ル・ベック、クリスチャン・テトドワ、マチュー・ヴィアネなどの若いシェフたちがこの町の未来を築いている。ローヌ・アルプ地方に与えられた約60個のミシュランの星のうち、リヨンが獲得したのは19個。そしてジャン＝クリストフ・アンザネ＝アレックス、フィリップ・ゴヴロー、ファビアン・ブラン、ギー・ラソゼ、ダヴィ・ティソ、マヌエル・ヴィロンと、優れたシェフたちのリストは長くなる一方だ。

労働者の食堂、ブション

リヨンのブションは、本来はバスの運転手や織物工のために、愛情のこもった料理を出す食堂だった。名前の由来は、戸口に藁の束（ブション）が下げてあったこと。馬車の御者には食事や飲み物、馬には藁の用意があるという意味だった。ブションはいわば、昔の"運転手用サービスエリア"だったのだ。

ブションの生みの親、**メール・ブラジエ**や**メール・フィユー**といった女性たちは、ポール・ボキューズのようなシェフたちから今でも敬意を払われている。ボキューズは料理を彼女たちから学んだという。ブションで出す料理は**アンドゥイエット**（仔牛と豚の内臓のソーセージ）、**グラット**（豚脂のフライ）、**ポトフ**（肉と野菜の煮込み）、**クネル**（カワカマスのゆで団子）、**サボデ**（豚の頭のソーセージ）など。

ブションは町じゅうにあるが、ベルクール広場とテロー広場の間のプレスキル通りにある**カフェ・デ・フェデラシオン、シェ・ユゴン、ガレ、オ・プティ・ブション"シェ・ジョルジュ"**などがおすすめだ。

ベストシーズン　12月上旬に行われる「光の祭典」の間、リヨンは実に魅惑的な町になる。名所や記念建造物が独創的で色彩豊かな照明で照らし出され、町全体が光り輝く。

旅のヒント　雰囲気を味わうだけなら3〜5日で十分だが、美食や音楽、美術を堪能したいなら1週間は必要だろう。リヨンの北にあるポール・ボキューズの店「コロンジュ・オ・モン・ドール」のトリュフスープは絶品だ。パリ-リヨン間はTGVで2時間。

ウェブサイト　www.lyon.fr　www.lyon-france.com（日本語あり）　www.bocuse.fr

フランス
パリのオートキュイジーヌ

誰もが認める世界の高級料理の都で、
ミシュランの三つ星レストランをめぐってみよう。

ミシュランの星の数は東京の方が多いかもしれないし、ニューヨークやロンドンの方が変化に富んだ料理があるかもしれない。それでもやはり、オートキュイジーヌ（高級料理）の最高峰といえばパリだろう。その頂点に立つのが、2009年時点でパリに10店しかない、ミシュランの三つ星レストランだ。

10店のうちで一番堅苦しくないのが「アストランス」。シェフのパスカル・バルボは毎日市場へ出かけ、新しいメニューを作り上げる。ルーブル美術館にほど近い「ル・ムーリス」のダイニングルームは美しいベルエポック調だ。シャンゼリゼ通りをはずれた「ルドワイヤン」とブローニュの森の「プレ・カトラン」は緑の多い場所にある。

「アルページュ」のシェフ、アラン・パッサールは、パリの南西部にある自営の有機農場で栽培した野菜を中心にした料理で知られる。大物シェフ、ピエール・ガニエールは自らの名を冠したレストランで、厳選した食材から創意あふれる多彩な料理を生み出す。フランス料理界の真の巨匠とも呼ぶべきアラン・デュカスとギー・サヴォワは、ともに完璧な技術を追求している。そしてヴォージュ広場にある「ランブロワジー」は、10店の中でもとりわけ料理人の優れた技量が感じられる店だ。

ベストシーズン　パリに行くのに悪い時期はないが、三つ星レストランのほとんどは週末や8月一杯は休業する。

旅のヒント　最高級のレストランは昼食すら予約が難しいので、事前にきちんと計画を立てることが大切だ。良いホテルに滞在していればコンシェルジュが手助けしてくれるが、どこで食事をしたいのか、あらかじめはっきりさせておくこと。大部分の三つ星レストランは超高級店だが、必ずしもフォーマル着用とは限らないので個別に確認しよう。

ウェブサイト　www.andyhayler.com、www.dininginfrance.com

三つ星レストランのメニュー

三つ星レストランでは、どんな料理が出るのだろうか。**ルドワイヤン**を例にみてみよう。

まず登場するのは、殻付きのままゆでた、ブルターニュ地方の**アカザエビ**。泡立てたレモンオイルがふんわりかけられて軽やかな酸味を添え、薄い衣に包んでパリパリに揚げたアカザエビの身とともに供される。

次の料理は、**パルメザンチーズ風味のパスタ**。パスタで箱を作り、中にはハムが入っている。パスタの箱が崩れると、アミガサダケの汁と素朴な香りがこぼれ出す。

5種類から選べるデザートはいずれもすばらしいが、中でも**グレープフルーツのコンフィ**がおすすめ。トッピングにもグレープフルーツを使い、円柱状に盛られたグレープフルーツのソルベが添えられて、食事の最後をさっぱりと締めくくってくれる。

「ル・ムーリス」のダイニングルーム。デザイナーのフィリップ・スタルクがベルサイユ宮殿の「平和の間」にヒントを得て改装した。

トップ10
驚くほど高いカクテルバー

金やダイヤモンド、ビンテージもののシャンパン、年代物の高いリキュール。
バーテンダーたちはさまざまな材料を組み合わせて、世界で最も贅沢で高価な飲み物を作り出している。

① アルゴンキンホテルのブルーバー
（米国、ニューヨーク市）

1930年代、アルゴンキンホテルはニューヨークの文壇の中心だった。代表的なカクテルは、マティーニ・オン・ザ・ロック。ダイヤモンドを入れてもらって人に見せびらかすというカクテルだ。値段は1万ドル前後で、"ロック"の大きさと質によって変わる。

旅のヒント　毎日午前11時半から午前1時半まで営業。
www.algonquinhotel.com

② ウィンホテルのトライスト（米国、ネバダ州ラスベガス）

トライストのメナージュ・ア・トロワを注文すると、大枚3000ドルはとられる。ヘネシー・エリプス・コニャックとクリスタル・ロゼ・シャンパン、グラン・マニエをブレンドしたカクテルには23金の金箔が浮かび、ダイヤモンドを散りばめたストローが添えられる。

旅のヒント　木～土曜日の午後10時から午前4時まで営業。厳しいドレスコードがある。ジーンズ、スポーツウェア、野球帽などの着用は避けること。
www.wynnlasvegas.com

③ ビバリーヒルズホテルのバー・ナインティーン12
（米国、カリフォルニア州ロサンゼルス）

ビバリーヒルズホテルで催されるパーティーの出席者が必ず足を運ぶのが、バー・ナインティーン12。ここでは、結構な値段のグラン・パトロン・プラチナ・テキーラ（1本750ドル）から、あきれるほど高いハーディ・パーフェクション140年物コニャック（1本2万3000ドル）まで、ボトルサービスがある。

旅のヒント　毎日午後5時から午前2時まで営業。
www.barnineteen12.com

④ ラッフルズリゾートのジャンブーズバー
（セントビンセント・グレナディン諸島、カヌアン島）

このバーのバーテンダーは「武士道マティーニ」なるカクテルを考え出した。ウオツカ、ドライベルモット、サボテンの根で作るカクテルで、オリーブには14金の小さなサムライの刀が刺さっている。値段は1杯"たったの"300ドル。

旅のヒント　リゾート内には3カ所のすばらしいプライベートビーチがあるので、水着をもっていこう。www.canouan.raffles.com

⑤ スターシティカジノのアストラルバー
（オーストラリア、シドニー市ダーリングハーバー）

スターシティカジノの17階にあるアストラルバーからは、シドニーの繁華街とハーバーブリッジのみごとな景色が楽しめる。客たちが歓声を上げるのはバニラ・チェリー・ネグローニやペアー・アンド・ジンジャー・コリンズといった一風変わったカクテルだ。

旅のヒント　火～土曜日の午後5時半から夜更けまで営業。
www.astralrestaurant.com.au

⑥ バージ・アル・アラブのスカイビューバー（ドバイ）

バージ・アル・アラブの最上階にあるスカイビューバーはペルシャ湾から200メートルの高さにある。床から天井まで広がる窓からは、ドバイのビル群と西方のカタールに沈む夕日を、まるで鳥になった気分で満喫できる。最高のスコッチウイスキーとラクダのミルクやサフランなど珍しい材料を使ったカクテルがある。

旅のヒント　毎日午後12時から午前2時まで営業。
www.burj-al-arab.com

⑦ GQバー（ロシア、モスクワ）

米国のファッション誌の名前をとったモスクワのバー。メニューには珍しいマティーニが並んでいるが、ここの名物で値の張るベルーガウオツカ（入手困難な最高級のウオツカ。びんには通し番号が入っている）を試してみたいなら、メニューにはのっていないのでバーテンダーに直接注文すること。

旅のヒント　週7日、24時間営業。bar.gq.ru

⑧ ホテルリッツのバー・ヘミングウェイ（フランス、パリ）

ギネスブックによれば、世界で最も高価なハウスカクテルはバー・ヘミングウェイのサイドカーだという。コアントロー、搾りたてのレモン汁、そして1830年物のコニャックが使われていて、値段は500ドルを超える。店内にはヘミングウェイ自身が撮った白黒写真が飾られている。

旅のヒント　毎日、午前10時半から午前2時まで営業。バレットパーキングのサービスあり。www.ritzparis.com（日本語あり）

⑨ ブラウンズホテルのドノバンバー（英国、ロンドン）

ロンドンのメイフェア地区にあるドノバンバーは、まさにジェームズ・ボンドが「ステアじゃなくシェイクで」といってマティーニを注文しそうなバーだ。優雅な店内では、英国の伝統と国際性がみごとに溶け合っている。代表的なカクテル、スペースレースは、ウオツカ、コアントロー、ライチのリキュール、クランベリー、グアバジュースをブレンドしたもの。

旅のヒント　月～土曜日は午前11時から午前1時まで、日曜日は昼12時から深夜12時まで営業。www.brownshotel.com

⑩ マーチャントホテルのザ・バー
（北アイルランド、ベルファスト）

天井にはアンティークガラスのシャンデリア、壁には絹のダマスク織りがかかったビクトリア朝の店内で、35ページもあるメニューから飲み物を選ぼう。バーテンダーは、335ドルのダイキリとモヒート、250ドルのウイスキーサワー、150ドルのコズモなども作る。

旅のヒント　毎日、午後12時から午前1時まで営業。
www.themerchanthotel.com

右ページ：ヘミングウェイの4番目の妻の名前をとったカクテル、ブラッディ・マリーは、パリのホテルリッツのバー・ヘミングウェイで生まれたという。

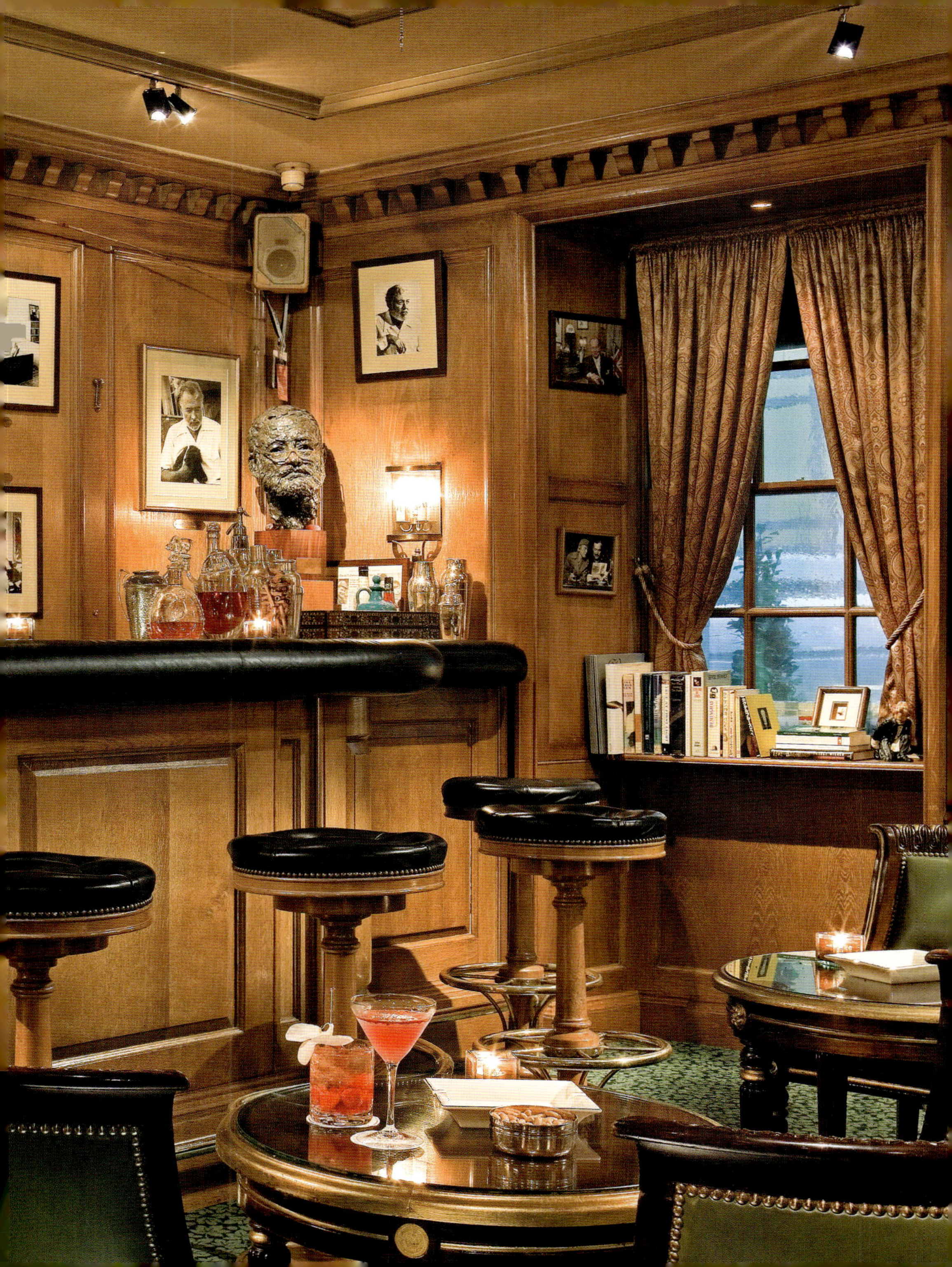

絵のように美しい中世の町サンポール・ド・ヴァンス。石畳の路地にカフェや画廊、ブティックが並ぶ。

フランス
豊かなるプロヴァンス

大地と海の豊かな恵みがあふれるプロヴァンス。
そこではフランスの中でも最も風味豊かで個性的な料理が生み出される。

　プロヴァンスをめぐる旅は、アビニョンから始めよう。城壁に囲まれた旧市街の市場には、カヴァイヨン村の芳しいメロンや太陽の光を存分に浴びたトマトなど、季節の農産物が並ぶ。手作りの石鹸やオリーブの木で作った品々を見て回った後は、ミシュランの星を獲得した「クリスチャン・エティエンヌ」で、トマトをふんだんに使ったランチを食べよう。店は歴史の趣に包まれ、ワインリストにはシャトーヌフ・デュ・パプのすばらしい地元産ワインがそろっている。

　アビニョンの東は、風光明媚なリュベロン、朝市が有名なアプト、そしてルールマランと続く。ルールマランでは、エドワード・ルーベの「ラ・バスティード・ド・カペロング」や、レーヌ・サミュによる「オーベルジュ・ラ・フニエール」で美食を追求するのもいい。みごとな田園地帯を眺めながらカンヌまで進み、そこから北へ行けば、香水作りで知られるグラースだ。さらに東に進み、芸術の町ヴァンスにある「コロンブドール」で、20世紀アートに囲まれながら食事を楽しもう。

ベストシーズン　暑くて混雑する真夏より、春や秋の方が落ち着いた雰囲気で予約もとりやすい。ヴァンスとグラースの標高の高い地域では夜は肌寒くなる。

旅のヒント　9月に行くならアビニョンから鉄道でアルルに行き（ローマ橋の景色がすばらしい）、「ライスフェスティバル」でカマルグ地方の味を楽しみたい。レンタカーでシャトーヌフ・デュ・パプのワイン生産地を回り、ローヌ川沿いの自然を楽しむのもいいだろう。TGVはコート・ダジュールの山地沿いを走り、海を眺めながらニースへと向かう。空港の混雑をいとわないなら飛行機でもいい。

ウェブサイト　www.beyond.fr、www.lesaintpaul.com

はずせない店

■ サンポール・ド・ヴァンスにあるレストラン「ル・サンポール」は、切り立った崖の上に立つ16世紀の建物の中にある。プロヴァンス地方の時代物の家具などで飾られた店内は、新婚旅行や記念日の食事にぴったりだ。シェフのオリヴィエ・ボルローによる洗練された料理が、忘れられない思い出を作ってくれるだろう。

■ ニースの旧市街にあるオテル・ネグレスコのレストラン**シャントクレール**では、シェフのジャン・ドニ・リューランの料理が食欲を誘う。

■ アビニョンでは高級食料品店**レザールマーケット**で、リキュール入りのチョコレート菓子、**ラ・パパリーヌ**を試してみたい。

イタリア
洗練されたミラノの地元料理

流行と洗練、そして創造の中心地であるミラノ。
イタリアで最も現代的なこの街は、伝統料理を守り続ける"砦"でもある。

ミラノは、イタリア語の「ベラ・フィギュラ（美しい人）」という概念をどこよりも具現化している街だ。ミラノの料理には美と質感、そして味わいのすべてが入っている。ミラノの象徴とも呼ぶべきドゥオーモから歩いてすぐのレストラン「クラッコ」。シェフのカルロ・クラッコによる創意あふれる料理を食べれば、きっと実感できるに違いない。デザートの温かいチョコレートコロッケは口の中で豊かにとろけて、食べる者を驚かせる。スプーンにのせて添えられた、冷たく塩気のあるキャビアも繊細な味わいをかもしだす。チョコレートが歓楽、キャビアが高級感の象徴なら、両方を組み合わせたデザートはまさに贅沢の極みといってもいい。

店を出て通りを歩けば、食通ご用達の食料品店ペックがある。並んでいるのは、金の価格に匹敵するような値段の超高級ハムや、何世紀もの間、ワインセラーで守られてきたワインなど。1883年の創業以来、高級路線を続けてきたが、幸いなことに最近では低価格の品も置き始めた。

ベストシーズン　天候がいい春、初夏、秋がおすすめ。夏（7〜8月）は買い物や観光には暑すぎるかもしれない。
旅のヒント　イタリア系の店やレストランは大半が日曜日休み。クラッコは土曜日と月曜日の昼食も休みだ。クラッコで運良く厨房内のシェフズテーブルに座れたら、ガラスドア越しに調理の様子を見ることができる。シェフが席にきて料理の好みを聞いたり、場合によっては何皿か、直接運んできてくれるかもしれない。
ペックは日曜日から月曜日の午前中にかけては休み。土曜日の午後は、家族がそろう日曜日の食事のための食べ物やワインを買いにミラノの人が殺到するので、平日の午後に行った方がよい。
ウェブサイト　www.ristorantecracco.it、www.peck.it

ミラノの代表的な料理

素朴でありながらも優美で、古典的でありながら現代的な趣きも持つミラノ料理。クラッコとペックは、そうしたミラノ料理の先頭に立っている。サフランで黄金色になった**ミラノ風リゾット**には、たくさんの材料が使われるが、その豊かな風味は、特に骨髄によるところが大きい。持ち帰るならペックで買い、店で食べたいならクラッコに行こう。

ミラノ風仔牛のカツレツはオーストリアのウィンナーシュニッツェルのもとになった料理。ペックのカウンターでは、パン粉をまぶしてオリーブ油で揚げた薄いカツレツがレモンの輪切りを添えて売られている。クラッコの大きなカツレツには季節とシェフの気まぐれに応じて、トマトやズッキーニ、ちりめんキャベツ、かぼちゃなどが添えられる。

ミラノの広場に立つ、壮大なゴシック様式のドゥオーモ。135本の尖塔を持つ、世界屈指の大聖堂だ。

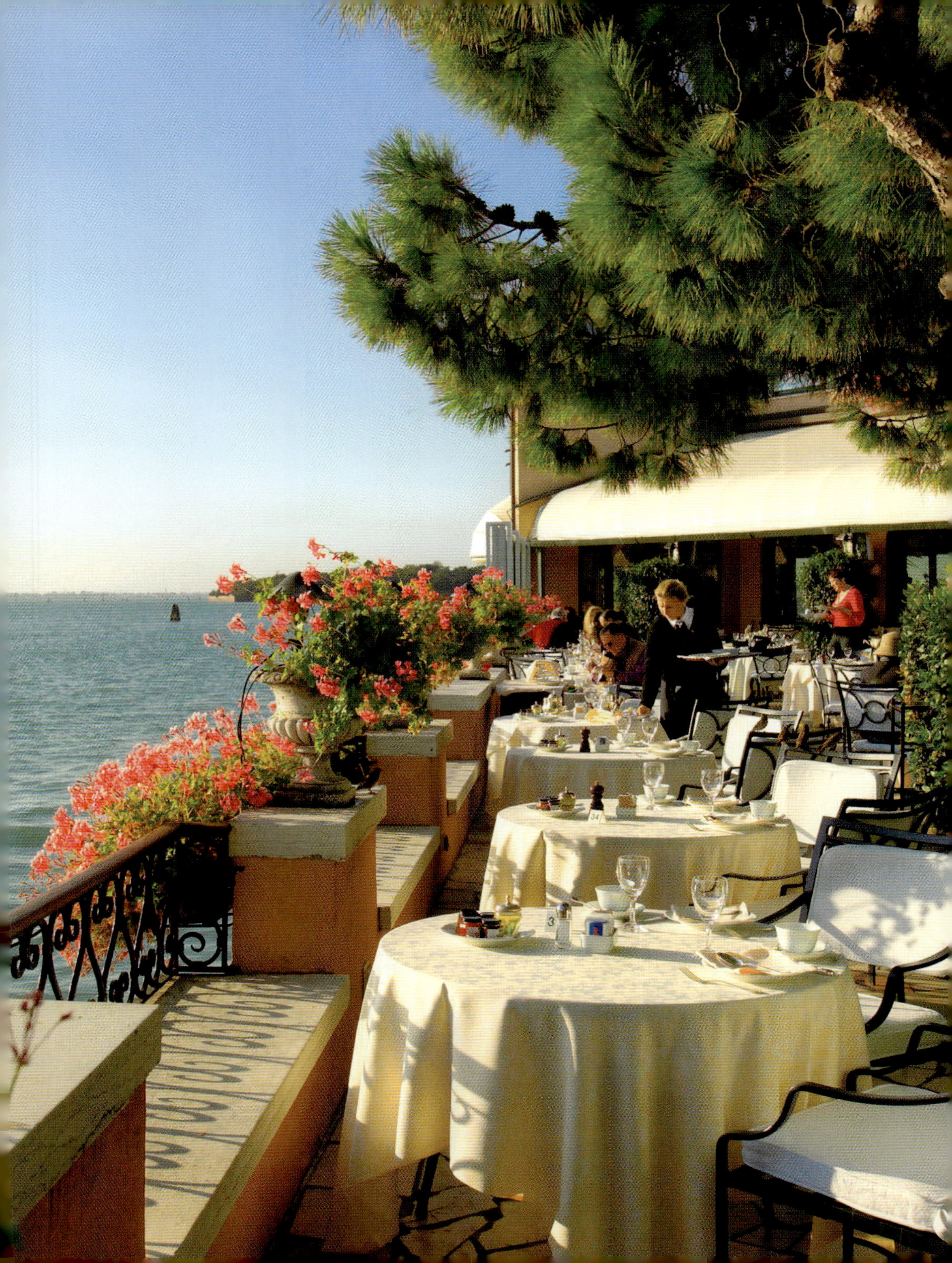

イタリア
ベネチアの極上ホテル

ベネチア本島の喧噪から運河を隔てたジュデッカ島のホテル・チプリアーニ。
この有名なホテルはロマンチックな空気と豪華さに満ちている。

ホテル・チプリアーニのダイニングルーム「フォルチュニー」。天井に連なるアーチやムラーノ製ガラスのみごとなシャンデリアがサン・マルコ大聖堂のドームを彷彿とさせる。広々とした窓から望むのは、ベネチアの大運河とサン・マルコ広場。手前にはホテルのすばらしい庭園が広がる。

まずは特製のカクテルを飲みながら、メニューのベネチア料理をじっくりと検討しよう。食前酒にはプロセッコ種の辛口スプマンテを使ったロッシーニ、ベリーニといったカクテルがある。シェフのレナート・ピコロットによる伝統的なベネチア料理の神髄は、芳醇で食べやすく、奥行きのある深い味わい。パスタとペストリーはその日に作ったものを食べるのが、本物のイタリア料理の伝統だ。

新鮮なハーブや野菜は、シェフが自らホテルの庭に出て摘んでくる。ホテルのぶどう畑から生まれたワインには、ベネチア出身の稀代の色男にちなんだ「カサノヴァ・サルソ」というラベルがついている。前菜は、スズキと野生のフェンネルを詰めたラビオリにグァツェット(シチュー)をかけたもの。タリエリーニ・ヴェルディは緑色の細い手打ちパスタで、ハムと一緒にグラタン仕立てになっている。ほろ苦いチョコレートのジェラートは、店を出た後もいつまでも舌の記憶に残ることだろう。

ベストシーズン ベネチアを訪れるには春と秋の初めがおすすめ。夏は暑くて混雑している。
ホテルは11月半ばから3月半ばまでは休業している。

旅のヒント サン・マルコ広場とホテルの間は専用のシャトルボートが往復している。時間は5分とかからない。ジュデッカ島へ行くには、ほかに水上タクシーやヴァポレット(水上バス)も利用できる。「フォルチュニー」では男性はジャケット、タイの着用が必要。なるべく予約してから行こう。ホテルのもう一つのレストラン「チップスクラブ」はラグーン(潟)沿いのサン・マルコ広場の向かいにあり、フォルチュニーよりこぢんまりとしてカジュアルだ。

ウェブサイト www.hotelcipriani.com (日本語あり)、www.orient-express.com
www.veneto.to、www.italiantourism.com

牛肉のカルパッチョ

この有名な料理を生み出したのは、ハリーズバーとホテル・チプリアーニの創始者である**ジュゼッペ・チプリアーニ**だったといわれている。

1950年頃、生の肉しか食べられない伯爵夫人のために、チプリアーニが生の牛肉を薄く切って、マスタードを添えて出したのが始まりという。チプリアーニはこの料理を15世紀末から16世紀初めにかけて活躍したベネチアの画家、ヴィットーレ・カルパッチョの名をとってカルパッチョと名づけた。肉の赤とマスタードの黄色がこの画家独特の色づかいに似ていたからだ。

その後、さまざまな種類のカルパッチョが作られた。今のカルパッチョは、極上の低脂肪の赤身の牛肉を使う。それを紙のように薄く切り、ルッコラとクレソンまたはエンダイブの上にのせ、オリーブ油とレモン汁の冷たいヴィネグレットソースをかける。トッピングにパルメザンチーズやケイパー、玉葱などが添えられる。

ホテル・チプリアーニの**クラシックカルパッチョ**は、レモン汁とウスターソース、コンソメ、マヨネーズ、マスタードと数滴のタバスコでソースを作る。薄切りにしたアーティチョークと細かく砕いたパルメザンチーズを添え、まわりに新鮮なパセリを飾る。

左ページ:ベネチアのホテル・チプリアーニ。上:ホテルの客には専用のシャトルボートが用意されている。

シーズン最初の雷鳥を手にする、「ハロッズ」の料理長ジュゼッペ・シルヴェストリ。

英国
雷鳥のシーズン到来

英国では夏の半ばに雷鳥猟が解禁になり、
待ちこがれていた大勢の食通が祝いの声をあげる。

英国の狩猟のカレンダーで、8月12日は最も忙しい日だ。1773年の狩猟法により、赤雷鳥と雷鳥の狩猟の解禁日に定められ、"栄光の12日"の名で知られるようになった。丸々とした中型の赤雷鳥は、英国とアイルランドにしか生息していない。とりわけスコットランドと北イングランドのヒースの荒れ野で繁殖し、毎春生まれるひなは8月を迎える頃にはすっかり大きくなっている。

"栄光の12日"の典型的な朝は、ボリュームたっぷりの英国式朝食で始まる。猟場に作られた石のシェルターに狩猟家たちが待機すると、勢子が鳥たちを追い立てる。広大な地所でしとめた雷鳥のほとんどが国中の高級レストランや肉屋に売られる。伝統的な調理法は、野生肉ならではの野趣に富んだ風味を堪能できるロースト。雷鳥料理には昔からゲームチップス（きつね色になるまでかりかりに焼いた薄いポテトチップス）とゲームソース（赤スグリのゼリーとポートワインで風味を加えたソース）、ブレッドソース（パン入りのソース）に加えて、フライパンに残った肉汁で焼いたり、揚げたりしたパン粉やパンのスライスが添えられる。

ベストシーズン　雷鳥のシーズンは8月12日〜12月10日。

旅のヒント　雷鳥を撃つのに地所を所有する必要はないし、そもそも雷鳥を食べるのに狩猟をする必要もない。有料で狩猟をすることもできるが、事前にクレー射撃で1日練習した方がよいだろう。
8月後半にエジンバラに行けば、世界最大の芸術祭「エジンバラフェスティバル」に加えて、ミシュランの星を獲得した「ザ・キッチン」など地元のレストランで、雷鳥のローストを堪能できる。

ウェブサイト　www.hunting-scotland.com、www.shootingparties.co.uk、www.rules.co.uk

雷鳥についての豆知識

■ 撃った鳥は2羽一組を単位として数える。肉は脂肪が少なく、人工の飼料を食べていないので、当然添加物も含んでいない。雷鳥はヒースの若芽を1日に最大50グラム食べるとされる。

■ 昔から、撃った雷鳥はしばらく吊るしてから、羽をむしって調理した。涼しい場所に5日間以上吊るして熟成させることで、風味が増すとされたからだ。今日では吊るす期間は3日程度が多い。撃って間もない新鮮な状態で調理するのを好む人もいる。

■ ロンドンで最も長い歴史を持つ、コベントガーデンの**ルールズ**は、私有の狩り場を持っている。狩猟の季節が始まると、雷鳥料理がメニューに登場する。

英国

貴族の気分で過ごす

英国の田舎にある、昔の荘園主の邸宅を使ったホテル。
そこに滞在し、遠い時代の洗練された高貴な雰囲気に浸りたい。

ノルマン人の時代からオックスフォードシャーの丘陵にひっそりと立つ1軒のマナーハウス(領主の館)。今では名シェフ、レイモン・ブランが経営するル・マノワール・オ・キャトル・セゾンというホテルになっている。17世紀に作られた池や果樹園、ハーブや有機栽培の植物が植えられた庭が目の前に広がり、貴族階級の暮らしを描いたナンシー・ミットフォードの小説の世界に入り込んだような気がしてくる。優雅なベッドルームには、マデラ酒を入れたデカンタが寝酒として置かれている。もちろん食事も申し分ない。朝の目覚めから、夜ベッドに潜り込むまで、食通にとっては夢のような世界が続く。

伝統的な英国風の朝食から始まって、ラウンジでのティータイム、シャンパンバー、そして締めくくりは英国屈指のレストランでの夕食。ミシュランで二つ星を獲得したレイモン・ブランの料理は芳醇で優雅だ。第一級の素材をブランがどれほど洗練された手法で調理するか、じっくりと味わってみてほしい。新鮮な野菜やハーブは、美しく手入れされたホテルの庭園で採れたもの。宿泊客はこうした庭園を散策することもできる。ハーブだけで70種類もあり、その多さにびっくりするだろう。

カントリーハウスホテル

レストランのついたカントリーハウス(大地主の邸宅)型のホテルは、英国の上流階級の優雅な暮らしを垣間見せてくれる。

■デヴォン州にあるジェームズ1世時代風の**リュートレンチャード・マナー**では、チャールズ1世の妃だったヘンリエッタ・マライアのベッドで寝ることができる。レストランもすばらしく、王室の歴史にふさわしい食事が堪能できる。

■リンカンシャー州スタンフォードの**ザ・ジョージホテル**は900年以上の歴史を誇る。二つのレストランと古い壁に囲まれた庭園、思わず炉辺でくつろぎたくなる暖炉、天蓋付きベッドを備え、英国の歴史を感じながら優雅な滞在を楽しむことができる。

ベストシーズン マナーハウスを堪能し、よく手入れされた庭園を楽しむには晩春か初夏がおすすめ。菜園や、多年生の草花を植えた花壇が最も美しい時期だ。

旅のヒント 英国のマナーハウスはフォーマルな場所なので、そこにふさわしい装いを心がけよう。夕食時には男性はジャケットとタイ、女性もきちんとした服装を求められる所が多い。部屋を申し込むときに、食事も予約しておこう。

ウェブサイト www.manoir.com、www.lewtrenchard.co.uk、www.georgehotelofstamford.com

英国のカントリーハウスをホテルにした、レイモン・ブランのル・マノワール・オ・キャトル・セゾン。田園地帯の優雅な暮らしぶりを堪能できる。

究極の美食を求めて | 241

スペイン
エル・ブジ [休業中]

スペインの地中海岸にある小さな保養地、コスタブラバ。
ここに、世界で最も独創的なシェフのレストランがある。

英国の業界誌『レストラン・マガジン』で2006年に世界一の店に選ばれた「エル・ブジ」のシェフ、フェラン・アドリア。その料理は「調和、創造性、幸福、美、詩情、複雑さ、魔力、ユーモア、刺激、そして文化を一つの言葉で表したようなもの」といわれる。牡蠣を添えたウサギの脳や、カシューナッツとアマランス、オーストラリア産フィンガーライム（人差し指のような形のライム）が入ったベゴニアの花のスープと聞いても、おいしいと思えないかもしれない。しかし、アドリアの想像力は、テーブルについた者を必ずや興奮させる。30を超える繊細な料理と5、6種類のワインによる至福のときが5、6時間も続いていく。

まず登場するのは、泡のような「人参のエア」やフリーズドライの卵など、軽い食感の料理だ。新たなシーズンが始まるたびに、アドリアの試みは味、質感、温度、技術とさまざまな面で進化していく。1960年代初めにつつましく始まった「エル・ブジ」は「地球上で最も想像力あふれる高級料理を生み出す店」と称えられている。

営業期間 2011年8月から休業。営業再開は2014年の予定。
旅のヒント 「エル・ブジ」は、ロサスから数キロ行ったカラモンジョイにある。バルセロナからは車で北に90分ほど。ディナーは5〜6時間かかり、深夜までおよぶので、海岸のアルマドラバパークホテルに泊まるとよい。カラモンジョイには、基本的に車で行くしかない（ただしカダケスから船で行く手はある）。以前はディナーのみの営業だったが、今は夏季の一部と秋の大半の土曜日にランチもやっている。
ウェブサイト www.elbulli.com

フェラン・アドリア

バルセロナ郊外の労働者階級の出身である**フェラン・アドリア**は、カタルーニャ風のブルーカラーのアクセントで話す。フランス料理店の皿洗いだったアドリアは、徴兵されたスペイン海軍で提督の料理係を担当する。そこで出会ったのがシェフのフェルミ・ブイグだ（現在はバルセロナにある「ドロルマ」の料理長）。

1983年、ブイグは夏季休暇の間、アドリアをエル・ブジの助手として使うことに決めた。そして翌年、アドリアは22歳にしてエル・ブジの正式シェフのひとりとなり、18カ月後には筆頭シェフに躍り出た。

アドリアが独自の美食の技を発揮し始めたのは1980年代後半。「エル・ブジ」は1990年にミシュランガイドで二つ星、1997年には三つ星を獲得している。

人参とパッションフルーツの冷たいトリュフ。エル・ブジの料理は食べておいしいだけでなく、見た目の美しさもみごとだ。

マングローブの林を縫うように進むと、水面に浮かぶ熱帯の楽園「ル・バラショワ」にたどりつく。

モーリシャス
食通のための熱帯の楽園

世界で最も美しい島にある豪華なレストランで、
三つの大陸の料理を融合したすばらしいメニューを味わいたい。

フランス人の名シェフ、アラン・デュカスが本格的なレストランを開いた場所はモーリシャス島。南インド洋に浮かぶ火山の島だ。デュカスが島の北東海岸にあるリゾート、ル・サン・ゲランに開いた「スプーン・デ・ジル」は、目も舌も満足できる店だ。オープンキッチンはジンバブエ産の黒大理石でできている。バナナの葉でくるんだマグロや、かまどで焼いた羊の骨付き肉、なめらかなアボカドとライムのスープなど、地元の食材をフランス風にアレンジした料理が中心。

そしてデュカスの店にまさるとも劣らないのが、ロンドンに拠点を持つシェフ、ヴィネート・ブハティアが東海岸のリゾート、ル・トゥエスロックに開いた「サフラン」。メニューにはカニ肉のリゾットを添えた新鮮な海老や、現代風に工夫したマサラ風味の鶏肉などが並ぶ。島の首都ポートルイスにある「ラ・フロール・モーリシエンス」は1848年の創業で、インド洋周辺では最も歴史のあるレストランとされる。

モーリシャスの料理

モーリシャス島は16世紀まで無人島だった。その後、インドや中国、英国、フランス、アフリカ、アラブなど世界各地から次々と入植者が入った。その結果、数々の多国籍料理が生まれることになる。人々は祖国の食文化を大切に守る一方で、長い年月をかけてほかの民族料理の要素も取り入れ、この島独自のクレオール料理を育てていった。

そうした料理には、ビリヤニライスを添えたカレーなどインド風の料理のほか、**マンゴー・カチャ**(生姜、にんにく、唐辛子と一緒に炒めたもの)や揚げパンのような**ファラタス**(カレーをすくって食べる)、**カマロンズ・オ・パルミステ**(椰子の若芽を添えた焼き海老)、**ピンダエ**(魚やタコのマリネを玉葱、唐辛子、クローブ、ターメリックと一緒に炒めたもの)などがある。

ベストシーズン モーリシャスは熱帯だが、絶えず吹いてくる海風のせいで、うっとうしいほどの暑苦しさはない、夕食は戸外で楽しめる。

旅のヒント モーリシャスのレストランの大きな魅力の一つが、すばらしい雰囲気。「ル・バラショワ」は入り江に浮かんだ木の箱舟で食事ができる。またタートル湾のオベロイリゾートの洗練されたレストランでは、椰子の葉で葺いた屋根の下で食事を楽しめる。

ウェブサイト www.mauritius.net、www.spoon.tm.fr、www.letouessrokresort.com
www.oberoi-mauritius.com

BONDERS OF OLD HIGH-CLASS WHISKIES,

8
酒神バッカスの贈り物

　グラスを満たし、心をリフレッシュしてくれる酒は酒神バッカスの贈り物だ。食の楽しみを求める旅は、その"源流"を訪れることなしには完結しない。

　本章で紹介する旅は、人生の友、酒を愛する人にきっと満足いただけるはずだ。まず、高名なワイン産地への旅をすすめたい。フランスのシャンパーニュ地方、米国カリフォルニア州のソノマ郡、アルゼンチンのメンドーサ州、南アフリカの西ケープ州などが、ぶどう畑とワインセラーの扉を開けて待っている。

　ウイスキー通にはスコットランドの霧深いアイラ島を巡礼していただこう。都会の喧噪から離れた美しい島は、世界的に有名なシングルモルトウイスキーが造られる場所だ。ラム酒のファンなら、温暖なカリブ海の島々で、地域の個性豊かなラムを楽しむのもいい。

　伝統や郷土色に浸りながらビールのジョッキを傾けたい向きには、アイルランドの田舎にある一風変わったパブはいかがだろう。あるいは、数百万人の来場者がドイツ料理と個性的なビールを思うさまに楽しむ、ミュンヘンのオクトーバーフェストも楽しい。

アイルランドのパブは地域の社交の中心だ。住民や旅行者が集い、愉快な会話と音楽、食べ物、そして何よりビールを楽しむ。

米国ケンタッキー州
バーボンのふるさとへ

偉大なバーボンの蒸溜所は、アパラチア山脈のふもと、ケンタッキー州の雄大な大地を背景に生まれた。

世界の主要なバーボンの蒸溜所は、その大半がケンタッキー州北部の一角、ルイビル、バーズタウン、レキシントン、フランクフォートに囲まれた地域に集まっている。ジム・ビーム、メイカーズ・マーク、バッファロー・トレースといった名門蒸溜所を訪ねてみよう。ストレートバーボンとは、51％以上のとうもろこしを含む原料を、アルコール度数80度（160プルーフ）以下に蒸溜し、内側を焼き焦がしたオーク材の新樽で2年以上熟成させたウイスキーのこと。

共通の工程を経て造られていながら、ケンタッキーのバーボンは口あたりのいいもの、ピリッとしたもの、あるいはアルコール度数が60度もある強烈なものと、非常に多彩で個性豊かだ。バーボンが、どのようにしてそれぞれの個性を獲得していったのかを知るには、実際に蒸溜所を訪ね、製造工程を見学するのが一番だ。大半のガイドツアーは最後に試飲をさせてくれる。蒸溜所をはしごするうちに、ケンタッキーバーボンの故郷が、より一層魅力的に見えてくるに違いない。

バーボンのカクテル
バーボン本来の味を体験するならストレートで飲むに限る。そうでないなら水割りやロックでもよい。バーボンをベースにしたカクテルもある。

■**オールドファッションド**は、水、バーボン、ビターズ、砂糖を混ぜ、氷入りのグラスに注ぐ。オレンジスライスとマラスキーノチェリーを飾る。

■**ミントジュレップ**はさわやかな夏向きのカクテル。氷とミントの葉数枚を入れたグラスにバーボンとシロップを注ぐ。伝統的に5月上旬のケンタッキーダービーで飲まれてきた。

■**マンハッタン**はバーボンとスイートベルモット（好みでビターズも）をかき混ぜる。冷えたグラスに注いだら、マラスキーノチェリーを飾る。

ベストシーズン　4～10月は天候がよく、イベントも多い。9月末にはバーズタウンで「ケンタッキーバーボン祭り」が開かれる。

旅のヒント　「ケンタッキーバーボントレイル」と呼ばれる公認のルートをたどれば、八つの大手蒸溜所を1～2日で回れる。ルイビルは旅を始めるのに便利な町で、芸術、食、ナイトライフが満喫できる。エリア全域に高級ホテルや民宿があり、提携するレストランではバーボン付きの斬新な食事を出している。蒸溜所をめぐる合間に食べ歩きやカントリー音楽の鑑賞、馬の飼育場や史跡の見学、アウトドア活動などを組み込みたい。

ウェブサイト　www.kentuckytourism.com、www.kybourbontrail.com、www.heaven-hill.com

1934年創業のヘブンヒル蒸溜所（バーズタウン）。職人がバーボンの樽を空けていく。

のどかなソノマバレー。ぶどう畑をめぐる旅にはもってこいだ。

米国カリフォルニア州
ワインの新天地、ソノマ

カリフォルニアワインの故郷で、世界的なワインと、
美しい風土、すばらしい料理を堪能しよう。

禁酒法の廃止後、カリフォルニアワインのブームを起こしたのはナパ郡だったが、ワイン通はその隣のソノマ郡を高く評価する。質の高さに加え、ナパで失われつつある素朴さや親しみやすさを残しているからだ。

ソノマにぶどうとワインの醸造技術が伝わったのは、スペイン人聖職者たちがサンフランシスコ・ソラーノ布教所を開設した1823年。1850年代になると、ハンガリー移民のアゴストン・ハラジー伯爵が、州内最初の近代的なワイナリー「ブエナ・ビスタ・カーネロス」を設立し、ジンファンデル種などの良質なぶどうを導入した。

サンフランシスコの65キロ北にあるソノマ郡は、古き良きカリフォルニアの面影を今もとどめている土地だ。モザイクのように広がるぶどう畑や果樹園、のどかな集落の中で、ワインのテイスティングを兼ねたサイクリングやハイキングを楽しみたい。1日の最後は星空の下で熱い風呂につかり、ソノマ産のシャルドネを堪能しよう。

ベストシーズン 秋のソノマ郡は紅葉が美しい。春には花々が楽しめるが、雨がやや多め。夏はかなり早めに予約しないと宿の確保が難しい。

旅のヒント 「ソノマミッションイン&スパ」を除けば、ソノマバレーに大型ホテルはない。現地の宿泊施設の多くはビクトリア時代の屋敷を転用したB&Bだ。グレン・エレンにある「ゲイジハウスイン」もその一つ。室内はしゃれたアジア太平洋風。夕方になるとワインとカリフォルニアフュージョンの前菜が出る。郡内で毎年12〜2月の週末に開かれる「オリーブ祭り」では、オリーブの試食やワインの試飲ができる。

ウェブサイト www.sonoma.com、www.sonomavalley.com/OliveFestival、www.buenavistacarneros.com、www.kenwoodvineyards.com、www.sebastiani.com、www.valleyofthemoonwinery.com

ソノマ郡のワイナリー

■ **ブエナ・ビスタ・カーネロス**はハラジー伯爵が創設した伝統のワイナリー。連日行われるガイドツアーで、テイスティングルームや、1862年に中国人労働者が掘った地下のワインセラーを見学できる。

■ **ケンウッド・ヴィンヤーズ**はソノマバレーでも屈指の名声を誇るワイナリー。カベルネ、メルロー、ソーヴィニヨン・ブランなどで賞をとっている名門だ。

■ **セバスティアーニ・ヴィンヤーズ・ワインホスピタリティセンター**は、ピノ・ノワールとシャルドネが売り。

■ **バレー・オブ・ザ・ムーンワイナリー**の過去のオーナーは、東洋学者のイーライ・シェパードや鉱山王のジョージ・ハーストなど多士済々。

米国ワシントン州
ワシントン州のワイナリー

ワシントン州は世界有数のワインの産地。
力強く上質なビンテージものがこの地の誇りだ。

　スパイスやジビエの肉、熟した果実、焼いた木の実を思わせる風味が、力強く優雅で精緻なワルツを踊る。それがワシントン州産シラーの魅力だ。フランスのローヌ峡谷で生まれたこのぶどうは、大西洋を渡り、新たな土地で世界的な名声を得た。カベルネ・ソーヴィニヨンやメルローといったボルドースタイルのブレンド用の品種も多く栽培され、本家フランスのポムロールやサンテミリオンにも劣らない味との評判だ。

　ワシントン州のぶどう畑を回るからといって、シアトルでおなじみの霧や風雨を覚悟する必要はない。というのも、ぶどう畑が広がるカスケード山脈の東側は、海岸部とはまったく気候が違うからだ。コロンビアバレーと呼ばれるこの砂漠に似た地域には、ヤキマバレー、レッドマウンテン、ワラワラバレーといったワイン産地がたくさんある。この地域は緯度が高いので、ぶどうの成長期の日照時間がカリフォルニアより2時間長い。それでいて気温は上がりすぎず、適度な暑さにとどまる。

ベストシーズン　アウトドアの愛好家なら1年中楽しめる州だが、ワインが目当てなら夏から秋がベスト。
旅のヒント　シアトルからカスケード山脈を越えてワインの栽培地域に行くには、車で2時間半ほどかかる。太平洋岸のワイン産地ピュージェットサウンドから、州南東部のワラワラバレーまで5〜6時間かかる。旅の計画を立てるときは、この距離を考慮に入れること。
ウェブサイト　www.washingtonwine.org（日本語あり）、www.wallawalla.com
www.wineyakimavalley.org、www.adamsbench.com、www.abeja.net

ワシントン州の町

■シアトル北東の**ウッディンビル**までは1時間もかからずに行ける。40以上のワイナリーの中には、歴史ある美しいぶどう畑がある「シャトー・サン・ミシェル」や、ビクトリア時代の邸宅が建つ「コロンビアワイナリー」がある。

■シアトルから東に3時間の**ヤキマバレー**は、ワインに加えて、りんごやホップの生産もさかんだ。ワイナリーを訪れるなら「ヘッジズセラーズ」と「ホーグセラーズ」がおすすめ。

■**ワラワラ**の中心街にはワインの試飲所やオープンカフェ、食料品店、評判のレストランがある。7月の「玉葱祭り」では、地元産の甘い玉葱がワインとともに楽しめる。

コロンビアバレーで熟したカベルネ・ソーヴィニヨン。すばらしいワインに生まれ変わる。

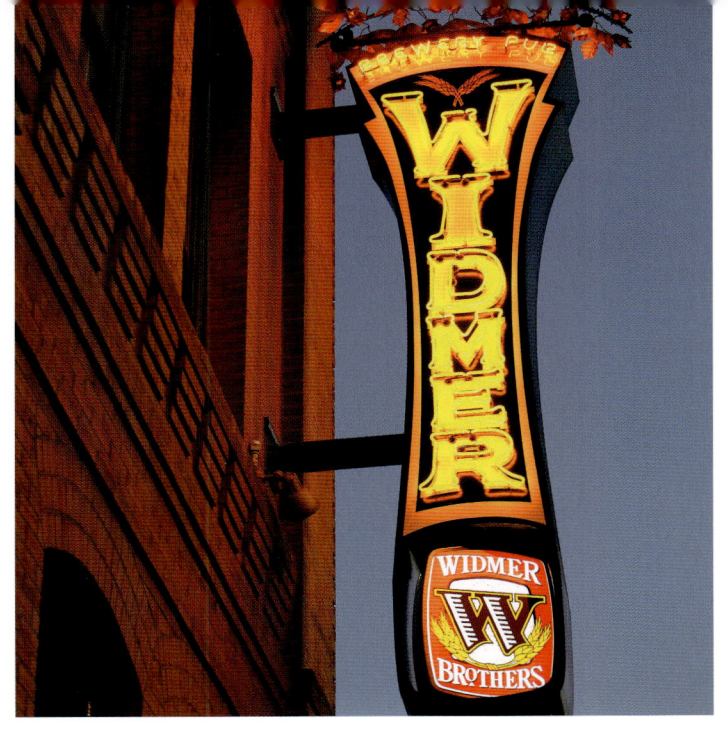

有名な地ビール醸造所「ウィドマーブラザーズ」。ドイツ系の地ビールを造っている。

米国オレゴン州
オレゴンの地ビール

オレゴン州の人々は、米国の地ビールブームをリードしている。

　カリフォルニアの人々がシャルドネの質の向上に熱中する一方、オレゴン州の人は、ビール造りに心血を注いできた。それにはいくつもの理由がある。ホップと大麦を育てるのに適した冷涼で湿潤な気候。北米きっての澄んだ水。そして既製品より自家製の方が断然いいと信じて疑わない人々…。

　始まりは、ヘンリー・ワインハードという26歳のドイツ人だった。彼は、銅製の醸造用ケトルとビール造りの才能を携えて、1852年に移民してきた。1970年代前半に、彼の設立した会社は大手メーカーとの競合にさらされる。そこで投入されたのが、ワインハードのオリジナルのレシピに基づいて造られたビール「プライベートリザーブ」だ。

　現在、ポートランドには全米のどの都市よりも多い地ビール醸造所があり、銘柄も数多い。ウィドマーブラザーズの「ヘフェバイツェン」、ヘア・オブ・ザ・ドッグの「アダム」、スティールヘッドの「レイジングライノレッド」などはほんの一例だ。

オレゴン地ビールめぐり

　ポートランドには全米最多の70軒以上の醸造所兼パブがある。ここが旅の出発点だ。ノースラッセル通りの**ウィドマーブラザーズ・ガストハウス**は、ウィドマーブラザーズの主力商品をすべてそろえた店。醸造所の横に建つ1890年代創業のホテル内で営業中だ。ビーバートン・ヒルズデールハイウエーの**ラクーンロッジ&ブリューパブ**は雰囲気がよく、つまみがうまい。

　続いて太平洋岸に出てみよう。リンカーンシティの少し北、カスケードヘッドという断崖の上に**マクメナミンズ・ライトハウス・ブリューパブ**が建っている。そこからハイウエー101号線を南下すれば、ニューポートの**ローグブリュワリー**で、みごとな漁港の眺めと50種類のビールを堪能できる。

　次は南東のウィラメットバレー地区をめざそう。ユージーンには**スティールヘッドブリュワリー**が、またオークリッジには英国風の醸造所**ユニオンローカル180**がある。そこからポートランドに戻るには、州間道路5号線を北上するだけだ。

ベストシーズン　オレゴンの地ビールは飲む季節を選ばない。ラガーやライトエールは暑い季節に、スタウトやこくのあるエールは寒い季節においしい。

旅のヒント　冬は地ビールめぐりをしながら、フードウーやバチェラー山などのリゾート地で冬のスポーツを楽しめる。夏ならローグ川でのラフティング、クレーターレーク国立公園でのハイキング、コロンビア峡谷の外輪船クルーズなどを組み込もう。

ウェブサイト　www.traveloregon.com、www.widmer.com、www.steelheadbrewery.com、www.raclodge.com、www.mcmenamins.com、www.rogue.com、www.brewersunion.com

オアハカ州の雄大な景観の中に立つ竜舌蘭の木。

メスカル早わかり

- ミネーロは熟成2カ月未満。シルベラードやブランコともいう。
- レポサドは2カ月〜1年熟成させたもの。ミネーロより洗練された味。
- ペチューガは鶏の胸肉と一緒に蒸溜する。鶏肉の脂肪が風味とコクを与える。
- アニェホは1〜12年熟成させた通称"メスカルのコニャック"。メスカルの中では最も口当たりがよく、値段も高い。ちびちび味わおう。
- クレマはパッションフルーツからカプチーノまで、いろいろな味がついている。甘く、アルコール度数は低い。

メキシコ
メスカルをめぐる旅

スペイン人が持ち込んだ製法に従って造られるメスカル。
その柔らかく香ばしい風味は、世界中で愛されている。

　メスカルは竜舌蘭が原料の蒸溜酒。オアハカ州をはじめとするメキシコの乾燥した地域が主産地だ。メスカルの製造工程の見学や味見をするなら、サンティアゴ・マタトラン村への道をたどるとよい。この酒が初めて製造されたサンティアゴ・マタトランは、"メスカルの都"として知られている。村に向かう道沿いには蒸溜所が点在し、その大半は製造工程の見学ができる。

　収穫された竜舌蘭の茎は、石を敷きつめた穴で蒸し焼きにし、そのあとすりつぶす。多くの蒸溜所では機械を使ってすりつぶすが、ロバと石臼を使って原料をつぶす生産者も残っている。すりつぶした原料を木製のおけで発酵させ、銅か陶磁器の蒸溜器で2度蒸溜すれば、メスカルのできあがりだ。各蒸溜所でいろいろなメスカルを試飲したら、何本か買い込んで町に戻ろう。夕食の前の食前酒に最適だ。

石を敷きつめた穴で竜舌蘭の茎を蒸し焼きにする。

ベストシーズン　いろいろなメスカルをいちどに味わえるのが「メスカル祭り」。毎年7月にオアハカで開かれる文化の祭典「ゲラゲッツァ」の一環だ。

旅のヒント　サンティアゴ・マタトラン村はオアハカの南東56キロ。ゆったりした日程を組んで、サポテック・ラグを織るテオティトラン・デル・バジェ村や、日曜市が開かれるトラコルーラにも立ち寄りたい。封印のないプラスチックのびんで売られているメスカルは飛行機内への持ち込みは禁止。お土産にするなら政府の認証付きのブランド品を買おう。

ウェブサイト　www.go-oaxaca.com、www.planeta.com/oaxaca.html

カリブ海
カリブ海地域のラム

さとうきびから造るラムは、16世紀に爆発的な人気を博し、世界の貿易を活性化させた。今もなお世界中で飲まれている。

レゲエ、ラスタ主義、海賊などと並んで、ラムはカリブ海のシンボルであり、この地域の歴史、文化、経済そのものだといえる。

さとうきびの搾り汁を蒸溜すること自体は、欧州でも1000年以上前から行われていた。その隆盛が頂点に達するのは、西インド諸島の奴隷が糖蜜を発酵させるとよい酒ができることに気づいた16世紀だ。欧州各国と北米の植民地で砂糖とラムの需要が増すと、カリブ海地域でさとうきびが増産され、奴隷の需要がさらに増した。こうして生じた"三角貿易"は数百年間、北大西洋貿易の基盤となった。

ラムは次第にカリブの文化の一部となった。時には貴金属の代わりに通貨として使われた。乗組員に毎日決まった量のラムを支給するイギリス海軍の伝統（1970年に廃止）は、カリブ海の船で始まり、世界中に広まったものだ。

通はストレートかオンザロックで飲むが、ラムはさまざまなカクテルのベースにもなる。キューバ・リブレ、モヒート、ロングアイランド・アイスティが代表格だ。

ベストシーズン カリブ海地域は年間を通して熱帯性の気候だが、夏は気温と湿度が高め。8～11月はハリケーンの来襲がある。

旅のヒント セント・ルシアで1月に開かれる「フード＆ラム祭り」は、またとないラムの見本市。カリブ海地域のメーカーが一堂に会し、テイスティングなどを行う。一流バーテンダーも世界中から招かれて、ラムを使ったカクテルを披露する。

ウェブサイト foodandrumfestival.com、www.appletonrum.com、www.casabacardi.org

ラムをめぐる旅

■ ジャマイカのアップルトンエステート社は、1749年から"レゲエの島"で最高のラムを造ってきた。同社の**アップルトンエステート21年**は、カリブ海地域で最高級のラムといわれている。

■ 1862年にキューバで創業した**バカルディ**は、現在はプエルトリコで事業を行っている。カターニョの工場には博物館と試飲室がある。

■ 真偽のほどは定かではないが、バルバドスの**マウントゲイ蒸溜所**は世界最古のラム生産者を自称する。その歴史は300年に及ぶ。

■ マルティニク島の**セントジェームス**は、糖蜜ではなくさとうきびの搾り汁を使い、より味わい豊かなラムを造っている。蒸溜所には試飲室や博物館もある。

カリブ海地域で名高いもの。それはセント・ルシアのスーフリエールに代表される、静かで美しい砂浜、そしてラムだ。

トップ10

文学と縁の深い酒場

酒場やカフェをかりそめの（あるいは日常的な）仕事場にしてきた文人は多い。今でも文学者たちのたまり場となっている店もあれば、その幽霊が出没するという店もある。

❶ ローズルーム（アルゴンキンホテル）（米国、ニューヨーク市）

ニューヨークきっての高級ホテルの中にあるバー。長らく演劇界、映画界、文学界の有名人が集う場だった。なかでも、後に「ラウンドテーブル」と呼ばれる知識人のグループが1919〜29年に毎日ここで昼食をとったことはよく知られている。そのメンバーにはコメディアンのハーポ・マルクス、詩人のドロシー・パーカーらがいた。

旅のヒント 44丁目、5番街と6番街の間。www.algonquinhotel.com

❷ ホワイトホース・タバーン（米国、ニューヨーク市）

このバーには詩人のディラン・トマスに捧げられた一室がある。彼は1953年のある夜、そこで18杯のウイスキーを飲み、チェルシーホテルに戻って急死したとされる（死因は飲酒とは無関係だった）。このバーは昔から文壇での人気が高く、ジャック・ケルアック、ノーマン・メイラーらが通った。

旅のヒント ハドソン通りと11丁目の角。ウイスキーの「ホワイトホース」や、上質なエールをどうぞ。www.iloveny.com

❸ フロリディータ（キューバ、ハバナ）

1817年にオープンしたこのレストランバーは、文豪アーネスト・ヘミングウェイのファンには見逃せない聖地。ヘミングウェイは『誰がために鐘は鳴る』の執筆でハバナを訪れた際、この店に通った。「パパ＆メアリ」と名づけられたひと皿は、ヘミングウェイと彼の4人目の妻に捧げるオマージュだ。

旅のヒント 料理はハバナのほかの店で食べた方が安くてうまい。ダイキリをするだけで十分。www.floridita-cuba.com

❹ リテラチュルノエ・カフェ（ロシア、サンクトペテルブルク）

ロシア文学、とりわけプーシキンの詩を愛する者にとって、サンクトペテルブルクへの旅は巡礼に近い。1837年、プーシキンはこのカフェで最後の食事をとり、その後に妻の愛人とされる男との決闘で命を落とした。この店の玄関ホールにはプーシキンの像がある。ドストエフスキーもこの店の常連のひとり。

旅のヒント ネフスキー大通り。プーシキンゆかりのスポットは市内にいくつかある。petersburgcity.com/for-tourists/guides

❺ ブラッスリー・バルザール（フランス、パリ）

昔からインテリ、芸術家、作家らが出入りしてきたこのセーヌ左岸の店で、知的なムードに浸ってみよう。隣で食事をしているのはソルボンヌ大学の教授や学生、あるいは編集者と打ち合わせ中の作家かもしれない。

旅のヒント 伝統的なフランス料理を出す。オニオンスープがおすすめ。www.brasseriebalzar.com

❻ グラン・カフェ・デ・ヒホン（スペイン、マドリード）

1888年の開店以来、ガルシア・ロルカやルベン・ダリオをはじめとする詩人、作家、記者、芸術家、俳優らが、このベルエポック時代のカフェをにぎわせてきた。コーヒーや酒を楽しみながら、大きな窓から街を眺めたり、テラスで日光を浴びたりしよう。

旅のヒント スペイン内外の肉料理が中心。夕食は予約が必要。www.turismomadrid.es（日本語あり）

❼ エディンバラ文学パブツアー（英国、エディンバラ）

プロの俳優の案内で市中のパブをはしごするうちに、『宝島』のR・L・スティーブンソンから『ハリー・ポッター』シリーズのJ・K・ローリングまで、スコットランド文学の歴史を学べる。

旅のヒント 2時間の徒歩ツアーは午後7時半スタート。5〜9月は毎日行われるが、ほかの月は回数が減る。夏には短時間で回れるバスツアーもある。www.edinburghliterarypubtour.co.uk

❽ チェシャチーズ（英国、ロンドン）

壁が言葉を話せるなら、このパブの思い出話には高い値がつくことだろう。このパブがあるフリート街にはかつて新聞社が集まっていた。腕利きの記者たちは、ここで長々と昼食代わりの酒を飲むのが常だった。このパブは1666年のロンドン大火の直後に再建されたもので、焼ける前はさらに歴史のある宿屋だった。常連客の中にはチャールズ・ディケンズ、ヴォルテール、マーク・トウェイン、サミュエル・ジョンソンも。

旅のヒント 「サミュエル・スミス」のリアルエールがおすすめ。フィッシュ＆チップスやステーキ＆エールパイなどの伝統料理を食べよう。www.visitlondon.com

❾ ディランズバー（ブラックライオンホテル）（英国、ニューキー）

ウェールズ最高の詩人、ディラン・トマスのお気に入りパブ。まるで記念館のように、ゆかりの写真や想い出の品、本であふれている。トマスの『アンダー・ミルクウッド』に登場する架空の町シャールエギップは、ニューキーがモデルかもしれない。

旅のヒント ニューキーの観光案内所でディラン・トマス関連の情報を提供している。www.blacklionnewquay.co.uk

❿ ワインディング・ステア・ブックショップ＆カフェ（アイルランド、ダブリン）

幅広いジャンルの本がそろうダブリンの書店を訪ね、古びた木の階段を上がってみよう。そこには1970年代以来、アイルランドの作家や芸術家たちに愛されてきたカフェがある。ページをめくりつつ、ヘイペニー橋やリフィー川の眺望を楽しもう。

旅のヒント シーフードチャウダーなどの気取らないアイルランド料理を楽しもう。www.winding-stair.com

右ページ：ニューヨーク市グリニッジビレッジの「ホワイトホース・タバーン」。一流の文学者が通うことで有名だ。

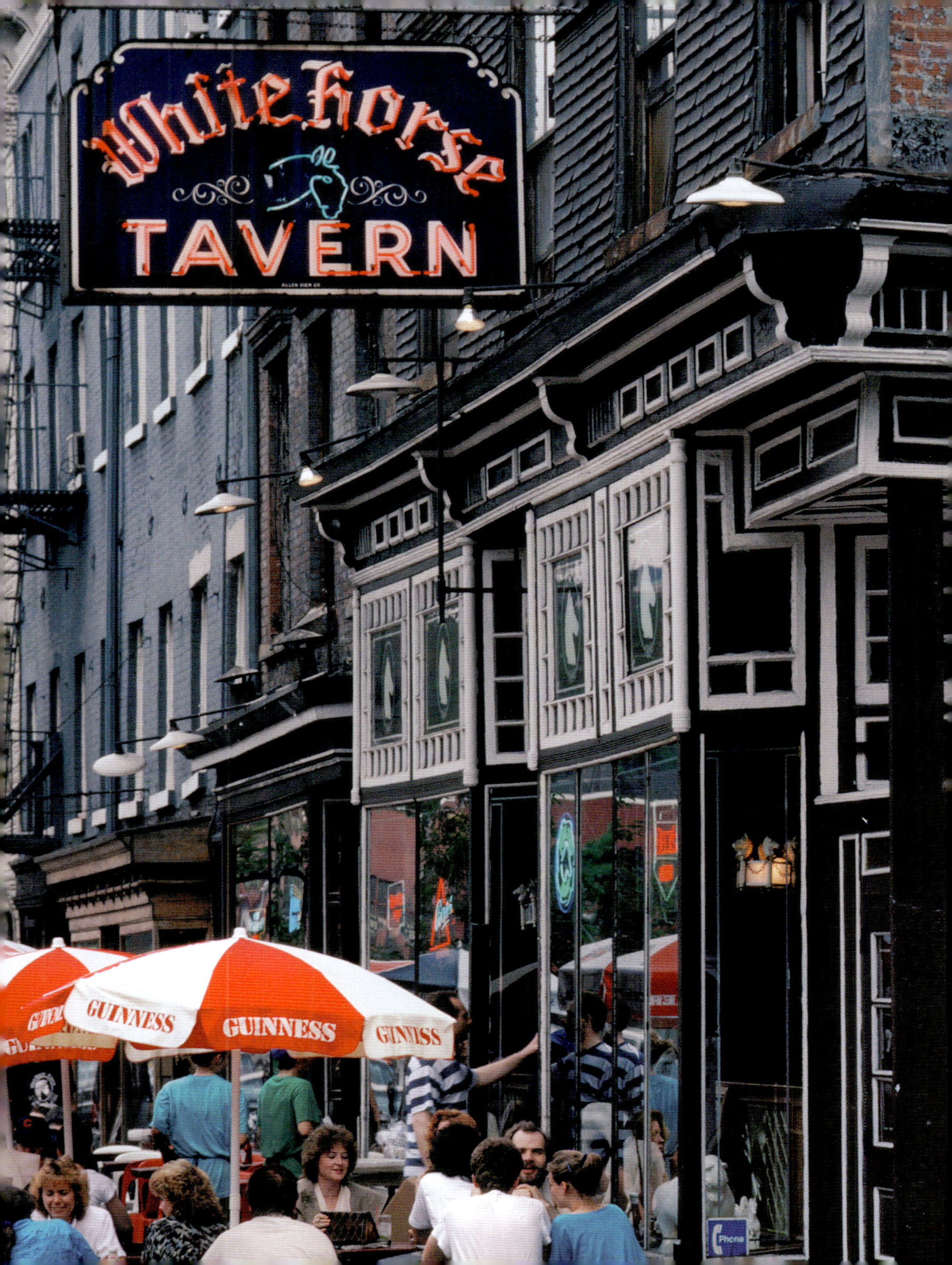
White Horse
TAVERN
GUINNESS
GUINNESS
Phone

ワカチナのオアシス。この景観と静かな湖水に魅了され、観光客や近くのイカの住民が訪れる。

ペルー
ペルーの神髄を示す火酒、ピスコ

この無色に近いブランデーはペルーの誇り。
名高いカクテル、ピスコサワーのベースでもある。

ピスコをめぐり、ペルーとチリは数百年間、争ってきた。サッカーの試合や国境紛争に劣らぬ真剣さで、両国はピスコサワー（ピスコに卵白とビターズ、そしてレモンかライムを加える）が自国のカクテルだと主張してきたのだ。

ピスコ自体の起源ははっきりしている。16世紀のスペイン人入植者がペルー南部の海岸部で造ったのが始まりだ。ピスコという名は、酒を積み出し港か、熟成用の陶器にちなんでつけられた。現在は、緑豊かな町、イカがピスコの生産の中心地だ。80以上の蒸溜所で造られるピスコは、毎年数百万本にも及ぶ。アルコールの度数は38～46で、原料は単一品種のぶどう。最も一般的な品種は、スペイン人が持ち込んだ黒ぶどうのケブランタだが、マスカットなどの緑色のぶどうを使って香り高く仕上げたものや、複数の品種をブレンドした強めのもの（アチョラド）もある。

ぶどうの収穫期は2～3月。蒸溜後に3カ月以上熟成し、ようやく飲むに値する酒になる。昔気質のペルー人は、必ずこの酒をストレートで飲み、氷すら入れようとしない。彼らにとっては、ピスコサワーなど名酒への冒瀆なのだ。

ベストシーズン イカは1年中暑くて乾燥しているが、南半球の冬の間（6～9月）は比較的過ごしやすい。3月には「ビンテージ祭り」が開かれる。

旅のヒント イカは首都リマの320キロ南。家族経営の「ボデガ・エル・カタドール」ではぶどう畑と蒸溜所の無料ツアーをやっている。小さな博物館、バー、レストランもある。法人経営の「ビスタ・アレグレ」も毎日ツアーをやっている。

ウェブサイト www.peru.info、www.vistaalegre.com.pe

ペルー風セビーチェ

ペルーの人とチリの人は、どちらがうまいセビーチェ（南米伝統のシーフード料理）を作るかでも張り合っている。レシピはいろいろだが、最も基本的なペルー風セビーチェの作り方を紹介しよう。

コルビナというニベ科の魚を、レモン、ライム、玉葱、アヒ唐辛子を混ぜた漬け汁で3時間ほどマリネする。こうすることで生魚の身をしめ、柑橘系の風味をしみ込ませるのだ。通常は、これに焼きとうもろこしの粒と、漬け汁の残りを入れたショットグラスを添えて出す。

昨今はサメ、タコ、イカ、海老、ホタテ貝、カニ、ムール貝や、いろいろな白身魚へとセビーチェの材料は広がっている。ピスコサワーの肴としては、これにまさるものはない。

ブラジル
ブラジルのカシャーサ

この強い蒸溜酒は、ブラジルの文化を象徴する、国民的な酒だ。
カクテルのベースにもなれば、ストレートで飲んでもうまい。

サンパウロのバーには必ずカシャーサ（ピンガ）が置いてある。さとうきびから造るこの蒸溜酒は、ブラジル文化の象徴だ。カシャーサは、16世紀にサンパウロ州サンビセンテで生まれた。町の近郊でさとうきびの収穫に従事していた奴隷たちが、その搾り汁を発酵させ、酒を造ったのがきっかけだ。

彼らは程なく、それを蒸溜すればもっと強い酒になることに気がついた。こうして誕生したのがカシャーサだ。以来、製造工程はほとんど変わっていない。さとうきびの汁を搾り、それを24時間発酵させた上で、銅の蒸溜器にかける。それがすんだら、すぐにびん詰めするか、または風味をまろやかにするために樽で寝かす。

カシャーサはかつては"貧者の酒"だったが、今ではカクテルのベースとして名高い。とりわけブラジルを代表するカクテルのカイピリーニャは、世界中に愛好者がいる。カシャーサは主としてサンパウロ、ミナス・ジェライス、リオデジャネイロの各州で造られるが、それを出すバーはブラジル全土にある。ストレートで飲むブラジルの人は、聖人たちに捧げるとして、最初の数滴をわざとこぼす。

カイピリーニャ
地域によってカイピリーニャのレシピはさまざま。フルーツジュースやレモネードを加えることもある。

材料（1杯分）
カシャーサ　50cc
ライム　1切れ（8分の1程度）
砂糖　小さじ2

八つ割りにしたライムを、砂糖と一緒にグラスに入れてつぶす。グラスを氷で満たし、カシャーサを注ぐ。砂糖が完全に溶けるよう、よくかき回す。

ベストシーズン　サンパウロに行くならブラジルの冬から春にかけて（5〜11月）がいい。夏（12〜3月）はかなり蒸し暑くなるので避けよう。
旅のヒント　カシャーサの種類は数百種にもなる。サンパウロから200キロのピラスヌンガは有名ブランド「カニーニャ51」の生産拠点だ。リオデジャネイロ州にある「カシャーサ・ホッシーニャ」の蒸溜所も、サンパウロから3時間車を飛ばす価値がある。
ウェブサイト　www.braziltour.com、www.planetware.com

バーの棚に並んだカシャーサのボトル。独特の風味を出すためにハーブを入れたものもある。

ウコバレー地区にある「ボデガ・サレンタイン」の、円形劇場風ワイン蔵。樽は階段状に置かれている。

アルゼンチンのワイン生産地

メンドーサ州は"太陽の光とワインの都"を自称するが、ぶどう畑はこの国の西の国境沿いに2000キロも続いている。そのうちサルタ州の**カファジャテ地区**は、良質なカベルネと、果実味豊かなトロンテスで有名。アルゼンチンに現存する中で最も古く、標高の高いワイナリー**ボデガ・コロメ**もここにある。設立は1831年。海抜は3000メートルだ。
ラ・リオハ州のチレシト地区も特筆すべきワインの産地。
はるか南方の**リオ・ネグロ・バレー**では、冷涼な気候に適したソーヴィニヨン・ブランやピノ・ノワールのバラエタルワインが、スパークリングワインとともに高く評価されている。この拡大ぶりや向上ぶりを見れば、アルゼンチンのワイン生産量が世界第5位を占めているのも納得がいく。

アルゼンチン
メンドーサ州のワイナリー

南米ワインの一大産地、メンドーサ州のみごとなワインは
同じくみごとなワイナリーから生み出される。

アンデス山脈のふもとにあるメンドーサ州は、アルゼンチンワインの4分の3を生む「ワインの都」だ。生産の中心をなすマルベックは、黒すぐりやプルーンを思わせる、豊潤な果実味が特徴。アルゼンチンワインの世界的な知名度が上がるにつれ（産出量は世界第5位）、カベルネ・ソーヴィニヨンやメルローといったぶどうの品種名をラベルに表記したバラエタルワインも急速に人気を博している。ワインの生産地をドライブしよう。思わぬところにのぞく白い山頂を仰ぎ見たりしているうちに、650以上あるボデガ（ワイナリー）のどれかに到着する。古色蒼然としたワイナリーもあれば、近代建築の粋のようなワイナリーもある。

優れたボデガをいくつか挙げよう。ルハン・デ・クージョにある「ルイジ・ボスカ」は、1890年にスペインからぶどうの木を持ち込んだ人々の末裔。トゥヌジャンの「ボデガ・サレンタイン」は、雄大なアンデス山脈を背景にした現代的な建物だ。「ボデガ・カテナ・サパタ」は、南米風のピラミッドを思わせる外観がすばらしい。

ベストシーズン ぶどうの収穫期は3〜4月。3月上旬の「ワイン収穫祭」は、飲めや歌えやのにぎやかな祭典だ。
旅のヒント ボデガの大半は自由に訪問できるが、ガイドツアーは事前の予約が必要。ホテルやワイン店にはボデガへの道路地図がある。
ウェブサイト www.descubramendoza.com、www.bodegassalentein.com、www.catenawines.com、www.thegrapevine-argentina.com

日本
札幌のシングルモルト

急速に世界に知られるようになった日本のウイスキーは、
北の大地、北海道の"源泉"で味わうのが一番だろう。

日本人は、シングルモルトウイスキーに対する味覚を長年かけて進歩させてきた。札幌の50キロ西にある「ニッカウヰスキー余市蒸溜所」では、男性的な力強いモルトウイスキーを造っている。

同社の「竹鶴ピュアモルト」は、2008年の「インターナショナルスピリッツチャレンジ」で金賞を受賞。また「シングルモルト余市1987」は、同年の「ワールドウイスキーアワード」でシングルモルトウイスキー部門の世界最優秀賞に輝いた。2000本ほどしか販売されない限定版のシングルモルトを入手するのは簡単ではないかもしれない。せめてガイドツアーに参加して、それらが造られた場所を見ておきたい。

ニッカウヰスキーの創業者で、"日本のウイスキーの父"ともいわれる竹鶴政孝は、スコットランドのグラスゴーで3年間ウイスキー造りを学んだ後、1934年に北海道に蒸溜所を開いた。彼はウイスキー造りを極めることに人生を捧げたのだ。

ウイスキー三昧

■ ニッカウヰスキーを堪能するなら**ザ・ニッカバー**に立ち寄りたい。歓楽街の中心、地下鉄すすきのの駅の近くにある。

■ すすきのには**スタイリッシュD**などのサントリー系のバーもある。サントリーはやはり評価の高いシングルモルトウイスキー「山崎」を出している。

■ ディナーにはワインという固定観念を捨て、食事の席で日本のウイスキーをたしなむのもいい。シングルモルトはいろいろなシーフード料理やチーズなどに合う。

ベストシーズン 毎年2月上旬に行われる「さっぽろ雪まつり」に合わせて行こう。大きなものでは高さ15メートル、幅24メートルにも達する巨大な雪像を見ることができる。歓楽街のすすきのでも「すすきの氷の祭典」で100体の氷の像が酒好きを迎えてくれる。

旅のヒント 札幌から余市までは列車で1時間前後。余市蒸溜所では毎日午前9時〜午後5時まで、30分ごとに無料のガイドツアーをやっている（12月27日〜1月3日を除く）。ツアーに参加せず、ガイドマップを頼りに工場やショップ、レストランを見学してもよい。

ウェブサイト www.nikka.com（日本語あり）、www.suntory.com（日本語あり）
www.japan-guide.com/e/e5311.html、www.welcome.city.sapporo.jp（日本語あり）
www.sta.or.jp（日本語あり）、www.hyperdia.com（日本語あり）

ウイスキーの蒸溜所だけが札幌の見どころではない。「さっぽろ雪まつり」の巨大な雪像は、世界中から見物客を呼びよせる。

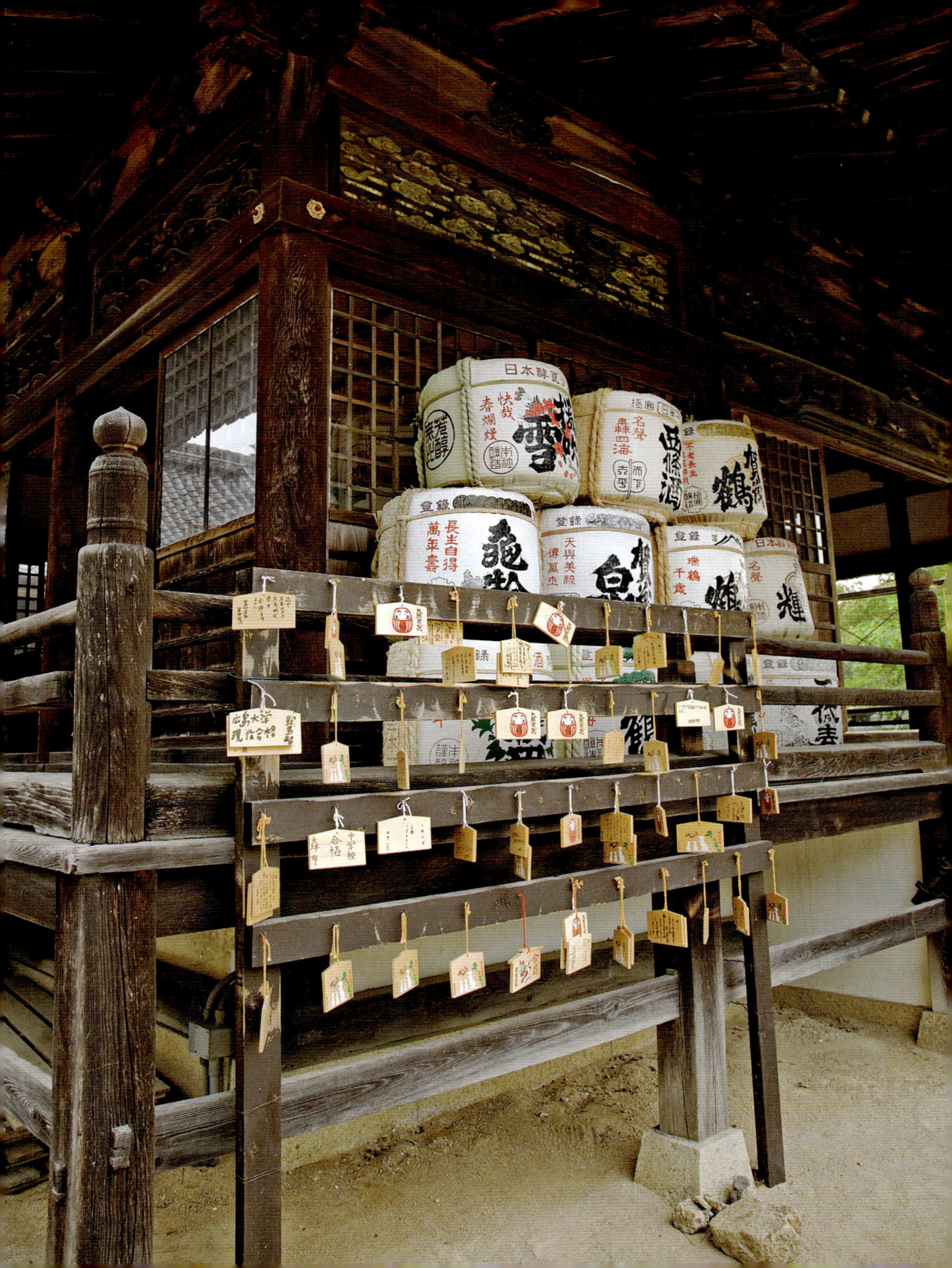
登録
長生自得
萬年壽
名聲
轟四海
快哉
春爛熳
賀茂鶴
広島大学
現役合格

日本
日本酒の粋を求めて

ワインでもなければビールでもない。
米から造る日本のSAKEは、唯一無二の存在だ。

米を原料とする独特の酒を、日本人は何千年も前から造り、洗練させ、味わってきた。今、その味を世界が認めつつある。1600以上の酒造メーカーがある日本を旅して、いろいろな日本酒の味に触れてみよう。

優れたワインが良質のぶどうから造られるように、優れた日本酒は良質の米と水から造られる。酒造メーカーは、澱粉質の多い酒米（さかまい）と呼ばれる米を使う。

日本酒の製造プロセスは、この酒米を精米する工程から始まる。続いてその米を洗い、水にひたし、蒸した上で、麹（こうじ）と酵母を加える。製法や原料からみれば、日本酒はワインよりビールに近い酒といえるだろう。全工程を終えるには1カ月以上かかり、その後の熟成にもさらに半年前後かかる。

東京や大阪から日帰りで訪問できる蔵元も多い。東京都福生市の「石川酒造」は1881年にこの地に酒蔵を建てて以来、変わらぬ伝統を守ってきた。

同社の敷地内には樹齢400年の欅（けやき）の木がある。その根元には、米の神である大黒様と、水の女神である弁天様が祭られている（どちらも酒造りには欠かせない）。神戸には1743年創業の「白鶴酒造」がある。

日本酒の飲み方

最近は冷やして出される酒も多いが、伝統的には燗をして飲んだ。かつての日本酒は、製造工程や保存方法の関係で、燗をした方がおいしかったからだ。燗をすると酒の風味が増し、酔いも早く回る。

ワインと違って、日本酒は通常長く寝かせてもうまくはならない。製造後1年以内のものを買い、半年から1年で飲みきろう。なお、近年は長時間寝かせた古酒を作る蔵元も多い。

日本酒が魚介類に合うことは疑いの余地がない。それぞれの料理に合った銘柄を探そう。

ベストシーズン　大手の酒造メーカーの多くは年末年始を除いて見学可能。小規模な蔵元は要問い合わせ。
旅のヒント　「白鶴酒造資料館」（神戸市）では酒づくりの工程や歴史が学べ、きき酒もできる。
ウェブサイト　www.hakutsuru.co.jp、www.tamajiman.com（日本語あり）
www.sake-world.com（日本語あり）

左ページ：収穫に感謝し、神社に奉納された酒樽。上：酒づくりの一工程。

果皮と果汁をよく混ぜ合わせるため、発酵途中のワインをポンプで汲み上げては注ぎ直す。

オーストラリア
バロッサバレーのワイン

オーストラリア南部、バロッサバレーのワイナリーをめぐれば、
美しい風景と極上のワインが待っている。

　アデレードから北東に60キロほど車を走らせ、ぶどうの木が整然と並んだ丘の田舎道をたどろう。ここはオーストラリアでも最も古くからワインが造られていた地域。アルコール度数の高い赤ワインは特に有名だ。

　バロッサバレーには「ウォルフブラス」や「ペンフォールド」といった世界的なワイナリーもあるが、家族経営の小規模なワイナリーも多い。

　「ホイッスラーワインズ」は自家製のぶどうを使って年間9000ケースほどのワインを造っている。経営するファイファー親子は、その7割を直接、客に売る。室内の座り心地のよいソファか、芝生に広げたパラソルの下で、力強い赤の「リザーブ・シラーズ」や果実風味あふれる白の「オードレー・メイ・セミヨン」が味わえる。

　「ロックフォードワインズ」は1857年に建てられたれんが造りのワイナリー。経営者のロバート・オキャラハンは、付近の30軒の農家からぶどうを買い入れ、昔ながらのバスケットプレス機と1世紀前の器具を使ってワインを造っている。中でも彼のシラーズは、オーストラリアでも指折りの銘酒だ。

ベストシーズン　ワイナリーは年間を通して開放されているところが多い。3～4月に訪ねれば、ワイン造りの工程を見学できる可能性が高い。その時期、日中は晴れて暖かく、夜は少し冷える。

旅のヒント　バロッサバレーのワイナリーの半数以上は予約なしでの訪問を受け付けている。ただ、開くのはたいてい午前11時以降なので、ゆっくり朝食をとり、美しい丘陵地帯の風景を楽しんでから行こう。週末にはイベントも多いが、かなり混む。

ウェブサイト　www.barossa.com、www.whistlerwines.com、www.rockfordwines.com.au

ワイナリーを体験

■ **バロッサバレー**までのドライブは、それ自体が楽しい。通り過ぎる集落にはベランダ付きの低い木造住宅が並び、トタン屋根を光らせている。道の両脇には堂々たるなつめやしの木々。丘には点々とオリーブが生え、ぶどうの木が整然と並ぶ。

■ 歴史あるワイナリーでは、今もバスケットプレス機で果汁を搾っている。果汁や搾りかすを受けるのは、地元の岩で作った1世紀前のおけだ。

■ ワイナリーでは無料でテイスティングさせてくれるし、多くの場合、グラス売りもしている。チーズなどのつまみもある。

ドイツ
バンベルクのビール

ユネスコ世界遺産の町のビール醸造所は、
ドイツでも指折りの技術と個性を誇る。

暖かな秋の晩に、ビール醸造所に向かう静かな石畳の道を歩いていると17世紀のドイツに迷い込んだような気がしてくる。バンベルクの町は、第二次世界大戦時の空襲を免れた。その結果、12世紀の大聖堂や、"小ベネチア"と呼ばれる川と橋のネットワーク、水車、古い漁民の家などが残っている。市内にある九つの醸造所を訪ね歩けば、たくさんの発見があるだろう。

レグニッツ川の両岸に点在する醸造所はそれぞれに趣きがあり、またそれぞれに特徴的なビールを造っている。中でも、大聖堂近くのシュレンケルラ醸造所が造る「エヒト・シュレンケルラ・ラオホビア」は有名だ。いぶしたベーコンに似た風味を持つ、ダークでクリーミーなビールは、麦芽をブナ材の燻煙で乾燥させて造る。ぜひ同じフランケン地方の郷土料理ショイフェレ（豚肩肉を団子やザワークラウトと一緒に煮込んだもの）を食べながら飲もう。川の北岸にほど近いフェスラ醸造所なら、少々飲み過ぎても大丈夫。ホテルが併設されているので、そこに泊まればいい。

ビール純粋令

ドイツのビールの品質は、誇りと熟練だけでなく、法令によって何世紀も前から維持されてきた。1516年にはバイエルン公が**ビール純粋令**を出している。

同令はビールの原料を水、大麦、ホップのみと定め、安価で粗悪な添加物の使用を禁じた（酵母は当時の醸造業界では知られていなかった）。

この史上初かもしれない食品安全法令は、1987年に撤廃された。外国産ビールの輸入促進を求める欧州連合の意向に従ったためだ。ただし、ドイツのビールは、その後も伝統の基準に則って造られている。

ベストシーズン 欧州の都市の例に漏れず、バンベルクも夏は混雑する。
栄養豊かなビールと料理は、寒い冬の夜に向いている。

旅のヒント バンベルクの市民や醸造所のオーナーたちはみな親切で、英語を話す人も多い。わからないことがあったら遠慮なく尋ねよう。
九つの醸造所を含む町の見どころを踏破するには、少なくとも2日間は必要だ。

ウェブサイト www.bamberg.info、www.bambergbeerguide.com
www.schlenkerla.de、www.faessla.de

伝統的な建築とビール醸造所はバンベルク旧市街の名物だ。

酒神バッカスの贈り物 | 261

トップ10
修道院で造る酒

何世紀も前から、修道院ではそれぞれの醸造酒や蒸溜酒が造られてきた。
その多くは上質で、そこでしか出せない味わいを持っている。

① マルーラ（シリア）

マルーラ村はアラム語を話すキリスト教徒が住民の多くを占める山あいの小村だ。この村には聖サルキスと聖タクラという二つのギリシャ正教の修道院があり、ともにワインを造っている。聖サルキスの店を訪ね、修道女が唱えるアラム語の「主の祈り」を聞きながら、優れたデザートワインを試飲させてもらおう。

旅のヒント　ダマスカスからバスで1時間。www.syriatourism.org

② キッコス修道院（キプロス、トロードス山脈）

12世紀にホスピタル騎士団が創設した修道院。琥珀色をした甘口の「コマンダリア」を造っている。現在製造されているワインの中では世界最古の銘柄だ。ただしキプロスの人は、ワイン製造後の残りかすを蒸溜した「ジバニア」の方を、この修道院で最上の酒と見ている。

旅のヒント　キッコス修道院は訪問者に開放されており、博物館もある。コマンダリアは周囲の別の修道院でも造られており、旅行社がそれらをめぐるツアーを催行している。www.kykkos-museum.cy.net、www.visitcyprus.com

③ ストラホフ修道院（チェコ、プラハ）

プラハ城の近くに建つ修道院で、創設は1142年。地ビールの醸造所、レストラン、ビアガーデンを併設。ここで造られる「聖ノルベルト・ホリー・ビール」は、ライトなものとダークなものがあり、牛肉料理のグヤーシュとの相性が抜群だ。毎年12月5日にはクリスマス限定のビールも発売される。

旅のヒント　クリスマスビールはすぐ品切れになる。www.klasterni-pivovar.cz

④ パンノンハルマ大修道院（ハンガリー）

共産主義の時代には国家にぶどう園を接収されていたが、近年、パンノンハルマのベネディクト会士たちがワインの生産を復活させた。ワイン造りの伝統は996年の修道院創建時にさかのぼる。ぶどうの収穫を再開した2003年から年々生産量を増やし、今では年間30万本を超えるまでになっている。

旅のヒント　修道院は聖マルトンの丘に建っており、パンノンハルマの町からは険しい昇り道だ。パンノンハルマまではジェールから列車で30分。www.bences.hu

⑤ アンデクス修道院（ドイツ、バイエルン州）

もてなしの精神は常にベネディクト派の伝統の中核にあった。醸造所、パブ、レストランを併設したこの修道院は、その精神に従ってバイエルン地方の特製ビールを出している。原料の多くは付属の農場で作ったものだ。アルプスの目もくらむような眺望も楽しめる。

旅のヒント　テイスティング付きの醸造所ツアーあり。www.andechs.de

⑥ ベルテンブルク修道院（ドイツ、バイエルン州）

湾曲するドナウ川のほとりで1050年から営まれている、世界最古の修道院付属の醸造所。歴史あるレシピに加えて、今では最先端の技術も導入し、ドイツでも折り紙のデュンケル（濃色）ビールを造っている。人気のビアガーデンでは料理も楽しめる。

旅のヒント　11月15日～3月15日は休業。11月中と3月中の月～火曜日も休み。ケルハイムから川船で30分。www.klosterschenke-weltenburg.de

⑦ セント・シクストゥス修道院（ベルギー）

ファンの間で人気の高いトラピストビールだが、生産量が少ないので購入できる量は制限されている。闇市場で高値で取り引きされることもある。最も珍重されている「ウェストフレテレン12」はアルコール度数10.2％で、通常のビールの約2倍。ビール好きには衝撃を与えそうだ。

旅のヒント　ウェストフレテレンを買うにはかなり面倒な手続きが必要。希望者は指定された時間帯に電話で注文を入れ、買えるとなったら引き取りの予約をしなければならない。最新情報はウェブサイトでチェック。www.sintsixtus.be

⑧ グランド・シャルトルーズ修道院（フランス、ボワロン）

130種類の植物から蒸溜される緑色の「シャルトルーズ・ヴェール」と、やや甘口で黄色い「シャルトルーズ・ジョーヌ」。どちらもボワロンのグランド・シャルトルーズ修道院で造られる有名なリキュールだ。秘伝のレシピを知る修道士は代々2人しかいない。アルコール度数はそれぞれ55度と40度。

旅のヒント　年間を通して無料ガイドツアーを催行している。ただし11～3月は平日のみ。ボワロンまではグルノーブルから列車で20分ほど。www.chartreuse.fr

⑨ セント・ヒューズ・チャーターハウス（英国、パークミンスター）

英国で唯一のカルトゥジオ会修道院ではアップルワインを造っている。買えるのは近くの町カウフォールドの「ユニオンジャック・ファームショップ」のみ。事前に文書で申し込めば、修道院での礼拝に参加し、飲食を楽しむこともできる。ただし自発的な寄付を求められる。

旅のヒント　修道院まではブライトンから車で30分。または17番のバスで45分。www.parkminster.org.uk

⑩ クリスト・ボーズ修道院（ガーナ、ブロング・アハフォ）

ガーナ中部の町テチマンの近郊に建つ、アフリカでは珍しいベネディクト派の修道院。ここでは収入の大半をカシューナッツ園から得ている。ナッツ自体を売るほか、まわりの果肉をジャムやシュナップス（蒸溜酒）に加工している。

旅のヒント　修道院には宿泊設備もある。カシューナッツのシュナップスは飲み慣れればおいしい。www.touringghana.com

---

右ページ：キプロスのキッコス修道院。アルコール無添加の甘口のデザートワイン「コマンダリア」の生産で知られる。

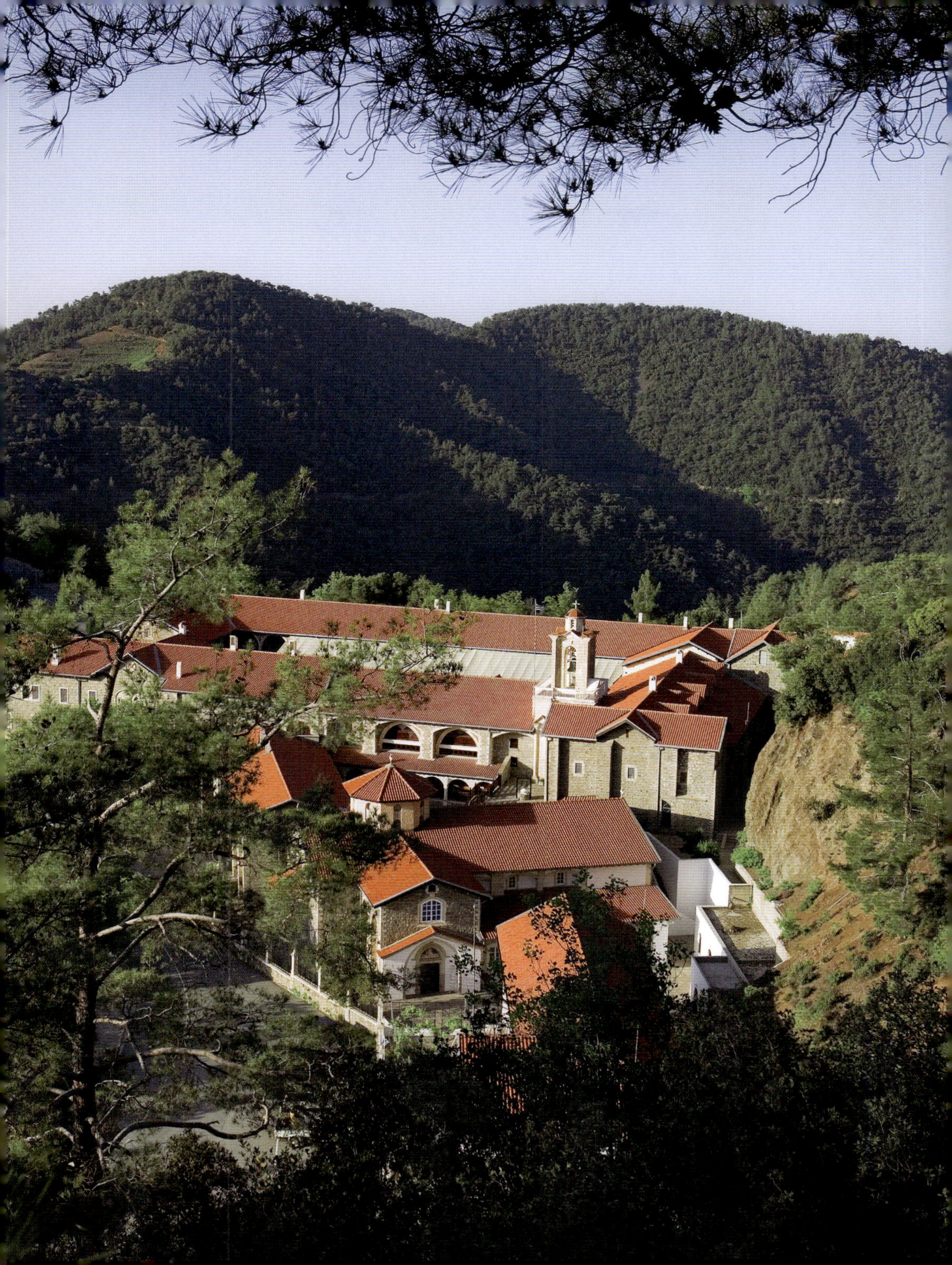

ドイツ
ミュンヘンのオクトーバーフェスト

ミュンヘンの秋恒例のオクトーバーフェストは、
ドイツビールの栄華を称える、活気に満ちた祭典だ。

期待感が「ショッテンハメル」の巨大テントに充満する。木製のテーブルについた6000人の人々が待っている。ついに正午を迎えると、ミュンヘン市長が小槌で最初の樽を開け、みんなから「オツァプト・イス（酒が出た）！」という叫びが上がる。オクトーバーフェスト（十月祭）の開幕だ。

オクトーバーフェストは、1810年にバイエルン皇太子ルートヴィヒ（後のルートヴィヒ1世）の結婚を祝して始められ、来場者は毎年600万人以上にのぼる。14張りの巨大なテントは、最古の「ショッテンハメル」から、牛を丸焼きにしている「オクセンブラテライ」まで、それぞれ個性的だ。各テントでは、ミュンヘンの六つの醸造所がオクトーバーフェストのために造った特製ラガービールが飲める。「バインツェルト」というテントでは、ビールに加えて上質のドイツワインも出している。

オクトーバーフェストでは伝統の料理にも舌鼓を打ちたい。ブラートヘンドル（パセリを詰めたローストチキン）はすべてのテントの大型ロースターで焼かれ、おいしそうな匂いを漂わせる。シュバイネハクセン（豚足）、シュテッカールフィシュ（魚の姿焼き）、ブレツェル（大型のプレッツェル）なども人気の的だ。

ベストシーズン　名称は「十月祭」だが、オクトーバーフェストは毎年9月中に開幕し、10月の第1日曜日まで16日間にわたって続く。週末は平日よりも祝祭気分が盛り上がるが、混雑するので、席の確保は難しい。

旅のヒント　予約はお早めに。間際になるほど航空券や宿泊料は高くなる。公共交通機関が充実しているので、会場から多少遠いホテルでも問題はない。前金を払えば、テントのテーブルは予約可能。

ウェブサイト　www.oktoberfest.de、www.muenchen.de（日本語あり）

オクトーバーフェスト以外のお楽しみ

■ ミュンヘンの中心街に建つビアガーデン兼レストラン**アウグスティナーケラー**では、ボリュームたっぷりの伝統料理を出してくれる。

■ 市内のエングリッシャーガルテン公園の中には、広大な客席を備えたビアガーデン**ヒネジッシャートゥルム**がある。

■ **ホフブロイハウス**はミュンヘンきっての有名ビアホール。旧市街のマリエン広場の近くに建つ、丸天井の優雅な建物だ。

■ マリエン広場の南東側には、露天の食品市**フィクトゥアーリエンマルクト**が立つ。開催は月〜土曜日。

熟練の技を持つウェイターやウェイトレスが、たくさんのジョッキをテーブルに運ぶ。

アオスタ峡谷の町カレーマ。アルプスの斜面がネッビオーロのふるさとだ。

イタリア
高貴なるネッビオーロ

ピエモンテ州でのみ育つ特別なぶどうがある。
その特性を表現する最高級の赤ワインを味わおう。

　ネッビオーロというぶどうの品種を語るとき、その独特の風味（ブラックベリー、バラの花弁、タール）が話題になる。ネッビオーロは男性的なバローロや、陰影のあるバルバレスコを生み出す特別なぶどうだ。どちらのワインも、ピエモンテ州の村々と、背後にそびえるアルプス山脈がある限り、生産が途絶えることはないだろう。ネッビオーロは手間のかかる品種で、どこでも育つというものではない。その数少ない例外が、イタリア北西部の州、ピエモンテだ。

　バローロとバルバレスコというワインの名称は、州内の二つの村の名前から取られた。その両村にはさまれたアルバの町は、美食を愛する者にとっての桃源郷だ。豊潤な赤ワインで煮込んだ牛肉、山盛りのパスタ、焼いたキジや鳩、うまいチーズ、分厚く切ったハム、香り高い白トリュフがあなたを待っている。

　バローロもバルバレスコも、すばらしい名酒だが、その故郷を訪ね、陽気な仲間と焚き火を囲んで飲んだなら、その味わいは極めて魔力的なものとなるだろう。

ベストシーズン　ぜひ秋に訪れたい。ぶどう畑は深紅に染まり、オークの森では白トリュフが採れる。
旅のヒント　アルバの北東のアスティに立ち寄り、軽い発泡性の白ワイン、モスカート・ダスティを1杯。ガビの町はコルテーゼ種のぶどうから造ったかぐわしい白ワイン、ガビ・ディ・ガビの故郷だ。
ウェブサイト　www.langheroero.it、www.italiantourism.com/discov5.html
www.italianmade.com/regions/region2.cfm

牛肉のバローロ煮込み

　バローロは高価なので、フルボディの赤ワインで代用してもよい。

材料（6～8人分）
牛もも肉　1.3キロ
塩と黒胡椒
赤ワイン　フルボディのものを1本
ローリエ　1枚
タイム　生のものを2本
オリーブ油　大さじ3
玉葱　大1個
人参　3本
セロリ　2本

　牛肉に塩・胡椒し、ローリエとタイムを浸した赤ワインに4時間からひと晩漬け込む。その後、牛肉を取り出し、漬け汁は取っておく。
　オリーブ油大さじ2を大きめのフライパンに敷き、みじん切りにした玉葱、人参、セロリを弱火で10分炒める。黄金色になったら大きめのキャセロール皿の底に広げる（1）。
　いったんきれいにしたフライパンで残りのオリーブ油を熱し、牛肉を強火で炒める。全面が茶色くなったら1の上に乗せ、取っておいた漬け汁をかける。ふたをして、170度に予熱したオーブンで3時間焼く。
　焼けた肉を取り出し、冷めないようにしておく。ローリエとタイムを捨て、ワインと野菜は裏ごしする。肉を薄切りにし、裏ごししたソースをかけて出す。

酒神バッカスの贈り物 | 265

ぶどうの木が並ぶ丘と、昔ながらの農家。トスカーナワインを味わうには格好の舞台装置だ。

イタリア
トスカーナのサンジョベーゼ

クランベリーとさくらんぼの風味を持つサンジョベーゼは
光あふれるトスカーナ地方を代表するぶどうだ。

ある時期までは、トスカーナ地方のワインといえば、藁苞（わらづと）で包んだ、ずんぐりとしたボトルのキャンティと相場が決まっていた。だが、それも今は昔。現在のトスカーナ地方は、洗練されたブルネロ・ディ・モンタルチーノから、活力あるキャンティ・クラシコまで、実に多彩なワインを生み出している。

かつてのキャンティは、DOC（原産地統制呼称）法により、赤ワイン用のサンジョベーゼ種のぶどうに、凡庸な白ぶどうを混ぜなければならなかった。その後、新進気鋭のワイン生産者がカベルネ・ソーヴィニヨンやメルローといった外来種のぶどうをサンジョベーゼと混ぜ始めた。しかし、紫色を帯びたそれらの名品は、DOCの認定を受けられず、下位のVdT（テーブルワイン）に甘んじる。人々はそんなワインに「スーパートスカーナ」という独自の分類名を与えた。近年はDOC法の緩和でサンジョベーゼ100％のキャンティも造られるようになった。

クラシコ、ブルネッロ、ロッソ

キャンティの生産はフィレンツェやシエナを含む広範なエリアに広がっている。最上の1本を求めるなら、ラベルに黒い雄鶏が描かれた**キャンティ・クラシコ**を選びたい。クラシコの生産者の組合には優れたワイナリーの多くが名を連ねている。組合では大手ワイナリーの場所を書いた地図も発行している。

山頂の町**モンタルチーノ**が生み出すワインは、その上品さとニュアンスを長らく称えられてきた。この町は北のキャンティ生産地域よりぶどう畑が少なく、すべてのワインをサンジョベーゼのみで造っている。なかでも名高い**ブルネッロ・ディ・モンタルチーノ**は永遠の名品。ただし、それゆえに高価だ。

同じくサンジョベーゼ100％ながら、比較的庶民的なのが**ロッソ・ディ・モンタルチーノ**だ。ブルネッロは4年以上熟成させるが、こちらは1年間。その分、値段は約3分の1だ。

ベストシーズン 春と夏はサグレ（祭り）の季節。食べ物や料理をテーマにした祭典が週末ごとに開かれる。最後はたいてい大宴会だ。ぶどうが収穫される8〜9月にも、再びサグレが開催される。

旅のヒント モンタルチーノに行ったら「カステッロ・バンフィ」や「フランコ・ビオンディ・サンティ」などのワイナリーを訪ねよう。キャンティを飲むなら「ロッカ・デッレ・マチエ」「カステッロ・ディ・ブロリオ」「バディア・ア・コルティブオーノ」がいい。

ウェブサイト www.castellobanfi.com、www.biondisanti.it、www.roccadellemacie.com、www.ricasoli.it、www.coltibuono.com（日本語あり）、www.chianticlassico.com

イタリア
パルマのエノテカ

イタリア北部のパルマで地元のワインと料理を楽しむには、
土地の人が集まる気取らないエノテカに行くのが一番。

　舎であれ、大都会であれ、イタリアのエノテカ（ワインバー）には一つの不文律がある。それは「ワインと地元の食べ物を出す」ということ。
　パルマのファリーニ通りに、市民と目ざとい観光客が次々とやってくる。この通りには「エノテカ・フォンタナ」と「イル・タバッロ」という、それぞれ雰囲気が異なる2軒のエノテカがあるからだ。「エノテカ・フォンタナ」は昔ながらのスタイルの店。お昼ともなれば、学生や勤め人が長い木のテーブルにつき、「本日のおすすめ」を腹に詰め込む。ワインは数多くの地元の銘柄に加え、ほかの地方のものもある。発泡性の白、プロセッコは常に流麗。ランブルスコは発泡性ながら甘すぎない。ばら色をしたみごとなピノ・グリジオは、地元の小規模生産者の仕事ぶりをよく伝える。
　ガリバルディ広場近くの「イル・タバッロ」は、おしゃれな若者に人気の店だ。ワインの多くはボトルごと持ち帰りもできる。地元産の素材を使った上質のつまみは、パルマの美食について学ぶ格好の教材だ。たとえばパルミジャーノ・レッジャーノ・チーズ。12カ月熟成したものと、36カ月熟成したものを食べ比べよう。

ベストシーズン　9〜10月には三つの祭典がある。「パルマのプロシュート祭り」は生ハムの祭典。「パリオ」では中世の衣装を着た人々が馬のレースや旗のジャグリングを繰り広げる。「ヴェルディ祭り」は、地元出身の音楽家ジュゼッペ・ヴェルディの業績を称える祭典だ。
旅のヒント　「エノテカ・フォンタナ」は店の外にもテーブルを出している。ファリーニ通りはパルマ市民の社交の中心なので、外のテーブルで夕食を取るなら早めに行った方がよい。「イル・タバッロ」オーナーのディエゴは、地元のワインや食べ物についての知識が豊富。客とのおしゃべりが大好きだ。
ウェブサイト　www.parmaitaly.it　www.parmaincoming.it

ワイン貯蔵庫
　エノテカとは、もともと地元のワイン生産者たちが商品を人々に紹介するための場だった。小さなワイナリーでテイスティングルームを設置するのは負担だったので、エノテカに商品を置くことでそれを省いたのだ。
　「エノテカ」という言葉自体はギリシャ語からきたもので、元々の意味は「ワインの貯蔵庫」。今でもほとんどの店で、この定義が当てはまる。
　古くからの市街地にあることが多いエノテカは、郊外の小規模なワイナリーよりはるかに多くの客を集め、ワインの知名度アップに貢献している。観光産業が発達し、ワインのグローバル化が進んだ今では、エノテカがそろえる銘柄も多様化する傾向にある。なかにはフランスワインまで置く店も現れている。

ワインは陽気に。互いに乾杯を捧げるエノテカの客たち。

運河が中心街を取り巻くブリュージュは、"北のベネチア"といわれる。

ベルギー
ブリュージュのビール

中世の雰囲気を残すブリュージュのビアカフェで、
300種類以上もあるベルギービールを味わおう。

大勢の買い物客や観光客が、ブリュージュの石畳の道を行き交う。教会の尖塔、静かな運河、中世の鐘楼の鐘の音が、彼らの目と耳を楽しませる。だが、大聖堂にほど近いケメル通りの「ブルフス・ベールチェ」は別世界。木製のテーブルに座った客が、泡立つビールをたたえたグラスを光にかざす。

何を注文したらよいかわからなかったら、スタッフに聞くとよい。答えはおそらく「ブルフセ・トリペル」(バランスのよい金色のビール)か、ラベルに聖アーノルドが描かれた「ステーンブルッヘ」だ。酒造家の守護聖人、聖アーノルドは11世紀にオーデンブルク修道院を開設し、ビールを疫病の治療薬とうたった。本当の地場のビールを飲むなら、上面発酵のエール「ブルフセ・ゾット(ブリュージュの道化)」がおすすめ。メーカーのドゥ・ハルプ・マーン(「半月」の意味)は、今ではブリュージュ中心部に残る唯一の醸造所だ。熱烈なビールの愛好者なら、1856年創業のこの醸造所を見学するのもいい。高級料理を食べさせる格調高いレストラン「デン・ダイバー」にも立ち寄りたい。すべての料理はそれに合うビールと一緒に出てくる。

ベストシーズン　ブリュージュには季節を問わず、見るべきものと、するべきことがたっぷりある。運河のクルーズや中世絵画の鑑賞を楽しもう。12月にはクリスマス市が開催される。

旅のヒント　ホテルはピンからキリまで。17世紀の邸宅を使った、運河を見下ろす高級ホテルもある。「ブルフス・ベールチェ」(ケメル通り5)は木〜月曜日の午後4時に開店。「デン・ダイバー」(ダイバー5)は水曜日の全日と木曜日のお昼が休業。

ウェブサイト　www.brugsbeertje.be、www.dyver.be、www.halvemaan.be、www.brugge.be

強くて多彩なベルギービール

ベルギービールは一般にアルコール度数が高く、5〜12%にもなる。ブラウンエール、ブロンドエール、小麦で造るホワイトビールなど、いろいろだ。これらはいずれも醸造中に酵母が液面に浮上する上面発酵のビール。一方、下面発酵で造る軽めのラガーなどもある。

風味はホップでつけるのが普通だが、**ステーンブルッヘ**にはグルートという中世以来のハーブの調合物が使われる。

修道院にルーツがあることを示す銘柄名も多い。「アビー(修道院)ビール」といえば、通常は高品質の代名詞だ。一部の修道院は民間のビールメーカーに名義を貸して、ライセンス生産させている。一方、**シメイ**や**オルバル**といったトラピストビールは、トラピスト会修道院が自らの醸造所で造っている。

オランダ
スキーダムのジェネバ

ジントニックのベースにするような英国風のジンはもういらない。
オランダのジン「ジェネバ」で、まったく違った体験をしよう。

　世界のベスト5を占める巨大水車は、すべてオランダ南西部の町、スキーダムの水路脇に建っている。これらの水車は、町一番の特産品であるジンと歴史を分かち合ってきた。いや、ジンの原型であるジェネバだ。

　麦芽の香るこの酒は、杜松を意味するオランダ語の「ジェネバ」に由来する。1650年前後に、ある医者が蒸溜酒に杜松の実を加えてつくったという。19世紀を迎える頃には各種のジェネバが生まれ、薬用というより楽しみのために飲まれるようになり、スキーダムは世界的なジンの都となった。20基の水車で大麦、ライ麦、とうもろこしを挽き、400カ所の蒸溜所でジェネバを造り、世界各地に輸出した。

　もっと詳しく知るには、かつての蒸溜所の建物を転用したジェネバ博物館を訪ねよう。試飲室では、さまざまなタイプのジェネバが味わえる。館内をひとまわりすれば、伝統的なジェネバの製法や、香り付けに使う材料、陶磁器の容器にびん詰めする方法など、ジェネバについて、ひととおり学べる。客が買う前に味見ができる蒸溜所は、スキーダムなどの町に、まだ数多く残っている。

ピュアなジェネバと香り付きのジェネバ

ジェネバにはアウデ（古い）とヨンゲ（新しい）の二つのタイプがある。これは熟成期間の長短ではなく、蒸溜の方法を表したものだ。1900年前後に製造が始まったヨンゲは、より軽く、麦芽臭を抑えた仕上がりになっている。

ジェネバにはいろいろな香りを付けたものがある。オレンジ、レモン、りんご、チョコレート、ヘーゼルナッツ、バニラなどはその一例。

ジェネバは何かで割ったりせず、ストレートで飲むべき上質の酒だと考えられている。小さなグラスで食前酒や食後酒として、あるいはピルスナービールをチェイサーとして飲むのが普通だ。

ベストシーズン　冬のオランダは冷たい北風や東風が吹き、寒さが厳しい。
ジェネバで冷えた体を温めたい。ジェネバ博物館は月曜日が休み。

旅のヒント　スキーダムはロッテルダムから列車で10分。いくつかの博物館や史跡、それに風車が自慢だ。
風車の一つには博物館も併設されている。ジェネバ博物館はランゲハーフェン 74-76。
カフェ・ジュネフェリート・スプル は ホーフ通り 92。

ウェブサイト　www.schiedam.nl　www.schiedamsemolens.nl　www.tspul.nl

ジェネバの蒸溜所。蒸溜器を熱するボイラーに職人が石炭をくべている。

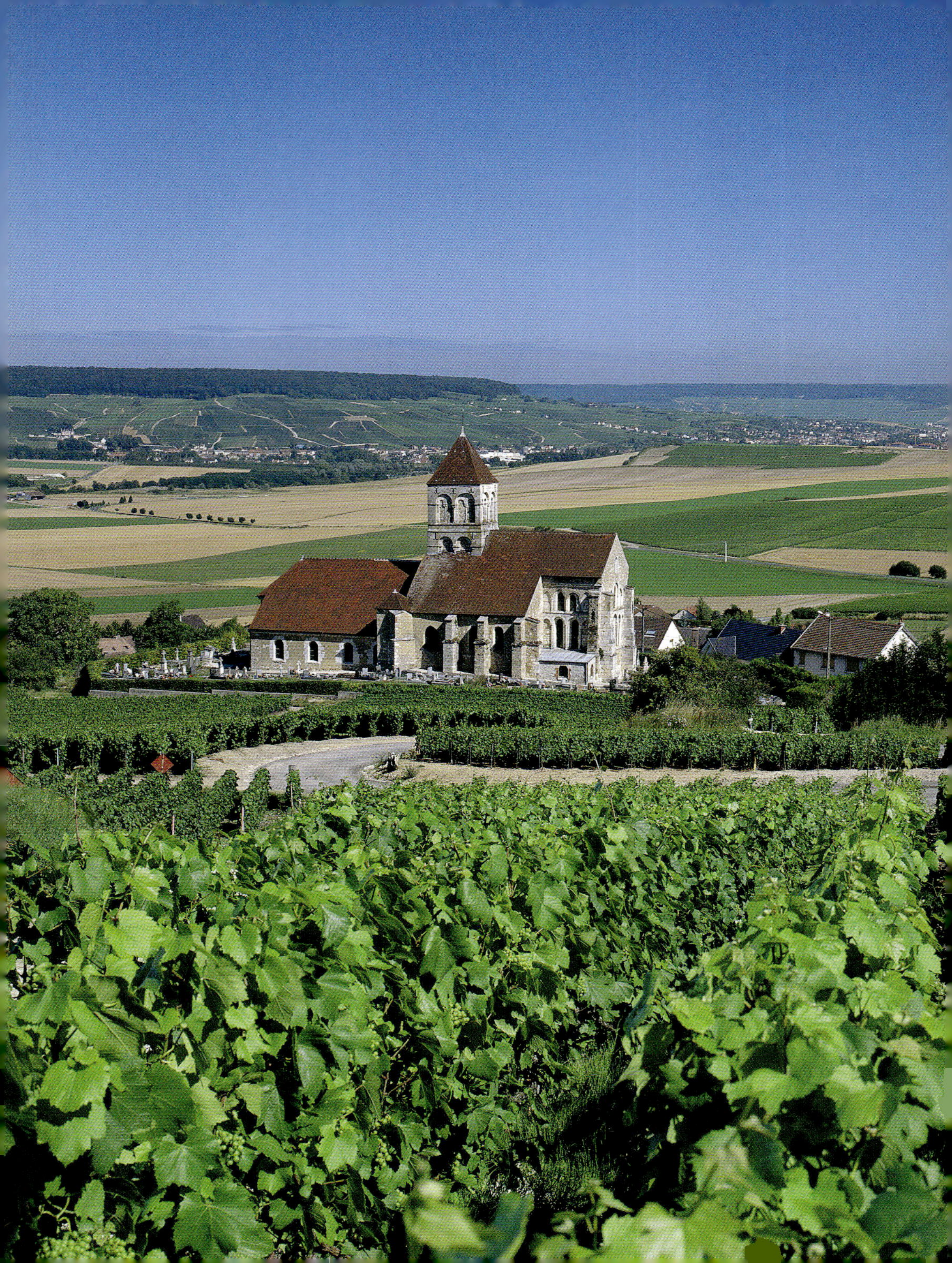

フランス
小さなシャンパン・メゾン

シャンパンには有名ワイナリーのワインをしのぐ何かがある。
小規模な生産者の手になる喜びの味覚を味わおう。

　フランス北部のマルヌ川沿いに、牧歌的な村々が散らばっている。ぶどう畑に覆われた斜面や高台には、ところどころに石灰岩がのぞいている。ここは世界で唯一、シャンパンと名の付く酒を世に出せる場所だ。

　"シャンパーニュの真珠"と呼ばれるオービレール村には、家族経営のシャンパン・メゾン「シャンパーニュ・G・トリボー」がある。プルミエ・クリュに指定された畑で育つぶどうは、3種類のシャンパンへ姿を変える。私の前で銀のラベルのグラン・キュベ・スペシアルを手にしているのは、このメゾンの醸造家だ。彼はフォイルを切り、口金をゆるめる。そして片手でコルクを押さえ、もう片方の手で器用にボトルを回す。突如、熟成した複雑なグラン・キュベがボトルからあふれ出す。

　数キロ南のコート・デ・ブラン地区にあるキュイ村では、「ピエール・ジモネ」がシャルドネをベースにシャンパンを造っている。ジモネ・ガストロノーム・ブラン・ド・ブランは、柔らかな色合いとみごとな深みを備えた一本。口に含めば蜂蜜、タフィ、ミネラルの香りが広がり、木の実を思わせるさわやかな後味が残る。

　ランスの北に位置するメルフィの「シャルトーニュ・タイエ」というメゾンは16世紀からワインを造ってきた。古木のぶどうをブレンドしたキュベ・サンタンヌ・ブリュットは、繊細な泡を含む、香り高いシャンパンだ。淡い麦わら色の泡をりんご、梨、アーモンド、かすかなキャラメルの風味が彩り、わずかにミネラルの後味を残す。

ベストシーズン　シャンパーニュ地方を訪れるなら5～9月が最適。9月に行けば収穫の最終日を祝う祭典「ル・コシュレ」に参加できるかもしれない。シャンパン・メゾンで働く人々がポテ・シャンブノワーズ(肉とキャベツなどの野菜を煮込んだ郷土料理)をたらふく食べる。

旅のヒント　多くのシャンパン・メゾンは夏の間、定期的にガイドツアーを行っている。ただし、出かける前によく確認しておこう。シャンパーニュ地方を存分に楽しむなら、レンタカーで村々やぶどう畑を回るのが便利。エペルネやランスで地図を手に入れよう。

ウェブサイト　www.champagne.g.tribaut.com、www.chartogne-taillet.fr

地元産のチーズ

　シャンパーニュ地方は「シャウルス」や「ラングル」など数種類のチーズの産地としても知られる。シャンパンとの相性がよく、前菜としても夕食の一品としてもいける。

■**シャウルス**は14世紀前半から製造が始まった。カマンベールと同様、無殺菌乳が原料だが、よりなめらかだ。かすかなマッシュルームの匂いを含んだ果実のような風味が特徴。時間が経つほどなめらかさが増し、完全に熟成すると、やや塩辛い木の実に似た味になる。

■**ラングル**はシャンパーニュ地方の高原地帯で18世紀から作られ始めた。湿気の多い石室(いしむろ)で5週間かけて熟成し、その間、オレンジ色の色素を含んだ水で定期的に表面を洗う。チーズの外皮は鮮やかな橙色になり、ある種の刺激臭を放つようになる。上部のくぼみにシャンパンを注いで食べるのも一興。

左ページ:キュイの丘を覆うぶどう畑。上:迷宮のような酒蔵。

酒神バッカスの贈り物 | 271

フランスのワインめぐり
トップ10

北東部アルザス地方のぶどう畑に覆われた急斜面から、南西部コルビエールの強風が吹きすさぶ丘まで、フランスの景観は実にさまざま。それぞれの土地がそれぞれのワインを生む。

① ライン川流域（アルザス地域圏）
ロゼで名高いマルレンアイムを起点に、アルザスのワイン街道を南へ向かおう。オベルネとバールに立ち寄ったら、中世の町エギスアイムで少々長居したい。ゲヴュルツトラミネール種のぶどうで造った高貴なグラン・クリュ、フェルシグベルグを味わってから、一風変わった同心円状の通りを散策しよう。

旅のヒント 収穫期の8～10月、村々はワインの祭典を開く。ワインと郷土料理を同時に味わう格好の機会だ。www.alsace-route-des-vins.com

② アルボワ（フランシュ・コンテ地域圏）
ジュラ山脈に張りついたこの美しい中世の町は、ヴァン・ジョーヌ（黄色いワイン）で有名だ。このワインはシェリー酒のフィノに近い味わいがある。麦わら（パイユ）の上で乾燥させたぶどうで作る甘口のヴァン・ド・パイユでも知られている。

旅のヒント 真冬の祭典「ペルセー・デュ・ヴァン・ジョーヌ」では、6年3カ月間、樽で熟成させたヴァン・ジョーヌに人々が舌鼓を打つ。www.jura-vins.com

③ ロワール川流域（サントル地域圏／ペイ・ド・ラ・ロワール地域圏）
"フランスの庭"といわれるこの地方は、歴史あるシャトーを取り巻くぶどう畑に一面覆われている。旅の起点のブブレーは、シュナン・ブラン種のぶどうを生かした発泡性ワインを造る村。続くシノンではロゼを、サン・ニコラ・ド・ブルグイユではカベルネ・フランの赤を飲もう。

旅のヒント ブブレーでは丘の上の教会まで歩いてみよう。その入口にぶどうや収穫の光景が刻まれている。www.loirevalleywine.com

④ ジアンからサンセールへ（サントル地域圏）
ロワール川沿いの町ジアンで、昼食に若いコトー・デュ・ジアノワを1杯。その後に壮麗な赤レンガのジアン城を見学しよう。川沿いに南下すれば、金属臭が特徴のプイィ・フュメと、辛口のカンシーの生産地がある。シャビニョールとブエでテイスティングをしたら、ソーヴィニョン・ブランを使ったさわやかな白を産出するサンセールへ。

旅のヒント さらに南のサン・ブルサンのワインは、地元のソーセージやサラダとともにピクニックに持っていくのに最適。www.vins-centre-loire.com

⑤ コート・ド・ニュイ（ブルゴーニュ地域圏）
マスタードで知られるディジョンの南に、世界で最も有名なワイン産地の一つがある。コート・ド・ニュイ地区の北端のジュヴレ・シャンベルタンはグラン・クリュに指定された九つの畑と、27のプルミエ・クリュを持つ。腕のいい生産者たちは、郷土の食材と合う手頃なワインも造っている。

旅のヒント 香り高いオート・コート・ド・ニュイ・シャルドネと、ポシューズ（淡水魚のシチュー）をどうぞ。www.burgundy-wines.fr（日本語あり）

⑥ コート・デュ・ローヌ・ヴィラージュ（プロヴァンス地域圏）
ボレーヌから南のローヌ川流域で造られるワインには、グルナッシュ種のぶどうの豊かな特徴が息づいている。ジゴンダスの村の広場でこれを味わいながら、レース織りのような岩を頂くダンテル・ド・モンミライユという断崖を眺めよう。

旅のヒント この地区の旅には1週間ほどかけたい。城壁に囲まれたバケラスの町で7月にワイン祭りが開かれる。www.vins-rhone.com（日本語あり）

⑦ コルビエール（ラングドック・ルシヨン地域圏）
古代ローマ人がナルボンヌの周辺にぶどうの木を植えて以来、ワインはラングドック地方の生活と商業の中心となった。デュルバン・コルビエールからスタートし、テュシャンのワイン生産組合「モン・トッシュ」で力強いフィトゥーとコルビエールを試飲しよう。

旅のヒント 夏の暑さを避けるため、4～5月に訪れたい。ピレネー山脈から吹き下ろす強風に注意。www.mont-tauch.com

⑧ マディラン（オート・ピレネー県）
ベアルン地方のポー市近辺でぶどう畑を歩いていると、地平線にピレネー山脈が浮かんで見える。タナ、カベルネ、フェルをブレンドしたマディランのワインは、オーク樽で10年寝かせて熟成させる。秋になったらマディランか果実味豊かなテュルサンを。ジビエ、仔牛の煮込み、きのこなどの味が引き立つ。

旅のヒント マディランの町では8月中旬に40日間のワイン祭りがある。www.vins-du-sud-ouest.com

⑨ ボルドー（ジロンド県）
ワイン生産者のベルナール・マグレは、ワイン愛好家を泊め、教育し、もてなすために、シャトーの一部を開放している。参加者はワインの製造工程を見学できる。また、四つの豪華シャトーのいずれかに宿泊し、ぶどう畑とセラーの訪問、テイスティング講座の受講、オーク樽作りの見学などもできる。

旅のヒント ツアーはオーダーメード。滞在は長くも短くもできる。ぜいたくを極めたいならロールスロイス、ヘリコプター、自家用ジェット機での送迎も頼める。www.luxurywinetourism.fr

⑩ サンテミリオン（ジロンド県）
中世の吟遊詩人たちは、サンテミリオンのワイン（当時は白だった）を称えた。岩石をくりぬいて造ったヨーロッパ最大のモノリス（一枚岩）教会の回廊から、この旅を始めよう。車で丘を登ればサン・ジョルジュ、モンターニュ、リュサック、ピュイスガンとAOC（原産地統制呼称）の区域が変わる。

旅のヒント 6月の第3日曜日、赤いローブをまとったジュラード・ド・サンテミリオン（ワイン騎士団）のメンバーが行進を行う。中世に発足したこの組織は、今ではサンテミリオン産ワインのPRに努めている。www.saint-emilion-tourisme.com

---

右ページ：グラン・クリュの白ワインで知られるブルゴーニュのピュリニー・モンラッシェ村。労働者がぶどうをより分ける。

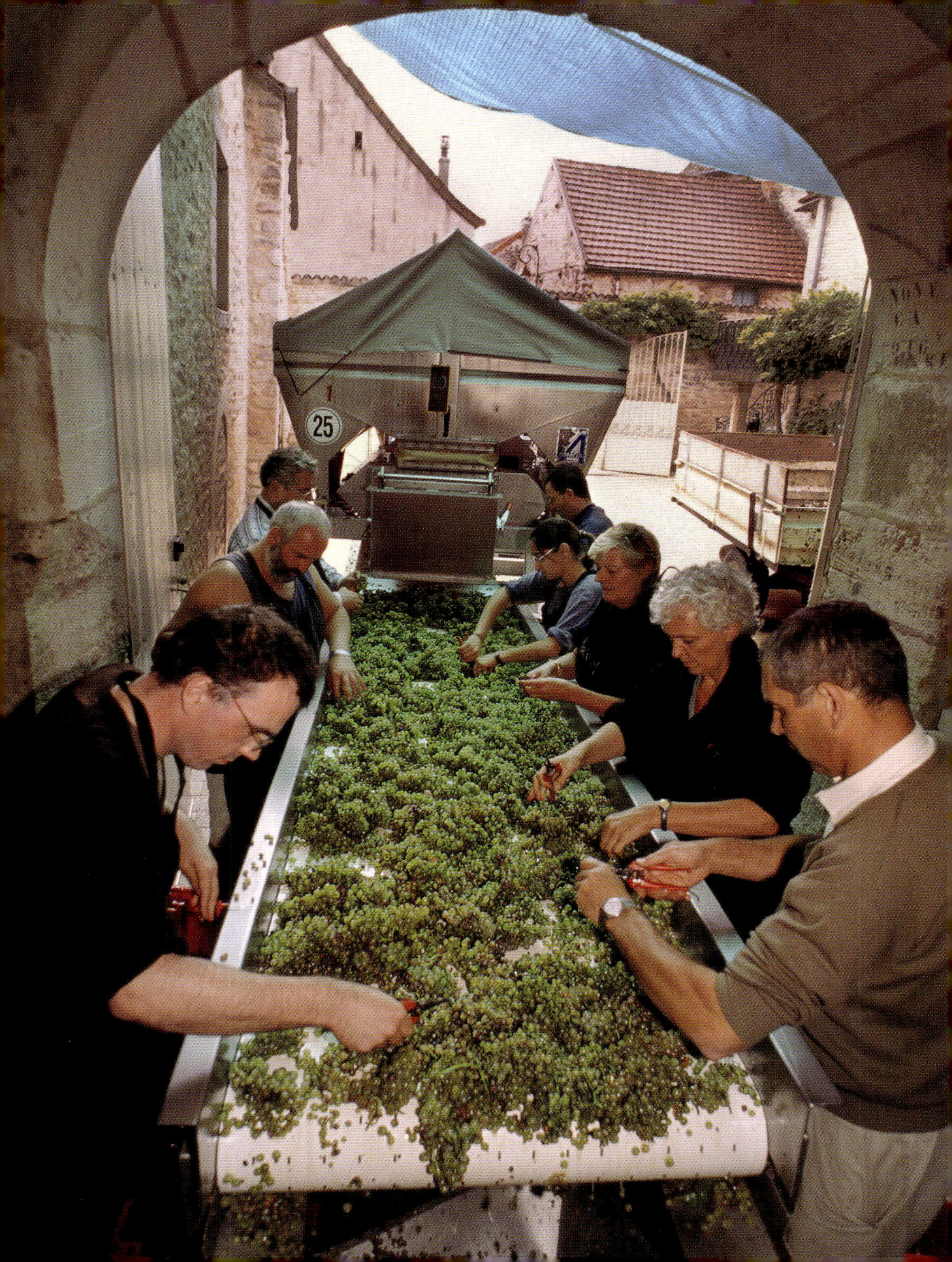
25

フランス
ボルドーの貴腐ワイン

魔法のオーラが金色の輝きを包み込む。
フランス南西部、ボルドーの貴腐ワインで、あなたも夢の世界へ。

ソーテルヌ地区の丘陵が霧に包まれる秋、錬金術が始まる。このあたりではセミヨン種のぶどうを6回に分けて収穫するが、最後の最も熟した果実は手摘みだ。この段階になると、ぶどうはボトリティス・シネレア菌に感染し、貴腐と呼ばれる現象を起こす。それが貴腐ワイン特有の甘みの元になる。貴腐ブドウを圧搾し、ソーヴィニヨンやミュスカデルの果汁と混ぜ合わせた後は、10年以上にも及ぶ長い熟成のプロセスが待っている。貴腐ワインは時を経る中で、砂糖漬けの果物のような芳香と、官能的な舌触りを持った、複雑な美酒に変わるのだ。

ソーテルヌとバルザック(やや酸味の強い貴腐ワインの産地)のぶどう畑を抜けたら、ランゴンでガロンヌ川を渡るとしよう。そこもまた、みごとな貴腐ワインの産地。古代の城壁に囲まれたサント・クロワ・デュ・モン村で、ルピアックやサント・クロワ・デュ・モンを味わおう。どちらも対岸にソーテルヌを望む、南向きの斜面から生まれた貴腐ワインだ。次の目的地はアントル・ドゥ・メール地区の高台のぶどう畑、そしてドルドーニュ川沿いのベルジュラックとモンバジャックだ。

貴腐ワインを楽しもう

■夕食の最初には、ビロードのような地元産のフォアグラを、1杯のモンバジャックとともに。また**トゥルティエール**(肉入りパイ)とソーテルヌで食事を締めくくるのもいい。貴腐ワインは**ロックフォール**や**ブルードベルニュ**といったブルーチーズ、あるいはクルミやアーモンドとの相性もいい。

■毎年11月第2週の週末、ソーテルヌのワイナリーは訪問者に門戸を開放する。ぶどう畑でのハイキングと豪勢なピクニックランチを楽しんでから、ワイナリーめぐりに取りかかろう。

■シャトー・ド・モンバジャックを訪ねたら、古いワイン製造器具の展示をお見逃しなく。チケット代にはビジターセンターでのテイスティングも含まれる。

ベストシーズン　4月初旬にはプラムの花が丘に咲く。少し寒さは残るが陽光はたっぷりのこの時期が、旅と食べ歩きには最適だ。10～11月上旬の収穫期にはランゴンなどのにぎやかな市場に立ち寄ろう。

旅のヒント　ボルドーの南から東を移動するこの旅には、少なくとも1週間は費やしたい。多くのワインショップには貴腐ワインのハーフボトルがある。お土産にうってつけだ。

ウェブサイト　www.bergerac-tourisme.com、www.chateau-monbazillac.com
www.sauternes-barsac.com

ソーテルヌ地区きっての有名なワイナリー、シャトー・ド・マルの前に広がるぶどう畑。

1929年造営のムーア様式のスペイン広場。思わずひと休みしたり、お弁当をもって出かけたりしたくなる。

スペイン
セビリアのシェリーとタパス

シェリーを飲んで、タパスをつまむ。
セビリアでの散歩は美食の喜びに満ちている。

　スペインにタパス（おつまみ）の伝統を広めたアンダルシア地方のセビリア。タパスに合わせる酒として、2種類のドライシェリーが人気を二分する。フィノと、サンルカール・デ・バラメダ産のマンサニージャだ。口内をさっぱりさせ、夏の熱気をさまし、食べ歩きの楽しみを持続させるのは、冷やした辛口のフィノだ。ヘレス・デ・ラ・フロンテーラ、プエルト・デ・サンタマリア、サンルカール・デ・バラメダと、産地は問わない。カモミール茶（スペイン語でマンサニージャ）に香りが似ているマンサニージャは、河口で造られ、ほのかに潮味がする。

　タパスをあれこれ楽しむには、バル（居酒屋）をはしごするといい。セントロ地区からアレナル地区にかけてのエリアでは、「バル・カサブランカ」と「エンリケ・ベセッラ」が一押しだ。サンタ・クルス街では、セビリアきってのタパスを出すという「ラ・ヒラルダ」に立ち寄りたい。マカレナ地区からサン・ロレンソ地区にかけてのエリアには、セビリアで最も古いバル「エル・リンコンシーリョ」がある。

ベストシーズン　セマナ・サンタ（聖週間）の10日ほど後に開かれる「フェリア・デ・アブリル（春祭り）」は、セビリア全市を挙げての祭典だ。馬や牛、フラメンコの衣装を着たアンダルシア美人が祭りを盛り上げる。
旅のヒント　セビリア市内の観光スポットは3日～1週間で回れる。近郊にも足を伸ばすなら2週間ほどかけよう。ヘレス・デ・ラ・フロンテーラなどのシェリー生産地はセビリアの南方にある。同町までは車で1時間15分ほどだ。
ウェブサイト　www.andalucia.com、www.flamencoshop.com

豊かな食材
■ マンサニージャの産地は比較的涼しくて湿度が高いので、発酵中のシェリーにビタミンBが豊富な酵母の膜ができる。これによってシェリーはより新鮮で繊細な風味を帯び、さらには二日酔いの薬としての効能さえ得るといわれる。

■ グアダルキビル川の河口でとれる魚介類、ウエルバ産のハモンイベリコ（イベリコ豚の生ハム）、シエラ・ノルテ高原のきのことチーズ、ラ・カンピーニャの新鮮な農産物。こうした豊かな食材に恵まれたセビリアでは、手をかけすぎず、素材のうまみをそのまま生かしたタパスが、バルのカウンターを埋めている。

■ タパスよりたっぷりしたものが食べたくなったら、煮込み料理でセビリアの食を堪能しよう。**ラ・ヒラルダ**のティオ・ペペ入りカスエラ（しいたけ、海老、ハム、サメの煮込み）、**バル・エストレーリャ**のファバス・コン・プリンハ（空豆の煮込み）、**エル・リンコンシーリョ**のカルデレータ・デ・ベナド（鹿肉の煮込み）は特におすすめる。

スペイン
ラ・リオハ州のワイン

スペインきってのワインの産地で伝統と革新、双方の味を楽しもう。

スペイン北部のラ・リオハ州はスペイン最高のワインを造ってきた。廉価なワインの生産量では中部のバルデペーニャスの方が上だったが、高級ワインの質にかけては、リオハは他の追随を許さなかった。

世界的に評価の高いリオハ産ワインは、三つに分類される。クリアンサ（熟成期間2年以上、そのうち6カ月以上は樽内熟成）、レゼルバ（熟成期間3年以上、そのうち1年以上は樽内熟成）、そしてグラン・レゼルバ（熟成期間5年以上、そのうち2年以上は樽内熟成）だ。長い樽内熟成の結果、オークとぶどうの風味が二重唱を奏でるようになる。その味は、焼いた肉や、コクのあるソースを使った料理とよく合う。もっとも、最近はこの伝統にこだわらない小規模な地元のワイナリーも多い。彼らのビンテージものはオークの香りが薄く、テンプラニーリョ、グラシアーノといった黒ぶどうの味わいが際立っている。底流にはさまざまなスパイスの香りも。

旅の出発点は赤ワインの名産地として知られるアロがいい。「テレテ」や「クエバ・ラ・レカラ」といったレストランで、美味なる家庭料理を味わおう。

ベストシーズン ラ・リオハの秋の収穫祭は魅力的だ。人々は守護聖母バルバネラの像をデマンダ山脈から州都ログローニョまで運んで下ろし、ぶどうの恵みに感謝する。

旅のヒント デマンダ山脈の町エスカライには、ミシュランの星を持つレストラン「ポルタル・デ・エチャウレーン」がある。ジビエの料理を試したいならナヘリーリャ渓谷の「ラ・ベンタ・デ・ゴヨ」へ。ラグアルディアでは「マリクサ」と「ポサダ・マヨール・デ・ミグエロア」でおいしい料理が食べられる。エルシエゴのマルケス・デ・リスカル・ホテルには、「ポルタル・デ・エチャウレーン」のシェフ、フランシス・パニエゴが取り仕切る二つのレストランがある。ラグアルディアの西にある「カサ・トニ」も名店だ。

ウェブサイト www.haro.org、www.marquesderiscal.com（日本語あり）

ログローニョのタパスめぐり

州都ログローニョにある二つの通り、サッレ・デル・ラウレルとトラペシア・デル・ラウレルが交わる一角には20軒ほどのバルが集まっており、それぞれに看板のタパスがある。

シャンピス（にんにくと海老を詰めたマッシュルーム）なら**バル・ソリアーノ**へ。**ブランコ・イ・ネグロ**はイカ、**カサ・ルシオ**はミガス・デ・パストル（パンの切れ端をにんにくやソーセージと一緒に炒めたもの）、**ラ・トラベシア**はじゃがいも入りオムレツが自慢。**バル・アレグリア**はコホヌードと呼ばれるウズラの卵のタパスを出す。**エル・ドノスティ**が得意にしているのは、仔羊の胃袋の料理だ。

タパスに合わせてリオハワインのクリアンサを頼もう。クリスタルのグラスで出してくれるはずだ。

ラ・リオハの夏の祭典には「ワインバトル」が付き物。毎年6月29日、アロの近くのリスコス・デ・ビリビオで行われる。

マデイラワインカンパニーが所有する「オールドブランデーワインロッジ」。1860年物のセルシアルをテイスティングする至福の時間。

ポルトガル
マデイラ島のワイン

大西洋に浮かぶポルトガル領のマデイラ島で
歴史がしみ込んだワインを味わおう。

暗い「オールドブランデーワインロッジ」の試飲室に入ったら、なぜだか少しほっとした。ワインロッジというのは、マデイラ島の最高級のワインを樽やおけに詰めて寝かせておく場所だ。マデイラのワインは、世界屈指の質と歴史を誇る。ポルトガル本土のポートワインと同様、マデイラのワインもアルコールを加えることによって発酵を止め、ぶどうの甘さを保つ。ポートワインと違うのは、その後に45℃前後に加熱することだ。そのきっかけは、マデイラのワインを積んだヨーロッパの帆船がアジアとの間を行き来したことだった。この時、熱暑の赤道地帯を越えたワインは、開栓後もほとんど劣化しないことがわかった。

飲み残して無駄にする気づかいがないだけに、多くのワインロッジでは、古い年代のビンテージものを比較的手頃な価格で出している。「ペレイラ・ドリベイラ」や「アルチュール・デ・バロス・エ・ソウサ」は訪れる価値がある。「オールドブランデー」では、最も若い1977年物のベルデーリョがグラス1杯9ドルほどだ。

ベストシーズン マデイラは1920年代から人気の避寒地だった。海風が吹くので、夏でも耐えられないほどの暑さにはならない。

旅のヒント フンシャルはコンパクトな都市。ほとんどのワインロッジは中心街から徒歩圏内だ。島内はまるで緑のパッチワークのようだ。平らな地面にはもれなく植物が植えられている。レンタカーかバスを使って島のぶどう畑を見て回ろう。

ウェブサイト www.madeira-web.com、www.madeirawinecompany.com

マデイラワインに合う食べ物

■ マデイラワインには、原料のぶどうの品種によって、マームジー、ブアル、ベルデーリョ、セルシアルの4種類があり、この順に甘みが強い。**マームジー**はコクのあるなめらかなデザートとの相性がいい。フォアグラのテリーヌなどにも合う。

■ **ブアル**はブルーチーズ、ペストリー、ケーキなどと一緒に。とりわけ地元の**蜂蜜ケーキ**とのハーモニーは絶妙。

■ やや辛口な**ベルデーリョ**は食前酒にするとおいしい。塩味を付けたアーモンドやカシューナッツ、生ハム、ドライフルーツなどをつまみに。

■ さらに辛口の**セルシアル**は寿司や刺身の最高のパートナー。鮭の燻製や、牡蠣などの貝類にも合う。

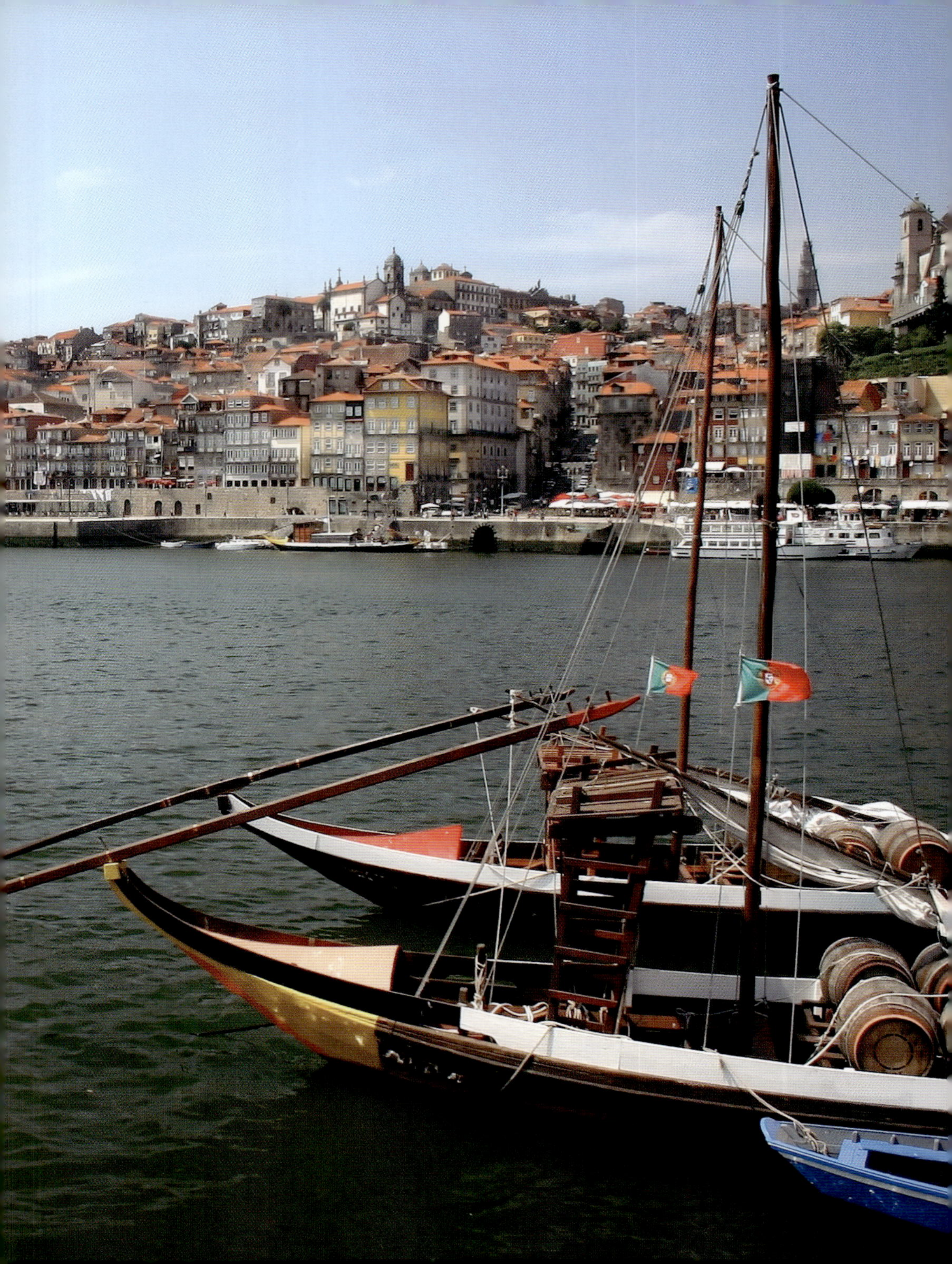

ポルトガル
ポルトのポートワイン

ドウロ川河口の趣きあるポルトガル第2の都市を訪ね、
食事を豊かにする、この国きってのワインに舌鼓を打とう。

ポートワインの名は、ドウロ川の河口にある町、ポルトに由来する。この世界的な食後酒は、1689年にまったく偶然にこの町で発明された。

当時フランスと交戦していた英国人は、フランスワインの代替品を求めてポルトガルを訪れた。彼らの目に飛び込んできたのが、ドウロ川流域のぶどう畑だった。ワインの樽は帆船で運ばれ、輸出港のポルトで下ろされた。やがて商人たちは、このワインにブランデーを加えてアルコール分を高めると、輸送中の傷みが少なく、おいしくなることを発見する。この偶然の発見が、今もポートワインの味わいを決めている。収穫された40種類以上のぶどうは、ワイナリーで圧搾された後、発酵のプロセスに入る。その途中でブランデーを加えると、発酵が止まり、独特の甘さを持ったワインが誕生する。最終的な熟成は、トウニー・ポートと呼ばれる種類のものは樽で、ルビー・ポートとビンテージ・ポートはボトルで行われる。

ポートワインはポルトのどんな酒場にもある。理想をいうなら、ファドと呼ばれる民族舞踊を鑑賞しながら味わいたい。ポルトへの旅で忘れてはならないのは、ドウロ川対岸のビラ・ノバ・デ・ガイア市を訪ねることだ。そこにはワインを寝かせるためのロッジ(セラー)がたくさんある。「サンデマン」や「テイラー」といったポートワインの名前が、今も英国の影響を伝えている。

ベストシーズン　ポルトは冬でも温暖で、いつ行っても快適だ。
ただし観光シーズンの混雑を避けるなら、4〜5月または10〜11月がベスト。
旅のヒント　2〜3日滞在して町の雰囲気に浸りたい。サンフランシスコ教会やサンタ・クララ教会などのみごとなバロックの建築物を、ぜひ徒歩で見て回りたい。銘柄選びに迷ったら、ポートワイン協会の本部である「ソラール・ド・ビーニョ・ド・ポルト」へ。来訪者はテイスティングができる。
ウェブサイト　www.portotours.com、www.cellartours.com

ワインの種類

ドウロ川流域の指定された三つの地区(バイショ・コルゴ、シマ・コルゴ、ドウロ・スペリオール)で造られたものでなければ、ポートワインを名乗ることはできない。

ポートワインにはいろいろな種類があるが、一般的なのは**ルビー**(果実風味の赤いポート。年度の異なるワインをブレンドして造る)、**トウニー**(琥珀色のポート。やはりブレンドして造るが、甘みは薄い)、**ビンテージ**(良質のぶどうが収穫された年だけ造られる最高級のポート)などだ。

ルビーとトウニーは室温か、それよりやや低い温度で出す。ビンテージものはボトル詰めするときに濾過していないので、デカンタに移してから飲むこと。24時間ボトルをまっすぐ立てておき、飲む2〜3時間前にコルクを抜く。デカンタに注ぐ際は、ボトルの首に沈殿物が見えたところでやめておこう。ポートワインの香りを楽しむには、大きめのワイングラスに半分ほど注ぐとよい。

ポートワインはフランスではしばしば食前酒として飲まれるが、英国ではディナーの後に、チーズをつまみにして飲まれることが多い。ボトルは右から左へ回していくのが伝統だ。ゲストは自らグラスに注ぎ、左の席の客へと手渡する。

左ページ:ドウロ川に停泊した昔ながらの帆船。
上:ビラ・ノバ・デ・ガイアのロッジで熟成されるトウニー・ポートの樽。

ボウモア蒸溜所の銅製の単式蒸溜器。酒を熱して蒸発させ、アルコール度数を高める。

英国 スコットランド
アイラ島のウイスキー蒸溜所

ガンやイヌワシを追って、スコットランド西岸沖の
アイラ島に渡ろう。この島には伝説の蒸溜所が集まっている。

シングルモルトウイスキーを愛するスコットランドの人たちは、郷土の最も名高い輸出品を「我が国のワイン」と呼ぶ。良質のワインと同様、シングルモルトウイスキーも土地の精神や伝統を体現している。ウイスキー通にとって、アイラ島への旅は、ワイン好きにとってのボルドー巡礼に等しい。

アイラ島のモルトウイスキーは、幾分かの泥炭の風味がある点は共通しているが、その個性はさまざまだ。たとえばラフロイグは風味が強く、香ばしくて外向的。一方、カリラやブナハーブンは、そこはかとなく花や果物のような味わいがあり、より繊細だ。島を回って泥炭の海岸、潮を含んだ空気、丘を下る清流などに触れれば、なぜアイラ島のウイスキーがかくあるのかが理解できるだろう。

それぞれの蒸溜所は、ドラマチックな海岸の風景にぴったり収まっている。蒸溜器の形やサイズ、水源、原料となる大麦の産地などは、蒸溜所ごとに独特だ。

ベストシーズン 蒸溜所は1年中稼働している。最も好天が期待でき、宿泊施設の選択肢が多いのは、復活祭から9月中旬までだ。

旅のヒント アイラ島は宿泊施設が不足気味。特に観光シーズンは事前の予約が必須だ。北部のボウモアやブルイックラディ、南部のアードベッグ、ラフロイグ、ラガブーリンといった蒸溜所には、ガイドツアーを催行するビジターセンターと試飲室がある。それ以外の蒸溜所も事前に連絡すれば見学できる。心に曇りなく試飲を楽しめるよう、飲まずに車を運転する者をひとりは確保しておきたい。

ウェブサイト www.islayinfo.com、www.calmac.co.uk

アイラ島での飲食

■ 地元の言い伝えによれば、ウイスキーが蒸溜所から海に流れ出るので、島の牡蠣は汁気たっぷりで、味に深みがあるのだとか。牡蠣はポートシャーロットの**ポートシャーロットホテル**や、ボウモアの**ハーバーイン**で食べられる。

■ 日程に2〜3日の余裕があるなら、**ブルイックラディ蒸溜所**が催行している「ウイスキーアカデミー」に参加しよう。シングルモルトウイスキーの蒸溜技術を実地に学ぶことができる。

■ 島の南端近くにある**アードベッグ蒸溜所**は、ウイスキーやグッズを販売する「オールドキルンショップ」を併設。「オールドキルンカフェ」ではすばらしい家庭料理を出している。

■ アイラ島からフェリーですぐの荒涼とした島が**ジュラ島**だ。この島の蒸溜所は「スーパースティション（迷信）」という何とも思い入れたっぷりな名前の、受賞歴のあるウイスキーを造っている。

アイルランド
ディングルのパブ

アイルランド西部の海辺の町、ディングルには、
1年かけても通いきれないほどのパブがあるという。

　どこか風変わりなディングルの町は、訪れる人のほとんどを虜にしてしまう。その秘密の一端を担っているのが、この町のパブだ。よくぞこれだけの数を詰め込んだと思うほど、あらゆる場所にパブがある。見た目は金物屋か革製品の店のようでも、そこは同時にパブかもしれないのだ。

　グリーン通りの「ディック・マックス」は、とりわけ魅力的な店の一つ。"最後の信徒席"というニックネームで呼ばれているのは、教会の向かいに建っているからだ。あまり信心深くない町の人は、日曜日の朝、教会に行くかわりにこのパブにやってくる。

　こぢんまりとして温かいこの店は、実は最近まで革製品も売っていた。ところが、店主の体がついていかなくなって、パブの仕事に絞らざるを得なくなった。店内には今でも元の商売を示す靴や皮革が置いてある。一方、外の歩道には、ハリウッド大通りよろしく、店を訪れた有名人の名を刻んだ銘板がある。その中にはポール・サイモンやロバート・ミッチャムといった名も見受けられる。アイルランドの悪名高いが人気者のチャールズ・ホーヒー元首相の肖像の下で、1パイントのギネスを味わおう。ギネスがお好みでないなら、アイリッシュウイスキーもそろっている。

ベストシーズン　天候は予測しがたいものの、ディングル半島は夏が最高。8月の「ディングルレガッタ」と、10月の「ディングル半島フード&ワイン祭り」は、どちらも活気に満ちたイベントだ。

旅のヒント　自転車を借り、ディングル半島の南西端まで行ってみよう。運がよければ好天に恵まれ、すばらしい眺望が得られる。フェリーでブラスケット島に渡り、ツノメドリ、カツオドリ、ミツユビカモメなどの海鳥をウオッチングするのもいい。ディングル湾にすみついた野生のイルカのファンギ君を見るボートツアーもある。

ウェブサイト　www.dingle-peninsula.ie　www.dingle-insight.com　www.blasketislands.ie

アイリッシュ・ソーダブレッド
材料（パンひとかたまり分）
小麦粉　400グラム
重曹　小さじ2
塩　小さじ2分の1
バター　50グラム
バターミルク　カップ1と4分の1
牛乳　大さじ1

　大きめのボウルで小麦粉と重曹を混ぜる。細かく刻んだバターを指先で粉に練り込む。バターミルクを加えて混ぜ、柔らかな生地を作る。1分間ほど優しくこねる。

　生地を丸め、薄く油を引いた天板に乗せる。少し平らにしたら、十字に切り込みを入れる。上部に刷毛で牛乳を塗り、小麦粉を少しまぶす。

　180度に予熱したオーブンで40分間焼く。黄金色になり十分にふくれたら、オーブンから出してさます。

「ダンフォーリーズ」はディングルの東のアナスコールにある人気のパブ。派手な色づかいは地元の客たちの人柄を映している。

女王陛下の国のパブ

トップ10

くつろいだ雰囲気のパブで、真の英国を体験しよう。ほろ苦いエールに、陽気なムード。このごろでは、健康的な食べ物を出す店も増えてきた。

❶ ザ・ベチェマンアームズ（ロンドン、セント・パンクラス）

英仏海峡を越えるユーロスターに乗る前や、フランスやベルギーから到着して英国での最初の1杯を飲みたい時は、セント・パンクラス駅構内の「ザ・ベチェマンアームズ」に駆け込もう。鉄道駅に併設されたパブは昔からあったが、料理よし、ビールよしのこの店は、そのみごとな現代版だ。

旅のヒント　営業時間は10時～23時。www.stpancras.com

❷ ザ・ロイヤルオーク（ロンドン、バラ）

チョーサーの『カンタベリー物語』では「タバードイン」という宿屋が巡礼の出発点となっていた。その宿屋があったとされる場所の近くに建つのがこの店だ。サセックス州のハーベイズ醸造所から届くビールを目当てに、ここに"巡礼"しにくる客も多い。ロンドンのパブの伝統が息づくこの店で、昔ながらのパブでの活動、つまりは、おしゃべりを楽しもう。

旅のヒント　営業時間は11～23時（平日）。12～23時（土）。12～18時（日）。www.fancyapint.com

❸ ザ・ブリックレイヤーズアームズ（ロンドン、パットニー）

木の床板、古い写真を貼った壁、店内の中央にあるバーカウンター。このビクトリア時代の至宝は、テムズ川にほど近い小さな袋小路の奥にひっそりと建っている。元女優のベッキー・ニューマンが経営するこの店は、さながらティモシー・テイラー社製の素朴なヨークシャーエールの見本市だ。他社のエールもある。

旅のヒント　営業時間は12～23時。日曜日は22時30分で閉店。www.bricklayers-arms.co.uk

❹ ザ・サッチャーズアームズ（エセックス州、マウントビュアーズ）

このパブは山の尾根からストゥール渓谷とコーン渓谷を見下ろしている。地元出身の風景画家コンスタブルが愛した光景だ。付近はハイキングにも適した場所で、このパブはひと歩きした後の格好の休憩所になるだろう。バンガーズ&マッシュ（ソーセージとマッシュポテト）のような伝統のパブ料理を注文したい。

旅のヒント　営業時間は12～15時と18時～23時（平日）。週末は12時～23時。月曜日は休み。www.thatchersarms.co.uk

❺ ジ・アンカー（サフォーク州、ウォルバースウィック）

ウォルバースウィックは典型的な英国の田舎町だ。「ジ・アンカー」は、そこで独特の存在感を示している。1920年代に建てられたパブは明るい二つの部屋があり、海に面したテラス席で飲食を楽しむこともできる。

旅のヒント　営業時間は11～16時と18～23時（平日）。11～23時（土）。12～23時（日）。www.anchoratwalberswick.com

❻ ザ・ロードネルソンイン（サフォーク州、サウスウォルド）

アダムズのエールの熱烈なファンは、サウスウォルドの海岸を訪ねると、この居心地のいいパブに直行する。同社の比類なき「ビター」や、独特の味わいがある「ブロードサイド」は、このパブの目と鼻の先で醸造されているのだ。店内や小さな裏庭でそれらを味わうのは、悪くない時間の過ごし方ではないか。

旅のヒント　営業時間は10時30分～23時（平日）。12～22時30分（日）。www.thelordnelsonsouthwold.co.uk

❼ ザ・ケンブリッジブルー（ケンブリッジ）

町の中心から1.5キロほどの、テラスハウスが並ぶ通りに建つ。二つの部屋は簡素だが居心地がよい。裏手には明るくて風通しのいい温室もある。10種類を超えるリアルエールが陽気な雰囲気に華を添える。

旅のヒント　営業時間は12～14時30分と17時30分～23時（平日）。12～23時（土）。12～22時30分（日）。www.the-cambridgeblue.co.uk

❽ カナルハウス（ノッティンガム）

この活気ある赤レンガのパブは、元は運河の波止場の建物だった。広い店内を、今も実際に1本の運河が流れている。そんな光景が見られるパブは、もはや英国にはほかにない。地元の醸造所キャッスルロックのリアルエールと、うまいパブ料理を味わおう。

旅のヒント　営業時間は11～23時。日曜日は22時30分で閉店。www.viewnottingham.co.uk

❾ ザ・ロイヤルオーク（チェルトナム、プレストベリー）

チェルトナム競馬場からこのパブまでは、ほんの"ひとギャロップ"だ。コッツウォルズ産の蜂蜜色の石材で建てられたこの16世紀のパブは、レースの開催日ともなれば大いににぎわう。だが、そうでない日に競馬とは無縁の人々を引きつける要素も十分ある。ティモシー・テーラー社の「ランドロード」など、地元のエールを味わおう。

旅のヒント　営業時間は11時30分～15時と17時30分～23時（平日）。12～22時30分（日）。www.royal-oak-prestbury.co.uk

❿ オールドグリーンツリー（バース）

バースにはいいパブがたくさんあるが、この「オールドグリーンツリー」ほど落ちつける店は珍しい。観光や買い物に疲れたら、繁華街のにぎやかな路地にある築300年のパブに入ろう。英国西部地方のリアルエールが数多くそろっている。

旅のヒント　営業時間は11時～23時（平日）。12～22時30分（日）。www.viewbath.co.uk

右ページ：サウスウォルドのパブ「ザ・ロードネルソンイン」。北海を望む海岸を散歩した後、ジョッキで1パイントをぐっと飲み干すのに理想的なパブだ。

THE LORD NELSON INN
ADNAMS.
LORD NELSON
Welcome to
THE LORD NELSON
BAR LUNCHES
AND
DAILY
ADNAMS
THE LORD NELSON
BAR LUNCHES
12 – 2pm

「ホテル・アイスフィヨルドブリューフース」の2種類のビール。ブラウンエール（左）と、ペールエール（右）だ。

デンマーク

グリーンランドの氷河ビール

グリーンランドの醸造所は、地球上で最も混じりけのない水を使い
世界のどこにも負けない極上のビールを造っている。

近年になってグリーンランドでビール産業がさかんになった決め手は、水だ。ビール醸造家のサリク・ハルド氏は次のように語る。「世界中の醸造所が水の処理に大金を費やしているが、私たちにその必要はない。世界で最も混じりけのない水が、氷河と万年雪から手に入るのだから」

ハルドら醸造業者は氷山の氷を解かし、その水にドイツのバイエルン地方のモルトと、有機栽培のホップ（カナダかドイツかニュージーランド産）を混ぜる。できあがったビールはグリーンランドの一流レストランで味わえる。島の南端近くの町カコルトクにある「ナッパルシビク」も、そのうちの1軒だ。

ハルドがナルサクに設立した「グリーンランドブリューハウス」は、島の西海岸に散らばるいくつかの醸造所の一つ。島の中心都市のヌークでは「ゴットホープブリューフース」が4タイプのビールを造っている。イルリサットの「ホテル・アイスフィヨルドブリューフース」では、ルバーブによく似たアンゼリカや、ガンコウランの実といった地元の植物を使って、ビールの風味付けを行っている。

ベストシーズン 5月下旬から9月上旬までがこの島の夏。乾燥した晴天の日が多いが、気温は夏でも10℃を超えることはあまりない。

旅のヒント 日焼け止めは必携。イルリサットのような北部の町でも夏の日差しは強烈だ。「ゴットホープブリューフース」の最高級ビールは、1パイントでおよそ95クローネ（約1800円）。財布を空にする覚悟で飲もう。

ウェブサイト www.greenland.com、www.bryggeriet.dk、www.hotelicefiord.gl

北極圏の料理

グリーンランドのビールは島の料理との相性がいい。比較的温暖で緑の多い南部では羊が放し飼いにされており、上質の仔羊肉が手に入る。北部はずっと冷涼で、夏が短い。食事はアザラシの肉が中心で、シチューなどいくつかの調理法がある。トナカイやジャコウウシのステーキなど、猟獣の肉もよく食べられている。

魚介類で人気が高いのは燻製の鮭やオヒョウ、干しダラ、生のホタテ貝など。グリーンランドは国際捕鯨委員会から一定量の捕鯨を認められているので、クジラも食卓に上る。ミンククジラの脂肪は、島の人にとってのご馳走。初めて食べると、まるでゴムのような食感だ。

南アフリカ
フランシュフーク峡谷のワイン

南アフリカの西ケープ州で、みごとなワインと
フランシュフーク峡谷のドラマチックな景観に酔おう。

　ワインめぐりの旅を、ちょっと意外な出発点、グルート・ドラケンステイン刑務所から始めよう。かのネルソン・マンデラが移送後の14カ月をここで過ごした後に釈放され、自由を手に入れた。刑務所の外に立つマンデラの像を拝んだら、美しいフランシュフーク村へ。この村を含む一帯は南アフリカの主要なワイン産地で、周囲は一面のぶどう畑だ。

　多くのワイナリーでは、訪問者にテイスティングをさせてくれる。「カブリエール・エステート」の看板はシャルドネとピノ・ノワールをブレンドした白、こくのあるピノ・ノワールの赤、そして発泡性ワインのブリュット・ソバージュだ。フランシュフーク山地の高所には、より小規模で歴史の浅いワイナリー「ブーケンハーツクルーフ」がある。ここで造られる「チョコレートブロック」と銘打ったワインは、シラー、グルナッシュ・ノワール、カベルネ・ソーヴィニヨンを含む五つの品種のみごとなブレンドになっている。1685年創業の「ボッシェンダール」は、この地区屈指の規模と知名度を誇るワイナリーだ。シャルドネにソーヴィニヨン・ブラン、カベルネ・ソーヴィニヨンにメルローと、あらゆる品種のぶどうを育てている。

ベストシーズン　いつ行っても問題なし。現地の秋に当たる2～3月に行けば、ぶどうの収穫を見物できる。
旅のヒント　「デュー・ドン」や「ラ・プティ・フェルム」といったワイナリーでは、よいワインに加えて、みごとな景観が楽しめる。フランシュフーク村や近郊のワイナリーには、たくさんの良質なレストランがある。ワイナリー「シャモニー」のレストラン「モン・プレジール」は眺望も抜群だ。村には美術品や工芸品、アンティークの店もある。
ウェブサイト　www.franschhoek.org.za、www.wine.co.za、www.cape-town.info

フランスの遺産
■ 7月14日（パリ祭）を前にした週末にフランシュフーク村を訪ねてみよう。間違ってフランスに着いてしまったのかと勘違いしそうな祭典 **バスティーユ・フェスティバル** が開かれている。「フランシュフーク」とは現地のアフリカーンス語で「フランス人地区」のこと。ここは17世紀後半にユグノー（フランスの新教徒）が拓いた土地だ。住民たちはフランス系であることに誇りを持ち、毎年この祭典を催してきた。地元のワインと食べ物を存分に味わおう。

■ キャップクラシックはシャンパンと同様、瓶内二次発酵でつくられるスパークリングワイン。原料の一部にフランシュフークのぶどうを使った「グラハム・ベック・ブリュットNV」は、バラク・オバマ米国大統領の就任式の晩餐会でも出された。毎年12月第1週の週末には、フランシュフークで **キャップクラシック＆シャンパン祭り** が開かれる。

「カブリエール・エステート」で好きなワインを飲みながら、咲きほこるバラと山々の眺望を楽しもう。

酒神バッカスの贈り物 | 285

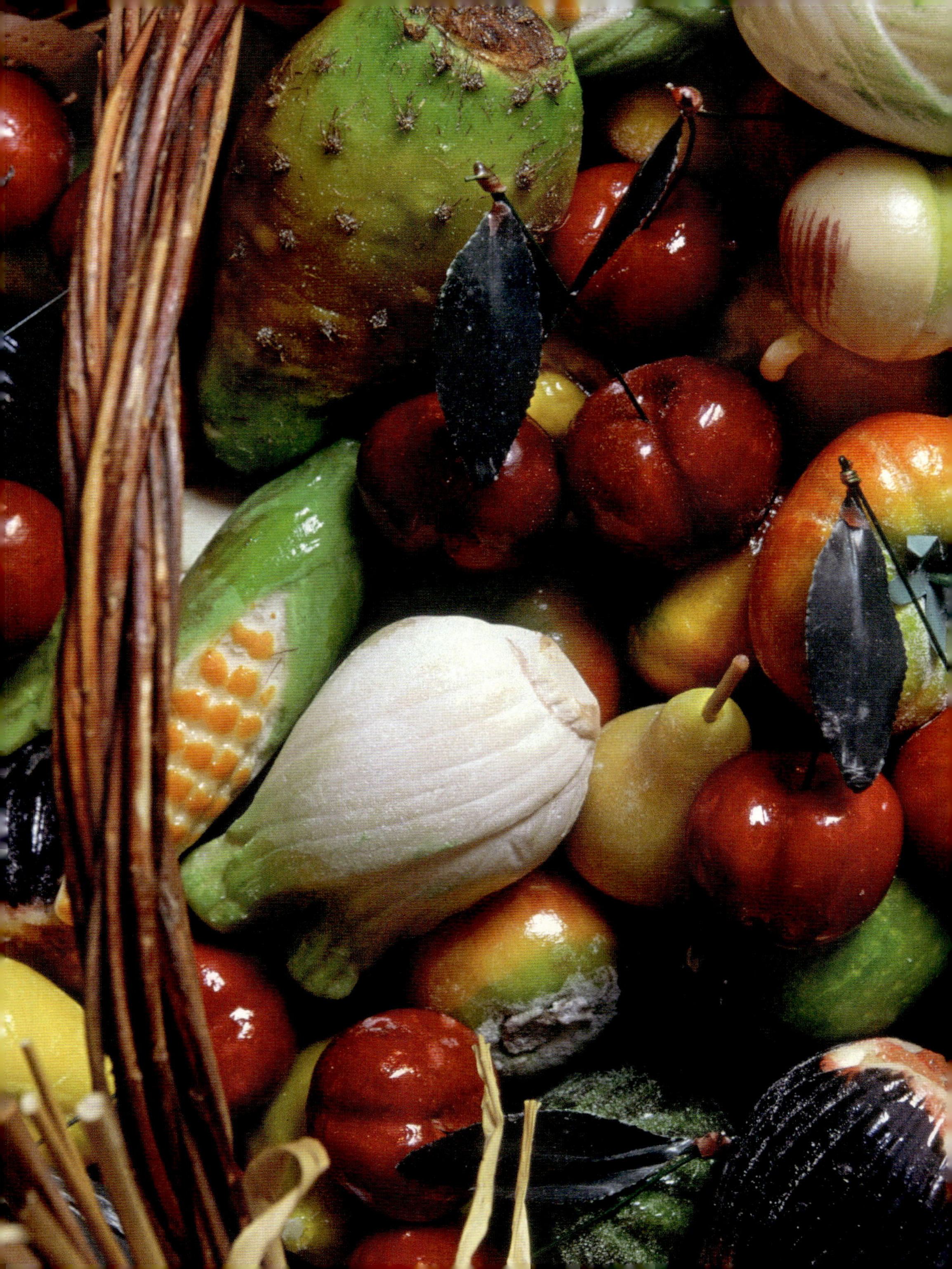

9 スイーツの誘惑

「時に自分をちょっぴり甘やかすのは、精神衛生上いいことだ」ということわざもあるが、人はもともと甘いもの好きだ。だからこそ、世界中の優れたパティシエや菓子職人は、その渇望をいやすために、工夫を重ねておいしいスイーツを生み出してきた。

世界中に、人々を魅了してやまない"甘いもの"がある。そして、それぞれが生まれた背景もまた魅力的だ。アメリカンパイは、歌の題名にとどまらない。パイの中身に使う果物の種類は、そのパイのふるさとを表している。フロリダ州のキーウエストでは爽快な酸味のキーライムパイが誕生し、ペンシルベニア州の平穏なアーミッシュの村では、家庭的なシューフライパイやハックルベリーパイが生まれた。

ウィーンやブダペストでは、チョコレートと果物とクリームでできた芸術品を、ベルエポック時代のカフェで味わえる。そこから東に行き、イスタンブール生まれの甘美なロクム(ターキッシュデライト)に出合い、ムンバイのチョウパティ海岸でインドの妖艶な氷菓、マンゴー味のクルフィを味わおう。

さくらんぼ、りんご、とうもろこし、いちじくなどを型どり、植物の色素で色づけしたマジパン。この「マルトラーナの果物」は、マジパンづくりで数百年の伝統があるシチリア、カターニアの菓子職人の傑作。

米国ニューヨーク州

ニューヨークの甘い時間

クッキー、チーズケーキ、カップケーキ、カンノーリと、焼き菓子が
よりどりみどりの"ビッグアップル"では、血糖値が下がる心配はまったくない。

ニューヨークでは、マンハッタンのミッドタウンにある「ペトロシアンカフェ」に寄り、カヌレ・ド・ボルドーをつまもう。このフランス菓子は、外側はカラメル状にかりかりで、中はカスタードクリームのようにしっとりしている。
同じくマンハッタンにある「ルバンベーカリー」の、チョコレートチップと胡桃が入ったハンバーガー大のクッキーを平らげたら、ユニオンスクエア近くの「モモフクミルクバー」に行き、甘くて少ししょっぱいコンポストクッキーをつまんでみよう。
モモフクでは、キャンディバーパイも忘れずに。キャラメル、ピーナツバターヌガー、砕いたピーナツブリトル（板状のキャンディ）、プレッツェルを重ねて、外側をチョコレートで固めたお菓子だ。極上のチーズケーキなら、落ち着いた雰囲気の「レディMケーキブティック」へ。ガトー・ニュアージュ（雲のケーキ）は、なめらかで甘く、グラハムクラッカーのベースにクリームチーズとサワークリームがのっている。ミルクレープも追加注文してしまおう。「1000のクレープ」という意味だが、実際は20枚を重ねて、間にふわふわのペストリークリームがはさんである。

ベストシーズン　真夏は避けよう。夏の地下鉄はお菓子を焼くオーブンのように暑い。
ニューヨークは寒さが忍び寄る秋のほうがずっといい。

旅のヒント　「ルバンベーカリー」はセントラルパークや自然史博物館の行き帰りに寄るのにちょうどいい。
「ペトロシアンカフェ」と「レディM」は5番街から歩いて行ける。

ウェブサイト　www.petrossian.com、www.levainbakery.com、www.momofuku.com
www.ladymconfections.com、www.roccospastry.com、nymag.com

ニューヨークで味わう
シチリア菓子、カンノーリ

中はクリーミー、外はさくさくした**最高のカンノーリ**が食べられるのは、シチリアを除けばニューヨークしかない。ペストリー生地を黄金色に揚げた筒の中に、リコッタチーズの甘いクリームを詰めたお菓子だ。
リコッタチーズに刻んだピスタチオやチョコレートチップ、柑橘類の砂糖漬けを加える凝った職人もいる。だが、おいしさのカギは、注文を聞いてからクリームを詰めるかどうか、それと買ってすぐに食べることができるかどうかにかかっている。
グリニッジビレッジを1日歩き回ったあとは、**ロッコズペストリーショップ＆エスプレッソカフェ**に寄って一休みし、絶品のカンノーリを味わおう。あるいは、マンハッタンを出て、ブロンクスにある本物のリトルイタリーを体験しよう。そのアーサー街にある**マドニアブラザーズベーカリー**では、ペストリーの筒に中身を詰めるスピードに息をのみ、飛ぶような売れ行きに目を見張るだろう。

マンハッタンのリトルイタリーにある「フェラッラベーカリー＆カフェ」。シェフのフランコ・アマティがカンノーリの筒にクリームを絞り出して詰める。

アーミッシュの女性たちは昔からキルトを作ってきた。これはインターコースの村で売られているもの。

米国ペンシルベニア州
ペンシルベニアで農家のパイを

ペンシルベニア州のダッチカントリーで、シューフライパイなど
代々受け継がれてきた農家のデザートを食べよう。

ペンシルベニア州のランカスターから東へ走ると、独特な暮らし方を長年守っているアーミッシュの村がある。採れたての農作物を売る市場では、さまざまな種類のペンシルベニアダッチパイも売っている。

シューフライパイがここの名物だが、ブルーベリーに似たハックルベリーのパイやアーミッシュのハーフムーンパイ（干しりんご入り）もある。「バードインハンドベークショップ」と「バードインハンドベーカリー」には、桃、かぼちゃ、いちご、ルバーブ、さくらんぼ、サワークリームレーズンなど、あらゆる種類のパイがある。「プレーン&ファンシーファーム」は家族向けレストランで、甘いパイも塩味のパイもある。

インターコース村の「インターコース缶詰工場」か、キッチンケトルビレッジの「ジャム&レリッシュキッチン」を訪ね、ジャムやピクルス、バター、サルサなどの保存食品ができる様子を見学するのもいい。梨のバターやプラムのジャムを味見したり、かぼちゃのシュミア（甘いスプレッド）やラズベリーのサルサなどを買って帰ろう。

シューフライパイ

糖蜜と**ブラウンシュガー**で作る、ねっとりと甘いパイ。パイというよりケーキに近いかもしれない。ランカスター郡では、どのパン屋や食堂にもある。シューフライパイという名の由来ははっきりとはわからない。通説では、砂糖たっぷりのパイをさます間、蠅を追い払う（シューフライ）必要があったからといわれている。

ぼろぼろのブラウンシュガーの下に分厚い糖蜜の層があるタイプを**ウエットボトム**、糖蜜の層が薄めのものを**ドライボトム**という。香辛料を入れる人や、一番上にチョコレートクリームを塗る人もいるが、本物を大切にする人は、オリジナルレシピにあるものしか入れない。シューフライパイは、温かいうちにバニラアイスクリームを添えて食べるとおいしい。

ベストシーズン 年中いつでもいいが、冬期（1～2月）は閉まる売店やレストランもある。日曜日はほとんどが休み。
旅のヒント ランカスター郡はフィラデルフィア国際空港から車で1時間半。340号線は交通量が多く、特に夏と秋はこの地域をめざす観光客で混雑する。時間にゆとりを持たせるか、比較的空いている週の半ばに出かけよう。少なくとも1週間は滞在したい。
ウェブサイト www.padutchcountry.com、www.kitchenkettle.com、www.intercoursecanning.com

トップ10
すばらしき哉、カフェの街

カフェに欠かせない要素は、楽しい会話、コーヒー、ケーキ、そして長居できる雰囲気。
世界中どこの街でも、くつろぎたくなったらお好きなカフェへどうぞ。

❶ ケベック市（カナダ）

ケベック州はフランス語が公用語。州都ケベック市にはフランスの影響が色濃く残っている。旧市街にある「カフェ・ド・ラペ」や「カフェ・サン・マロ」は、料理から飲み物、雰囲気まで、まるでパリのビストロだ。旧港地区にある、セントローレンス川に面した「カフェ・デュ・モンド」も同じ。

旅のヒント　「カフェ・デュ・モンド」は、週末と祝日には朝食も出している。www.bonjourquebec.com　www.lecafedumonde.com

❷ マンハッタン（米国、ニューヨーク市）

マンハッタンは牡蠣だけでなく、カプチーノやザッハトルテ、クレームブリュレの街でもある。ウィーン式の「カフェ・サバルスキー」、フランス風の「カフェ・ジタン」、イタリアンの「カフェ・ビバルディ」、米国らしい雰囲気の「ウエストバンク・カフェ」「ピンクポニー」、紀伊國屋書店内の和風カフェと、選択肢はいろいろ。

旅のヒント　「カフェ・ビバルディ」では毎晩、無料の生演奏がある。「ピンクポニー」は定期的に詩の朗読会をやっている。www.iloveny.com

❸ シアトル（米国、ワシントン州）

シアトルはスターバックスの生まれ故郷だが、もちろんそれ以外にもカフェはある。競合チェーン「カフェ・ラドロ」（ラドロはイタリア語で「泥棒」の意味）は、あえてライバル店の近くに出店している。別のチェーン店「トップポット」は、正確にいうとドーナツ店だが、コーヒーは自家焙煎で、楽しい雰囲気では負けていない。

旅のヒント　「ラドロ」はシアトル全域に店があり、ダウンタウンにも2軒ある。ケーキとペストリーのメニューは日替わりで。www.visitseattle.org

❹ ハノイ（ベトナム）

植民地時代、フランスはベトナムにコーヒー農園を造った。その名残で、ハノイのカフェは社交の場となっている。旧市街の中心では「カフェ・ナーン」が地元の人やバックパッカーでにぎわっている。最近できた人気のカフェは、ホアンキエム湖の南端にあるおしゃれな「ハイランズ」など。

旅のヒント　ハノイの一番人気は、アイスで飲む猛烈に甘いエスプレッソ。www.english_hanoi.gov.vn

❺ チェンナイ（インド）

インドは紅茶のほうが有名だが、タミルナド州ではコーヒーも長年親しまれてきた。チェンナイでは全国展開するチェーン「モカ」が、モロッコ風の店内と幅広い折衷メニューで若者の人気を集めている。高級なカフェがお好みなら「アメジスト」へ行こう。緑豊かな庭園の中にあり、植民地風の建物を改装したカフェだ。

旅のヒント　南インドでは、コーヒーの粉をミルクと一緒に煮立て、それを濾過して飲むのが一般的。多くのカフェには欧米風の飲み物もある。www.tamilnadutourism.org

❻ プラハ（チェコ）

プラハのカフェは、アールヌーボーの殿堂から路地裏の小部屋まで、共産政権下の反政府運動の拠点だった。そうした場所の一つが「カフェ・スラビア」。初期キュビズム建築の中にある「グランドカフェ・オリエント」、カフカやアインシュタインも通ったナロドゥニ通りの「カフェ・ルーブル」などもある。

旅のヒント　観光地に近いカフェなら、ビノフラディ劇場の「カーバ」がおすすめ。www.pragueexperience.com

❼ ベルリン（ドイツ）

ベルリンの流行に敏感な若者は、すばらしい朝食を出す「アンナ・ブルーメ」に向かう。「オーパンバレ」はケーキの種類がこの街で一番多い。上流階級の人々との交流なら、格式ある「カフェ・アインシュタイン」に行こう。建物は無声映画の俳優ヘニー・ポーテンが住んでいた館。

旅のヒント　地元の人がカフェで楽しく過ごしているのを見るには、土曜日の午後か日曜日の朝がいい。www.berlin-tourist-information.de（日本語あり）

❽ ローマ（イタリア）

「アンティコ・カフェ・グレコ」は、1760年創業のローマ最古のカフェ。「ロサーティ」の名物は、オレンジジュースと赤や黄色のリキュールを混ぜてローマの色を表現したソーニ・ロマーニ。「サンテウスタッキオ」は、コーヒークリームをはさんだビスケットや、チョコレートでくるんだコーヒー豆を売っている。

旅のヒント　ローマの人はエスプレッソをカウンターで立ち飲みするのが普通だ。テーブル席に座ると料金がぐんと高くなる。www.turismoroma.it（日本語あり）

❾ パリ（フランス）

パリのカフェには、かつての常連だった偉大な思想家たちに代わって、今では観光客がつめかけている。もっとも、夢をかき立てる雰囲気は変わらない。「レ・ドゥマーゴ」は、この街の文化をたどれるカフェの一つだ。ランボー、ヴェルレーヌ、ピカソ、サルトル、みんなここで思索にふけった。

旅のヒント　パリのカフェは午前7時か8時には店を開け、午前零時かもっと遅くまで営業している。www.parisinfo.com（日本語あり）

❿ マドリード（スペイン）

マドリードの市民生活には文学や政治について議論する、テルトゥリアという集会が根付いていて、通常カフェで行われた。今もこの慣習を維持するカフェが2軒ある。1880年代から芸術家、政治家、知識人のたまり場だった「カフェ・コメルシアル」と、「カフェ・デル・シルクロ・デ・ベジャス・アルテス」だ。

旅のヒント　飲み物は、カフェ・コン・レチェ（カフェオレ）、コルタード（エスプレッソに熱い牛乳を少し入れたもの）など。www.esmadrid.com（日本語あり）

右ページ：プラハ旧市街広場の眺め。壮大なティーン教会を背後に控え、カフェにはもってこいの場所だ。

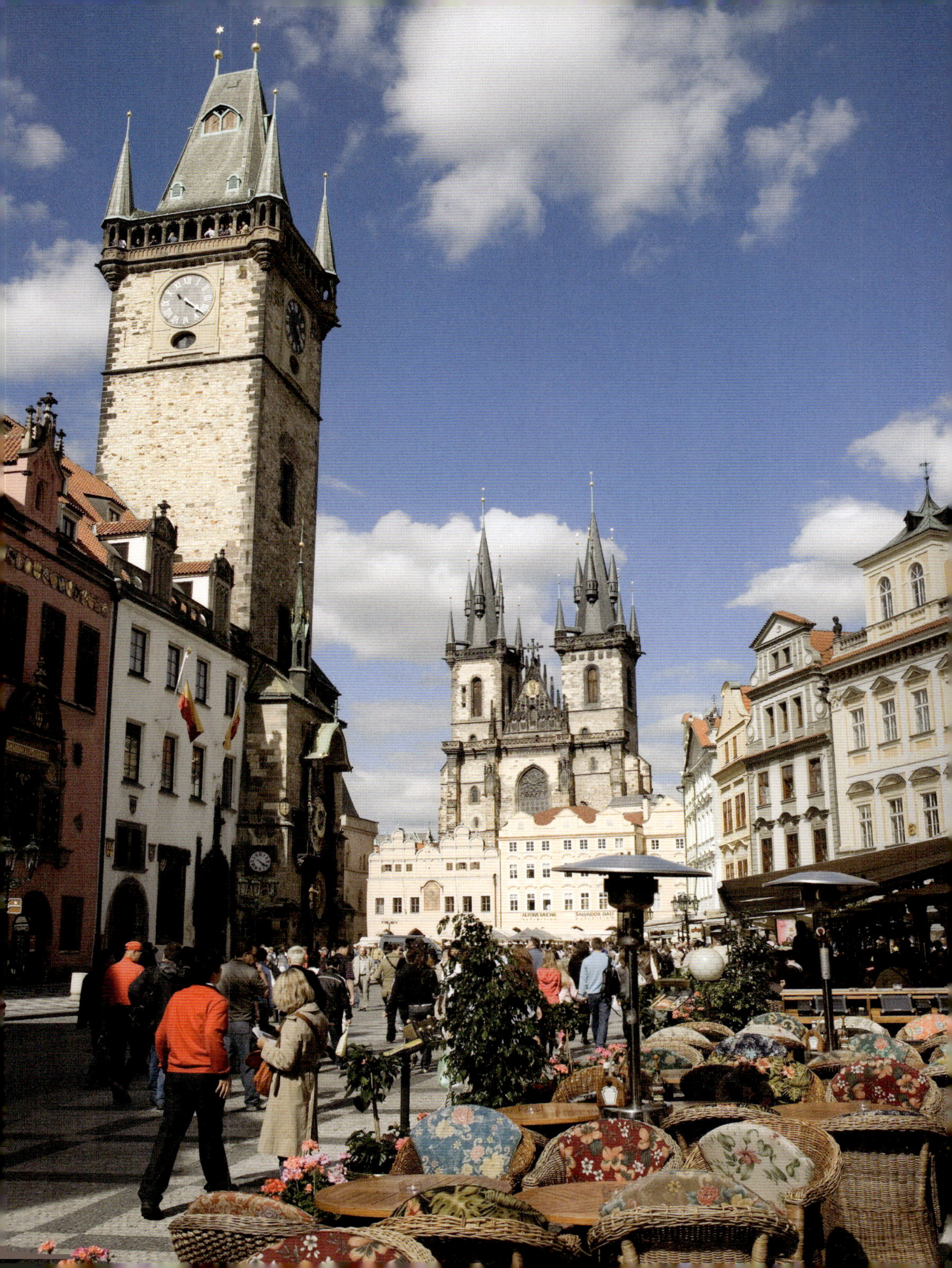

「キーウエストライムショップ」のカーミット・カーペンターは、町一番のキーライムパイの作り手として知られている。

米国フロリダ州
太陽の恵み、キーライムパイ

なめらかで甘酸っぱいキーライムパイには、太陽をいっぱいに浴びた
フロリダ半島先端のキーウエストのエッセンスが詰まっている。

　観光客を乗せた路面電車が通るたび、「キーウエストライムショップ」の店主、カーミット・カーペンターは、メレンゲを山盛りにしたパイを手に表に飛び出す。濃い緑のシェフ帽をかぶった彼は、あっけにとられている乗客に向かって手に持ったパイを投げつけるふりをする。乗客たちはどっと笑い出す。パイは作り物だ。カーペンターはパイの宣伝をしているのだ。

　パイの名前になっているキーライムは、フロリダキーズに自生するライム。果樹園で栽培されているものより小さくて酸味が強く、果汁は緑色というより黄色に近い。

　パイの作り方は、まず、卵黄にライムの果汁を混ぜ、コンデンスミルクで甘みを足す。冷蔵庫が普及する前、キーズでは生のミルクよりコンデンスミルクの方が簡単に手に入った。パイの中身をグラハムクラッカーのベースに注ぎ、卵白を泡立てたメレンゲをたっぷり盛る。昔は、パイは焼かずに中身が自然に固まるのを待ったが、今は10分から15分焼く。ホイップクリームをのせ、生のライムを飾ったものもある。

"コンク共和国"の味
　フロリダキーズの島民が**コンク貝**を食べるようになったのは、19世紀初頭に、**バハマ諸島**からの移民が定住してからだ。丈夫で強いこの貝の性質になぞらえて、キーウエストの住民をコンクと呼ぶようになり、やがて、キーウエストそのものが"コンク共和国"と呼ばれるようになった。
　今では米国沿岸で生きたコンク貝をとることは法律で禁じられており、コンク貝の身はバハマ諸島から輸入されている。フリッターやサラダ、香辛料がきいたチャウダーにして食べる。レストランごとに作り方は違うが、昔ながらのチャウダーにはコンク貝の身とともに、トマト、じゃがいも、ライム果汁、塩漬け豚肉、にんにく、玉葱が入る。

ベストシーズン　暖かな日差しに恵まれ、そよ風が吹き渡るキーウエストは年中快適。1〜2月にはワインと音楽の祭り、3月にはコンク貝吹きコンテストがある。また、3月にはキーズの中心地マラソンで「オリジナルシーフード祭り」がある。4月は「キーウエスト食の祭典」、8月には「キーウエストロブスター祭り」がある。

旅のヒント　キーウエストへはマイアミからオーバーシーズハイウエーを通って車で3時間。この道路は43の橋でキーズの島々を結んでいる。マイアミ、オーランド、タンパ、ジョージア州アトランタ、ノースカロライナ州シャーロットからはキーウエスト国際空港に向かう飛行機便があるが、便数は少ない。

ウェブサイト　www.fla-keys.com（日本語あり）、www.keylimeshop.com、www.visitflorida.com

中国

香港のアフタヌーンティー

由緒あるペニンシュラホテルで、植民地時代の豪華さを満喫しよう。
そこでは今もアフタヌーンティーのために、なにもかもが停止する。

英国支配のくびきをとうの昔に振り払ったはずの香港に、しぶとく残っている大英帝国の置きみやげがある。アフタヌーンティーだ。シュガートング、ケーキスタンド、レース編みの小マット、茶こし、ひと口大のサンドイッチ、小ぶりのスコーン、しゃれたケーキ。「ザ・ペニンシュラ香港(半島酒店)」の優雅なアフタヌーンティーは、1928年の開業当時と少しも変わっていない。

ネオクラシック様式のクリーム色と金箔で飾られた立派なロビー。バルコニーで奏でられる弦楽四重奏曲に混じって、話し声やダージリンティーの入ったボーンチャイナにスプーンがあたる軽い音が響く。明るい日差しが優美なデザインの大理石の床を照らし、椰子の木を植えた銅の鉢に反射する。きゅうりのサンドイッチかオレンジペコを求めて、ノエル・カワード(英国人俳優、1899〜1973年)が姿を現しそうだ。たとえ本当に彼がやってきたとしても、ケーキスタンドやティーポットをのせた盆を手に、音もなく現れる純白の服を着た給仕は、眉一つ動かさないに違いない。

ベストシーズン 暖かく、雨が少ない11月から1月がいい。夏はとても蒸し暑いが、ホテルのロビー、ショッピングモール、香港島や九龍の繁華街を縦横に走る空中通路や地下通路は冷房が効いている。

旅のヒント ペニンシュラのアフタヌーンティーは毎日午後2時から7時まで。とても人気があるので、3時半までには長い列ができ、その列は午後遅くまで途切れることがない。昼食を抜いて早めのアフタヌーンティーにするか、あるいは世界最高級のこのホテルの宿泊客になれば、優先的に席が取れる。ドレスコードはスマートカジュアル。スリッパ、ビーチサンダル、プラスチック製サンダルは非難の目で見られる。午後7時以降は、男性は長袖長ズボンの着用を求められる。

ウェブサイト www.peninsula.com・www.discoverhongkong.com(日本語あり)

紅茶の正しい入れ方

アフタヌーンティーの習慣を始めたのは、ビクトリア女王の友人、ベドフォード公爵夫人のアンナ・マリアといわれている。紅茶は18世紀中頃から英国の人に好まれてきた飲み物だったが、スコーンやクッキーを一緒にとるアフタヌーンティーは、昼食と当時流行し出した遅めの夕食との間を埋めるのにちょうどよかった。公爵夫人が考え出した新習慣にふさわしく、お茶の入れ方にも最高水準の作法が求められ、それは今も変わらない。

まず、質の高い茶葉を使うこと。ポットの中と外に熱いお湯をたっぷり注いでポットを温める。湯を捨て、茶葉を入れる。分量は1人にティースプーン1杯ずつと、ポットのためにもう1杯。沸かしたての湯を注ぎ、茶葉の種類によるが、3分か4分置く。できれば磁器のカップがいい。紅茶は磁器のカップで飲むほうがおいしく感じる。好みでミルクか砂糖を加える。ミルクを入れず、レモンの薄切りを入れてもいい。

クリームとジャムを添えたスコーン。英国の農場で生まれた食べ物が地球を半周し、「ザ・ペニンシュラ香港」の華やかな舞台によみがえる。

インド
チョウパティ海岸のクルフィ

ムンバイで最も人気のある砂浜で、祭りのようににぎやかな夜を満喫し、
なめらかな食感のインド風アイスクリーム、クルフィを味わおう。

ムンバイの中心街に続く遊歩道マリンドライブと、アラビア海の間にはチョウパティ海岸という砂浜がある。昼間は閑散としているが、夜になると砂浜はにわかに活気づく。急ごしらえの屋台に明かりが灯り、大勢の人がやってきて、スナックを買い求める声が騒々しく響く。火のように辛いベルプリ(タマリンドのチャツネで味付けした米やじゃがいも)のように温かいスナックもあれば、棒に刺した状態で売られる甘いクルフィもある。

クルフィはなめらかな食感のインド風アイスクリームで、材料はエバミルクとコンデンスミルク。味はカルダモン、サフラン、ピスタチオ、カスタードアップル、ローズ、チョコレート、バナナ、マンゴーなどいろいろある。昔はマトカという素焼きの壺に塩と氷を入れて作った。今は型に流し込んで冷凍庫に入れて冷やし固める。

マリンドライブの陸側にある「ニュークルフィセンター」の前には長蛇の列ができる。名前とは裏腹に、この店は半世紀近くムンバイ最高のクルフィを売り続けてきた。どの味にしようか迷うほど長いリストから選び、砂浜に戻って景色を眺めながら食べよう。「女王の首飾り」と呼ばれる夜景が宝石のように輝いている。

ベストシーズン モンスーン期の6〜9月は避けよう。観光に適する時期は10〜2月。
旅のヒント チョウパティの南側にある「パルシ・デイリーファーム」で、クルフィかヨーグルト、ラッシー(冷たいヨーグルトドリンク)を味わおう。屋台の食べ物には注意が必要。衛生状態は千差万別だ。さとうきびジュースもよく見かけるが、カップ持参で買うことをおすすめする。
ウェブサイト www.mumbaihub.com、www.mumbai.org.uk

パーンの魅力

チョウパティ海岸から道を隔てた向かい側、マリンドライブ脇のなんの変哲もない屋台の前に、スポーツカーや運転手付きリムジンが列をなしている。パーンを売る屋台だ。

パーンはビンロウジュ(ヤシ科の樹木)の実や香辛料をキンマの葉で三角形に包んだもの。この屋台のパーンはひんやりとした清涼感があり、ムンバイの上流階級に属する裕福な会社重役やインドの映画関係者の間で絶大な人気を得ている。

昔から食後の口直しや嗜好品としてかむ習慣があったパーンは、中にビンロウジュの実、カルダモン、ライムのペースト、なつめの実などが入っている。たばこの葉を入れたり、金銀の小片を入れるときもある。熟練のパーン屋は**パーンワラ**と呼ばれ、一目置かれる。

夕日がチョウパティ海岸を金色に染めると、人が集まり、クルフィなどのおいしいスナックを食べながら夜のひとときを過ごす。

観光で1日歩き回った後は、老舗カフェ「ジェルボー」で優雅に一休み。

ハンガリー
カフェと美食のブダペスト

ハンガリーの首都のカフェでくつろぎながら、コーヒーとケーキを味わおう。
長年の共産政権下で荒れ放題だったカフェは、今ではみごとによみがえった。

　ブダペストのベレシュマルティ広場に面して立つ築150年の「ジェルボー」は、老舗カフェだ。ハンガリーのお年寄りが観光客に混じってケーキやペストリーを楽しんでいる。ジェルボートルタ（ブランデー入りチョコレートケーキ）、チョコレートとキャラメルのドボシュトルタ、ジェルボーセレート（アプリコットジャムと砕いた胡桃を生地と重ね、チョコレートをかけたもの）がある。

　北側にある古風な「セントラルカフェ」で、ショムロイ・ガルシュカ（チョコレート、バニラ、胡桃の3層のスポンジケーキにチョコレートソースとバニラクリームをかけたもの）や、オレンジリキュール入り胡桃パイなどを食べてみよう。「セントラルカフェ」から20分の「ニューヨークカフェ」は、天井のフレスコ画の下に、シャンデリア、金箔、大理石がきらめく。高級店「ルカーチ・ツクラースダ」の、搾りたてのレモンと天然の蜂蜜でつくったレモネードは、のどの渇きをいやすのに最適だ。ブダペスト最高の眺め満喫するなら、ドナウ川が見えるヒルトンホテルのレストラン「アイコン」で。

ベストシーズン　5月と9月が快適で、テラス席のあるカフェは最も活気づく。春の祭典は3月後半の2週にわたり、ハンガリー文化がいろいろ見られる。中洲の島で開催される盛大なロックの祭典「シゲト・フェスティバル」は8月。
旅のヒント　幻想的な雰囲気のブダ城地区には老舗カフェもあり、滞在するのによい。店や観光地はオフシーズンは早く閉まる。冬は多くのホテルが4泊目を無料にしてくれる。
ウェブサイト　www.gerbeaud.hu、www.centralkavehaz.hu、www.boscolohotels.com、www.gundel.hu

ブダペストのレストラン
■ベルエポック時代の豪華さがにじみ出る**グンデル**は1894年の創業。ブダペスト屈指のレストランとして今も君臨している。そのデザートを味わうには、日曜日のブッフェ式ブランチが最適。グンデル風パンケーキは必ず食べたい。ラム、干しぶどう、胡桃、レモンピールが入り、チョコレートソースがかかっている。

■上品な現代風の店**オニックス**は、最初は「ジェルボー」の持ち帰りの店だった。今は、ハンガリーの食事とワインが1990年代からいかに進化したかを見られる魅力的なレストランになっている。「ハンガリーの進化」という気のきいた名前の、5皿のコース料理を食べてみよう。

「ジェルボー」のジェルボーセレート。

スイーツの誘惑 | 295

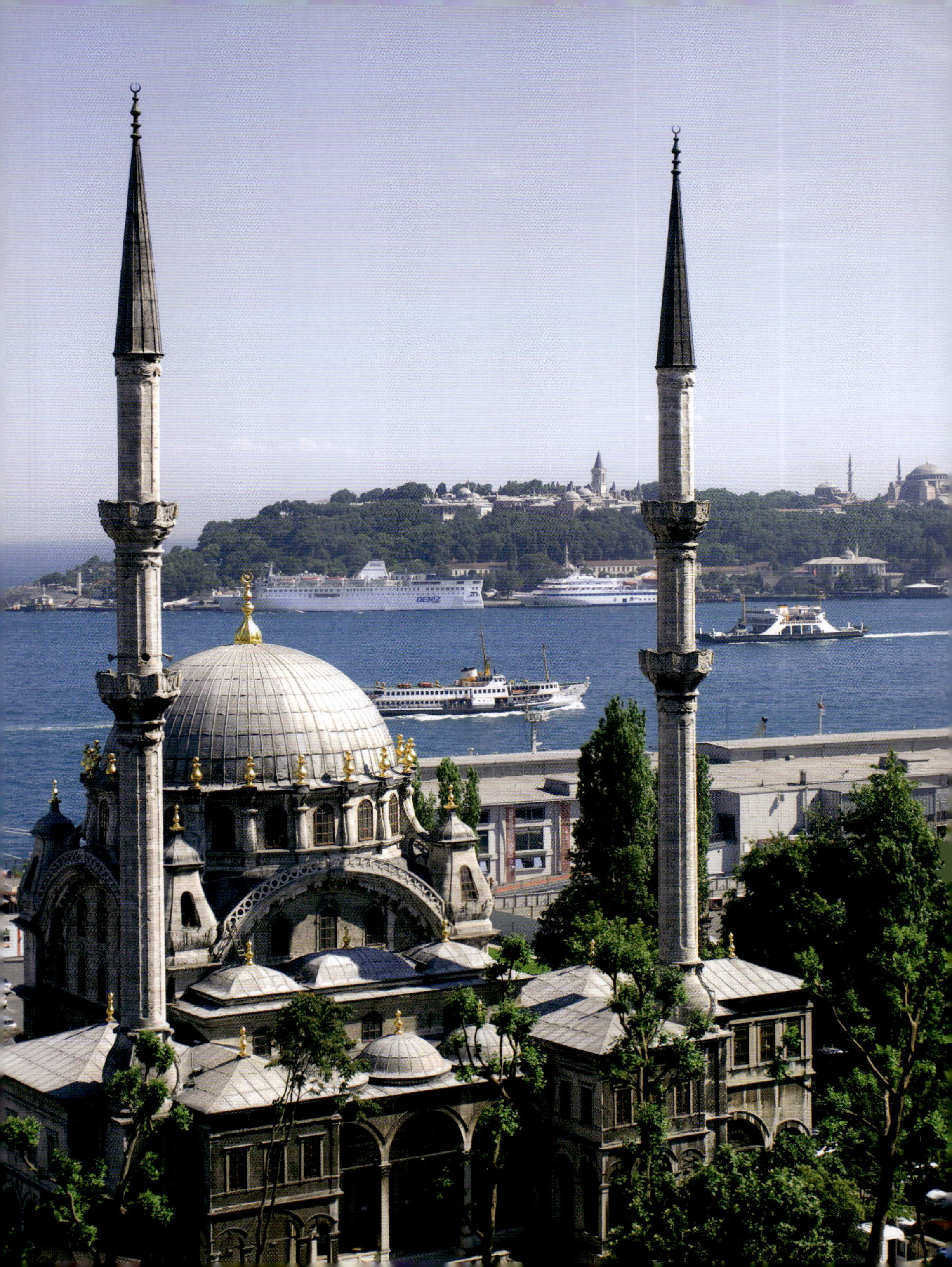
DENIZ

トルコ
甘いもの天国イスタンブール

イスタンブールのカドゥキョイ地区にあるお菓子の店、
ティーハウスやカフェで甘いものを好きなだけ堪能しよう。

イスタンブールのアジア側、トプカプ宮殿や金角湾など観光名所のある地区からボスポラス海峡をはさんで反対側にあるカドゥキョイは、この街の欧州側の地区とはまったく異なる雰囲気だ。カドゥキョイの港は数百年前から、西、北、南から来る人や物を東にある内陸のアナトリアへ運ぶ拠点だった。欧州側から船で来ると、カドゥキョイ桟橋に近づくにつれ、その違いに気づく。海沿いは近代化され、大手チェーンのコーヒーショップがあって興ざめだが、その残念な表玄関から1ブロック奥へ入ると、活気と色彩に包まれたバザールがある。

カドゥキョイの有名な菓子屋はここにあり、スイーツやキャンディなど、めまいがするほどたくさんの種類のお菓子を売っている。朝早くから午後8時までの問いつでも、カドゥキョイの買い物客や物売りと同じように、甘いものでエネルギーを補給しよう。「バイラン」「ベヤズ・フルン」「ハジュ・ベキル」「シェケルジ・ジャフェル・エロル」で、コーヒーやチャイ、クッキー、ケーキ、ロクム（ターキッシュデライト）を味わおう。どの店も長年イスタンブールの甘党を喜ばせてきた老舗だ。

甘いもので元気になったら、バザール周辺を歩きまわろう。行商が売る魚は新鮮で、まだ口がぱくぱく動いているようだ。季節の産物を満載した屋台に混じって、オリーブやチーズ、干した果物、ハーブ、ナッツ類などを売る店がたくさんある。

ベストシーズン　春と秋が特に快適だが、一年中いつ行ってもいい。ラマダン後の「シュケル・バイラム（砂糖祭り）」は甘いものを称える3日間の祭り。日付は年ごとに変わる。1日目は美術館や観光施設も閉まる。2日目と3日目は開くが、混雑する。

旅のヒント　欧州側のエミノヌ、カラキョイ、ベシクタシュからは、フェリーが頻繁に往復している。同じ欧州側のカバタシュからは便数が少ない。所要時間20～25分。カドゥキョイを見るには2～3時間は必要。スイーツの店やカフェに寄り、バザールを見てから、港の南側にある瀟洒な住宅街モダを散歩してもいい。

ウェブサイト　www.ido.com.tr、www.hacibekir.com.tr、www.istanbulcityguide.com

カドゥキョイの見どころ

■1934年創業、ギリシャ人が経営するチャイとペストリーの店**バイラン**は、1960年代から1970年代は、イスタンブールの作家や詩人、画家、俳優のたまり場だった。ここでイスタンブール市民に混じって当時に思いをはせ、チャイを飲みながら甘いものを味わおう。看板メニューは**カプ・グリエ**（バニラアイスに生クリーム、キャラメルソース、ピスタチオとアーモンドをかけたもの）。

■マケドニア（当時はオスマン帝国の領土）移民のヨルゴス・ストヤノフが170年以上も前の1836年に始めた**ベヤズ・フルン**は、創業以来ずっと同じ一族が経営している。「白いオーブン」を意味するこの店の売れ筋商品は、ずっしりとしたおいしいパン、マジパン、濃厚なケーキ、マカロン。

■**シェケルジ・ジャフェル・エロル**では、キャンディの詰まった大きなガラスの壺がカウンターを埋め尽くし、いろいろな砂糖菓子が所せましと並んでいる。お菓子には**アキデ・シュケリ**（飴）、自家製チョコレート、バクラバ、胡麻のハルバ、シロップに浸したクッキーなどがある。

左ページ：ボスポラス海峡の欧州側にあるオルタキョイ・モスク（手前の建物）。
上：カドゥキョイにある「ハジュ・ベキル」。

コペンハーゲンの有名なパン屋「ライン・ヴァン・ハウエン」は、市内に支店が何軒かある。

祝い事のケーキ

ファスタラウンスボッラと呼ばれる丸いパンは、昔からスカンジナビアの謝肉祭、ファスタラウンの時期に作られてきた。パンの中には生クリームかアーモンドペーストが詰まっている。

エーロ島では子供たちは朝5時に起きて、ファスタラウンスボッラを何個食べるかを歌う習わしがある。**クランセケー**（リングケーキ）は、リング状に焼いたマジパンを重ね、円錐形に立てる。旗やクラッカーで飾り立てたケーキは、クリスマスや結婚式、洗礼などの祝い事につきものだ。

デンマーク
本場のデニッシュペストリー

口の中でとろけるペストリーが何種類もあるデンマークの首都は、甘いもの好きの旅行者にとってはたまらない魅力だ。

早起きしてコペンハーゲンの曲がりくねった狭い道を散歩していると、パン屋から、焼き上がったばかりのペストリーやパンのよい香りが漂ってくる。

デニッシュペストリーは1800年代に生まれた。デンマーク人のパン職人がストライキを起こしたため、パン屋の主人はウィーンから職人を呼びよせた。このときウィーン流のバターをふんだんに入れた軽い生地のレシピが持ち込まれ、デニッシュペストリーが誕生した。当地ではヴィエナブロート、ウィーンのパンと呼ぶ。

今日、コペンハーゲンのパン屋は、クリームパン、チョコレートをからめた丸いパン、タルトをはじめ、いろいろな種類の甘美なケーキなど、おいしそうなものをたくさん並べている。クリームの詰まったふわふわの生地にチョコレートがかかったデニッシュペストリー、シナモンとバニラの香りが濃厚なシナモンロールを食べてみよう。ナポレオンの帽子という3角形のパンは、皇帝がかぶっていた帽子に形が似ている。一口ほおばると、甘く濃厚なマジパンの香りが口の中に広がる。

ベストシーズン デンマークは温暖な気候。春と秋は旅行によい時期だが、雨が多いので傘の用意を忘れずに。
旅のヒント デンマークでは少なくとも1週間は過ごしたい。活気に満ちた首都コペンハーゲンに滞在し、多くの離島に出かけるのもいい。「ライン・ヴァン・ハウエン」と「ラウケーフーセット」が特に有名なパン屋。「コンディトリー・ラ・グラース」は1870年創業のデンマーク随一のケーキ屋で、豪華なケーキが有名だ。
ウェブサイト www.visitdenmark.us、www.laglace.dk

伝統のリングケーキ、クランセケー。

ドイツ
バイエルン伝統の焼き菓子

ミュンヘンのおしゃれな常連客に混じってコーヒーとケーキを味わおう。
ただし、砂糖とバターがたっぷりなので、心臓病の医者には内緒で。

パン屋やカフェのガラスケースには、おいしそうなケーキやペストリーが並んでいる。買って帰るのもいいが、店内でコーヒーとともに味わうのもいい。りんごのフィリングを薄い生地で巻いて焼き、バターをたっぷり塗ったアプフェルシュトゥルーデルを食べてみよう。りんごが苦手な人にはプラム、芥子（けし）の実、チーズのシュトゥルーデルがある。まだ足りなければ、バニラクリーム（バニラ風味のカスタードクリーム）添えを注文しよう。ダンプフヌーデルは、甘い蒸しパンにたっぷりバニラソースをかけたもの。「皇帝のオムレツ」を意味するカイザーシュマーレンは、ふわふわの厚いパンケーキを一口大に割き、バターで炒めながら粉砂糖をからめ、りんごやプラムのソースをかけて熱いうちに食べる。

甘味に疲れたら、景色を眺めてリフレッシュしよう。市庁舎の向かいにある「リシャルト」には、マリエン大通りを見下ろせる席があり、美しいミュンヘンの中央広場を眺められる。晴れた日には季節を問わず、どのカフェの屋外席にも、ホイップクリームを山盛りにすくってコーヒーに浮かべる身なりのよいご婦人方がいる。

ベストシーズン　ミュンヘンの冬は雪が多く、近くにはよいスキー場もある。
夏は太陽を求めて、人々がカフェやイザール川のほとりにある英国庭園にどっと繰り出す。

旅のヒント　「リシャルト」には午前11時、正午、午後5時に合わせて行こう。からくり時計から、戦う騎士や踊る農民など、ほぼ等身大の人形が出てきて回る。夏は、はしゃぎまくる大勢のバイエルンの人と一緒に、いかだに乗ってイザール川下りを体験したい。その騒ぎを眺めるだけでも楽しい。詳細は観光案内所で。

ウェブサイト　www.dallmayr.de、www.muenchen.de（日本語あり）

焼き菓子以外のお楽しみ

■**ミュンヘンの中央食料品市場ビクトゥアリエンマルクト**は、味見が好きな人には楽園だ。燻製魚の冷たいサンドイッチや、バイエルン名物の温かいヴァイスヴルスト（甘いマスタードをつけて食べる仔牛肉と豚肉の白いソーセージ）を食べてみよう。売店で食べてもいいが、市場のビアガーデンでバイエルン最高のビールと一緒に味わうのもいい。

■**コーヒーで全国にその名をとどろかせるダルマイヤー**は、高級食料品の老舗だ。あらゆる食料品をとりそろえている。蜂蜜とジャムを専門に扱う売り場もある。1階のバーで牡蠣とシャンパンを楽しむか、2階のレストランかカフェで食事をしてもいい。コーヒー売り場では、ニンフェンブルクで作られる手描きの陶磁器の壺を見逃さないように。コーヒーの芳香をたどれば売り場に行き着く。

ミュンヘン最大のショッピング街の端にある「タンボジ」に座り、行き交う人々を眺めて過ごそう。

オーストリア
ウィーンのカフェ

歴史ある上品なカフェで知られる世界有数の都で、
コーヒーとケーキの優雅なひとときを過ごそう。

ウィーンでは、カフェはずっと昔から文化の中心だった。あらゆる階層の人がそこに来て、思い思いの時を過ごした。そして、なによりも1杯のコーヒーで、悠々と流れる時間に身をまかせたのである。

ウィーンの数あるカフェの1軒に入ると、万事がゆっくり進んでいた昔にタイムスリップしたような気分になる。華麗な装飾や高いアーチ天井がみごとな老舗カフェの中には、19世紀後半に創業した店もある。寄せ木張りの床、ビロード張りの長椅子、タキシードを着た魅力的な(ときには無愛想な)給仕が時代を演出する。

ここでは古い伝統がそのままの形で守られている。アップルシュトゥルーデルや、ザッハトルテの名で知られる有名なチョコレートケーキがメニューを飾り、生クリームを浮かべたアインシュペナー、メランジェなどいろいろなコーヒーもある。どの店にも必ず新聞が置いてあり、余興として、ビリヤード、音楽会、朗読会がある。

有名なカフェはだいたい歴史地区(第1区)に集中し、環状道路沿いに多い。特に有名な店は、「グリンシュタイドル」「ツェントラル」「ラントマン」「ディグラス」「ブリュッケル」「シュペルル」「インペリアル」。ケーキなら「ザッハ」や「デメル」、ちょっと変わった雰囲気がお好みなら「ハヴェルカ」へ行こう。

ベストシーズン ウィーンの夏は暑く、気温が35℃に達することもある。エアコンのあるカフェは少ない。

旅のヒント カフェは年中、早朝から夜遅くまで営業している。外に席を用意しているカフェもあるが、これが流行りだしたのは最近のことだ。

ウェブサイト www.aboutvienna.org、www.wiener-kaffeehaus.at

ウィーンのコーヒーいろいろ

■コーヒーと温めた牛乳を半々にして、時にはホイップクリームをのせた**メランジェ**は、最もよく飲まれている。**アインシュペナー**はグラスで飲むコーヒーで、ホイップクリームをのせる。

■**アイスカフェ**は冷たいモカにバニラアイスとホイップクリームを浮かべたもの。**ゲリュールターアイスカフェ**は、冷たいモカとバニラアイスを混ぜたもの。

■もっと濃いコーヒーがお好みなら、エスプレッソにスプーンの上からミルクを注いで層にした**オーベルマイヤー**を注文しよう。あるいは、デミタスカップをホイップクリームで満たし、上からエスプレッソを静かに注いだ**ユーバーシュトゥルツターノイマン**もいい。

■さらに勢いをつけたい人には、1杯分のエスプレッソに温めたラムを入れた**フィアカー**、2杯分のエスプレッソにオレンジリキュールを入れ、たっぷりのホイップクリームをのせた**マリア・テレジア**などがある。

ウィーンの「カフェ・デメル」の店内にずらりと並んだケーキ。

トリニタ・ディ・モンティ教会とスペイン階段は観光客でいつもにぎわっている。

イタリア
ローマのジェラート

永遠の都で暑さをしのぐには、なめらかにのどを通る冷たくておいしいジェラートが一番だ。

ローマの人は、ジェラート（アイスクリーム）にこだわりがある。アイスクリームそのものの質以外に、完璧なジェラートの要素が三つある。ワッフルコーンはパリパリしていること。ジェラートにのせるホイップクリームはやや甘く、適度に固いこと。そして最後に、昔ながらのスパチュラ（丸いスプーンは不可）でジェラートを練ってすくい上げ、完璧なアーモンド型に盛ること。

トレビの泉に近い「サン・クリスピノ」は、あくまでも純粋なジェラートにこだわり、コーンではなく紙のカップに盛って出す。また、味の邪魔をするものは一切加えない。パンテオンの隣にある「ジョリッティ」のそれは非常に色鮮やかだ。種類が豊富で、トッピングも申し分ない。ジェラートが大好きな人は、さらにパリオーリ地区にある「ランザロット」に行き、マロングラッセかヘーゼルナッツのジェラート、生の果物から作ったシャーベットを食べよう。バチカンに近い「アル・セッティモ・ジェロ」で、唐辛子入りチョコレート、蜂蜜、ミルトの実などの味を試してもいい。

ベストシーズン ジェラテリアは年中営業しているが、ローマでジェラートを味わうのにぴったりの時期は4〜10月。5〜9月は、グラニータやグラッタケッカ（右欄参照）がおいしい季節だ。

旅のヒント ほとんどのジェラテリアは午前10時から午後8時まで営業している。真夜中まで開いている店もある。ローマでは冷たいデザートはいつ食べてもいい。コーヒーグラニータとブリオッシュの取り合わせはおいしい朝食になる。

ウェブサイト www.romaturismo.it、www.enjoyrome.com、www.ilgelatodisancrispino.it、www.giolitti.it

グラニータとグラッタケッカ

シャーベットに似ているがもっと固いのが**グラニータ**。その原型は、中世のシチリアで生まれた。エトナ山からとってきた雪にレモンの搾り汁を入れたのが始まりといわれている。今では、シロップを溶かした水を軽く凍らせて練り、シャーベット状にする。

暑さが厳しい午後は、コーヒー、いちご、アーモンドの三つの味のグラニータ（ホイップクリームをのせる）で暑さをしのごう。桑の実やピーナツなど、珍しい味を試してもいい。上質のグラニータはローマ市内の各所にある比較的高級なカフェ&バーで食べられる。シチリアのジェラテリア、**サンテウスタキオ**や**ジェラルモニー**、**パスティッチェリア・ミッツィカ**などの焼き菓子屋にもある。

グラニータのローマ版が、**グラッタケッカ**だ。氷を削り、そこに果物のシロップを注いだもので、グラニータより粒が粗い。夏は、グラッタケッカの売店は夜遅くまで営業しており、暑さにうだったローマ市民を相手に繁盛している。最も人気のある店は、プラティ地区の**ソラ・マリア**。レモンとココナツをトッピングした、さくらんぼとタマリンドシロップ味の豪華なグラッタケッカ・ミスタを食べてみよう。

トップ10
素敵なアイスクリームのある店

世界には、チョコレートやバニラ、いちごといった定番とはかけ離れた珍しいアイスクリームがある。日本でうなぎアイスを、フィレンツェで緑茶アイスを味わおう。

❶ カポジーロ・ジェラート
（米国、ペンシルベニア州フィラデルフィア）

とびきり新鮮な材料（牧草で飼育したアーミッシュの牛のミルクなど）を使って毎日手作りされるジェラートとシャーベット。味はマダガスカルバーボンバニラ、メログラノ（ざくろ）、ノッチョラビエモンテ（ヘーゼルナッツ）、サイゴンシナモン、タイココナツミルク（ラム入り）、ズッカ（かぼちゃ）などがある。

旅のヒント　カポジーロはフィラデルフィアに4店舗ある。
capogirogelato.com

❷ テッド・ドルーズ・フローズンカスタード
（米国、ミズーリ州セントルイス）

生クリームと卵と砂糖で作るフローズンカスタードは中西部のデザート。グランドブルバードの売店は1931年から営業している。コーンに入れたフローズンカスタードやミルクシェイクのほか、この店だけのハワイアンデライトやクレーターコペルニクスもある。

旅のヒント　セントルイスに数カ所ある。www.teddrewes.com

❸ ボンベイアイスクリーマリー
（米国、カリフォルニア州サンフランシスコ）

地球上で一番おいしいインドのアイスクリームは、ヒスパニック・ミッション・ディストリクトにあるこのアイスクリーム屋のものかもしれない。味はチク（サポジラ）、カルダモン、チャイ、サフラン、バラ、生姜など、インド以外では珍しいものがそろっている。

旅のヒント　営業時間は季節により変わるので、出かける前に確認しよう。
www.bombayicecream.com

❹ デボンハウス（ジャマイカ、キングストン）

ジャマイカ初の黒人の富豪が19世紀後半に建てたデボンハウス。この、カリビアン・ビクトリア建築の傑作には、ジャマイカでも特に有名なアイスクリーム屋が入っている。27種類ある味は、さくらんぼやピスタチオから、マンゴー、ココナッツ、サワーサップ（トゲバンレイシ）など島独特の珍しいものまで。

旅のヒント　デボンハウスはキングストンの中心部にある。入場券は屋敷の見学ツアーと庭園への立ち入り許可が含まれている。
www.devonhousejamaica.com

❺ エラド・スカンナピエコ（アルゼンチン、ブエノスアイレス）

この小さな店は、1938年にイタリア移民のアンドレスとホセフィーナ・スカンナピエコが店を開いてからほとんど変わっていない。味は50種類あり、チョコレートやバニラのほか、デュランソ（桃）、カネラ（シナモン）、レモンシャンパン、カイピリーニャ（カシャーサとライムで作るブラジルのカクテル）などがある。

旅のヒント　パレルモ地区のコルドバ通り4826にある。
www.easybuenosairescity.com

❻ アイスクリームシティ（日本、東京）

約10店舗が集まり、合計300種類以上ものアイスクリームを売っている、名前の通りのアイスクリームの街。醤油、手羽先、伯方の塩、ウナギなど、風変わりな味の品ぞろえは世界最強クラス。イタリアのジェラートや米国のアイスクリームサンデーなど、普通のアイスクリームも売っている。

旅のヒント　アイスクリームシティは、サンシャインシティ内にあるナムコ・ナンジャタウンの食のテーマパークの一つ。池袋駅から徒歩15分。
www.japan-guide.com　www.sunnypages.jp

❼ グラース（オーストラリア、シドニー）

アイスクリームをベースにした最先端のデザートで有名。ボンベ・アラスカ、市松模様のテリーヌ、チョコレートに浸したプティフルールなどがある。バラの花びら、バニラビーンズ、ストロベリーピスタチオ、ベルギーチョコレートが特に人気。

旅のヒント　売店の1店舗のみ。場所はシドニーのライカート地区、マリオン通り27。www.glace.com.au

❽ アジャホテル（トルコ、イスタンブール）

ボスポラス海峡を眺めながら夏の夜を過ごすのはロマンチックな体験だ。しかもアジャホテルの野外テラスでアイスクリームを食べながらなら、何もいうことはない。フライドバニラアイス、パッションフルーツのシャーベット、山羊のミルクで作る伝統のトルコの氷菓ドンドルマ（アイスクリーム）などがある。

旅のヒント　アジア側の西岸、海峡に面した「アジャ」は、19世紀の邸宅を改装した、ウォーターフロントの流行の人気スポット。www.ajiahotel.com

❾ ワッフルベーカリー（デンマーク、コペンハーゲン）

チボリ公園の中には、この老舗アイスクリーム屋の出店がある。店の自慢はアメリカーナと呼ばれる、大きなワッフルコーンに盛られたアイスクリーム。スクープ4個分のアイスクリームに、ホイップクリームとチョコレートでおおったメレンゲパフをのせたもの。

旅のヒント　チボリ公園はコペンハーゲンの中心部にあり、4月半ばから9月下旬まで開園している。園内ではコンサートや乗り物などの娯楽が楽しめるほか、レストランも40店舗ある。www.copenhagen.com
www.visitcopenhagen.com　www.tivoli.dk/composite-3351.htm

❿ ペルケ・ノ！（イタリア、フィレンツェ）

1939年創業の「ペルケ・ノ！」（「どうしてここで食べないのか！」の意味）は、毎日店で新しく作る濃厚な味のアイスクリームが自慢だ。いろいろな種類があるが、売れ筋は蜂蜜と胡麻、緑茶、チョコレートチップが入った濃いコーヒークランチ。フルーツシャーベットとグラニータも豊富に取りそろえている。

旅のヒント　「ペルケ・ノ！」はタボリーニ通りにある。ドゥオーモから歩いて2分ほど。www.percheno.firenze.it

右ページ：豪華な噴水と列柱のあるファサードがキングストンの「デボンハウス」を訪れた人々を迎える。

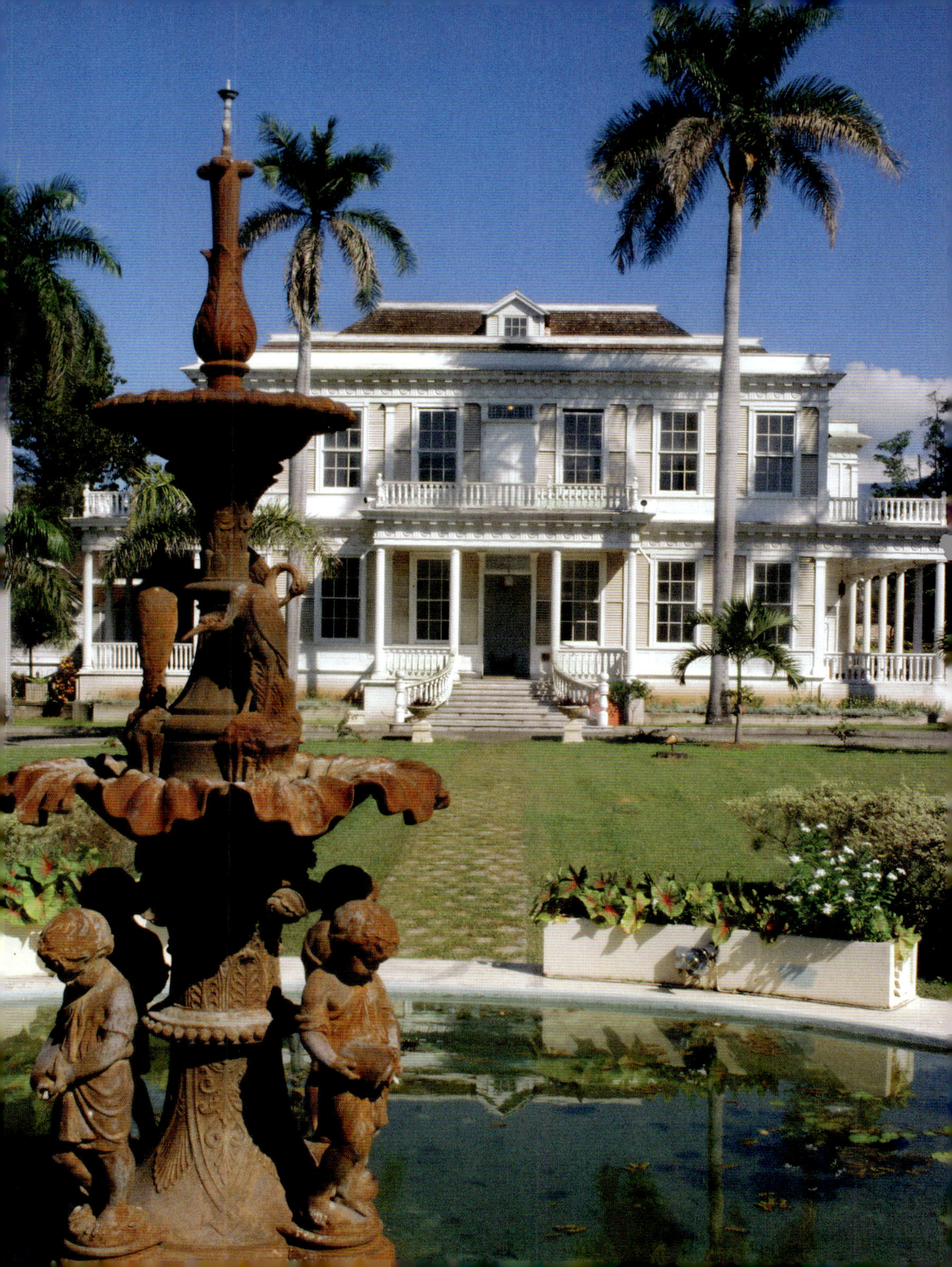

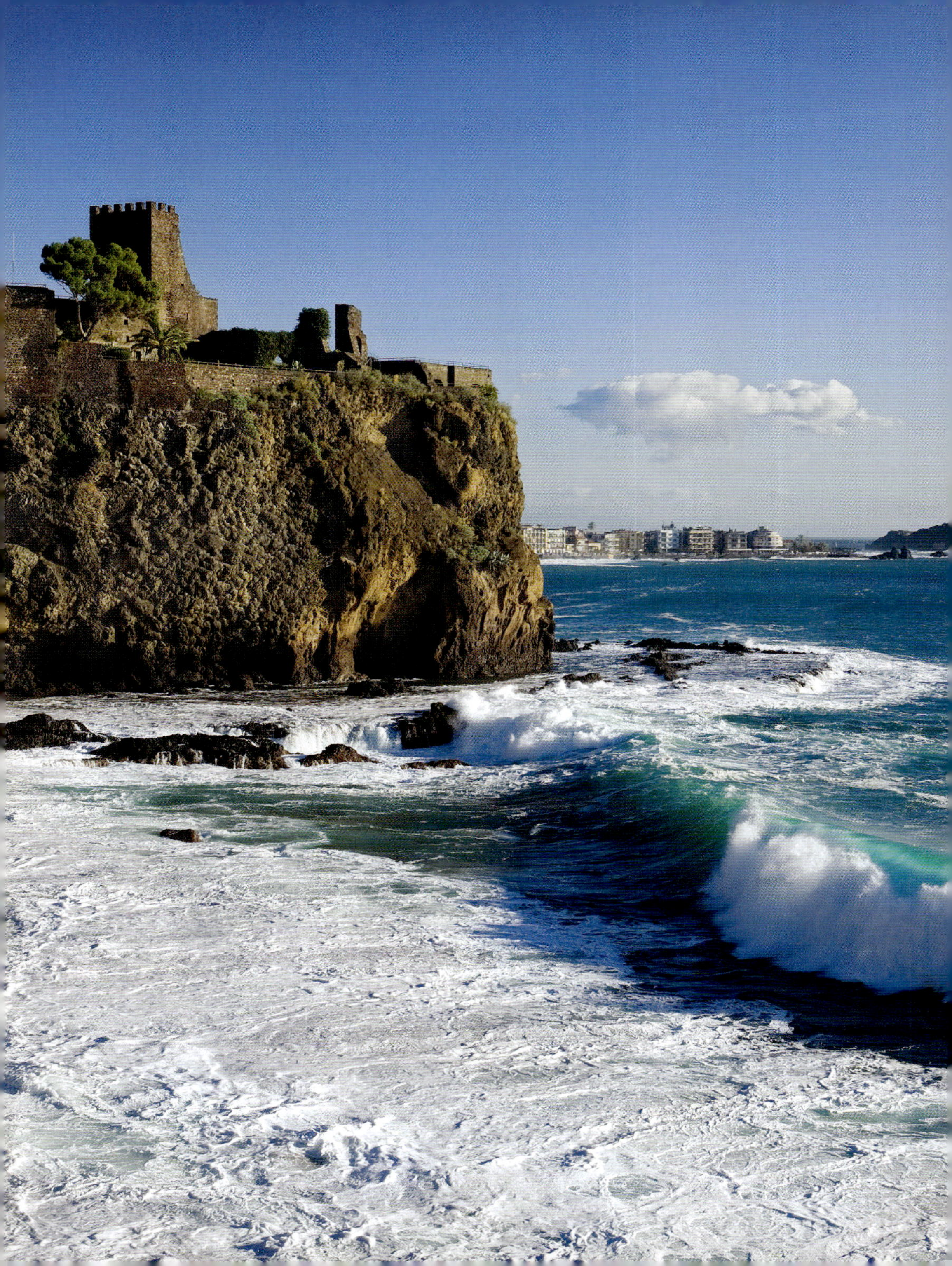

イタリア
シチリアのマジパン

海沿いでも険しい奥地でも、シチリア島のケーキ屋ではマジパンが主役。
いろいろな果物に似せてつくるお菓子は、祝日や祭日には欠かせない。

ケーキ屋のショーウィンドーにはいちじくや梨、かご一杯のいちごや桃が並んでいる。どうれも本物に見える。が、実はそうではない。そこにあるのはすべて、甘いアーモンドペースト、マジパンで作ったお菓子だ。2世紀に及んだアラブ支配は、シチリア島にいろいろな食文化をもたらした。アーモンドペーストもアラブ人が伝えたとされている。シチリアでは、祝日や祭日を特別なマジパンで祝う習わしだ。復活祭にはマジパンの羊(アニェッロ・パスクワーレ)を作り、誕生日や特別な日には、フルッタ・マルトラーナ(本物そっくりな果物)を作る。

11月初旬の諸聖人の祝日には、子供の靴の中に祖先がマジパンの果物を入れるという言い伝えがある。有名なフルッタ・マルトラーナは、パレルモの修道女マルトラーナが考え出したものだ。昔、大司教を迎えるために、収穫後の裸の木々に、レモンやオレンジなどマジパンで作った果物を飾ったのがはじまりといわれている。

パレルモでは、「アルバ」や「カフリッシュ」で、精巧なフルッタ・マルトラーナが買える。タオルミナの「パスティッチェリア・エトナ」も良い店だが、熱心な人はノートまで足をのばす。シラキューズの南の丘に開かれたこの蜂蜜色の町には、カルロとコラードのアッセンツァ兄弟がマジパンを作る「カフェ・シチリア」がある。

ベストシーズン 寒くて雨が多い冬は避けよう。南シチリアの春は天気が変わりやすいので、傘とサングラスの両方が必要。3月上旬、ノートの険しい斜面はアーモンドの花で覆われる。
旅のヒント ゆったりしたシチリアのペースに合わせて1週間は島に滞在したい。シチリアの主な町は列車やバスが通じているが、田舎に行くにはレンタカーが便利。カターニアからエトナ山まで登る列車は、途中アドラーノとブロンテに停まる。駅のプラットホームの時計が正確ではなくても驚かないこと。
ウェブサイト www.weather-in-sicily.com / www.thinksicily.com
www.grifasi-sicilia.com/indicedolcigbr.html

味な町めぐり

■友人や家族と夜の散歩に出て**カターニア**のエトナ通りをぶらつこう。カフェに入って、カステルモンテのフリツァンテ(スパークリングワイン)を1杯とアランチーネ(野菜入りのライスコロッケ)で締めくくれば最高。

■エトナ山西麓のアドラーノの北にある町**ブロンテ**は、総面積1万エーカーのピスタチオの段々畑の中にあり、「チッタ・デル・ピスタッキオ」(ピスタチオの町)と呼ばれている。ピスタチオの実は2年ごとに収穫され、9月に収穫祭が行われる。シチリア最高のピスタチオのジェラートやピスコッティ(固焼きビスケット)、ケーキはここで食べられる。盆にずっしりと盛られたドルチェ(お菓子)や、高く積み上げられたトローネ(イタリア風ヌガー)のほか、ピスタチオで作ったペーストもある。

■シチリアの西岸、パレルモ近くの海を望む山の上にある中世の町、**エリチェ**のスイーツの店がおすすめ。またエリチェの小径の迷路の一角にある「リストランテ・モンテ・サン・ジュリアーノ」では、昼食に魚介類やオバルジン・インボルティーニ(魚を茄子の薄切りで巻いたもの)が食べられる。

■エリチェの南、海辺の町**マルサラ**では、ここで造られるワインを味見しよう。多くの小規模生産者がシチリアのジビッボ種を使って上質な甘口と辛口のワインを造っている(マルサラのラベルにQのシールがあれば品質保証済み)。5年以上熟成させる甘口のマルサラ・ヴェルジーネは濃厚なデザートによく合う。

左ページ:アチカステッロのノルマンの城。カターニアの北の海に浮かぶ。
上:エリチェで作られるマジパンの果物。

ベルギー
ブリュッセルのチョコレート

街のいたるところにある数百軒のチョコレート屋で、
世界最高品質の香り高いチョコレートが売られている。

　美しいグランサブロン広場にあるピエール・マルコリーニのシックな店を訪れた人は誰でも、期待で胸がわくわくする。ガラスケース内に整然と並ぶチョコレートは高級貴金属店の宝石を思わせる。ピエール・マルコリーニはベルギーで最も名高いチョコレート職人。彼の店は今や世界的な高級ブランドのショーケースでもある。広場の反対側にある「ヴィタメール」も有名店だ。創業は1910年で、今もヴィタメール一族が経営している。エレガントなティールームで、神々しいほど軽いチョコレートケーキを特選の紅茶かコーヒーとともに味わいたい。

　ロワイヤル通り沿いにはベルギー王室御用達のマリー（日本での名称はマダム・ドリュック）の美しい店や、「レオニダス」（ブリュッセルだけで30店舗）、「コルネ・ポートロイヤル」「ゴディバ」といった高級チョコレートを売る大手専門店もある。

　「ノイハウス」のジャン・ノイハウスは1912年にプラリネを考え出した。白い手袋をはめた店員が小箱にチョコレートを詰めていく。リキュールの詰まったチョコレート、生クリームの詰まったホワイトチョコレート、チョコレートトリュフ…。

ベストシーズン　ブリュッセルは年中快適で、四季折々の行事や催し物がある。
ホテルは繁忙期は高いこともあるが、反対に閑散期は割安になる。
旅のヒント　ブリュッセル国際空港は市の北東のザベンテムにあり、市内までの交通の便はよい。
外国からの列車は市の中心部に近い駅に到着する。ココアチョコレート博物館はグランプラス（大広場）の近く。
ウェブサイト　www.corne-port-royal.be、www.leonidas.be、www.neuhaus.be、www.godiva.be
www.marcolini.be（日本語あり）、www.wittamer.com、www.marychoc.com、www.mucc.be
www.brusselsinternational.be

ポ・オ・ショコラ
オーブン使用可の耐熱容器で作るチョコレート菓子。

6人分
牛乳　150cc
ヘビークリーム（脂肪分が高いクリーム）　300cc
ブラックチョコレート（カカオ成分70％）　300グラム
卵黄　4個分
砂糖　50グラム

　オーブンを40℃にセットしておく。浅い鍋に牛乳とクリームを入れ沸騰直前までゆっくり温める。火から下ろし、チョコレートを加え、完全にとけるまでかき混ぜてチョコレートミックスを作る。ボウルに卵黄と砂糖を入れ、透明な泡状になるまで混ぜる。これを泡立て器で混ぜながら静かにチョコレートミックスと合わせ、6個の耐熱容器に注ぎ入れる。深めのオーブン皿に並べ、器の半分くらいまで浸るように皿を熱湯で満たす。固まるまで30分加熱する。器が冷めてから、冷蔵庫で冷やす。

ベルギーチョコレートの中身には生クリームを使ったものが多い。冷蔵すれば4週間は保つ。

ルーブル博物館のガラスのピラミッドの前に集まる人々。焼き菓子中心のピクニックにはもってこいの場所だ。

フランス
パリのお菓子食べ歩き

パティスリーを訪ねてパリの街角を歩けば、
世界で最高においしい焼き菓子に出会えるだろう。

ケーキ好きにとって、"光の街"パリの至宝は、ルーブルでもシャンゼリゼでもなく、20区全域にきら星のごとく点在するパティスリーだ。タルト・タタン、シャルロット・オ・フランボワーズ、リシュリュー、ミルフィーユ、サン・トノレ、マドレーヌなど、おいしそうなケーキやタルトがいくつも並んでいる。

老舗パティスリーのウィンドーには、19世紀に施された装飾がそのまま残っている。そういう店では、シャルノアやタルト・プランセス・オ・ポワール、オペラなど、至高のケーキに出会える。シャルノアは、ヘーゼルナッツとアーモンドのメレンゲで作ったベースになめらかなチョコレートクリームを塗り、2〜3センチの厚さにプラリネ入りカスタードクリームを重ね、大きなヘーゼルナッツを飾ったケーキ。タルト・プランセス・オ・ポワールは、パイ生地に梨のコンポートをのせ、メレンゲクリームで覆い、キャラメルの小さな飾りをつけたもの。オペラは、アーモンド風味の薄いスポンジ生地に、コーヒーとチョコレートトリュフのクリームを何層にも重ねて作る。

ベストシーズン パティスリーは8月をのぞいて年中営業している。8月はどこの店も毎年休む。ほとんどの店は月曜日休み。
旅のヒント おすすめのパティスリーは次の3軒。「ル・トリオンフ」(12区。日曜日休み)、「パティスリー・サンタンヌ」(13区。水曜日と木曜日休み。月曜日は営業)、「ヴォドロン」(17区。月曜日休み)。
ウェブサイト europeforvisitors.com/paris/articles/paris-patisserie-tours.htm
chowhound.chow.com/topics/377859

コーヒーのエチケット

フランスで「カフェ」といえばすべて**エスプレッソ**。注文するときは、カフェ、カフェ・エクスプレス、カフェ・ノワールという。お湯で薄めたコーヒーが欲しければ、カフェ・アロンジェを注文する。ミルクコーヒーはカフェ・クレームのプチ(小)かグラン(大)を注文する。クレームとあるが、これは温めたミルクを入れたもので、クリームが入っているわけではない。

フランスの人は何かを食べながらコーヒーを飲むことはしない。朝のパン・オ・レザン(軽いカスタードクリームがかかった黄金色のブリオッシュ生地のぶどうパン)を食べるときは、それをひたすら味わうこと。決してコーヒーで流し込んではいけない。ペストリーがしっかりと胃に収まってから濃いブラックコーヒーを飲む。

カフェではカウンターでコーヒーを飲めば、テーブル席の半額で済む。外のテラス席はカウンターの3倍の料金になる。

トップ10
心行くまでチョコレートに浸れる場所

カカオ中心の食べ放題から、マドリードに欠かせない元気の出る夜更けのチョコまで、チョコレート中毒のパラダイスを紹介しよう。

❶ チョコホリックブッフェ（カナダ、バンクーバー）
ヨーロッパの格調高い邸宅を思わせるホテル、サットン・プレイスのレストラン「フルーリ」にはチョコレートの食べ放題がある。自家製ケーキ、ペストリー、パイなどのスイーツは、どれも高品質のショキナグ社チョコレートを使っている。カクテルやリキュールもチョコレート系だ。

旅のヒント ホテルはバンクーバーのダウンタウンの中心にある。チョコレートバイキングは、木曜日と金曜日と土曜日の夜2回ずつ営業。
www.vancouver.suttonplace.com　www.tourismvancouver.com

❷ マグノリアベーカリー（米国、ニューヨーク市）
1950年代風のこぢんまりしたパン屋は、テレビドラマ『セックス・アンド・ザ・シティ』に登場して一躍有名になった。レッドベルベットカップケーキをはじめ、虹の七色のカップケーキ、バナナプリン、クッキー、さくらんぼチーズケーキ、ブラウニーもある。ジャーマンチョコレートケーキは絶品。

旅のヒント マグノリアベーカリーは4店舗ある。『セックス・アンド・ザ・シティ』に登場したのはブリーカー通りの店。www.magnoliacupcakes.com

❸ マックス・ブレナー（米国、ニューヨーク市）
ホットチョコレートを「ハグマグ」という両手で抱え込む独特のマグカップで提供する有名な店。カフェ併設のブロードウェイ店にはチョコレートトラッフルマティーニ、チョコレートフォンデュなど、カカオベースの品々が気の遠くなるほどたくさんある。

旅のヒント 店はブロードウェイ841と、2番街141の2カ所にある。
www.maxbrenner.com　www.nycgo.com

❹ マヤのチョコレート（メキシコ、タバスコ）
チョコレート誕生の地といわれている（現地語の"ショコアトル"が語源）この場所で、マヤ式のホットチョコレートを味わおう。マヤの人々は、泡だてた濃くてほろ苦いカカオの液体に辛いチリを混ぜて飲んだ。スペインの征服者はこれに砂糖、シナモン、すりつぶしたアーモンド、ミルクを入れて苦味を和らげた。

旅のヒント 「マヤ・タバスコ」はチョコレートの道ツアーをやっている。タバスコ州コマルカルコにはカカオ博物館とカカオ農園がある。
www.visitmexico.com（日本語あり）

❺ ザッハトルテ（オーストリア、ウィーン）
チョコレートのスポンジケーキにアプリコットジャムを薄く塗り、ブラックチョコレートで覆って作るザッハトルテ。その名は、1832年にこれを考え出したフランツ・ザッハにちなんでつけられた。彼はこのデザートで、後に富と名声を手に入れた。1876年、彼の息子エドワルドがウィーンに「ホテル・ザッハ」を開いた。

旅のヒント ザッハトルテの上に、砂糖抜きのホイップクリームをのせ、コーヒーかシャンパンとともに味わおう。www.sacher.com　www.wien.info

❻ ホットチョコレート（イタリア、トリノ）
イタリアのチョコレートの都、トリノでチョコラートカルドを飲もう。この飲み物は、濃厚で熱く、適度に苦く、ホイップクリームがたっぷりのっている。ホットチョコレートとエスプレッソを2層になるようグラスに注いだビチェリンは、トリノだけの飲み物。

旅のヒント チョコレート祭り「チョコラ・ト」のある2月に行こう。観光案内所でチョコバスを購入すれば、市内の提携チョコレート屋で試食ができる。
www.turismotorino.org　www.cioccola-to.com

❼ ヴァローナチョコレート（フランス、タン・レルミタージュ）
ワイン生産地、ローヌ河左岸にあるヴァローナチョコレートの本社を訪ねよう。ここのチョコレートは世界中の著名なチョコレート職人や菓子職人に愛用されている。植物性脂肪を添加せず、カカオバターからとれる天然油脂だけで作る珍しいチョコレートだ。工場の売店で味見したりお土産を買ったりできる。

旅のヒント 工場の売店は日曜日休み。河を渡ったところにある中世の町トゥルロンにも寄ろう。www.valrhona.com（日本語あり）

❽ チョコラテとチューロス（スペイン、マドリード）
マドリード市民は眠らない。その何よりの証拠が、年中繁盛しているチョコラテリア（チュレリアともいう）だ。午前4時から朝食時までは、夜明けまで騒いでいた人たちで特ににぎわう。目玉商品は棒状の塩味のドーナツ、チューロス。これを濃厚なほろ苦いホットチョコレートに浸して食べる。1894年創業の老舗「チョコラテリア・サン・ヒネス」に寄ろう。

旅のヒント 「チョコラテリア・サン・ヒネス」はダウンタウンのサン・ヒネス地区の路地にある。営業時間は午前9時から午前7時。
www.gomadrid.com　www.esmadrid.com（日本語あり）

❾ リバーカフェ（英国、ロンドン）
ジェイミー・オリバーはじめ、多くの有名シェフを輩出したロンドン屈指の高級レストラン。そのオリジナルデザートがチョコレートネメシスという名のケーキだ。上の表面が少し乾いているだけで全体的にねっとりした濃厚なケーキには、驚くほど大量のチョコレートが使われている。

旅のヒント チョコレート中毒の人は、ロンドンの「チョコレートエクスタシーツアー」に参加してみるのもいい。
www.rivercafe.co.uk　www.chocolateecstasytours.com

❿ チョコレートホテル（英国、ボーンマス）
チョコレートを食べ、呼吸し、眠るには、チョコをテーマにしたこのホテルほどぴったりの場所はない。チョコレートを試食し、作り方を習えば、チョコレート中毒の人もきっと満足するだろう。

旅のヒント ホテルはウエストクリフにあり、砂浜にもダウンタウンにも近い。
www.thechocolateboutiquehotel.co.uk　www.bournemouth.co.uk

右ページ：チョコレートはメキシコの祝祭に欠かせない。オアハカの「死者の日」には死を象徴するチョコレートを作る。

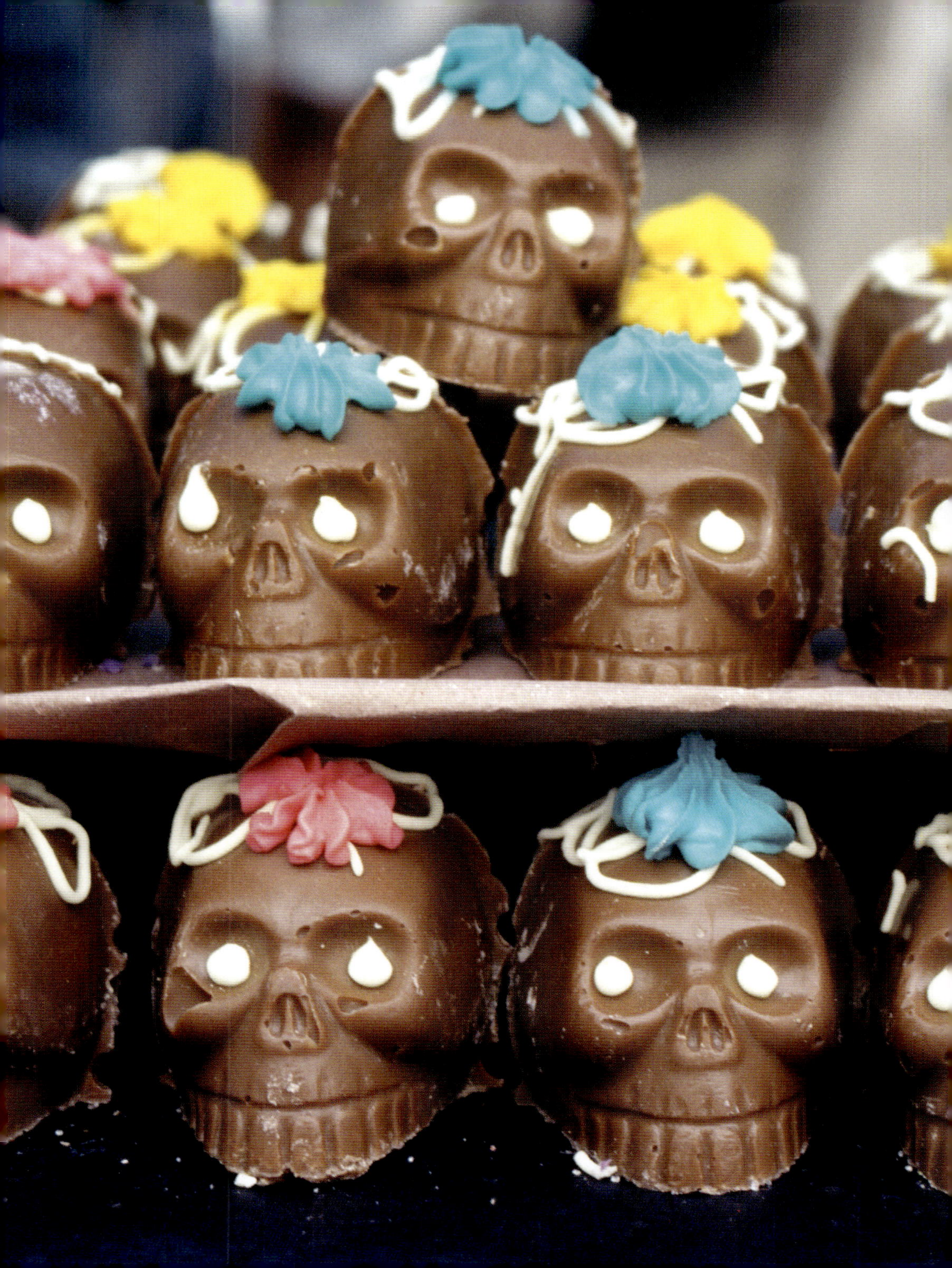

フランス
パリのイースターエッグ

いろいろなチョコレート細工が美しく並んだショーウィンドーがフランスの首都に復活祭の季節到来を告げる。

こぢんまりとした素敵な店の扉を開けると、「復活祭、おめでとう！」という声がかかる。垂木からは、繊細な手描きの装飾をほどこした卵の殻がつり下げられている。待ちに待ったイースターエッグの季節の到来だ。その昔、受難節の間は食べるのを禁じられていた卵を、復活祭の贈り物として飾ったのが始まりだ。その後、18世紀には中身を取り除いた卵の殻の中に、とかしたチョコレートを詰めるようになった。「ジェラール・ミュロ」のマカロンで作った巨大なイースターエッグ、「ラデュレ」のガナッシュを詰めたパステルカラーの卵や鐘、「ピエール・マルコリーニ」の金箔で覆った特大の卵、「ジャン＝ポール・エヴァン」の伝統的な小さなチョコレートの魚を詰めたチョコレートの鶏が有名だ。

パリの子供たちが一番喜ぶ復活祭のプレゼントは、オスマン大通りにあるデパート、「ギャルリ・ラファイエット」で毎年恒例のイースターエッグ狩りに参加することだろう。大人はガラスの大ドームの下でコーヒーとガトー・ド・パック（小さな卵形の砂糖菓子かさくらんぼがのった濃厚なチョコレートケーキ）を味わう。

ベストシーズン　復活祭の日付は毎年変わる。復活祭が早い年（3月上旬）は冬支度で行こう。遅い年（4月下旬）なら暖かい日を予想していこう。4月のパリはわりと雨が多い。

旅のヒント　復活祭の日曜日は祝日で、多くの店やレストランは休業し、月曜日も続けて休む店もある。レストランへ行くときは事前に確認しよう。「ギャルリ・ラファイエット」のイースターエッグ狩りは無料だが、店のホームページで登録が必要。登録締め切りは3月31日。

ウェブサイト　en.parisinfo.com、www.eurostar.com、www2.galerieslafayette.com（日本語あり）

クレープとガレット

クレープは、昔からマルディグラ（聖火曜日）と結びついていた。40日間にわたって食事制限をする受難節の前に、傷みそうな食品を使いきる習わしだった。その伝統を再現しているのが、「ブレッツ・カフェ」の**塩バターキャラメル味の クレープ**や、「クレッペリー・ブルトンヌ」のそば粉を使った塩味のガレットだ。

ガレットは、大きな平たいケーキやタルトを指す言葉でもある。中世以降、1月の公現祭は「王たちのケーキ」を意味する**ガレット・デ・ロワ**と呼ばれるケーキを食べて祝うようになった。

現代のケーキは、パイ生地の中にアーモンドクリームを詰め、小さな飾りを1個ケーキの中に入れて焼き、仕上げに紙の王冠をのせる。ケーキを切り分けたとき、飾りの入ったところが当たった人は、その日の王様か女王様となる。

復活祭が近づくと、パリのショコラティエやパティスリーのショーウィンドーは、あらゆる色と形のウフ・ド・パック（イースターエッグ）で飾られる。

職人による手作りのヌガー。工場生産のキャンディバーに使われる合成ヌガーとはひと味もふた味も違う。

フランス
モンテリマールのヌガー

かつて神々の食べ物といわれていたヌガー。
できたてを一口かじると、神々しい甘さが口の中に広がる。

プロヴァンス名産のラベンダーの芳香が漂ってくると、モンテリマールに近づいているしるしだ。南仏ヴァランスの南、ヌガーの都として名高いこの町は、目抜き通りにヌガーの店や工房が軒を連ねている。

ヌガーは卵白と砂糖と温めた蜂蜜を混ぜ合わせ、砕いたアーモンドとピスタチオを加えた伝統の菓子。「モンテリマールのヌガー」を名乗るには、地元産のラベンダーの蜂蜜を28％、アーモンドを30％、シチリア産ピスタチオを2％含んでいなければならない。古代ローマ人はヌガーの原型ともいえるナッツの菓子を神々に捧げていた。そして、特別な日にヌガーを贈るという伝統は今も残っている。

南フランスでクリスマスイブに食べるトレーズ・デセール（13のデザート、キリストと12使徒を表す）には2種類のヌガーも含まれる。暑い夏の午後は、蜂蜜とナッツがほのかに香る冷たいデザート、ヌガー グラッセを食べよう。

ベストシーズン ヌガーのふるさとをめぐるには最低でも1週間は必要。4～6月末、9～10月が快適。8月は暑いし混雑するので避けよう。

旅のヒント パリからTGVでヴァランス、モンテリマール、アビニョンへは2時間強。多くのヌガー工房ではヌガー作りが見学できる。見学できる時間をモンテリマールの観光案内所に問い合わせよう。
ソーのボワイエをはじめ、ヌガー工房への訪問は歴史ある街アビニョンから日帰りできる。
ソーにあるヌガー職人「アンドレ・ボワイエ」の店に寄れば、ついでにプロヴァンス丘陵も観光できる。

ウェブサイト www.montelimar-tourisme.com、www.beyond.fr

プロヴァンスで甘いもの三昧

■ **カリソン**は、1454年の王家の結婚祝いにつくられた**エクス・アン・プロヴァンス**の郷土菓子。それぞれのカリソン職人が秘伝のレシピをもっている。大まかな手順は、アーモンドペーストに果物（たいていプロヴァンスのカバイヨンメロン）の砂糖漬けを混ぜ、ホスチア（薄いウエハース）にのせて菱形に成形して焼く。エクス・アン・プロヴァンスでは毎年9月1日に、1630年のペスト終息を祝って特別なミサがあり、その聖体拝礼ではカリソンが用いられる。エクスにある「バルリ」の店でおいしいカリソンを買おう。

■ **果物の砂糖漬け**で名高い町**アプト**を訪れるなら、周辺の丘が一斉に桜の花で覆われる3月がいい。専門店やパティスリーでは、さくらんぼ、梨、メロン、柑橘類の皮などの砂糖漬けを売っている。生の果物や自家製ジャムなら、アプトの有名な市場へ行こう。12世紀から毎週土曜日に開かれている。

■ **小さな舟形のナヴェット**は伝統の焼き菓子。香り付けに使うこともあるオレンジの花の水は、たいていのプロヴァンスの市場で手に入る。1781年以来ナヴェットを焼いてきた**マルセイユ**では、2月2日の聖母マリアの清めの日にこれが欠かせない。伝統的にナヴェットはひと月に1個という意味で、12個ずつ買い求めた。

「ベティーズ」は、店のブランドの紅茶、コーヒーやケーキを昔からヨークシャー風のもてなしで提供している。

英国
ベティーズでお茶を

ヨークシャーの王冠を飾る宝石の一つ、家族経営の「ベティーズ」は
イングランドに伝わるアフタヌーンティーの伝統を忠実に守っている。

イングランド北部、北ヨークシャーのハロゲートが注目を浴びたのは、硫黄を含んだ温泉が出たからだ。しかし今日、この町にやってくる人々は、温泉よりも食べ物に誘われて、といったほうが当たっている。創業当時の1919年から少しも変わっていない印象の「ベティーズ」は本店の他に5店、ヨークシャーにある。創業者はスイスの菓子職人、フレデリック・ベルモントだ。

ウェイトレスに、アフタヌーンティーとシャンパンのハーフボトルを頼もう。そして、昔懐かしい日々を思い浮かべながら、ひと口大のサンドイッチ（具は鮭の燻製やヨークシャー産のハムなど）をつまみ、ケーキスタンドに盛られた絶品のペストリーをいただく。他に、ファット・ラスカル（アーモンドとオレンジピール、砂糖漬けさくらんぼ入りの分厚いフルーツスコーン）、溶かしバターのかかったパイクレット（小さなパンケーキ）、しっとりしたジンジャーケーキ、ヨークシャー特産のウェンズリーデイルチーズを添えたベティーズ流フルーツケーキなどがある。

ベストシーズン ヨークシャーの荒野はいつ行っても圧倒的な風景だ。ヒースが開花し、荒野全体がくすんだ紫色に染まる8月から9月にかけてが最高。
旅のヒント ハロゲートのハーローカーにあるRHSガーデンにベティーズの支店がある。このほか、ヨーク、ノーサラートン、イルクリーにもある。どの店も繁盛しているので、週末などは予約して行くのが無難。ハロゲートは骨董品収集家に人気の町でもあり、品数豊富なアンティークの店がたくさんある。
ウェブサイト www.bettys.co.uk

スコーン
ヨークシャーの主婦は、それぞれ母親から受け継いだスコーンのレシピを持っている。フルーツスコーンは砂糖とともに干しぶどうを50グラム入れる。

スコーン9個分
セルフライジングフラワー（パンケーキ用小麦粉にベーキングパウダーと塩少々を加える）
　225グラム（ふるっておく）
バター　50グラム
上白糖　25グラム
牛乳　150cc
（分量外として、上に塗る分少々）

オーブンを220℃に予熱しておく。ボウルに小麦粉を入れ、バターを入れて粉とやさしくこすり合わせる。砂糖を混ぜ、次に生地が柔らかくなるまで牛乳を徐々に加えながら混ぜる。

打ち粉をした台に生地を広げ、厚さ2センチにのばし、直径5センチの円形にくりぬく。オーブンシートを敷いた天板に並べ、表面に牛乳を刷毛で塗る。オーブンに入れ、しっかりふくらんできつね色になるまで10分から12分焼く。

温かいうちにたっぷりのバターとジャムを添えて出す。

英国
デボンシャーのクリームティー

ウエストカントリーは、クリームティーが誕生した土地。
英国で最も愛されている午後の習慣の一つだ。

デボンやコーンウォールの農家は、自分の家でクリームティー用のクリームを作っている。作り方は昔と同じだ。低温殺菌処理をしていない上質のしぼりたてのミルクを浅い鍋に入れ、火にかける。表面に分厚い濃厚なクリームの層ができるまで、決して目を離さない。

クロテッドクリームという、高脂肪でバターのような食感のクリームは、デボン流クリームティーの主役だ。これと焼きたてのスコーン（1人に2個、プレーンでもフルーツスコーンでもお好みで）と手作りジャムがセットになっている。半分に割ったスコーンにたっぷりとクロテッドクリームとジャムをのせて食べる。この午後の楽しみには、濃いめの紅茶が合う。ブラックでも"ホワイド"（ミルクを入れて）でもいいが、砂糖は入れないほうがいい。その味と食感が絶妙な組み合わせだ。

昔、このボリュームのあるスコーンは、農場の働き手が夕方まで作業を続けられるようにと、農家の主婦が用意したものだった。この「クリームティー」は、農場にもティールームにもパブにもあり、くつろぎのひとときには欠かせない。

ベストシーズン　クロテッドクリームもデボンも、夏が最高。
小さい農場には夏だけ観光客を受け入れているところもある。

旅のヒント　農場の多くはクリームティーの看板を掲げていない。地元の人にお気に入りの場所を聞いてみよう。みんな意見が違ってかえって戸惑うかもしれないが、それも旅の醍醐味だ。

ウェブサイト　www.visitdevon.co.uk、www.devonsfinest.co.uk
www.davidgregory.org/primrose_cottage.htm、www.beautiful-devon.co.uk

クロテッドクリーム

クリームティーを味わいにデボンへ行けないなら、自分でクロテッドクリームを作ってみよう。それにはしぼりたての濃いミルクが必要だ。ミルク7.6リットルを大きな浅い鍋に入れ、表面に脂肪分を浮かせるために、一晩涼しいところに置く。翌日、鍋を火にかけ、とろ火で1時間温める（決して沸騰させず、かすかに揺れ動く程度）。徐々に黄色のクリームが波立つ厚い層が表面にできてくる。静かに火から下ろし、完全に冷めてから表面のクリームをすくい取る。スコーンがなければ、焼きたてパンに塗って食べてもおいしい。

デボンの青々とした草原で草をはむ乳牛。その乳脂肪分の多い乳からクロテッドクリームができる。

索　引

あ行

アーモンド　125, 221
アイスクリーム　12, 55, 146-147, 301
　　アイスクリームシティ（東京）　302
　　素敵なアイスクリームのある店
　　　トップ10　302
アイスランド　176
アイラ島（英国）　280
アイル・オブ・パームズ（米国）　192
アイルランド　18, 32, 74, 84, 244-245,
　　252, 281
　　アイリッシュシチュー　18
アヴェロン地方（フランス）　36
アカザビス祭り（ドイツ）　233
アキー＆ソルトフィッシュ
　（ジャマイカ）　18
アジャホテル（英国）　302
アストゥリアス州（スペイン）　32
アストロラバー（オーストラリア）　234
アスパラガス祭り（ドイツ）　87
アッシジ（イタリア）　118
アテネ（ギリシャ）　191
アトランタ（米国）　12
アドリア、フェラン（スペイン）　242
アヒル（中国）　180
アムステルダム（オランダ）　74, 197
厦門（中国）　80
アランチャ・ロッサ（イタリア）　29
アリゾナ州（米国）　230
アリ・ムヒッディン・ハジ・ベキル
　（トルコ）　56, 297
アルゴンキンホテル（米国）　234, 252
アルザス、フアン・マリ（スペイン）　205
アルザス地域圏（フランス）　272
アルゼンチン　32, 96, 104-105, 174,
　　256, 302
アルボワ（フランス）　272
アルル（フランス）　74
アルンウィックガーデン（英国）　176
アレーパ（米国、ベネズエラ）　132,
　　137
アンダルシア地方（スペイン）　39
アンティコ・ピッツィケリア・デ・
　ミッコロ（イタリア）　46
アンデクス修道院（ドイツ）　262
アンマリーン・ベドウィンキャンプ
　（ヨルダン）　7
イー・オールド・ポークパイショップ
　（英国）　46
イースターエッグ（フランス）　310
イートン・メス（英国）　99
イーリー（英国）　146
居酒屋（米国）　175
イスタンブール（トルコ）　56, 59, 208,
　　296-297, 302
イスラエル　153
イタリア　12, 26, 27, 28, 29, 46, 61,
　　62, 64, 84, 88-89, 90, 96-97,
　　116-117, 118-119, 120, 122, 176,
　　194, 195, 237, 265, 266, 267, 290,
　　301, 302, 304-305, 308
　　イタリアの料理教室 トップ10　118
いちご（英国）　99
いちじく（トルコ）　23
市場
　　イスタンブールの魚市場（トルコ）　59
　　イタリア市場（米国）　133

市場で味わう屋台料理
　（ベトナム）　149
市場での作法（マレーシア）　148
カウパットリ（フィンランド）　62
カストーリーズ市場（西インド諸島、
　セントルシア）　62
カンポ・ディ・フィオーリ
　（イタリア）　64
キャッスルテラスのファーマーズ
　マーケット（英国）　200
クイーンビクトリア市場
　（オーストラリア）　58
クール・サレヤ（フランス）　62
クスコのクリスマス市場（ペルー）　50
グランビル島の市場（カナダ）　48
クレタ・アヤ地区のウェット市場
　（シンガポール）　62
ケソン市の朝市（フィリピン）　51
サルセード共同市場
　（フィリピン）　51
シドニー魚市場
　（オーストラリア）　185
セントローレンス市場（カナダ）　62
ダムヌン・サドゥアク水上マーケット
　（タイ）　52
チャンドニー・チョーク（インド）　55
中央市場（チリ）　12
ドルドーニュの夜市（フランス）　65
ニュートンサーカス
　（シンガポール）　142-143
バラ・マーケット（英国）　62
ハン・ハリーリ（エジプト）　69
フェリービルディング市場
　（米国）　45
プエブラの市場（メキシコ）　49
プラハのクリスマスフェア
　（チェコ）　60
ベロペソ（ブラジル）　62
ボケリア市場（スペイン）　66-67
ボルタパラッツォ市場（イタリア）　89
ユニオンスクエア・グリーン市場
　（米国）　62
ラウ・パ・サ・フェスティバル
　マーケット（シンガポール）　143
ラ・ブッチリア（イタリア）　62
ラマダンの市（マレーシア）　53
リアルト魚市場（イタリア）　61
路上の市場 トップ10　62
イビサ島（スペイン）　192
イプスウィッチ（米国）　14
イベリコ豚　39
移民の料理 トップ10　104
イラン　90-91
イリノイ州（米国）　217
イングリッシュ、トッド　222
インディアナポリス国際空港
　（米国）　308
インド　54-55, 56, 96, 104, 112-113,
　122, 150-151, 152, 188-189, 190,
　290, 294
インドネシア　186
ヴァシュラン・デュ・オー・ドゥー
　（フランス）　36
ヴァレンガ（イタリア）　118
ウィーン（オーストリア）　300, 308
ウィスコ（米国）　257, 302
ウィスコンシン州（米国）　12
ウィンナーシュニッツェル
　（オーストリア）　18
ウィンホテル（米国）　234
ヴヴェイ（スイス）　12

ウェストバージニア州（米国）　76
ウエストディーン（英国）　146
ヴェストファーレン地方（ドイツ）　30
ヴェチェーシュ（ハンガリー）　146
ヴェネト州（イタリア）　118
ヴェローナ（イタリア）　118
魚市場　20-21, 59, 61, 62, 185
ウォーターベリー（米国）　12
ウォツカ（ロシア）　228
ウォルバースウィック（英国）　282
ヴォンゲリヒテン、ジャン＝ジョルジュ
　222
ウナギの日（英国）　146
ウナワトゥナ（スリランカ）　192
海の眺めがすばらしいレストラン
　トップ10　192
ウルム（ドイツ）　12
ウンブリア州（イタリア）　118
英国　12, 18, 46, 56, 62, 68, 99,
　104, 122-123, 127, 146, 157,
　160-161, 164, 176, 186, 198-199,
　200, 208-209, 234, 240, 252, 262,
　280, 282-283, 308, 312, 313
女王陛下の国のパブ
　トップ10　282
エクルズケーキ（英国）　122
エコーミーキャンディ（米国）　56
エジプト　69
エストニア　208
エセックス州（英国）　282
エチオピア　40
エトナ山（イタリア）　29
エノテカ（イタリア）　267
エポワス（フランス）　36
エラド・スカンナビエコ
　（アルゼンチン）　302
エリセーエフ（ロシア）　46
エル・ブジ（スペイン）　242
大阪　140
オーストラリア　58, 164, 176, 185,
　186, 192, 234, 260, 302
オーストリア　18, 92, 300, 308
オーベルニュ地方（フランス）　36, 93
オールドグリーンツリー（英国）　282
オーンズ・キャンディストア
　（米国）　56
オッソ・イラティ（フランス）　36
オランダ　74, 90, 156, 197, 269
オリーブ（ギリシャ）　25
オレゴン州（米国）　249
オレンジ（フランス）　29
オロゼイ（イタリア）　118
女料理人の祭典（西インド諸島、
　フランス領グアドループ）　84

か行

カーデーベー（ドイツ）　46
ガーナ　262
貝（英国）　14
懐石料理　227
カイロ（エジプト）　69
カカオ・チョコレート博物館
　（ベルギー）　12
牡蠣
　スコットランド（英国）　31
　ニューブランズウィック州
　　（カナダ）　10

ブルターニュ（フランス）　34
カクテル　122, 246, 255
　驚くほど高いカクテルバー
　　トップ10　234
カシューサ（ブラジル）　255
ガスノッケン（オーストリア）　92
ガスペ半島（カナダ）　32
カスレ（フランス）　203
家庭料理（キューバ）　103
カナダ　10, 32, 48, 62, 162, 164,
　186, 192, 230, 308
カナルハウス（英国）　282
カニ
　上海ガニ（中国）　79
　ソフトシェルクラブ（米国）　77
カフェ　192, 295, 300
　すばらしき哉、カフェの街
　　トップ10　290
かぼちゃ（米国）　72
　パンプキンフリッター（南アフリカ）
　　213
カポジーロ・ジェラート（米国）　302
カマンベール（フランス）　36
カラカス（ベネズエラ）　137
カラブリア州（イタリア）　12
カリフォルニア州（米国）　16, 45, 73,
　74, 96, 104, 186-187, 192-193,
　220, 234, 247, 302
カリブ海　221, 251
カルカソンヌ（フランス）　202-203
ガレット（フランス）　310
韓国　18, 141
カンタベリーラム
　（ニュージーランド）　111
カンタル（フランス）　36
ガンテワラ・ハルワイ（インド）　56
カントリー・ハウスホテル（英国）　241
カンノーリ（米国）　288
カンパニア州（イタリア）　118
キーライムパイ（米国）　292
北アイルランド　234
キッコス修道院（キプロス）　262
きのこ　73, 93
キプロス　262-263
キベ（レバノン、シリア）　18
キャッツキル山脈（米国）　32
キューバ　103, 186, 252
牛肉　40, 229
　牛肉のカルパッチョ（イタリア）　239
　牛肉のバローロ煮込み
　　（イタリア）　265
京都　208, 227
郷土料理
　世界の郷土料理 トップ10　18
ギリシャ　24-25
　アテネのタベルナ　191
　ギリシャの島々　115
キングストン（ジャマイカ）　302
クアラルンプール（マレーシア）　53
クスコのクリスマス市場（ペルー）　50
クバ川（クロアチア）　32
グヤーシュ（ハンガリー）　18
グラース（オーストラリア）　302
クラクフ（ポーランド）　208
グラッタケッカ（イタリア）　301
グラニータ（イタリア）　301
クラム（米国）　14
グラン・カフェ・デ・ヒホン
　（スペイン）　252
グランドキャニオン（米国）　230
グランド・シャルトルーズ修道院

（フランス） 262
グランドセントラル駅（米国） 164
グリーンランド 284
クリスト・ボーズ修道院（ガーナ） 262
グルジア 86
クルフィ（インド） 294
クレタ島（ギリシャ） 25
クロアチア 32
クロースタルス（スイス） 229
クロッドクリーム（英国） 313
ケイジャン（米国） 167
ケーキ 295, 298, 299, 300, 308
ケープタウン（南アフリカ） 74, 129, 213
　ケープ半島とワインランド 96
　ケープマレー料理 129
ケソン市（フィリピン） 51
ケベック（カナダ） 32, 162, 290
ケミ（フィンランド） 176
原産地統制呼称 26, 28, 38, 39, 266, 272
ケンタッキー州（米国） 246
ケント州（英国） 99
ゴア（インド） 158-189
コウゾ（バルバドス） 18
香辛料（インド） 112-113
紅茶 12, 68, 122
　アフタヌーンティー（中国） 293
　クリームティー（英国） 313
　ダージリンティー（インド） 122
　ティーハウス（トルコ） 297
　ベティーズ（英国） 312
コート・デュ・ローヌ・ヴィラージュ（フランス） 272
ゴードン、ピーター 222
コーヒー 12, 40, 295, 299, 300
　コーヒーのエチケット 307
　すばらしき哉、カフェの街トップ10 272
ゴールデン・トライアングル（タイ） 96
コカ・コーラ（米国） 12
コタバル（マレーシア） 148
コネティカット州（米国） 72, 84
仔豚（スペイン） 206
コペンハーゲン（デンマーク） 302
コルカタ（インド） 152
コルシカ島（フランス） 98
コルビエール（フランス） 272
コンテ（フランス） 36
コンフィズリーメルマン（ベルギー） 56

さ行

サースフェ村（スイス） 230
サイゴン（ベトナム） 110
サウスカロライナ州（米国） 163, 192
魚 21, 141, 157, 185
　魚市場 20-21, 59, 61, 62, 185
　魚（ベトナム） 110
　ニシン（オランダ） 156
　タラ（ノルウェー） 83
　釣り人の楽園トップ10 32
　トビウオ（ジャマイカ） 18
　フィッシュ&チップス（英国） 157
　リスボンの魚（ポルトガル） 211
さくらんぼ 15
鮭 32
ザ・ケンブリッジブルー（英国） 282
ザ・サッチャーズアームズ
（英国） 282
刺身（日本） 21
ザッハトルテ（オーストリア） 308
札幌（北海道） 257
ザ・バー（北アイルランド） 234
サフォーク州（英国） 282
サフラン（スペイン） 38
ザ・ブリックレイヤーズアームズ
（英国） 282
ザ・ベチェマンアームズ（英国） 282
サラエボ
（ボスニア・ヘルツェゴビナ） 154
サラミ（ハンガリー） 12
ザリガニパーティー（フィンランド） 82
サルタ州（アルゼンチン） 96
サルディーニャ島（イタリア） 118
ザ・ロイヤルオーク（英国） 282
ザ・ロードネルソンイン（英国） 282
サンアントニオ（スペイン） 192
サンアントニオ（米国） 166
サンクトペテルブルク（ロシア） 252
サンジョベーゼ（イタリア） 266
サンセール（フランス） 272
サンセバスチャン（スペイン） 205
昔懐かしいお菓子屋さん
　トップ10 56
サン・ダニエーレ（イタリア） 26
サンタフェ（米国） 102
サンティアゴ（チリ） 62
サンティアゴ・デ・コンポステーラ
（スペイン） 84
サンテミリオン（フランス） 272
サンドイッチ
　フィラデルフィア（米国） 133
　ロサンゼルス（米国） 133
サントロペ（フランス） 192
サン・バルテルミー島
（フランス領西インド諸島） 221
サンファン（プエルトリコ） 170
サンフランシスコ（米国） 45, 186-187, 220, 332
サン・マルコの日（イタリア） 84
サン・ロレンツォの日（イタリア） 84
シアトル（米国） 290
ジ・アンカー（英国） 282
CNタワー（カナダ） 230
GQバー（ロシア） 282
シーフード 8-9, 20-21, 34, 77, 78-79, 108-109, 127, 141, 254
　シーフード祭り 10, 82, 156
　シーフードレストラン 61, 62, 77, 79, 127, 211
　シドニー（オーストラリア） 185
　マルセイユ（フランス） 204
ジェヴィントン（英国） 122
シェーブル（フランス） 36
シエナ（イタリア） 46
ジェネバ（オランダ） 269
シェフ
　世界の名シェフトップ10 222
シェリー（スペイン） 275
ジ・オールデストスイートショップ・
イン・英人の町（英国） 56
シカゴ（米国） 217
鹿肉 31, 111
四川料理（中国） 183
シチュー 18, 40
シチリア（イタリア） 29, 84, 118, 286-287, 156
シドニー（オーストラリア） 185, 234, 302
ジャークポーク（ジャマイカ） 136
シャウルス（フランス） 36
ジャカルタ（インドネシア） 186
じゃがいも 50
ジャマイカ 18, 136, 302-303
ジャン（フランス） 272
上海（中国） 78-79
上海ガニ（中国） 78-79
シャンパーニュ地方（フランス） 36, 270-271
ジャンブーズバー（セントビンセント・
グレナディン諸島） 234
シューフライパイ（米国） 289
シュガー・オン・スノー・パーティー
（米国） 11
ジュラ地方（フランス） 36
女王陛下の国のパブトップ10 282
ジョージア州（米国） 12
食通のための自転車旅行
食の博物館（スイス） 12
食品工場見学と食の博物館
　トップ10 96
食料品店 35, 37, 55, 119, 124, 129, 157
　昔懐かしいお菓子屋さん
　　トップ10 56
　歴史ある食料品店トップ10 46
　ロンドンのフードホール
　　（英国） 68
シリア 18, 262
ジン（オランダ） 269
シンガポール 62, 142-143, 179, 156
　シンガポールスリング 122
　シンガポールの屋台村 143
新年の祝宴トップ10 90
新横浜ラーメン博物館（神奈川） 12
新築祝いマイアミ（スエボラティーノ・
マイアミ（米国） 169
サンファン（プエルトリコ） 170
スイートウォーター（米国） 146
スイス 12, 229, 230
スウェーデン 84
スカイロンタワー（ドバイ） 234
スキーダム（オランダ） 269
スコーン（スウェーデン） 84
スコットランド（英国） 31, 200
寿司 21
スタイン、リック 127
ステーキ（アルゼンチン） 174
ストニントン（米国） 84
ストラホフ修道院（チェコ） 262
スペイン 32, 38, 39, 56, 66-67, 84, 90, 96, 126, 192, 205, 206, 207, 208, 210, 242, 252, 275, 276, 290, 308
スヘフェニンゲン（オランダ） 156
スモーブロー（デンマーク） 196
スリナム 104
スリランカ 192
スローフード運動（イタリア） 89, 90
聖アントニウス祭（アンドラ公国） 84
聖人の日の祝宴トップ10 84
成都（中国） 182-183
聖パトリックの日（アイルランド） 84
聖ヨゼフの祝日（スペイン） 84
セーヌ・エ・マルヌ県（フランス） 36
世界の名シェフトップ10 222
セゲド（ハンガリー） 12
セゴビア（スペイン） 206
セビリア（スペイン） 275
船団の祝福祭（米国） 84
セント・シクストゥス修道院
（ベルギー） 262
セントパンクラス駅（英国） 164, 282
セント・ヒューズ・チャーターハウス
（英国） 262
セントビンセント・グレナディン諸島 234
セントルイス（米国） 302
セントルシア（西インド諸島） 62
総菜店 26, 39, 44, 58, 133, 162, 195
ソウル（韓国） 141
ソフトシェルクラブ（米国） 77
ソノマ（米国） 96
ソルバング（米国） 104
ソルフォード（英国） 122
ソレント（オーストラリア） 192

た行

ダージリンティー（インド） 122
ターリー（インド） 190
ダーリングハーバー
（オーストラリア） 234
タイ 52, 81, 96, 108-109, 145, 176, 184, 230-231
台北（台湾） 230
台湾 230
タコ 20, 140
たこ焼き（大阪） 140
タジン（モロッコ） 159
タスマニア（オーストラリア） 192
タバス（スペイン） 210, 276
セビリア（スペイン） 275
タバスコ州（メキシコ） 308
旅人のためのレストラン
　トップ10 164
ダブリン（アイルランド） 252
タリン（エストニア） 208
タルト・タタン（ドイツ） 122
ダルマイヤー（ドイツ） 46
団子（ダンプリング） 79, 92, 190
団子のチーズかけカスノッケン
（オーストリア） 92
タン・レミタージュ（フランス） 308
チーズ 30, 46, 92, 98, 113
　アルチザンチーズ（米国） 16
　チェダーチーズ（英国） 122
　ピエモンテ（イタリア） 38
　フランス各地の多彩なチーズ
　　トップ10 36
茶
　茶館（中国） 183
　白毫銀針（中国） 22
　白茶（中国） 22
チャート（ムンバイ） 151
チャールストン（米国） 163
チャイナタウン
　世界のチャイナタウン
　　トップ10 186
チャイルド、ジュリア 121
チャパティ（インド） 112-113
チャンドニー・チョーク（インド） 54-55, 56
中国 22, 78-79, 80, 90, 104, 107, 144, 180, 181, 182-183, 224, 293
チューロス（スペイン） 308
チュニス（チュニジア） 212
チュブト渓谷（アルゼンチン） 104
チェコ 60, 262, 290-291
チェサピーク湾（米国） 77
チェシャチーズ（英国） 252

索引 | 315

チェダーチーズ（英国）122
チェバビ
　（ボスニア・ヘルツェゴビナ）154
チェリーフェスティバル 15
チェンナイ（インド）290
チョウパティ海岸（インド）294
チョコレート 12, 46, 146
　イースターエッグ（フランス）310
　ヴァローナチョコレート
　　（フランス）308
　チョコラテ（スペイン）308
　チョコレートに浸れる場所
　　トップ10 308
　チョコレートネメシス（英国）308
　チョコホリックブッフェ（カナダ）308
　チョコレートホテル（ベルギー）
　　306
　ブリュッセルのチョコレート
　　（ベルギー）306
　ホットチョコレート（イタリア）308
　マヤのチョコレート（メキシコ）308
チリ 62
築地市場（東京）20-21
ディランズバー（英国）252
ディングル（アイルランド）281
テキサス州（米国）74, 146, 166
テクスメクス料理（米国）166
テッド・ドルーズ・フローズカスタード
　（米国）302
テト（ベトナム）90
テネシー州（米国）146
デボン（英国）313
デボンハウス（ジャマイカ）302
デュカス、アラン 219, 222, 243
デリー（インド）54-55, 56
デリカテッセン 46, 58
　ニューヨーク（米国）44
点心（中国）181
デンマーク 196, 298, 302
ドイツ 12, 30, 46, 87, 261, 262, 264, 290, 299
トゥールの聖マルティヌスの日
　（スウェーデン）84
トゥロンファクトリー（スペイン）56
唐辛子 12, 17, 102, 146
唐辛子博物館（イタリア）12
東京 20-21, 164, 175, 302
東方の三博士の日（メキシコ）84
トスカーナ（イタリア）116-117, 118, 266
トップ10
　イタリアの料理教室 118
　行ってびっくり！驚愕のレストラン
　　176
　一風変わった食の祭典 146
　移民の料理 104
　海の眺めがすばらしいレストラン
　　192
　驚くほど高いカクテルバー 234
　菜園レストラン 74
　修道院で造る酒 262
　女王陛下の国のパブ 282
　食通のための自転車旅行 96
　食品工場見学と食の博物館 12
　新年の祝宴 90
　素敵なアイスクリームのある店 302
　すばらしき酒、カフェの街 290
　聖人の日の祝宴 84
　世界の郷土料理 18
　世界の頂点にあるレストラン 230
　世界の名シェフ 222

旅人のためのレストラン 164
チョコレートに浸れる場所 308
釣り人の楽園 32
発祥の地で楽しめる料理 122
フランス各地の多彩なチーズ 36
フランスのワインめぐり 272
文学と縁の深い酒場 252
昔懐かしいお菓子屋さん 56
歴史ある食料品店 46
歴史あるレストラン 208
路上の市場 62
ドバンパー（英国）234
ドバイ 234
トビウオ 18
トフィーノ（カナダ）192
トライスト（米国）234
トラバースシティ（米国）15
トリ・シュル・バイズ（フランス）146
トリニダード・トバゴ 104
トリノ（イタリア）89, 308
トリュフ（フランス）94
トルコ 23, 56, 59, 208, 296-297, 302
　トルコの地中海沿岸 96
ドルドーニュの夜市（フランス）65
トルファ（イタリア）118
トロードス山脈（キプロス）262
トロント（カナダ）62, 230

な行

ナイツブリッジ（英国）68
ナパバレー（米国）96
ナポリ（イタリア）39
ナポリのスフォリアテッラ
　（イタリア）194
生ハム（イタリア）26
ナミビア 104
ナルセア川（スペイン）32
ニース（フランス）26
西ケープ州（南アフリカ）192
ニシン（オランダ）156
日本 12, 20-21, 90, 140, 146-147, 164, 175, 208, 225, 226-227, 257, 258-259, 302
日本酒 258-259
ニューオーリンズ（米国）122, 167
ニューキー（英国）252
ニュージーランド 32, 111
ニュートンサーカス
　（シンガポール）142-143
ニューブランズウィック州（カナダ）10
ニューメキシコ州（米国）102
ニューモルデン（英国）104
ニューヨーク（米国）44, 56, 62, 132, 164, 186, 216, 230, 234, 252-253, 288, 290, 308
ニョクマム（ベトナム）110
ヌガー（フランス）311
ネオ・ビストロ（フランス）201
ネッビオーロ（フランス）265
ネバダ州（米国）218-219, 230, 234
ノウルーズ（イラン）90-91
ノッティンガム（英国）282
ノルウェー 83
ノルマンディー地方（フランス）36

は行

ハーグ（オランダ）156
パークミンスター（英国）262
バージ・アル・アラブ（ドバイ）234

バージニア州（米国）96
パース（英国）282
バー・ナインティーン12（米国）234
バーニョ・ア・リーポリ（イタリア）118
バーベキュー 134, 146
バー・ヘミングウェイ（フランス）234
バーボン（米国）246
バーモント州（米国）11, 12
パイ＆マッシュの店（英国）157
バイエルン州（ドイツ）262
パエリア（スペイン）207
パクストン＆ホイットフィールド
　（英国）46
バゲット（フランス）35
ハジ・ベキル（トルコ）56, 297
バスク料理（スペイン）96, 205
パスタ 100-101, 115, 195
パタゴニア地方（アルゼンチン）32, 104-105
バック、ウルフガング 222
発祥の地で楽しめる料理
　トップ10 122
パトニー（英国）282
パテリーブリッジ（英国）56
パドストウ（英国）127
バナナフォスター（米国）122
バニラ
　（レユニオン島、マダガスカル）41
ハノイ（ベトナム）290
パフィーパイ（米国）122
ハバナ（キューバ）103, 186, 252
パブ 244-245, 252-253
　女王陛下の国のパブ
　　トップ10 282
　ディングル（アイルランド）281
パブロバ 12
ハム 30
　サン・ダニエーレの生ハム
　　（イタリア）26
　ハモン・イベリコ（スペイン）39
　パルマハム（イタリア）122
　ハモン・イベリコ（スペイン）39
バラ（英国）62, 282
パリ（フランス）35, 46, 56, 121, 164-165, 201, 208, 230, 233, 234-235, 252, 290, 307, 310
バルサミコ酢（イタリア）27
バルセロナ（スペイン）66-67, 192
バルバドス 18
パルマ（イタリア）122, 267
春巻（中国）80
パレルモ（イタリア）62
バレンシア（スペイン）207
パロー・ド・セルダーニュ
　（フランス）146
バロッサバレー（オーストラリア）260
ハロッズ（英国）68
ハワード、フィリップ 198
パン 12, 30, 35
ハン・ハリーリ（エジプト）69
ハンガリー 12, 18, 146, 262, 295
バンガロール（インド）190
バンクーバー（カナダ）48, 164, 186, 308
バンコク（タイ）145, 176, 184, 230-231
パンノンハルマ大修道院
　（ハンガリー）262
ハンバーガー 18
パンプキンフリッター（南アフリカ）213
パン文化博物館（ドイツ）12

バンベルク（ドイツ）261
パン屋 35
ヒースロー空港（英国）164
ピーチメルバ（英国）122
ビーバーキル川（米国）32
ビール 30, 34, 261, 262, 264, 268, 284
　オレゴンの地ビール（米国）249
　ピエモンテ（イタリア）28, 88-89, 90, 96-97, 265
　ビエリチカ（ポーランド）176
　ピカルディ地方（フランス）36
　ビクトリア州（オーストラリア）192
　ピザ（イタリア）194
美食を極める
　イタリア 237
　英国 241
　エル・ブジ（スペイン）242
　驚くほど高いカクテルバー
　　トップ10 234
　菊乃井（京都）227
　クロースタルス（スイス）229
　サン・バルテルミー島
　　（カリブ海）221
　サンフランシスコ料理（米国）220
　シカゴ（米国）217
　世界の頂点にあるレストラン
　　トップ10 230
　世界の名シェフトップ10 222
　日本料理 225
　ニューヨークの名店 216
　パリのオートキュイジーヌ 233
　プロヴァンス（フランス）236
　北京 224
　ホテル・チプリアーニ
　　（イタリア）238-239
　ミラノ（イタリア）237
　モスクワ（ロシア）228
　ラスベガスの人気レストラン
　　（米国）219
　リヨン（フランス）232
　ル・サン・ゲラン・ホテル
　　（モーリシャス島）214-215
ピスコ（ペルー）254
ビッグサー（米国）192
ビッグサラミ・セゲドパプリカ博物館
　（ハンガリー）12
ビノンド地区（フィリピン）186
ビバリーヒルズホテル（米国）234
ヒホナ（スペイン）56
ヒューストン（米国）74
ビュンナーフライシュ（スイス）229
ピレネー山脈 36
ファーマーズマーケット 45, 62, 163, 200
ファストフード 135, 141
ファラフェル（イスラエル）153
フィエーゾレ（イタリア）118
ブイヤベース（フランス）204
フィラデルフィア（米国）133, 302
フィリピン 51, 178, 186
フィレンツェ（イタリア）84, 118, 120, 302
フィンランド 62, 82, 176
プーケットの菜食週間（タイ）81
ブースペイ（米国）56
フェジョアーダ（ブラジル）173
フェスティバル（祭り、祭典）
　アスパラガス祭り（ドイツ）87
　一風変わった食の祭典

トップ10　146
芋煮会（山形）　146
ウナギの日（英国）　146
オクトーバーフェスト（ドイツ）　264
ガラガラヘビ・ロデオ（米国）　146
カリフォルニアアルチザンチーズ祭り　16
寒食節（中国）　80
キャベツフェスティバル（ハンガリー）　146
国際シェルフィッシュ祭り（カナダ）　10
サボレア料理祭り（プエルトリコ）　170
ザリガニパーティー（フィンランド）　82
十月祭（ナミビア）　104
春節（中国）　90
白い月（モンゴル）　90
スイカ祭り（米国）　146
清明節（中国）　80
大西洋シーフード祭り（カナダ）　10
チーズフェスティバル（フランス）　146
チェリーフェスティバル　15
唐辛子フェスタ（英国）　146
バーベキュー世界選手権（米国）　146
パン祭り（フランス）　35
プーケットの菜食週間（タイ）　81
豚祭り（フランス）　146
ブラのチーズ祭り（イタリア）　28
フラフィヘフェスダフ（オランダ）　156
プロシュート祭り（イタリア）　26
ホットチョコレート祭り（フランス）　146
ロブスター祭り（カナダ）　10
ブエノスアイレス（アルゼンチン）　174, 302
プエルトリコ　170
フォートナム・アンド・メイソン（英国）　68
フォション（フランス）　46
豚肉　98, 136, 146, 178, 206
ポークパイ（英国）　46
豚の丸焼き（フィリピン）　178
ブダペスト（ハンガリー）　295
プチュカ（インド）　152
福建省（中国）　22
フライドポテト（ベルギー）　155
ブラウンソース（英国）　234
ブラウントラウト　32
ブラジル　62, 172-173, 255
プラタノ（料理用バナナ）　137, 139, 169, 170
ブラックライオンホテル（英国）　252
ブラッスリー・バルザール（フランス）　252
ブラナカン料理（シンガポール）　179
プラハ（チェコ）　60, 262, 290-291
ブラマー 紅茶とコーヒーの博物館（英国）　12
ブラン、レイモン　241
フランシュフーク峡谷（南アフリカ）　285
フランス　18, 34, 35, 36-37, 46, 56, 62, 63, 74, 84-85, 93, 94, 95, 96, 98, 121, 122, 124-125, 146, 164-165, 192, 201, 202-203, 204, 208, 230, 232, 233, 234-235, 236, 252, 262, 274, 290, 307, 308, 310,

311
フランス各地の多彩なチーズ　トップ10　36
フランスのワインめぐり　トップ10　272
フランス領グアドループ　84
ブリー（フランス）　36
ブリスベーン（オーストラリア）　186
ブリックレーン・ベイグルベイク（英国）　46
ブリティッシュコロンビア州（カナダ）　32, 192
ブリュージュ（ベルギー）　268
ブリュッセル（ベルギー）　12, 104, 230, 306
プリンスエドワード島（カナダ）　10
プリンセスロイヤル島（カナダ）　32
ブルーバー（米国）　234
ブルーリッジ（米国）　96
ブルゴーニュ地方（フランス）　36, 70-71, 95, 96, 272-273
プルコギ（韓国）　18
ブルターニュ（フランス）　34
ブルドム、ポール　167
プレストベリー（英国）　282
プロヴァンス（フランス）　124-125, 236, 311
プロシュート（イタリア）　26
フロリダ州（米国）　168-169, 292
フロリディータ（キューバ）　252
ブロング・アハフォ（ガーナ）　262
ブワザン（フランス）　262
ベーグル　44, 46
北京（中国）　107, 144, 180, 224
北京ダック（中国）　180
ペースト　106
ペストリー
　デニッシュペストリー（デンマーク）　298
　パリ　307
ペティーズ（英国）　312
ベトナム　90, 110, 130-131, 149, 290
ペトラキッチン（ヨルダン）　114
ベネズエラ　137
ベネチア（イタリア）　61, 84, 122, 238-239
ベノブスコット川（米国）　32
ベラクルス（メキシコ）　139
ベリーニカクテル（イタリア）　122
ペリゴール地方（フランス）　94
ベリーズ　50, 254
ベルギー　12, 56, 104, 155, 230, 262, 268, 306
ベルケ・ノ！（イタリア）　302
ヘルシンキ（フィンランド）　7
ベルテンプレン修道院（ドイツ）　262
ベルファスト（北アイルランド）　234
ベルリン（ドイツ）　46, 290
ベレン（ブラジル）　62
ベン＆ジェリー社アイスクリーム工場（米国）　12
ペンシルベニア州（米国）　133, 302
ペンシルベニアダッチパイ　289
ヘント（ベルギー）　56, 155
忘年会（中国）　90
ポーランド　74, 176, 208
ボーンマス（英国）　308
メイヨー郡（南アフリカ）　129
ホグマニー（英国）　90
ボストン（米国）　208

ボストンベイ（ジャマイカ）
ボスニア・ヘルツェゴビナ　154
ホットドッグ（米国）　132
ホテル・チプリアーニ（イタリア）　238-239
ホテルリッツ（フランス）　234
ポトフ（フランス）　18
ポリニャーノ・ア・マーレ（イタリア）　176
ボリビア　230
ポルテラ（イタリア）　176
ポルドー（フランス）　272
ポルトガル　211, 277
　ポートワイン　278-279
ポルトガル風蒸し貝（米国）　14
ボローニャ（イタリア）　195
ホワイトホース・タバーン（米国）　252
ポワロン（フランス）　262
香港（中国）　181, 293
ボンベイアイスクリーマリー（米国）　302

ま行

マーチャントホテル（北アイルランド）　234
マイアミ（米国）　168-169
マイエラ（イタリア）　12
マイユ（フランス）　46
マウントビューアーズ（米国）　282
マウントホレブ・マスタード博物館（米国）　12
マカオ（中国）　104
マグノリアベーカリー（米国）　308
マグロ（日本）　21
マサチューセッツ州（米国）　14, 208
マジパン（イタリア）　305
マスタード　12, 46
マダガスカル　41
マックス・ブレナー（米国）　308
松久「ノブ」信幸　222
マディソン川（米国）　32
マディラン（フランス）　272
マドリード（スペイン）　56, 208, 210, 252, 290, 308
マニラ（フィリピン）　51, 178, 186
マラケシュ（モロッコ）　128, 158-159
マルーラ（シリア）　262
マルセイユ（フランス）　204
マルセイユ風ブイヤベース（フランス）　204
マレーシア　53, 148
マロー（アイルランド）　74
マロワール（フランス）　36
マンチェスター（英国）　186
マンハッタン（米国）　186, 216, 290
ミーナ、マイケル　222
ミシガン州（米国）　15
ミズーリ州（米国）　134, 302
ミスキビブルズ・オールドスイートショップ（英国）　56
南アフリカ　74, 96, 129, 192, 213, 285
ミュンヘン（ドイツ）　46, 264
ミラノ（イタリア）　237
昔懐かしいお菓子屋さん　トップ10　56
ムンバイ（インド）　151, 294
メイヨー郡（アイルランド）　32
メイン州（米国）　32
メープルシロップ（米国）　11

メープルシュガー　11
メープルクリーム　11
メープルバター　11
メキシコ　17, 42-43, 49, 84, 106, 138-139, 164, 250, 308-309
メキシコシティ　171
メスカル（メキシコ）　250
メリーランド州（米国）　77
メルトンモーブレー（英国）　46
メルボルン（オーストラリア）　58, 164, 176
メンドーサ州（アルゼンチン）　256
メンフィス（米国）　146
麺類　80, 110, 143, 144, 145, 149, 179, 181
モイ川（米国）　32
モーリシャス島　214-215, 243
モスクワ（ロシア）　46-47, 208, 228, 234
モデナ（イタリア）　27
モルディブ　176
モレ（メキシコ）　49
モロッコ　128, 158-159
モンゴル　90
モンタナ州（米国）　32
モンテリマール（フランス）　311
モントリオール（カナダ）　162, 164

や行

野生のにらねぎ（米国）　76
屋台の味
　アレーパ（ベネズエラ）　137
　魚介料理（韓国）　141
　コタバル（マレーシア）　148
　ジャークポーク（ジャマイカ）　136
　たこ焼き（大阪）　140
　チェバピ（ボスニア・ヘルツェゴビナ）　154
　チャート（インド）　150-151
　デリー（インド）　54-55
　ニシン（オランダ）　156
　ニューヨーク（米国）　132
　バーベキュー（米国）　134
　バンコク（タイ）　145
　ファストフード（米国）　135
　ファラフェル（イスラエル）　133
　フィッシュ＆チップス（英国）　157
　フィリーサンドイッチ（米国）　133
　フィレンツェ風トリッパ（イタリア）　120
　プチュカ（インド）　152
　フライドポテト（ベルギー）　155
　北京（中国）　144
　ベラクルス（メキシコ）　138-139
　マラケシュ（モロッコ）　158-159
　屋台村（シンガポール）　142-143
　路上の市場トップ10　62
　山形の芋煮会（山形県）　146
　ユカタン（メキシコ）　106
　ヨークシャー（英国）　312
　ヨークシャープディング　18
　ヨルダン　114

ら行

ラーメン　12
ライスターフェル（オランダ）　197
雷魚　240
ラヴェッロ（イタリア）　118
ラガッセ、エミリ　167, 222

ラジャスタン州（インド）　96, 113
ラスベガス（米国）　219, 230, 234
ラツィオ州（イタリア）　118
ラッフルズリゾート（セントビンセント・
　グレナディン諸島）　234
ラパス（ボリビア）　230
ラ・ビオルタ（スペイン）　56
ラ・マンチャ地方（スペイン）　38
ラム（カリブ海地域）　251
ラムゼイ、ゴードン　199, 222
ラモット＝ボーヴロン（フランス）　122
ラ・リオハ州（スペイン）　276
ラングル（フランス）　271
リオ・グランデ（アルゼンチン）　32
リオデジャネイロ（ブラジル）　173
リスボン（ポルトガル）　211
リテラチュルノエ・カフェ（ロシア）　252
リビア　104
猟鳥（英国）　31, 208-209
料理学校・教室
　アッラ・マドンナ・デル・ピアット
　　（イタリア）　118
　アンダルシアの料理教室
　　（スペイン）　126
　イカリア島の料理学校
　　（ギリシャ）　115
　ヴィラ・ミシェル（イタリア）　118
　ヴィラ・ジョーナ（イタリア）　118
　カーサ・ヴェッキエ（イタリア）　118
　クチーナ・コン・ヴィスタ
　　（イタリア）　118
　コルドン・ブルー（フランス）　121
　ザ・ペニンシュラ北京の料理教室
　　（中国）　107
　サンタフェ料理学校（米国）　102
　シーガーズ料理学校
　　（ニュージーランド）　111
　紫図軒茶事（中国）　107
　ジュナン・タムスナ・ホテル
　　（モロッコ）　128
　セイリング・サルディーニャ
　　（イタリア）　118
　ダイアン・シードのローマン
　　キッチン（イタリア）　118
　チェンマイ料理学校（タイ）　109
　チャールストンクックス（米国）　163
　トスカーナのカペッツァーナ
　　（イタリア）　116
　ディヴィーナ・クチーナ
　　（イタリア）　118
　フートン・クジーン（中国）　107
　フォンタナ・デル・パパ
　　（イタリア）　118
　ベトナム　110
　ペトラキッチン（ヨルダン）　114
　マンマ・アガタ（イタリア）　118
　ユカタン料理（メキシコ）　106
　ラジャスタン（インド）　113
　リック・スタインのシーフード
　　スクール（英国）　127
料理用バナナ（プラタ）　137, 139,
　169, 170
リヨン（フランス）　46, 232
リヨン駅（フランス）　164
りんご（米国）　72
ルイジアナ州（米国）　122, 167
ルートフィスク（ノルウェー）　83
ル・サン・ゲラン・ホテル
　（モーリシャス島）　214-215
ルリング（米国）　146
レイキャビク（アイスランド）　176

歴史あるレストラントップ10　208
レシピ
　アイリッシュ・ソーダブレッド
　　（アイルランド）　281
　アマンド・クリエ・オ・ゼルブ
　　（ハーブ風味のローストアーモンド）
　　（フランス）　125
　カイピリーニャ（ブラジル）　255
　牛肉のバローロ煮込み
　　（イタリア）　265
　クレオールアーモンド
　　（カリブ海）　221
　クロテッドクリーム（英国）　313
　香辛料入りパニール（インド）　113
　紅茶の正しい入れ方（中国）　293
　魚の塩釜焼き（ポルトガル）　211
　塩漬けレモン（モロッコ）　128
　シチリア風オレンジサラダ
　　（イタリア）　29
　ジャークソース（ジャマイカ）　136
　スコーン（英国）　312
　スズキのカリカリ焼き（英国）　127
　「セント・ジョン」のウェルシュ・
　　レアビット（英国）　199
　空豆料理「フール・ミダミス」
　　（エジプト）　69
　タイ風きゅうりのサラダ（タイ）　52
　とうもろこしとトマトと黒豆のサルサ
　　（米国）　102
　パ・アンブ・トマケ（スペイン）　67
　バニラシュガー（レユニオン島、
　　マダガスカル）　41
　パンプキンフリッター
　　（南アフリカ）　213
　貧乏人のクロスティーニ
　　（イタリア）　117
　ポ・オ・ショコラ（ベルギー）　306
　ポルトガル風蒸し其（英国）　127
　マンゴーラッシー（インド）　151
　野菜、ひよこ豆、フェタチーズ入りの
　　パスタグラタン（ギリシャ）　115
　ローマ風アーティチョーク
　　（イタリア）　64
レストラン
　アジャーネ（トルコ）　208
　アトリウムのブラッスリー
　　（ベルギー）　74
　アプスリー・ゴージ・ヴィンヤード・
　　カフェ（オーストラリア）　192
　アラリン回転展望レストラン
　　（スイス）　176
　イター（モルディブ）　176
　行ってびっくり！驚愕のレストラン
　　トップ10　176
　インディアナポリス国際空港
　　（米国）　164
　ヴィエジネク（ポーランド）　208
　ウィカニッシュ・イン（カナダ）　192
　ヴィトルド・ブドリクの部屋
　　（ポーランド）　208
　ウナワトゥナ（スリランカ）　192
　海の眺めがすばらしいレストラン
　　トップ10　192
　エディンバラレストラン　200
　エル・トパール・ホテルのダイニング
　　ルーム（英国）　230
　オイスター・バー（米国）　164
　オクラホマ・ジョーズ・バーベキュー
　　（米国）　163
　オルデ・ハンザ（エストニア）　208
　尾張屋（京都）　208

　カフェ・デル・マール（スペイン）　192
　菊乃井（京都）　227
　空港のレストラン　164
　グローブ＠YVR（カナダ）　164
　グロッタ・パラッツェーゼ
　　（イタリア）　176
　ケープタウンのレストラン
　　（南アフリカ）　213
　ケベックのレストラン（カナダ）　162
　コロニアル・トラムカーレストラン
　　（オーストラリア）　176
　菜園レストラントップ10　74
　ザ・ツリーハウス（インド）　176
　ザ・バース（オーストラリア）　192
　シーフードレストラン（イタリア）　61
　シェ・パニーズ（米国）　74
　シャンパンバー（英国）　164
　ジュール・ベルヌ（フランス）　230
　シルバーツリー（南アフリカ）　74
　シロッコ（タイ）　230
　スノーキャッスル（フィンランド）　176
　世界の頂点にあるレストラン
　　トップ10　230
　ゼックス（台湾）　230
　セント・ジョン（英国）　199
　タイタニックシアターレストラン
　　（オーストラリア）　176
　旅人のためのレストラン
　　トップ10　164
　タベルナ（ギリシャ）　191
　タンジェリンドリームカフェ
　　（英国）　230
　ダン・ル・ノワール（英国）　176
　チワワ太平洋鉄道（メキシコ）　164
　デ・カス（オランダ）　74
　テクスメクス料理（米国）　166
　東京駅　164
　トップ・オブ・ザ・ワールド
　　（米国）　230
　トラットリア・アッラ・マドンナ
　　（イタリア）　61
　ネペンシ（米国）　192
　バーラン（アイスランド）　176
　バトレッラ（米国）　74
　パリのネオ・ビストロ（フランス）　201
　ビーチャムシャー・ナーサリーズ
　　（英国）　74
　ビーチクラブ（カナダ）　164
　フィリップス（米国）　135
　フォルテッツァ・メディチェア
　　（イタリア）　176
　ブダペストのレストラン
　　（ハンガリー）　295
　フリック（ポーランド）　74
　ブルデジエール城（フランス）　74
　プレーンフード（英国）　164
　ペトラキッチン（ヨルダン）　114
　ベラ・ビスタ（ボリビア）　230
　ボートハウス（米国）　192
　ボティン（スペイン）　208
　マドリードのレストラン
　　（スペイン）　210
　ミラマー（フランス）　204
　ムイスボスカーム（南アフリカ）　192
　メソン・デ・カンディード
　　（スペイン）　208
　ヤール（ロシア）　208
　ユニオンオイスターハウス
　　（米国）　74
　ラ・トゥール・ダルジャン
　　（フランス）　208

　ラトリエ・ド・ジャン＝リュック・ラバネル
　　（フランス）　74
　リスボンのレストラン
　　（ポルトガル）　211
　リック・スタインのシーフード
　　レストラン（英国）　127
　リバーカフェ（英国）　199, 308
　ルールズ（英国）　208
　ル・サンポール（フランス）　236
　ル・トラン・ブルー（フランス）　164
　ル・プロコプ（フランス）　208
　ル・マノワール・オ・キャトル・セゾン
　　（英国）　241
　レイアル・クラブ・マリティム
　　（スペイン）　192
　レインボー・ルーム（米国）　230
　歴史あるレストラントップ10　208
　レストラン360（カナダ）　230
　ロイヤルドラゴン（タイ）　176
　ロングヴィルハウス
　　（アイルランド）　74
　ロンドンのレストラン（英国）　199
レチョン（フィリピン）　178
レバノン　18
レユニオン島　41
ローストビーフとヨークシャー
　プディング（英国）　18
ローズルーム（米国）　252
ローマ（イタリア）　64, 118, 290, 301
ロカマドゥール（フランス）　146
ロサンゼルス（米国）　135, 234
ロシア　46-47, 90, 208, 228, 234,
　252
路上の名料理人（米国）　132
ロックフォール（フランス）　36
ロブション、ジョエル　219, 222-223
ロブスター（カナダ）　10
ロワール川流域（フランス）　272
ロワール渓谷（フランス）　36, 74
ロンドン（英国）　12, 46, 56, 62, 68,
　122, 160-161, 164, 176, 186,
　198-199, 208-209, 234, 252, 282

わ行

ワールド・オブ・コカ・コーラ
　（米国）　12
ワイパラ渓谷（ニュージーランド）　111
ワイルドリーク（米国）　76
ワイン
　アルゼンチン　256
　イタリア　96
　オーストリア　260
　カリフォルニア州（米国）　96
　グルジア　86
　修道院のワイナリー　262
　スペイン　275
　デザートワイン　117, 262-263
　ニュージーランド　111
　フランスのワインめぐり
　　トップ10　272
　ポルトガル　277
　南アフリカ　285
　ワシントン州（米国）　248
ワインディング・ステア・ブックショップ
　＆カフェ（アイルランド）　252
わさび　21
ワシントン州（米国）　248
ワッフルベーカリー
　（デンマーク）　302
ワルシャワ（ポーランド）　74

執筆者と写真のクレジット

執筆者

Jane Adams
Aaron Arizpe
Jaqueline Attwood-Dupont
Matt Barrett
Derek Barton
Katie Cancila
Marolyn Charpentier
Karen Coates
Cathy Danh
Silvija Davidson
Robyn Eckhardt
Alice Feiring
Kay Fernandez
Jacob Field
Ellen Galford
Julie Glenn
Darra Goldstein
Diana Greenwald
Peter Grogan
Ed Habershon
Lisa Halvorsen
Solange Hando
Andy Hayler
Petra Hildebrandt
Paula Hinkel
Jeanne Horak
Sarah Howard
Karen Hursh Graber
Ben Jacobson
Laura Kearney
Andrew Kerr-Jarrett
Diane Kochilas
Diana Kuan
Craig Laban
Tom Le Bas
Ben Ling
Miren Lopategui
Meryanne Loum-Martin
Henrietta Lovell
Margaret McPhee
Glen Martin
Antony Mason
Karryn Miller
Peter Neville-Hadley
Barbara A. Noe
Rose O'Dell King
Katie Parla
John Ralph
Tyler Ralston
Ira de Reuver
Sathya Saran
George Semler
Niamh Shields
Joyce Slayton Mitchell
Barbara Somogyiova
David St Vincent
Barry Stone
Linda Tagliaferro
Adrian Tierney-Jones
Liz Upton
Natalie van der Meer
Johanna-Maria Wagner
Roger Williams
Daven Wu
Joe Yogerst

レシピ作者

Nick Armitage at The Picture House Restaurant, Bristol, England
Jaqueline Bellefontaine
Katherine Greenwald
Fergus Henderson at St. John Restaurant, London, U.K.
Guido Santi, Convivio Rome, Italy

Toucan Books would like to thank:
Barry & Birgit Blitz
Karin Jones, Hungarian National Tourist Office, London
Doris Lamoso, Puerto Rican Tourism Company, San Juan
Bernard Magrez, Château Pape Clément, Bordeaux
Arne Muncke
Cenk Sonmezsoy
Bethan Wallace, Clementine Communications, London

写真のクレジット

T＝上：B＝下

1 左から右に：Bruno Morandi/Hemis/Corbis; Hong Kong Tourism Board; Peter Beck/CORBIS; Rawdon Wyatt/Fresh Food Images/Photolibrary; Emilio Suetone/Hemis/Photolibrary; Bob Krist. **2-3** Harald Sund/Getty Images. **4** © Österreich Werbung/Bartl/Austrian National Tourist Office. **5** Tessa Traeger (1); SIME/ Reinhard Schmid /4Corners Images (2); SGM/www.photolibrary.com (3); Caillaut/Photocuisine/www.photolibray.com (4); iCEO/Shutterstock (5); Atlandtide SN.C./age footstock/www.photolibrary.com (6); One&Only Resorts (7); Cuido Cozzi/Atlantide Phototravel/Corbis (8); SIME/Matteo Carassale/4Corners Images (9). **6** Hotel Cipriani, Venice by Orient-Express. **8-9** Tessa Traeger. **10** V.J. Matthew/Shutterstock, T; Ronald Sumners/Shutterstock, B. **11** Brittany Courville/Shutterstock. **13** LOOK Die Bildagentur der Fotografen GmbH/Alamy. **14** Tim Laman/National Geographic/www.photolibrary.com. **15** Traverse City Convention & Visitors Bureau. **16** Catherine Karnow/National Geographic/Getty Images. **17** Thomas Sztanek/Shutterstock, T; Luca Trovato/Foodpix/www.photolibrary.com, B. **19** Fran Gealer/Foodpix/www.photolibrary.com. **20** Peter Gordon/Shutterstock. **21** ©Japan National Tourist Organization. **22** John Noonan, Rare Tea Company. **23** Andy Stewart/Fresh Food Images/www.photolibrary.com. **24** Martin Brigdale/Fresh Food Images/www.photolibrary.com. **25** Iuri/Shutterstock. **26** Stefano Scata/Tips Italia/www.photolibrary.com. **27** Ben Ling, T; newsphotoservice//Shutterstock, B. **28** Roberto Marinello/Shutterstock, **29** ollirg/Shutterstock. **30** David Peevers/Lonely Planet Images. **31** Boath House Hotel. **33** Karl Weatherly/Corbis. **34** SGM / www.photolibrary.com. **35** Ian Shaw/Cephas Picture Library/www.photolibrary.com, T; Pack-Shot/Shutterstock, B. **37** Charles Bowman/Robert Harding Travel/www.photolibrary.com. **38** Turespaña. **39** Philip Lange/Shutterstock. **40** Frederic Courbet/Gallo Images/Getty Images. **41** Olivier Cirendini/Lonely Planet Images. **42-43** SIME/ Reinhard Schmid /4Corners Images. **44** Juan Lopez/©Zabar's & Co, Inc. **45** T.W./Shutterstock, T; Michael Halberstadt, B. **47** Corbis/Franz-Marc Frei. **48** Stephen Saks/Lonely Planet Images. **49** World Pictures/Photoshot, T; Harris Shiffman/Shutterstock, B. **50** Suzanne Wheatley. **51** David Hagerman. **52** Amy Nichole Harris/Shutterstock, T; Juriah Mosin/Shutterstock, B. **53** Teh Eng Koon/AP/Press Association Images. **54** Richard I'Anson/Lonely Planet Images. **55** Martin Roemers/Panos. **57** Jeff Speed/First Light/Getty Images. **58** James Braund/Lonely Planet Images. **59** Alistair Laming/Alamy. **60** Tobik/Shutterstock, T; Japan Travel Bureau Photo/www.photolibrary.com, B. **61** SIME/ Guido Baviera /4Corners Images. **63** Eye Ubiquitous/Robert Harding. **64** Jonathan Smith/Lonely Planet Images. **65** Tibor Bognar/Corbis. **66-67** Ian Armitage. **68** Fortnum and Mason. **69** Andrew McConnell/Robert Harding. **70-71** SGM/www.photolibrary.com. **72** Larry St.Pierre/Shutterstock. **73** Les David Manevitz/ SuperStock. **75** David Loftus. **76** Photo by Timothy Young, Courtesy Food For Thought, Inc. **77** A.Paterson/Shutterstock, T; Paul A.Souders/Corbis, B. **78-79** Peter Charlesworth/OnAsia. **80** ChinaFoto Press/Photocome/Press Association Images. **81** Paul Beinssen/Lonely Planet Images. **82** Franco Figari/Finnish Tourist Board. **83** Gerhard Zwerger-Schoner/imagebroker.net/www.photolibrary.com. **85** Philippe Giraud/Goodlook/Corbis. **86** Hans Rossel. **87** Andrew Cowin/German National Tourist Office. **88** CuboImages/Robert Harding. **89** Gianluca Figliola Fantini/Shutterstock. **91** Christine Osborne/Photos12.com. **92** SIME/Giovanni Simeone/4Corners Images. **93** Alamy/Nicholas Pitt, T; Monkey Business Images Ltd/Stockbroker/www.photolibrary.com, B. **94** Philippe Renault/Hemis/www.photolibrary.com. **95** Owen Franken/Stone/Getty Images. **97** Courtesy of Butterfield & Robinson © Rob Howard. **98** Sami Sarkis/Photodisc/www.photolibrary.com. **99** godrick/Shutterstock. **100-101** Caillaut/Photocuisine/www.photolibray.com. **102** Melissa Brandes/Shutterstock, T; Eric Swanson, B. **103** Hemis.fr/SuperStock, T; rgbspace/Shutterstock, B. **105** Caroline Penn/Panos. **106** Gorm Shakelford/Arcangel Images/www.photolibrary.com, T; Adalberto Rios Lanz/age footstock/www.photolibrary.com, B. **107** Mark Ralston/AFP/Getty. **108** ml-foto/F1 Online/www.photolibrary.com **109** Aaron Arizpe, BL; Four Seasons Hotel, Bangkok, BR. **110** Jean Cazals/Stock Food UK, T; Robert Francis/Robert Harding Travel/www.photolibrary.com, B. **111** Jae Frew. **112-113** Anders Blomqvist/Lonely Planet Images. **114** Ritterbach/F1 Online/www.photolibrary.com. **115** Benjamin F Fink Jr./Foodpix/www.photolibrary.com, T; Greek National Tourism Organization, B. **116** Tenuta di Capezzana. **117** javarman/Shutterstock. **119** Sébastien Boisse/Photononstop/www.photolibrary.com. **120** Barbara Somogyiova, T; Lonely Planet Images/Martin Moos, B. **121** Copyright Le Cordon Bleu International. **123** Neil Phillips/Cephas Picture Library/www.photolibrary.com. **124** Charlotte Hindle/Lonely Planet Images. **125** Vishal Shah/Shutterstock. **126** aniad/Shutterstock, T; JD.Dallet/age footstock/www.photolibrary.com B. **127** Padstow Seafood School. **128** Jean-Pierre Lescourret/Corbis. **129** Hoberman Collection UK/Alamy. **130-131** iCEO/Shutterstock. **132** Bruce Yuan-Yue Bi/ Pictures Colour Library, T; Andrew McDonough/Shutterstock, B. **133** Craig La Ban. **134** Kansas City Convention and Visitors Association. **135** Gunnar Kullenberg/www.photolibrary.com. **136** Debra Cohn-Orbach/Index Stock Imagery/www.photolibrary.com. **137** Gustavo Andrade/Stock Food UK. **138** age footstock/SuperStock. **139** Alan Campbell/Stock Food UK. **140** Jean Chung/OnAsia. **141** dbimages/Alamy. **142** Avril O'Reilly/Alamy. **143** Felix Hug/Lonely Planet. **144** Lou-Foto/Alamy. **145** Tourism Authority of Thailand, T; Ray Laskowitz/Tips Italia/www.photolibrary.com, B. **147** Toru Yamanaka/AFP/Getty Images. **148** Christine Osborne Pictures/Alamy. **149** iCEO/Shutterstock. **150** Julio Etchart/Alamy. **151** Orien Harvey/Lonely Planet Images. **152** Karl Kummels/Superstock/www.photolibrary.com. **153** Annie Griffiths Belt/Corbis, T; State of Israel Ministry of Tourism, B. **154** Ivan Zupic/Alamy. **155** Chris Howes/Wild Places Photography/Alamy. **156** Peter Horree/Alamy. **157** Jackson Vereen/Foodpix/www.photolibrary.com. **158** Bob Krist/Corbis. **159** Isabelle Rozenbaum/Stock Food UK. **160-161** Atlandtide SN.C./age footstock/www.photolibrary.com. **162** Stephen L Saks/Pictures Colour Library. **163** Middleton Place. **165** Jan Kranendonk/Shutterstock. **166** Rosario's Café & Cantina. **167** Philip Gould/Corbis. T; netbritish/Shutterstock, B. **168** Nigel Francis/Robert Harding Travel/www.photolibrary.com. **169** OLA at Sanctuary Hotel, Miami. **170** Richard I'Anson/Lonely Planet Images. **171** Mexico Tourism Board/www.visitmexico.com, T; Danny Lehman/Corbis, B. **172** SIME/Bruno Cossa/4Corners Images. **173** Nico Tondini/Robert Harding Travel/www.photolibrary.com. **174** Krzysztof Dydynski/Lonely Planet Images. **175** Greg Elms/Lonely Planet Images. **177** Conrad Maldives Rangali Island. **178** Jes Aznar/AFP/Getty Images. **179** Regien Paassen/Shutterstock. **180** Gerhard Jörén/OnAsia. **181** Natalie Behring/OnAsia, T; Hong Kong Tourism Board, B. **182** Best View Stock/www.photolibrary.com. **183** Japan Travel Bureau/www.photolibrary.com. **184** Peter Charlesworth/OnAsia. **185** Pier Restaurant, Sydney. **187** Jean Du Boisberranger/www.photolibrary.com. **188** Andrea Pistolesi/Getty Images. **189** Rosemary Behan/Alamy. **190** Aroon Thaewchatturat/OnAsia. **191** Michael Palis/Shutterstock. **193** Ann Cecil/Lonely Planet Images. **194** CuboImages/Robert Harding, T; Aaron Arizpe, B. **195** Atlantide SN.C./age footstock/www.photolibrary.com. **196** CJPhoto/Shutterstock. **197** Claude Vanheye. **198** The Square, London. **199** Horia Bogdan/Shutterstock. **200** The Tower Restaurant, Edinburgh. **201** Gregory Wrona/Pictures Colour Library. **202** Ivars Linards Zolnerovics/Shutterstock. **203** Bernhard Winkelmann/StockFood UK. **204** Corbis/Morton Beebe. **205** Javier Larrea/age footstock/www.photolibrary.com. **206** John Sims/Fresh Food Images/www.photolibrary.com. **207** Michael Jenner/Robert Harding, T; Turespaña, B. **209** Eric Nathan/Pictures Colour Library. **210** Jon Arnold Images/www.photolibrary.com. **211** javarman/Shutterstock. **212** SIME/Reinhard Schmid/4Corners Images. **213** Blues Restaurant and Bar, Cape Town. **214-215** One&Only Resorts **216** Emin Kuliyev/Shutterstock. **217** Photography by Lara Kastner, Courtesy of Alineabook.com. **218** Wynn Las Vegas. **219** Courtesy of MGM MIRAGE. **220** Taj Hotels Resorts and Palaces/Campton Place San Francisco, T; Photograph by Kodiak Greenwood, B. **221** Hotel Carl Gustaf. **223** www.joel-robuchon.com. **224** sunxuejun/Shutterstock. **225** ©Japan National Tourism Organization, T; John Lander/OnAsia, B. **226** Japan Travel Bureau/www.photolibrary.com. **227** ©Japan National Tourism Organization. **228** Robert Wallis/Panos. **229** Hotel Walserhof Klosters, T; Tim Graham Photo Library/Getty Images, B. **231** Lebua Hotels and Resorts. **232** SGM/www.photolibrary.com. **233** Restaurant le Meurice. **235** Ritz Paris. **236** Doug Pearson/Jon Arnold Travel/www.photolibrary.com. **237** Brian Lawrence/Imagestate/www.photolibrary.com. **238** avatra images/Alamy. **239** Hotel Cipriani, Venice by Orient-Express. **240** Jane Mingay/AP/PA Photos. **241** Le Manoir aux Quat'Saisons. **242** Francescu Guillmet/El Bulli. **243** Constance Le Prince Maurice. **244** Cuido Cozzi/Atlantide Phototravel/Corbis. **246** Heaven Hill Distilleries, Inc. **247** Ron Kacmarcik/Shutterstock. **248** Gary Holscher/Getty Images. **249** Widmer Brothers Brewing. **250** Scorpion Mezcal. **251** Yadid Levy/Robert Harding. **253** Bill Wassman/Lonely Planet Images. **254** Andrew Watson/John Warburton-Lee Photography/www.photolibrary.com. **255** Jeff Dunn/Index Stock Imagery/www.photolibrary.com. **256** Andy Christodolo/Cephas Picture Library/www.photolibrary.com, T; Eduardo Longoni/Corbis; B. **257** ©Japan National Tourist Organization/Hokkaido Tourism Association. **258** John Lander/OnAsia. **259** Everett Kennedy Brown/epa/Corbis. **260** South Australia Wine Industry Association Inc. **261** Khirman Vladimir/Shutterstock. **263** Juergen Richter/LOOK-foto/www.photolibrary.com. **264** Norbert Eisele-Hein/imagebroker.net/www.photolibrary.com. **265** Mick Rock/Cephas Picture Library/www.photolibrary.com. **266** Eye Ubiquitous/Photoshot. **267** Holger Leue/Lonely Planet Images. **268** Ian Armitage. **269** photography Zomertijd. **270** Travel Library/Robert Harding. **271** Yvon Monet/Collection CIVC. **273** Ian Shaw/Cephas Picture Library/www.photolibrary.com. **274** Getty Images/Tim Graham Photo Library. **275** Kordcom/age footstock/www.photolibrary.com, T; Natasha Kahn, B. **276** Neil Phillips/Cephas Picture Library/www.photolibrary.com. **277** Fabrizio Bensch/Reuters/Corbis. **278** Tiago Jorge da Silva Estima/Shutterstock. **279** Copyright by Real Companhia Velha. **280** Nigel Blythe/Cephas Picture Library/www.photolibrary.com, T; Igor Terekhov/Shutterstock, B. **281** Richard Cummins/Lonely Planet Images. **283** geogphotos/Alamy. **284** K. Raundrup/T.Kanstrup. **285** Cabrière. **286** SIME/Matteo Carassale/4Corners Images. **288** Mary Altaffer/AP/PA Photos. **289** Sylvain Grandadam/Robert Harding Travel/www.photolibrary.com. **291** Martin Child/Robert Harding. **292** Danita Delimont/Alamy, T; Richard T.Nowitz/Corbis, B. **293** Tim Graham/Getty Images. **294** Hemis.fr/SuperStock. **295** Jean-Luc Bohin/age footstock/www.photolibrary.com, T; Holger Leue/Lonely Planet Images, B. **296** cenap refik ongan/Shutterstock. **297** Steve Outram/Alamy. **298** Christer Fredriksson/Lonely Planet Images, T; Conditori La Glace, B. **299** Barry Blitz. **300** Stephen Saks/Lonely Planet Images. **301** SIME Giovanni Simeone/4Corners Images. **303** Robert Harding Travel/www.photolibrary.com. **304** SIME/Alessandro Saffo/4Corners Images. **305** Paul Harris/John Warburton-Lee Photography/www.photolibrary.com. **306** Regien Paassen/Shutterstock. **307** SIME/Günter Gräfenhain/4Corners Images. **309** Adalberto Rios/age footstock/www.photolibrary.com. **310** Giancarlo Gorassini/ABACA/Press Association Images, T; Joel Saget/AFP/Getty Images, B. **311** J-Charles Gérard/Photononstop/www.photolibrary.com. **312** Harrogate International Centre. **313** Anthony Blake/Fresh Food Images/www.photolibrary.com, T; Stephen Bond/Alamy, B.

カバー表
背景の写真：Peter Walton/Index Stock Imagery/Photolibrary.
下段の写真（左から右に）：Bruno Morandi/Hemis/Corbis; Hong Kong Tourism Board; Peter Beck/CORBIS; Rawdon Wyatt/Fresh Food Images/Photolibrary; Emilio Suetone/Hemis/Photolibrary; Bob Krist.

カバー裏
背景の写真：Peter Walton/Index Stock Imagery/Photolibrary.
下段の写真（左から右に）：Aaron Arizpe; Richard T. Nowitz/CORBIS; Floris Sloof/Shutterstock; Catherine Karnow/CORBIS; Gil Giuglio/Hemis/CORBIS; John Warburton-Lee/Photolibrary.

カバー背：Nik Wheeler/CORBIS.

Food Journeys of a Lifetime

Published by the National Geographic Society
John M. Fahey, Jr., President and Chief Executive Officer
Gilbert M. Grosvenor, Chairman of the Board
Tim T. Kelly, President, Global Media Group
John Q. Griffin, Executive Vice President;
　President, Publishing
Nina D. Hoffman, Executive Vice President;
　President, Book Publishing Group

Prepared by the Book Division
Barbara Brownell Grogan, Vice President and Editor in
　Chief
Marianne R. Koszorus, Director of Design
Barbara A. Noe, Senior Editor
Carl Mehler, Director of Maps
Lawrence M. Porges, Project Editor
Carol Farrar Norton, Design Consultant
Bridget A. English, Mary Stephanos, Contributors
R. Gary Colbert, Production Director
Jennifer A. Thornton, Managing Editor
Meredith C. Wilcox, Administrative Director, Illustrations

Manufacturing and Quality Management
Christopher A. Liedel, Chief Financial Officer
Phillip L. Schlosser, Vice President
Chris Brown, Technical Director
Nicole Elliott, Manager
Rachel Faulise, Manager

Created by Toucan Books Ltd.
Ellen Dupont, Editorial Director
Helen Douglas-Cooper, Senior Editor
Jo Bourne, Jane Chapman, Andrew Kerr-Jarrett, Anna
　Southgate, Editors
Abigail Keen, Editorial Assistant
Leah Germann, Designer
Christine Vincent, Picture Manager
Sharon Southren, Mia Stewart-Wilson, Picture Researchers
Marion Dent, Proofreader
Michael Dent, Indexer

Copyright © 2009 Toucan Books Ltd. All rights reserved.
Copyright Japanese edition © 2011 Toucan Books Ltd.
All rights reserved.
Reproduction of the whole or any part of the contents
without written permission from the publisher is prohibited.

ナショナル ジオグラフィック協会は、米国ワシントンD.C.に本部を置く、世界有数の非営利の科学・教育団体です。
1888年に「地理知識の普及と振興」をめざして設立されて以来、9000件以上の研究調査・探検プロジェクトを支援し、「地球」の姿を世界の人々に紹介しています。
ナショナル ジオグラフィック協会は、世界の30言語で発行される月刊誌「ナショナル ジオグラフィック」のほか、雑誌や書籍、テレビ番組、インターネット、地図、さらにさまざまな教育・研究調査・探検プロジェクトを通じて、世界の人々の相互理解や地球環境の保全に取り組んでいます。日本では、日経ナショナル ジオグラフィック社を設立し、1995年4月に創刊した「ナショナル ジオグラフィック日本版」をはじめ、DVD、書籍などを発行しています。

ナショナル ジオグラフィック日本版のホームページ
nationalgeographic.jp
画像や映像など多彩なコンテンツによって、「地球の今」を皆様にお届けしています。

いつかは行きたい　一生に一度だけの旅
世界の食を愉しむ BEST 500
［コンパクト版］

2011年 6月13日　第1版1刷
　　　10月 1日　　　 2刷

著者　　　キース・ベローズほか
訳者　　　関 利枝子　花田 知恵　町田 敦夫
編集　　　石井 ひろみ　桑原 啓治
編集協力　大石 浩祐　遠山 敏之（日経BPコンサルティング）
制作　　　日経BPコンサルティング

発行者　　伊藤 達生
発行　　　日経ナショナル ジオグラフィック社
　　　　　〒108-8646　東京都港区白金1-17-3
発売　　　日経BPマーケティング
印刷・製本　日経印刷

ISBN978-4-86313-140-8
Printed in Japan

© 2011 日経ナショナル ジオグラフィック社
本書の無断複写・複製（コピー等）は著作権法上の例外を除き、禁じられています。購入者以外の第三者による電子データ化及び電子書籍化は、私的使用を含め一切認められておりません。

本書の編集にあたっては最新の正確な情報の掲載に努めておりますが、変更になっていることがありますので、旅行前にご確認ください。また、一部にはテロや紛争などの危険性が高い地域も含まれます。外務省の渡航関連情報などを参考に、計画を立てることをお勧めします。

本書は2009年に発行した大判書籍「一生に一度だけの旅 世界の食を愉しむ BEST 500」を再編集したものです。